Jadwiga Czajkowska

Macocha

Prószyński i S-ka

Projekt okładki
studio-kreacji.pl

Zdjęcie na okładce
© Fot. Cultura/Luc Beziat, Getty Images

Redaktor prowadzący
Konrad Nowacki

Redakcja
Ewa Charitonow

Korekta
Anna Sidorek

Łamanie
Ewa Wójcik

ISBN 978-83-7839-453-2

Warszawa 2013

Wydawca
Prószyński Media Sp. z o.o.
02–697 Warszawa, ul. Rzymowskiego 28
www.proszynski.pl

Druk i oprawa
MORAVIA BOOKS
www.cpi-moravia.com

Spotykacie je prawie codziennie, o różnych porach i pod każdą szerokością geograficzną. W osiedlowym sklepie kupują bladym świtem czekoladowe płatki śniadaniowe. Na wywiadówce szkolnej z wypiekami na twarzy wysłuchują relacji o ostatnich wybrykach „klasowego sreberka", za którego wychowanie czują się odpowiedzialne. W poczekalni u dentysty spocone z emocji pocieszają drącego się wniebogłosy malucha. Na wyprzedażach w markecie polują na promocyjne opakowania dziecięcych skarpetek. Na basenie nie wierzą ratownikowi i dla pewności same czuwają nad każdym ruchem potomka. W aptece proszą o najskuteczniejszy środek na zbicie gorączki u dziecka poniżej lat dwunastu... Jednak nie dajcie się zwieść! Tylko z pozoru wyglądają i zachowują się jak matki, a wcale nimi nie są. To zakamuflowane macochy! Brr! Gdy taką zdemaskujecie, od razu spojrzycie na nią inaczej. Będzie na cenzurowanym, bo przecież zgodnie z bajkowymi regułami, którymi nas karmiono w dzieciństwie, jej życiowym celem jest gnębienie przybranych dzieci.

W baśniowej fikcji panuje porządek i wiadomo, kto jest dobry, a kto zły. Jak świat światem wszystkie przedstawione w nim macochy są podłe, próżne, podstępne, fałszywe i tylko marzą o unicestwieniu pasierbów. Rodzona matka to samo dobro, ale macocha... Ucieleśnienie wszelkich negatywnych cech i chodząca niegodziwość!

Poznajcie historię Izy, która w swoich dziewczęcych fantazjach nie widywała siebie w roli macochy (czy marzy o tym jakakolwiek kobieta?). Jednak Amor jest marnym strzelcem – wypuszcza strzały na oślep i nigdy nie wiadomo, kogo trafi tym razem. Potem już tylko wystarczy powiedzieć sakramentalne „tak" i świat staje na głowie.

Sama jestem macochą i historię Izy napisałam z potrzeby serca. Nie dopatrujcie się w niej jednak szczegółów z mojego życia, ponieważ absolutnie wszystkie postaci i wydarzenia są wytworem mojej wybujałej wyobraźni.

Usiadłam na krawędzi łóżka i spojrzałam na zegarek. Przymknęłam oczy i policzyłam w pamięci. Od sakramentalnego „tak" minęło czternaście godzin i siedem minut. Miałam ochotę westchnąć z ulgą, ale nie byłam w stanie – suknia opinała moje ciało jak pancerz. Oddychałam płytko, pozostawiwszy sobie luksus swobodnego zaczerpnięcia powietrza na później. Kreację wybrałam w wypożyczalni na dwa dni przed ceremonią. Od razu wpadła mi w oko. Jednoczęściowa, w stylu hiszpańskim, lekka i zwiewna; najbardziej spodobały mi się tiulowe falbany, uformowane w kaskadę opadającą od połowy ud do samej ziemi. Piękna, ale z mankamentem, bo nie na moją miarę. Presja czasu i przeświadczenie o najtrafniejszym pierwszym wyborze sprawiły jednak, że po krótkiej chwili zadowolona opuściłam wypożyczalnię z odfajkowaną w terminarzu kolejną sprawą do załatwienia. W salonie zaproponowano mi wykonanie poprawek krawieckich i dopasowanie sukni do sylwetki, pod warunkiem że chodzi o zwężenie. Odwrotnej możliwości nie było.

Obsługująca mnie starsza pani zniżyła głos, pogładziła pocieszająco po ręce i stwierdziła, że wprawdzie suknia nie jest na moją sylwetkę, ale z pewnością uzupełnia mój charakter i temperament. Oczywiście hiszpański, zaznaczyła. Na odchodnym dodała, że nie pamięta, by kiedykolwiek klientka tak szybko podjęła decyzję. Z wyrozumiałym uśmiechem mówiła o dziewczynach przychodzących z mamami, przyjaciółkami, siostrami, sąsiadkami i całymi tabunami doradców podobnego pokroju, ale nigdy w pojedynkę. Szperały, marudziły, zwlekały, zmieniały zdanie, wypijały hektolitry darmowej kawy, przymierzały, zdejmowały, odkładały i przekładały. Oceniła mnie jako „szalenie optymistyczny przypadek i wulkan energii w jednej osobie". I poradziła jeszcze, konspiracyjnym szeptem, abym w przypadku kolejnej potrzeby (a różnie w życiu bywa) zarezerwowała sobie więcej czasu. Ona mnie zapamięta i być może znajdziemy coś, co bardziej zamaskuje krągłości i optycznie wysmukli sylwetkę. Nawet do rozmiaru trzydzieści osiem. A poza tym intuicja jej podpowiada, że nie kieruję się zasadą: „Warto wcześniej pomyśleć, a dopiero potem zrobić", raczej odwrotnie... Nie, nie próbowała być złośliwa. Jej słowa brzmiały jak wskazówki dobrotliwej cioci.

Na przyjęciu weselnym nie tknęłam niemal niczego, żeby nie narazić się na ryzyko pęknięcia szwów w najbardziej niespodziewanym momencie, i teraz kiszki grały mi marsza, więc byłam szczęśliwa, że już po wszystkim. Usadowiłam się na tyle wygodnie, na ile pozwalały mi bardzo ograniczone możliwości, i wzięłam do ręki ślubny bukiet. Dopiero teraz miałam chwilę, żeby mu się uważnie przyjrzeć. Misternie ułożona kulista kompozycja w bladoróżowych odcieniach lekko już przywiędła, lecz wciąż jeszcze była pełna uroku. Sięgnęłam po komórkę i zrobiłam kilka pamiątkowych zdjęć, a potem wpadłam w niszczycielski zapał. Jeden po drugim obrywałam płatki róż, gerbery, storczyków i jakichś nieznanych mi roślin, i rozrzucałam je na wszystkie strony. Na krótko wznosiły się w górę, ale siła ciążenia ściągała je na łóżko, komodę, podłogę oraz kilka kartonów z nierozpakowanymi jeszcze rzeczami z przeprowadzki. No właśnie, storczyki, pomyślałam. Ktoś kiedyś mówił, że w wiązance ślubnej przynoszą pecha. I zwiastują nieprzychylność losu. Ale były jeszcze róże! Symbol wielkiej miłości i pożądania. Policzyłam. Trzy storczyki i osiem róż.

Kurczowo trzymać się tej myśli! Może nie będzie tak źle? Róż jest zdecydowanie więcej, więc statystycznie wzrasta prawdopodobieństwo wersji optymistycznej. Nie znałam symboliki pozostałych kwiatów i liści, i nie zamierzałam zawracać sobie nią głowy. Zresztą lubię wyzwania, niespodzianki i wielkie niewiadome. Nadają życiu smak, jak sól zupie.

Nagle drzwi sypialni otworzyły się z impetem i stanął w nich Piotr. Wreszcie bez marynarki, ale jeszcze w spodniach i białej koszuli z podwiniętymi rękawami, rozpiętym kołnierzykiem i poluzowanym krawatem. W jednej ręce trzymał butelkę szampana, a w drugiej dwa smukłe, przezroczyste kieliszki. Na widok tego, co robię, na chwilę zamarł, ale zaraz spokojnie wszystko odstawił, przykucnął obok i przyglądał się zaciekawiony.

– Misia, odbija ci? – zapytał z troską, jak krewny odwiedzający pacjenta w szpitalu psychiatrycznym.

– Pomóż mi! – śmiałam się, wyrywając przyklejone do bazy bukietu cekiny i perełki. – Przynajmniej z tym żelastwem!

– A to ma jakiś sens? – dociekał, szarpiąc druty.

– Chcę, żeby było pięknie i romantycznie. To po pierwsze. Po drugie nie będę suszyła bukietu, bo to podobno może zniszczyć naszą miłość. W zasadzie powinnam go spalić, ale nie mam pomysłu gdzie. W każdym razie trzeba go unicestwić raz na zawsze!

– Co za bzdury! – stwierdził z udawaną dezaprobatą w głosie i postukał znacząco w moje czoło. – Nie spodziewałem się po tobie przesądów. Kto jak kto, ale ja powinienem o nich wiedzieć. Poza tym, jak świat światem zasada jest jedna: prawdziwej miłości nie można zniszczyć. Nie ma takiej opcji. – Zadowolony zmiażdżył w dłoniach ostatnie druciki, uformował je w kłębek i rzucił obok łóżka. – A teraz możemy zająć się wyłącznie sobą. – Z czułością odgarnął mi kosmyki z czoła. – Włączymy sobie grecką muzykę? Takie sentymentalne skojarzenia?

Poznaliśmy się w Grecji. Z zawodu jestem chemikiem i pracuję w Beauty of Nature, firmie produkującej kosmetyki na bazie naturalnych składników, więc wysłano mnie do Aten, do doktora Kazandzakisa – guru bezpiecznego, a zarazem spektakularnego upiększania, prowadzącego badania na jednym z greckich uniwersytetów – na konsultacje receptury nowego kremu. Miał mi pomóc wyważyć proporcje pomiędzy organicznymi a chemicznymi komponentami, zapachami i barwnikami nowatorskiego specyfiku, którym nasza firma zamierzała podbić rynek. Wydelegowano mnie na tydzień, jednak doktora tak absorbowały przygotowania do międzynarodowej konferencji, że nie poświęcił mi zbyt dużo czasu.

Zaledwie dzień. Przez kilka godzin dyskutowaliśmy w jego klimatyzowanym gabinecie, popijając gazowaną lemoniadę, a ja doskonale zdawałam sobie sprawę, że Kazandzakis jest rozkojarzony. Co chwila odbierał telefon, wydawał dyspozycje, wyciągał jakieś dokumenty z kompletnego rozgardiaszu na biurku, podpisywał pisma podsuwane mu przez sekretarkę, nie przestając się do mnie uśmiechać i demonstrować szpary pomiędzy górnymi jedynkami. Do dziś mnie zastanawia, czy jego krótka końcowa ocena receptury, ograniczona do *perfectly and excellently*, to skutek chęci pozbycia się mnie i zainkasowania niebotycznego honorarium czy pochwała kilkumiesięcznej pracy naszego zespołu.

Tak czy inaczej, opinia dodała nam skrzydeł. Zaczęliśmy wierzyć w możliwość sięgania do gwiazd, a skrajni optymiści przewidywali nawet progresję sprzedaży szybszą niż w branżowych koncernach. Nie, do tego stopnia nie byłam naiwna. Wiedziałam, że nie jesteśmy gorsi, ale mniejsi i mamy mniej kasy. Przemysł kosmetyczny to po prostu gigantyczny biznes. Renomowane firmy z reklam telewizyjnych i billboardów przeznaczają potężne fundusze na mamienie klientek sloganami typu: „Ten żel stworzyliśmy w trosce o ciebie", by te uwierzyły, że jest wyjątkowy. A tak naprawdę kosmetyki różnią się wyłącznie ceną…

W każdym razie te siedem dni w Grecji zmieniło nie tylko moją firmę, ale i moje życie.

Doktor Kazandzakis, podając mi przy pożegnaniu porośniętą grubymi, czarnymi i poskręcanymi włosami dłoń, powiedział, że poznał wczoraj jakiegoś Polaka. Nazwiska nie zapamiętał, a nawet gdyby, nie byłby w stanie go powtórzyć. Podobno to etnograf, który przyjechał na uniwersytet, aby wygłosić cykl wykładów o Republice Południowej Afryki. Czy znam kogoś takiego? Oczywiście nie znałam i szczerze mówiąc, nie miałam zielonego pojęcia o jego dziedzinie, zainteresowana wszystkim, co ścisłe, wymierne i techniczne. Nauki humanistyczne były według mnie pseudonaukami, a wywody specjalistów – jałowym ględzeniem przyprawiającym o mdłości. Traktowałam je gorzej, bez serca, jak nocną zmorę, czyli... po macoszemu. Później zmieniłam poglądy, a określenie „po macoszemu" z wielkim hukiem na zawsze odprawiłam ze swego słownictwa. Doktor odprowadził mnie do drzwi i na widok przechodzącego akurat mężczyzny aż się roześmiał. Zagrodził mu drogę.

– Co za zbieg okoliczności! Właśnie o panu mówimy! – wykrzyknął, aż po długim, wysokim i pustym korytarzu poniosło się echo.

Podobno sens życia polega na odnalezieniu drugiej połowy własnej duszy, która ukryta jest w ciele innego człowieka. Jesteśmy spełnieni i kompletni, jeśli uda nam się ją zlokalizować i z nią połączyć. Jeżeli jednak nie potrafimy zaufać intuicji... Cóż – zostaniemy pokonani i zmarnujemy jedyną w życiu szansę.

Wystarczyło, że spojrzałam na Piotra, a w ułamku sekundy wiedziałam, iż dotychczasowe miłostki, romanse i wszelkie inne warianty znajomości z płcią przeciwną przestają mieć znaczenie. Teczka z recepturą, obliczeniami, wynikami badań i notatkami wyślizgnęła mi się z obezwładnionych nieznanym uczuciem rąk, a zawartość rozsypała się po marmurowej posadzce greckiego uniwersytetu. Stałam jak zahipnotyzowana, wpatrując się w ciemnobrązowe oczy, z policzkami płonącymi jak u zakochanej po raz pierwszy gimnazjalistki. Wystawiliśmy swoje spojrzenia na próbę czasu. Nie spuszczaliśmy z siebie wzroku przez wieczność. W końcu, speszona, przykucnęłam i zaczęłam zbierać papiery. On rzucił się na pomoc. Nasze dłonie się zetknęły, wzdłuż mojego kręgosłupa przebiegł dreszcz. Poczułam jednocześnie spokój i szczęście, jakbym odnalazła zagubiony cenny przedmiot. Jakby tego było mało, okazało się, że w Polsce mieszkamy w tym samym mieście, choć na przeciwnych jego krańcach. Była w tym i magia, i czary, i konstelacja gwiazd. I podszept intuicji, że tak miało być. Że nasze spotkanie zostało ukartowane. Zawsze uważałam się za osobę pragmatyczną i odrzucałam wszystko, co nieracjonalne. Sądziłam, że to ja decyduję o tym, co robię, i jak przebiega moje życie. Nie ma guseł, zaklęć i uroków.

Nie było. Przez dwadzieścia osiem lat.

Dwie godziny później, przyciągana tym „czymś" jak magnesem, siedziałam na prowadzonym po angielsku wykładzie Piotra. Bałam się nieco, ale ani nie zasnęłam, ani nie dostałam palpitacji, choć nie słuchałam z zapartym tchem. Byłam raczej zaskoczona nową sytuacją. Ja i etnografia! Takie bla, bla! Dwa różne bieguny. Wolałabym, żeby Piotr był chemikiem i mówił na przykład o elektroforezie kapilarnej, ale widocznie aż takie szczęście w życiu się nie zdarza.

Wykład ilustrowały fragmenty filmu dokumentalnego nakręconego przez Piotra, a potem odbyła się dyskusja. Tematem okazały się dogorywające wierzenia i kult przodków plemienia Tswana z południowej Afryki. Na początku, otumaniona, nie mogłam się skupić. Cieszyłam się bliskością Piotra. W jego oczach i głosie było coś mistycznego i charyzmatycznego. Starałam się choć odrobinę poskromić emocje, aby cokolwiek zrozumieć i nie wyjść na totalną kretynkę, gdy mnie później o coś zapyta. Najlepiej szło mi podczas projekcji, bo aulę zaciemniono, więc po prostu go nie widziałam. Serce zabiło mi mocniej, gdy na jednym z filmów stara Murzynka o mocno poskręcanych i sterczących na wszystkie strony włosach demonstrowała amulety, a Piotr objaśniał ich znaczenie. Te małe magiczne przedmioty mają ponoć cudowne właściwości. Jedne wzmacniają potencjał życiowy, drugie chronią przed reumatyzmem czy zakażeniem dróg moczowych. Od jeszcze innych, jak od tarczy, odbijają się klątwy. Bywają i takie, które dają wskazówki na dalszą drogę życia albo nagradzają za wszystko, co zrobiło się dobrze. Ale najbardziej zaciekawiły mnie te rzucające uroki miłosne. Zapalono światło, a ja z wyciągniętą szyją dokładnie przyglądałam się Piotrowi, szukając w jego stroju jakiegoś pierścienia, łańcucha czy ptasiego pióra... Jasny gwint! Na pewno coś schował w kieszeni, pomyślałam.

Podczas dyskusji wyłączyłam słuch i skupiłam się na własnych myślach. Ostatecznie stwierdziłam, że strzała Amora ugodziła mnie mocno i że skutków trafienia nie jest w stanie odwrócić żadna siła. Czułam się bezbronna. Raz jeszcze otaksowałam Piotra. No tak, trzeba sporej wyobraźni, by dostrzec w nim cechy charakterystyczne dla Jamesa Bonda. Może z wyjątkiem oczu. Skąd wobec tego to nieznane wcześniej uczucie? Czyżby ciągnął swój do swego? Tylko czemu myślę o podobieństwie, skoro tak mało o nim wiem? A może jesteśmy odmienni, a różnice – jak wiadomo – się przyciągają? Czyżby dopasowanie genetyczne? Czy odbiór sygnałów przenoszonych przez feromony, tajemnicze substancje, dzięki którym zapach konkretnego mężczyzny staje się atrakcyjny dla konkretnej kobiety? Jasny gwint! Wszystkiego nie da się rozłożyć na czynniki pierwsze! Życie jest nieprzewidywalne, a ludzka natura nierzadko wymyka się analizom. Poza tym jeszcze to imię... Piotr, czyli skała, opoka, pewność, spokój. Innymi słowy: mężczyzna, na którym można polegać. Wsparcie w komplikacjach, zmartwieniach i udrękach.

Następne kilka dni delegacji okazało się greckimi wakacjami. Ze względu na lokalizację uniwersytetu nie mieliśmy dostępu do morza, przebywaliśmy z dala od letnich kurortów i ich rozrywek, od komercji, gwaru i rozgrzanego piasku. Nie licząc dwóch wykładów Piotra, na których oczywiście pojawiłam się jako słuchaczka, mieliśmy czas tylko dla siebie. Spędzaliśmy leniwe godziny w tawernach, kawiarenkach z ogródkami i malowniczych miejskich zakamarkach. Próbowaliśmy naśladować Greków, którzy nie znają pośpiechu (zwłaszcza podczas godzin największego skwaru), zawsze mają czas na zrealizowanie zamówienia, doniesienie zapomnianego widelca czy wymianę hotelowych ręczników. Spokój, senna atmosfera i my. Nastrój prawdziwie greckiej sielanki potęgowało słońce, zapach potraw, wina i oczywiście muzyka.

Kosztowaliśmy tradycyjnych dań, no może z wyjątkiem tych z owocami morza... Nie byliśmy w stanie ich przełknąć. Woleliśmy gołąbki z siekanego mięsa i ryżu, zawinięte w liście winogron, sałatki z ogórków, pomidorów i fety, polane pachnącą słońcem oliwą, a zwłaszcza wszystko co z grilla: mięso, bakłażany, papryka, cukinia. A do tego tzatziki. Pycha! No i te desery: ciasteczka z migdałami, pistacjowa chałwa, jogurty z miodem i kandyzowanymi owocami. Arcysłodkie, ciężkie, tłuste, czyli... po prostu pyszne. Wieczorami w wolnych od turystów tawernach z muzyką na żywo popijaliśmy anyżkowe ouzo, słodkie miejscowe wino, i tańczyliśmy zorbę. A ściślej mówiąc – uczyliśmy się jej od Greków. Piotr objaśnił mi, że zorba to tradycyjny taniec ludowy, prawdopodobnie część obrządku składania bogom ofiar ze zwierząt, więc nie dziwiło mnie, że podczas zabawy tworzyliśmy rytualny krąg. Fantastyczna atmosfera, uśmiechy, improwizowany, ale całkiem równy krok, nasze na początku nieudolne, ale z czasem coraz bardziej rytmiczne ruchy i rosnąca pewność siebie sprawiały, że wychodziliśmy z ostatnimi gośćmi. Przeżyłam jedne z najcudowniejszych chwil w życiu. Nie nudziliśmy się ze sobą; odnosiłam wrażenie, że znamy się od zawsze, a teraz tylko się sobie przypominamy, wreszcie odnalezieni po wielu latach w pojedynkę... Warto było czekać.

– Misia, czy ty mnie słyszysz ? Chodź do mnie! – Piotr chwycił mnie za rękę i zdecydowanie przyciągnął do siebie. Ocknęłam się z zamyślenia i powróciłam z greckich wspomnień do sypialni. – Spałaś już? Może być ta muzyka? Pamiętasz? Zorba i ty... Pomogę ci ściągnąć suknię. Gdzie się ją rozpina?

Zapięcie na plecach składało się z kilkudziesięciu maleńkich guziczków. Teoretycznie można się było z niej uwolnić (a wcześniej włożyć) po rozpięciu kilku u góry. Teoretycznie i praktycznie, ale mogła to zrobić szczuplejsza osoba, nie ja. Pomagając mi się w nią ubrać, moja siostra klęła jak szewc. Po pierwsze na mnie, że nie byłam chyba przy zdrowych zmysłach, wybierając coś takiego, i w ogóle – za dużo podjadam, a po drugie na suknię – że nieelastyczna, a guziki nie są przyszyte rozciągliwą nicią, dzięki czemu połączenie dwóch brzegów na plecach byłoby o wiele łatwiejsze. Ze zmarszczonym czołem i czerwonymi z wysiłku policzkami radziła: „A może pójdziesz w rozpiętej, a na górę założysz sweter? Każdy pomyśli, że to trendy. No, ewentualnie w żakiecie albo krótkim płaszczyku". Złorzeczyła, wymyślała, ale cierpliwie i skrupulatnie, guziczek po guziczku zapinała suknię. Ja, oczywiście, na wdechu. Wreszcie sukces.

– Proszę! – Stojąc pośrodku sypialni i podrygując w rytm zorby, odwróciłam się plecami do Piotra i odgarnęłam włosy. – Zaczynaj od góry!

Z zapałem zabrał się do pracy. Poczułam niecierpliwe szarpnięcie.

– Hm… Jesteś pewna, że tak się to robi? A może gdzieś jest zamek błyskawiczny? – zapytał z nadzieją.

– Zacząłeś dokładnie tam, gdzie trzeba. Mam taką suknię, wybrałam ją… Bo… Bo myślałam, że ta czynność będzie… inspirująca, rozpalająca i podniecająca! – wymyślałam na poczekaniu.

– Okej, Misia, tyle że już prawie świta – stęknął przy kolejnym guziku. – Nie uporam się z tym do południa. Mam pomysł! Poodcinam wszystkie albo rozetnę suknię nożyczkami! Albo jeszcze lepiej: rozerwę zębami! – proponował zdyszany.

– Nie, musisz się pomęczyć – skwitowałam kategorycznie. – Rzecz wyczekana lepiej smakuje – wynajdowałam argumenty, choć szczerze mówiąc, marzyłam o jak najszybszym uwolnieniu się z kreacji. – Skoro Aga potrafiła ją zapiąć, choć w przeciwieństwie do ciebie niczego nie opublikowała i nie ma doktoratu, ani tym bardziej habilitacji, powinieneś zrobić to w mig! – dopingowałam go ze śmiechem, mając jednocześnie przed oczami minę właścicielki wypożyczalni sukni ślubnych i balowych pod nazwą Nowa Kolekcja, której dostarczam strzępy materiału zamiast artystycznie skrojonej i starannie wykończonej kiecki. Oczywiście, Piotr nie miał pojęcia, że suknia jest wypożyczona.

– Wiesz, że jesteś fajna i jesteś moim skarbem, ale myślę, że byłabyś ideałem, gdybyś była niemową… – ripostował, ocierając spocone z wysiłku czoło. – Mam pomysł. Przyniosę szklankę z wodą, nabierzesz jej w usta i choć przez chwilę będziesz cicho.

– Gdybym nagle przestała gadać, to zapadłaby grobowa cisza, a ty pytałbyś czemu. Umarłbyś z nudów! – odszczekiwałam się ze śmiechem.

– Bądź cicho choć przez chwilę! Muszę się skupić.

– Pomogę ci, nie będę oddychać, nie będę się odzywać, nie będę nawet myśleć. Będę chuda jak anorektyczka. Dasz radę! – dopingowałam go.

Po kilkunastu minutach z ulgą, jak nowo narodzona, mogłam wziąć pierwszy głęboki wdech.

– Uff! – zadowolony z siebie pomagał mi zdejmować suknię, plącząc się w tiulach i falbanach.

– Widzisz? Misja zakończona. Teraz już mogę wpaść w twe ramiona, a potem spać, spać i spać. – Popchnęłam go na łóżko. – Zaczekaj minutkę. Otwórz szampana. Przygotowałam niespodziankę. Zaraz wracam.

Założyłam szlafrok i wyszłam z sypialni. Poszłam do kuchni i z lodówki wyciągnęłam zrobioną własnoręcznie wieczorem poprzedniego dnia baklawę, czyli ciastka orzechowe z sosem miodowym. Według oryginalnej greckiej receptury. Pracochłonne, ale efekt wart wysiłku. Zajadaliśmy się nimi w Grecji. Ułożyłam kilka na talerzu i zadowolona z siebie szybciutko wróciłam do sypialni. Ale… Coś było nie tak, jak być powinno. Czegoś, a raczej kogoś, nie wzięłam tej nocy pod uwagę. Z ciemnego przedpokoju było wyraźnie widać światło w pokoju za kuchnią; biała poświata spod drzwi rozjaśniała podłogę. Zamarłam. Podeszłam cichutko, jak najciszej. Podniosłam rękę do klamki i natychmiast ją cofnęłam. Zawahałam się. Po chwili podniosłam ponownie i już miałam zapukać, gdy usłyszałam wewnątrz stłumione głosy. Strzępki rozmowy.

– ...mnie się nie podoba... Ma nos jak brukselka... Co on w niej widzi...? Jakaś dziwna...

– ...uspokój się... nie pozwoli...

– ...życia nie znasz... głupi... Widziałam taki reportaż w telewizji...

– ...damy radę... zaczekamy...

– Do domu dziecka... Babci... rodziny zastępczej... swoje dzieci...

– ...spróbuj zasnąć, może nie...

– ...złodziejka, ukradła tatusia... Jeszcze ma się czelność śmiać...

Wzdrygnęłam się, przerażona. Niechcący podsłuchałam rozmowę dzieci Piotra – trzynastoletniego Tadeusza i jedenastoletniej Zosi. Odsunęłam rękę od klamki, poczułam się tak, jakby ktoś zadał mi potężny cios w sam środek klatki piersiowej. Po szampańskim nastroju, który jeszcze chwilę wcześniej rozpalał moje zmysły, nie pozostało śladu. Łzy powoli napływały mi do oczu. Odsunęłam się na palcach i oparłam o przeciwległą ścianę. Wszystko wokół zaczęło wirować. Kucnęłam, żeby nie upaść. Instynktownie pomasowałam skronie. Po chwili, na nogach jak z waty, cichutko podeszłam pod drzwi sypialni i przystanęłam. Starałam się opanować, nie chciałam, by Piotr zobaczył mnie w takim stanie.

– Iza? Misia, gdzie jesteś ? Czekam... – usłyszałam niecierpliwy głos.

– Jeszcze minutka – szepnęłam zza uchylonych drzwi, starając się mówić możliwie naturalnie, czyli bez śladu potężnej guli błyskawicznie rosnącej mi w gardle.

– Misia, znam cię na wylot. Coś szykujesz. Ale ja nie chcę już żadnej niespodzianki. Chcę ciebie. Wchodź, proszę. – Głos był zmęczony, a jednocześnie ciepły i zmysłowy

– Miłość cierpliwą jest. Kto kocha, to zaczeka. – Grałam na zwłokę.

– Jeżeli chcesz się przebrać w jakieś seksowne gadżety, no wiesz, jakieś boa, strój kelnerki albo czekoladowe majtki, to nie są potrzebne. Może na złote gody, ale nie teraz... Wystarczy, że mamy siebie – wabił mnie zza drzwi.

– Zaraz, zaraz...

Odeszłam spod sypialni i starając się być niewidzialna i niesłyszalna, udałam się do salonu. Nie zapaliłam lampy. W poświacie anemicznego światła latarni odłożyłam talerzyk z baklawą na kredens i potykając się o nieznane mi sprzęty, podeszłam do drzwi balkonowych. Przez chwilę niecierpliwie, jak astmatyk podczas napadu duszności łaknący świeżego tlenu, mocowałam się z klamką, której nikt nie ruszał od dobrych kilku miesięcy. W końcu z cichym jękiem ustąpiła. Boso wyszłam na zewnątrz. Pod stopami czułam, jak cienka warstwa lodu łamie się na drobne kawałki. Równocześnie uderzyło mnie mroźne powietrze i zimny, przeszywający wiatr. Złapałam kilka głębokich, regenerujących oddechów. Zadziałało jak zmrożony prysznic. Był początek lutego, niedziela, wczesny poranek. Miasto jeszcze spało. Mało romantycznie. Wszystko wokół w kolorach rtęci, szarości i czerni. Bez bajkowych, dużych, spadających z nieba płatków śniegu, roziskrzonego nieba i świątecznych, bożonarodzeniowych ozdób. Obce mieszkanie w starej kamienicy, obca dzielnica (przed ślubem sprzedaliśmy oba nasze i za pośrednictwem agencji kupiliśmy jedno duże, o dwie przecznice od mieszkania Piotra). Delikatnie dotknęłam zlodowaciałej, pokrytej łuszczącą się farbą metalowej barierki i uświadomiłam sobie, że nic nie wiem o ludziach, którzy dotykali jej przez ostatnie sto lat. Podobno przedmioty mają pamięć... Może ta poręcz wie, jakie rozgrywały się tutaj dramaty? A może trwały wyłącznie chwile szczęśliwe? Jasny gwint! Po co mi to wszystko? Mój nastrój posępniał z każdą chwilą. Przede mną wielka niewiadoma. Nie znam nawet tej ulicy. Nie wiem, czy w małej piekarni naprzeciwko sprzedają bułki maślane, czy sąsiad obok ma psa, co się kryje za bramą po prawej albo czy wiosną zakwitną na skwerze tulipany... Wszystko nowe i niezgłębione. No i przede wszystkim Piotr. I jego dzieci. Wydaje mi się, że jego znam od urodzenia, ale one są dla mnie zagadką. I te strzępy rozmowy, które usłyszałam niechcący... Co te dzieciaki o mnie myślą? One się mnie boją! Mnie? Zdenerwowanie i zimno sprawiły, że zaczęłam się trząść. Jak można się mnie bać? Nigdy nikomu świadomie nie zrobiłam krzywdy.

Jestem pokojowo nastawiona do świata. Staram się żyć w jedności z Bogiem, resztą świata i samą sobą. Opuszkami palców na nowo zaczęłam masować skronie, by uspokoić skołatane nerwy. Jasny gwint! Nie mam morderczych odruchów i zwyczaju wbijania szpilek pod paznokcie. Jestem wolna od gniewu, złośliwości, chęci odwetu i innych negatywnych emocji zżerających ludzkie serca!

Powiał silny, arktyczny wiatr, szarpnął moimi włosami i resztką ślubnych ozdób wczepionych przez fryzjerkę. Ponownie doznałam uczucia porażającego zlodowacenia. O tej porze roku w normalnych warunkach nie chciałoby mi się wystawić nosa spod kołdry, a tu raptem z własnej woli rozkoszuję się nieprzyjemnymi doznaniami, które skutecznie odsuwały kłębiące się myśli. Dygotałam z zimna. A może z emocji? Otuliłam się szczelniej krótkim, satynowym szlafrokiem. Spojrzałam na zewnętrzny termometr przyczepiony do szaroburej ściany – minus dwadzieścia sześć stopni. Poczułam przeszywające zimno w stopach. Dotknęłam policzków. Mróz ochłodził twarz, przed chwilą gorącą od łez. Z odrętwienia zbudził mnie dźwięk przejeżdżającego pługu śnieżnego. Przecież to moja noc poślubna! Jasny gwint! A koleżanka z pracy, unosząc znacząco brwi, twierdziła, że udana noc poślubna to udane małżeństwo... Wycofałam się z balkonu, przeszłam przez salon.

Wszędzie, z wyjątkiem sypialni, było już ciemno. A w sypialni czekał Piotr.

Piotr spał na plecach, jak nowo narodzony, z szeroko rozrzuconymi na boki rękami, i lekko pochrapywał. Rozejrzałam się. Na podłodze leżała skłębiona kołdra, powleczona w specjalnie przeze mnie kupioną atłasową pościel w delikatne różowe serduszka. Podniosłam ją i nakryłam go troskliwie. Łóżko, komoda, szafka i siedem ustawionych pod ścianą kartonów z nierozpakowanymi rzeczami pokrywały zwiędłe już płatki kwiatów, które z bladoróżowych, idealnych miniaturowych cudów natury zmieniały się w rdzawe, wiotkie strzępy. Zaczynały przypominać ostatnie jesienne liście, którymi już nikt się nie zachwyca. Wyłączyłam laptop, zorba ucichła. Dogorywało kilka ustawionych w różnych miejscach pokoju świec. Zdmuchnęłam je. Odsunęłam zasłony w oknie; do pomieszczenia wpadło nieco światła mroźnego, zimowego poranka. Na szafce stały dwa do połowy wypełnione kieliszki. Piotr specjalnie na wesele załatwił kilka butelek prawdziwego różowego szampana. Pomimo niebotycznych wydatków, związanych z kupnem mieszkania i przeprowadzkami, zaszaleliśmy i postanowiliśmy wyjątkowo dać sobie spokój z winem musującym, często przez niewtajemniczonych nazywanym szampanem. Spróbowałam. Ohyda! Po bąbelkach nie zostało śladu. Skrzywiłam się z niesmakiem. Wzięłam drugi kieliszek, butelkę z resztką trunku, poszłam do kuchni i wylałam wszystko do zlewu. Zrobiłam herbatę. Usiadłam na krześle, trzymając w zziębniętych dłoniach gorący kubek. Powróciło wspomnienie sprzed dziesięciu lat, nie wiedzieć czemu pielęgnowane przez moją świadomość i powracające jak bumerang. Tak samo jak przywoływane z zakamarków pamięci ślady po osobach zmarłych, nutki ulubionych melodii czy fragmenty trafiających w samo serce wierszy...

Ja i moja przyjaciółka Renata. Świeżo upieczone maturzystki, pełne energii, optymistycznych planów na przyszłość i – wydawało się – takie dojrzałe. Siedziałyśmy w ogródku piwnym i piłyśmy pierwsze legalne piwo z sokiem. Wierzyłyśmy, że wszystko, co najpiękniejsze, przed nami. Obie dostałyśmy się na wymarzone studia: ja na chemię, ona na malarstwo na Akademii Sztuk Pięknych. Spotkałyśmy się, żeby odstresować się po maturze i pogadać o przyszłym życiu jak o wielkiej przygodzie. Wydawało nam się, że pozjadałyśmy wszystkie rozumy. Piwo nam nie smakowało, ale atmosfera i owszem. Słońce, perspektywa najdłuższych w życiu wakacji, no i pełnoletność, oczywiście. Renata miała zwyczaj rysowania wszędzie i na wszystkim – wtedy na papierowych serwetkach gryzmoliła karykatury naszych byłych nauczycieli. Efekt wywoływał u nas salwy śmiechu tak potężne, że wzbudzałyśmy powszechne zainteresowanie. Na jednym ze świstków widniał portret nauczycielki informatyki, zwanej przez nas Balonką z uwagi na obfity biust w rozmiarze 3XL.

– No i jak? Coś jeszcze? – zapytała pomiędzy jednym łykiem piwa a drugim. – Czegoś mi brakuje...

Przyjrzałam się dokładnie, jak w zabawie w porównywanie szczegółów na rysunkach, tyle że w tym przypadku zestawiałam rozłożone na brudnawym stoliku dzieło z wizerunkiem nauczycielki w mojej pamięci.

– Już wiem! Tipsy! I te wzorki na nich! Wiesz, serduszka, gwiazdki, słoneczka... Dorysuj i będzie okej! – poradziłam. – No, przede wszystkim serduszka. To u niej na czasie. Wiesz, że w lipcu wychodzi za mąż? Trzeci czy czwarty raz, podobno.

– Co ty? Kto tym razem jest szczęśliwym wybrankiem? – zapytała bez cienia sarkazmu.

Naprawdę lubiliśmy Balonkę. Wprawdzie konsekwentnie egzekwowała znajomość arkuszy kalkulacyjnych, ale w tak zwanym międzyczasie dawała wskazówki typu: jak uderzać tipsami w klawiaturę, żeby ich nie połamać, jaki kolor farby do włosów najlepiej komponuje się z odcieniem karnacji, czym zastąpić korektor do wyprysków, by nie wpadać w niepotrzebną panikę, gdy na policzku pojawi się krostka.

– Jakiś nauczyciel angielskiego, który uczy w liceum sportowym. Ponoć młodszy od niej o ponad dychę i obłędnie przystojny. Kaśka mi o nim opowiadała.

– No dalej, co jeszcze? – naciskała.

– Lata na paralotni, daje korepetycje... I... – przeszukiwałam zakamarki pamięci. – Wiem! Jest rozwodnikiem!

– Szkoda, że facet z odzysku... No, ale życie pisze różne scenariusze – skwitowała zawiedziona.

– Och Renia, czy ty masz dobrze w głowie? Co złego jest w rozwodniku? – zapytałam oburzona. – Teraz co drugi taki.

– Rozwodnik to drugi obieg, wtórna kategoria. U mnie nie wchodzi w grę. – Skrzywiła się z niesmakiem, czknęła i duszkiem wypiła pół kufla piwa.

– Moja ciotka wyszła za mąż za rozwodnika i dobrze trafiła – przekonywałam. – Pierwsza żona tak mu dała w kość, że wybrał nawet drzewo w parku, na którym chciał się powiesić. Awanturowała się o jego rzekome kochanki, chociaż sama nie była bez winy. No wiesz, patrzyła przez pryzmat własnych grzeszków. Nie gotowała; żywili się wyłącznie pizzą na telefon. Nie prała, bo doszła do wniosku, że to nieopłacalne w czasach totalnych wyprzedaży.

– I co? – Oczy Reni były jak pięciozłotówki.

– I wreszcie sąsiadka, która nieco wiedziała o jego problemach, poznała go z ciocią Marysią. Od razu opuściły go myśli samobójcze. Teraz się śmieje i rozpowiada wszystkim, że to drzewo, za pomocą którego miał dokonać żywota, było świadkiem jego pierwszego pocałunku z nową żoną.

– Jakie to romantyczne! W sam raz na scenariusz! – Renata chwyciła się za serce w udawanym omdleniu.

– Ale wiesz, co jest w tym najlepsze? Mąż bardzo docenia ciocię Marysię. Zachwyca go nawet najdrobniejszy dobry gest z jej strony. Rozumiesz? Absolutnie wszystko. Może ona nie gotuje jak kucharz w Ritzu, ale wujek uważa, że i tak jest wyśmienita. Jajecznica, przez pomyłkę posypana cukrem, jest najlepsza na świecie. A jak kiedyś do ciasta naleśnikowego zamiast wody dodała octu, też twierdził, że to delicje.

– Jakoś mnie to nie dziwi. Zdarzały mi się podobne wpadki. – Renia pokiwała głową ze zrozumieniem. – Tylko jakoś nikt się nimi nie zachwycał…

– Widzisz? I nikt cię nie wychwalał pod niebiosa. A wujek bez przerwy: Maryśka to, Maryśka tamto. I tak na okrągło. Cały czas ją komplementuje.

Rozmowa zaczynała się rozkręcać; odrobina alkoholu dawała o sobie znać. Renia zamówiła nam po drugim piwie, tym razem (na szczęście!) małym. Wyjęłam z torebki szminkę i wzięłam się za upiększanie portretu Balonki, wypełniając kontury ust krwistoczerwoną pomadką, podczas gdy Renia tworzyła już kolejną karykaturę. Tym razem nauczyciela wychowania fizycznego, o wdzięcznej ksywie Mięśniak, nadanej w kontraście do jego cherlawej postury. Wówczas, w tamtym ogródku piwnym, wyżywając się artystycznie (ja, oczywiście, w stopniu śladowym), momentami odnosiłam wrażenie, że oto jesteśmy jak bohema: spędzamy czas na wspólnej, mało konwencjonalnej twórczości, w oparach alkoholu. Pozostajemy ponad wszechobecnym wyścigiem szczurów i mamy pełne prawo do dyskusji o zawiłościach ludzkiej duszy. Może jeszcze jedno piwo, a zaczęłybyśmy wygłaszać maksymy życiowe improwizowaną poezją?

– Noo, Iza. A jednak ciocia nie wzięła ślubu kościelnego, nie przysięgała przed Bogiem. No wiesz: „Tak mi dopomóż Bóg, w Trójcy Jedyny, i Wszyscy Święci". – Renia po krótkiej chwili znalazła jednak czarną dziurę w mojej opowieści.

– Owszem, ale popatrz tylko na pary żyjące na kocią łapę. Też jest okej. – Usilnie starałam się ją przekonać, że rozwodnik to bardzo dobry kandydat na męża. Tak zwany strzał w dziesiątkę.

– Nie, nie i jeszcze raz nie! – Uderzyła pięścią w stolik, aż podskoczyły kufle. Na szczęście nic się nie rozlało. – Dla mnie przysięga w kościele jest priorytetem! – oznajmiła despotycznie, nieco chrapliwym tonem. Drugie dopijane piwo dawało o sobie znać. – Więc jeśli już mowa o facetach z odzysku, lepszy jest wdowiec. Przynajmniej ma uregulowane sprawy z Bogiem.

– Albo jesteś już kompletnie zalana, albo taka pokręcona z natury. Nie wiesz, co mówisz! – Przycisnęłam dłonie do uszu na znak, że nie mam ochoty wysłuchiwać takich bzdur.

– A cóż złego jest we wdowcu? – zapytała donośnie. Zaczynała przypominać zacietrzewioną indyczkę, królową podwórka.

– Wiesz... Dajmy sobie spokój z tym piwem i zamówmy espresso. Może kawa postawi cię na nogi i przestaniesz gadać głupoty! – Spojrzałam na nią z politowaniem i puściłam w stronę sąsiedniego stolika uformowany z serwetki samolocik. Renia nerwowo rozglądała się dokoła, raz po raz podciągając ramiączka opadające z białych jak twaróg ramion. – Więc co, espresso? – ponowiłam propozycję, chociaż z góry wiedziałam, że jestem na straconej pozycji. Moja przyjaciółka nie znosiła sprzeciwu. Uśmiechnęła się szeroko, uszczęśliwiona widokiem kelnera, podniosła w górę pusty kufel i znacząco weń postukała. Zadowolona, że gest został zrozumiany, obserwowała szklistym wzrokiem, jak mężczyzna podąża w naszym kierunku z dwoma piwami. Niestety – dużymi. Patrzyłam oniemiała.

– No co? Jak już, to już! – Zadowolona stuknęła kuflem o kufel i przełknęła pierwszy łyk z nowej dostawy. Posmakowało jej, podobnie jak mnie. – I jak z tym wdowcem? – powróciła do tematu.

– Renia, wdowiec, jak nazwa wskazuje, to facet, któremu zmarła żona.

– Iii?

– I będzie ją na piedestał wynosił, hołubił, wielbił, sławił i miłował! – Wyliczyłam na palcach jednej ręki. Zadowolona, że w porę skończyłam, bo w drugiej dłoni kurczowo trzymałam kufel. – I zawsze, ale to zawsze, będziesz gorsza od żony, której już nie ma. O grzeszkach zmarłych się zapomina. Sama wiesz… Jak umrze jakiś piosenkarz albo – jeszcze lepiej – zginie tragicznie, sprzedaż jego płyt błyskawicznie rośnie. Wszyscy mówią o nim jak o wielkim artyście. Nie kreują jego wizerunku, do nobilitacji wystarcza sama śmierć. Odkurza się zalegające w magazynach stosy płyt; sprzedają się jak świeże bułeczki, a wytwórnie nie nadążają z produkcją nowych. Nagle marne utwory uważane są za czysty artyzm i sztukę absolutną!

– Przesadzasz. Oj, totalnie przesadzasz! Przeprowadzasz zbyt skomplikowaną analizę. To jest nadinterpretacja! Żona umiera i nie ma jej. Zaczyna się nowe życie. Jak, jak… – Szukała porównania. – Wiem! Jak po przeszczepie serca. Rozumiesz? Było, minęło, a żyć trzeba.

– To raczej ty przesadzasz z tym pozytywnym myśleniem. Ja nigdy, przenigdy nie wyjdę za wdowca. Nie chcę być żoną drugiej kategorii. Bóg mi świadkiem, że wolałabym zostać żoną rozwodnika!

Pasjonującą dyskusję przerwał nam powracający z pracy ojciec Reni. Podszedł do naszego stolika i zasugerował delikatnie, żebyśmy udały się do domu, bo nasza obecność w tym stanie w miejscu publicznym woła o pomstę do nieba.

Są słowa, które na zawsze zapadają w pamięć i w serce. Nie wiadomo dlaczego. Zostały wypowiedziane i nie można ich cofnąć. Nie jest w stanie ich pokonać czas, nie można się ich pozbyć – podobnie jak cellulitu, uciążliwego sąsiada czy nieproszonych gości. Powracają nieustannie, kłopotliwe i niepożądane. A co najgorsze – przypominają o przewrotności losu. Wyrażamy bezkompromisowe poglądy, które wskutek różnych okoliczności z czasem okazują się zaledwie zlepkiem niedojrzałych i godnych ubolewania frazesów. Słowo „nigdy", jako bezwartościowe, powinno zostać wykreślone ze wszystkich słowników świata.

„Nigdy, przenigdy nie wyjdę za wdowca". Przyrzeczenie sprzed dziesięciu lat powróciło ponownie. Ot, taka drwina losu. Złamałam je świadomie i dobrowolnie. Cóż, miłość jak gruźlica, podobno nie wybiera…

Ocknęłam się. Z podwiniętymi nogami, otulona szlafrokiem, wciąż siedziałam na krześle w kuchni, z pustym już kubkiem po herbacie w dłoni. Wstałam, włożyłam go do zmywarki, podeszłam do okna i podniosłam rolety. Za szybą był już późny, zimowy poranek. Wyjrzałam. Mężczyzna spaceruje po skwerze z psem i wygląda, jakby to zwierzak go wyprowadził. Młoda kobieta z trudem przytwierdza narty do bagażnika na samochodzie. Dwoje odświętnie ubranych dzieci śpieszy do kościoła.

Nagle uświadomiłam sobie, że nie śpię od ponad doby, i wreszcie dopadło mnie zmęczenie wywołane nadmiarem wrażeń. Cichutko, na palcach, żeby nikogo nie zbudzić, przeszłam do sypialni. Piotr spał w tej samej pozycji co ostatnio. Wsunęłam się pod kołdrę i przytuliłam do niego. Odruchowo otoczył mnie ramieniem.

– Misia... W końcu przyszłaś, kochanie. Jestem taki zmęczony, ale przed nami jeszcze tyle nocy i dni... – mamrotał przez sen. Pachniał dobrze mi znaną i ulubioną przez niego wodą z orientalną nutą, anyżówką i wspomnieniami z Grecji. Poczułam nagły przypływ czułości i radość, że jest obok mnie, na wyciągnięcie ręki. Oddychał miarowo i spokojnie. Przywarłam do niego mocniej, zapominając o lękach i niepokojach. Cieszyłam się chwilą. Oddychamy w równym rytmie. Panuje harmonia, porozumienie, spokój dusz w ciszy zimowego poranka... Razem damy radę. Odepchnęłam wątpliwości i złe myśli. Teraz tylko spać, spać, spać. Zamknęłam oczy i w okamgnieniu odpłynęłam.

– Izunia... Iza. Misia! Jesteśmy głodni jak wilki. Już południe, pora wstawać! – Piotr gładził mnie dłonią po policzku i całował moje włosy. Udawałam, że nie słyszę. – Misia, jeżeli zaraz czegoś nam nie przygotujesz, to zjem ciebie. No, podnieś się!

Lekko nieprzytomna usiadłam na łóżku, z mizernym skutkiem odpędzając resztki krótkiego snu. Powoli wracałam do rzeczywistości.

No tak, czas zacząć nowe życie...

Przygotowałam późne śniadanie, mając cichą nadzieję, że okaże się również wczesnym obiadem. Może warto postarać się o takie niezwykłe, odświętne, jak w każdy niedzielny poranek w moim rodzinnym domu? W końcu sytuacja nie była codzienna – nasz pierwszy wspólny posiłek. Zakupy zrobiłam jeszcze w piątek, a poza tym lodówka była dopchnięta resztkami dań z weselnego przyjęcia w restauracji (zapakowanych przez obsługę). Część z nich znalazła się na balkonie, pełniącym w minusowej temperaturze rolę zamrażarki.

Z nastawieniem „dla każdego coś smacznego" układałam na stole w jadalni półmiski z przekąskami. I znów powróciłam pamięcią do dziewczęcych lat. Zaraz, jak to było? Mama przygotowywała rarytasy, a my z siostrą nakrywałyśmy do stołu, wyżywając się artystycznie. Starałyśmy się, by za każdym razem nakrycie było inne, co przy ograniczonej liczbie obrusów i asortymencie dwóch serwisów ze starej polskiej porcelany wymagało nie lada inwencji. Robiłyśmy użytek ze wszystkiego, co nam wpadło do głowy: piękne, kolorowe, jesienne liście kasztanowca, który rósł tuż obok domu, stawały się podkładkami pod filiżanki, innym razem zastosowałyśmy zabieg aromaterapeutyczny, w pozornym nieładzie rozrzucając pomiędzy talerzami i półmiskami laski cynamonu i wanilii. W międzyczasie tata wspierał wysiłki mamy, stojąc przy niej jak bodyguard obok gwiazdy filmowej i kosztując wszystkiego, co było przygotowane. Udzielał jej bezcennych rad: „A może jajka faszerowane posypać jeszcze szczypiorkiem?", „Białe kiełbaski najlepsze są zrumienione w piekarniku i posypane odrobiną majeranku". Doskonale znał teorię sztuki kulinarnej, ale wcielał ją w życie poprzez zwinne ręce mamy, która nigdy jakoś nie gniewała się z tego powodu. Każdy z nas chętnie odgrywał swoją rolę. Docenialiśmy swoje wysiłki, tworzyliśmy mały, rodzinny, zgrany zespół. Co jest nie tak? – pomyślałam teraz i zaraz odpowiedziałam sobie na pytanie: „Jestem sama. Gdzie mój mąż i dzieci?".

Piotr leżał na brzuchu na łóżku ze słuchawkami w uszach i wpatrywał się w ekran laptopa. Nie zauważył, że weszłam. Podrapałam go po łydce. Zaskoczony natychmiast ściągnął słuchawki i z zadowoleniem przyjął wiadomość, że śniadanie gotowe. Zapukałam do pokoju Tadeusza i ostrożnie otworzyłam drzwi. Pusto. Znalazłam go w pokoju Zosi. Oboje zajęci rozpakowywaniem kartonu z podręcznikami, nie okazywali euforii na wieść o posiłku.

Gorzej już nie będzie, pocieszałam się w duchu.

Podczas śniadania dzieciaki niemal się nie odzywały, grzebiąc widelcami w zawartości talerzy. Piotr opowiadał o przygotowywanym skrypcie. A ja świadomie wyłączyłam się z wypowiadanego potoku słów; kątem oka zauważyłam, że Zosia i Tadeusz również. Oczami wyobraźni zobaczyłam stado lwów, czujnych i świadomych, że zaraz nastąpi atak, ale zaraz odrzuciłam tę absurdalną refleksję. Przecież jestem komunikatywna i przyjaźnie nastawiona. Dam radę! – pomyślałam.

Piotr gadał jak najęty, nie wykazując problemów z apetytem. Za jednym zamachem zgarnął z półmiska na swój talerz kilkanaście czerwonych papryczek faszerowanych tuńczykiem oraz pieczarek z nadzieniem z owczego sera i zajadał się nimi, zagryzając kawałkami maczanej w oliwie bagietki. Sytuacja przy stole w ogóle do niego nie docierała – dzieciaki nie tknęły niemal niczego, mnie przeszła ochota na grillowanego kurczaka z sosem tzatziki.

– Nie smakuje wam? – zapytałam, korzystając z krótkiej chwili ciszy, podczas której Piotr przełykał kolejny kawałek pieczywa.

– Smaczne – odpowiedziała Zosia ze wzrokiem utkwionym w talerzu.

– To dlaczego nie jecie? – dociekałam.

Piotr spojrzał na dzieci z troską.

– No dlaczego? Co się dzieje? – zapytał łagodnie. – Jest tu pełno fajnych rzeczy, spróbujcie.

Zarówno Zosia, jak i Tadeusz, najwyraźniej skrępowani moją obecnością, nie podnieśli oczu. Na szczerość nie było szans. Chciałam już pójść do kuchni, niech pogadają swobodnie, gdy usłyszałam nieśmiałą odpowiedź:

– Tato, przecież wiesz, że jemy na śniadanie płatki czekoladowe z mlekiem – powiedział Tadeusz.

– I wychodzicie z założenia: albo płatki, albo nic? Raz nie może być inaczej? – zapytał Piotr i zmarszczył czoło.

– Tak się przyzwyczailiśmy... – wymamrotał Tadzio. Wreszcie podniósł głowę i nawet obdarzył mnie przelotnym spojrzeniem.

– Posłuchajcie – wtrąciłam się. Starałam się mówić z entuzjazmem, chociaż nie byłam w nastroju. Paradoksalna sytuacja. Moje czaso- i pracochłonne wysiłki nie przyniosły efektu, a okazało się, że wystarczyło pójść na skróty. Nie poddawałam się. – Nie mamy płatków, ale mamy mleko. Jutro kupię to, co lubicie, ale dziś musimy sobie jakoś poradzić! – dodałam tonem generała przekazującego oficerom tajemny plan obrony podczas ataku wroga. – Nie ma sytuacji bez wyjścia. Minut pięć i przygotuję wam kaszkę mannę. Lubicie?

Zosia i Tadeusz porozumiewawczo spojrzeli po sobie, jakby zastanawiając się, czy nie proponuję im trucizny. Może lepiej po prostu nic nie jeść z powodu jej morderczych skłonności? Kasza manna może mieścić się na top liście najskuteczniejszych toksyn, a skutki jej zażycia powodować dewastację organizmu, z zejściem ze świata włącznie... Wpatrywałam się w oboje z zapartym tchem, podczas gdy Piotr, wyraźnie uznawszy, że sprawa została załatwiona, napełniał dwa kieliszki półwytrawnym czerwonym winem.

– Nie pamiętam już tego smaku i Zosia chyba też nie... Nie ma płatków, to może być, spróbujemy, choć wolelibyśmy... – oznajmił Tadeusz zrezygnowanym tonem i ponownie zwiesił głowę.

– Mamusia nam gotowała mannę. – Zosia spojrzała na mnie przelotnie.

– Okej – powiedziałam, siląc się na swobodę. Wzięłam kieliszek i ekspresowo opróżniłam jego zawartość, niemal natychmiast czując odprężenie. – To potrwa chwilę, obiecuję.

W kuchni oparłam się o parapet i wzięłam głęboki wdech. Nie będzie łatwo, pomyślałam. Z jadalni dobiegły mnie odgłosy rozbawionej, przyjaznej rozmowy, jak w normalnej, kochającej się rodzinie. No tak, wystarczyło, że wyszłam... Zosia opowiadała coś rozemocjonowana, Tadeusz dodawał swoje. Co chwila któreś wybuchało śmiechem, a mnie robiło się przykro. Nie, nie obgadywali mnie, po prostu cieszyli się sobą. Nagle ściana pomiędzy kuchnią a jadalnią stała się jak pancerna szyba. Dwa światy: mój i ich. Czy kiedyś pęknie? Czy dam radę?

Wzięłam się za przygotowanie kaszy, ale oczywiście nie pamiętałam proporcji. Jasny gwint! Za gęsta. Dolałam mleka. Jak dobrze, że pierwszy garnek, który wpadł mi w rękę, był na tyle duży, że nie musiałam szukać innego. Więcej mleka. Jak w dzieciństwie uśmiechnęłam się, przypominając sobie mamę kreślącą po wewnętrznej stronie mojej dłoni kółeczka. „Sroczka kaszkę gotowała". Kolejno chwytała moje paluszki i wyliczała: „Temu dała, bo malutki, temu dała, bo piękniutki…”.

– Gotowe! – Wróciłam do pokoju i postawiłam na stole wazę z parującą manną.

– Wiesz, Misia… – Piotr patrzył zaciekawiony. – Nie jestem głodny, ale też mam chętkę na ten klajster, czy jak to się tam nazywa. Dostanę trochę?

– Masz szczęście, że tyle się nagotowało. Można pułk żołnierzy wykarmić. Skoro ty, to ja również. Ale rozlej wino do końca, proszę.

– Iza, wystarczyło cię na chwilę spuścić z oczu, a już się szaleju opiłaś! – żartował. – Wino do tego kleiwa?

– A czemu nie? Nie widzę nikogo, kto by nas zlinczował…

– Masz rację. Raz się żyje!

Połowa wypitej butelki dała o sobie znać: spojrzałam na sytuację łaskawszym okiem, jak przez różowe okulary. Zrobiło się nawet trochę bajkowo, jak w amerykańskim filmie familijnym, w którym się nie pierze, nie sprząta łazienki, nie wynosi śmieci, a wszyscy mają czas dla siebie i świata poza sobą nie widzą. Przytulnie, ciepło i miękko. Dopingowałam dzieciaki w jedzeniu kaszki. Odkrywałam przed nimi sekrety sposobów jej spożywania. Moja jedyna siostra Aga posypywała ją cukrem waniliowym i cynamonem, powstrzymując się od konsumpcji, aż na wierzchu powstawał gruby kożuszek z biało-rdzawej posypki. Zjadała wierzchnią warstwę i ponawiała czynności: posypywała, czekała, zjadała. Aż łyżka osiągała dno.

Z kolei tato uwielbiał kaszkę polaną syropem. Cienka strużka kreśliła na powierzchni różnorodne kształty, przede wszystkim serduszka, a tata podawał talerz mamie z miną artysty, który właśnie ukończył wielomiesięczne i mozolne wysiłki nad obrazem swego życia. Mama z rumieńcem na twarzy zabierała się do konsumpcji, chociaż nie znosiła manny, o czym tata wciąż zapominał... Ja gustowałam w kaszce z zatopionymi owocami z konfitury. Niby nic, a w środku niespodzianka w postaci pachnącej latem truskawki.

Najedliśmy się i rozleniwili. Bardzo niezdrowo. Modelowo powinniśmy udać się na spacer, ale na szczęście nikomu się jakoś nie chciało. Dzieci poszły do siebie, a ja w kuchni starałam się zaprowadzić względny ład, na nowo upychając resztki jedzenia w lodówce, a brudne naczynia w zmywarce. Piotr przysiadł obok mnie na krześle i wyjadał z garnka resztki przyschniętej kaszki.

Co chwila przecierałam oczy, pod którymi czułam drobinki piasku. Kuchnia była wciąż na etapie urządzania i kompletowania. Meble i sprzęty pochodziły z naszych poprzednich mieszkań. Swoje musiałam opuścić niemal natychmiast po podpisaniu aktu notarialnego (nowy właściciel chciał się wprowadzić jak najszybciej), ale Piotr miał na to jeszcze ponad tydzień. W nowym domu miałam już wszystkie swoje rzeczy, inna sprawa, że większość w kartonach; znalezienie tej najpotrzebniejszej graniczyło z cudem. Sprowadziliśmy również najważniejsze rzeczy Piotra i dzieci. Żeby to jakoś ogarnąć, wzięłam dwa tygodnie zaległego urlopu. Dzieciaki nazajutrz szły normalnie do szkoły, a Piotr do pracy. Czeka mnie niezła orka, pomyślałam. Doprowadzenie do jakiej takiej używalności stu dwudziestu metrów kwadratowych…

– Dobre to było. Od dzisiaj mogę jeść tę substancję codziennie. – Piotr odstawił pusty garnek. Podszedł do mnie i objął. – Ale, ale, przypomniało mi się. – Odkaszlnął zakłopotany. – Mam do ciebie ogromną prośbę. Wiem, że nadużywam twojej dobroci i generalnie zanudzam cię petycjami… Zrobisz coś dla mnie?

– Byle nie dzisiaj. A przynajmniej nie w tej chwili. Chcę się położyć.

– Wiem, idź, idź. Ale wcześniej obiecaj… – kusił, całując mnie w szyję.

– Mam odpowiedzieć twierdząco na pytanie, czy kocham? – Pomimo zmęczenia spróbowałam żartu.

– To wiem. Taka fajna dziewczyna jak ty nie mogłaby za mnie wyjść, gdyby mnie nie kochała – umizgiwał się.

– No to ciekawe, o co ci chodzi? Przechodź do rzeczy, bo jestem śpiąca. – Opędzałam się, choć jego pocałunki sprawiały mi przyjemność.

– Przypomnij mi, ile wzięłaś urlopu?

– Dwa tygodnie – powiedziałam zaskoczona, a przez głowę przemknęła mi myśl, że oto odkładamy urządzanie mieszkania i jedziemy w romantyczną podróż poślubną do ciepłych krajów.

– Chodź, powiem ci na ucho. – Objął mnie mocniej. – Wiesz, że mam teraz dużo pracy. Przede wszystkim szukam sponsorów następnej wyprawy do RPA, bo uniwersytet daje tyle co kot napłakał. I nie mam czasu, by doprowadzić moje mieszkanie do stanu, w którym można je przekazać nabywcy. Chciałbym, a raczej bardzo, bardzo cię proszę, wyręcz mnie. Jako jednostka przedsiębiorcza w mig uporasz się ze wszystkim. Wiesz, i nie przejmuj się zbytnio. Co będziesz chciała, to zabierz, a resztę weźmie Marian, mój asystent, który dopiero co się ożenił i jest na dorobku. Zresztą najpotrzebniejsze rzeczy i tak są już tutaj. – Odsunął mnie nieco i spojrzał w oczy. – W kuchni są worki na śmieci i jakieś kartony, na pewno się przydadzą. No i? – zapytał z nadzieją.

– Ale ja wzięłam wolne, żeby zrobić porządek *tutaj* – powiedziałam. – I tak nie wiem, czy wystarczy mi czasu. Mieszkamy jak na biwaku. Wszystko mamy w pudłach, zawiniątkach, kartonach, tobołkach – nadawałam jak nakręcona. – Nie traktuj mnie, jakbym na głowę upadła i skończyła z poważną dysfunkcją mózgu. Przecież wyprawa ma się odbyć latem, więc świat się nie zawali, jeżeli przeznaczysz jedno albo dwa popołudnia na zabawę w sprzątacza. Lepiej przyznaj, że po prostu ci się nie chce. – Popatrzyłam z politowaniem. – Nie lubię krętactwa.

– Miśka... – Przyciągnął mnie. – To nie tak. Przed chwilą, gdy siedzieliśmy we czwórkę przy śniadaniu, z ulgą pomyślałem, że mój dom jest teraz tutaj, a na bywanie w tamtym nie mam ochoty. – Zadrżał jakby od nieoczekiwanego bólu. – Proszę, zrób to dla mnie...

– Ale takie sentymentalne powroty… – Starałam się go zmobilizować ostatkiem sił. Zasłonił mi dłonią usta, drugą ręką przytulił mocniej. Poczułam na policzku delikatne ukłucia igiełek jednodniowego zarostu. W połączeniu z charakterystyczną wonią paczuli, dominującej w jego wodzie toaletowej, efekt był zniewalający.

– Izuś? I co? – Cofnął dłoń od ust i wtulił głowę w zagłębienie na mojej szyi. Był spięty.

– Dobra, niech ci będzie. – Westchnęłam zrezygnowana. – Zajmę się tym od jutra. A teraz daj mi pospać.

– Jesteś aniołem! I moim szczęściem – powiedział ciepło, z wyraźną ulgą. I pocałował mnie w usta.

Wstałam pierwsza i jeszcze zanim ich obudziłam, ubrałam się i poszłam do sklepu. Do najbliższego tradycyjnego sklepiku, w którym towar podawała ekspedientka. Spojrzała na mnie przenikliwie; widziałyśmy się po raz pierwszy. Wyjęłam karteczkę z listą zakupów.

– Poproszę czekoladowe płatki śniadaniowe! – przeczytałam główną, podkreśloną na czerwono pozycję.

– Jakie?

– A jakie mogą być?

– W kształcie kółeczek, łódeczek, kuleczek, serduszek, pałeczek lub po prostu płatków. – Patrzyła na ułożone na półce torebki. – Poza tym są małe i duże opakowania – dodała.

– A które są najlepsze?

– Zależy, co kto lubi. A które lubią pani dzieci?

– Poproszę o duże opakowanie każdego rodzaju – podjęłam decyzję, puszczając pytanie mimo uszu.

Kupiłam i inne produkty. W niedzielny wieczór wysondowałam dzieciaki, co zabierają do szkoły na drugie śniadanie. A na lodówce przyczepiłam magnesami dwie kartki z listami możliwych wariantów dla obojga. Wyszłam ze sklepiku i udałam się do piekarni naprzeciwko naszej kamienicy, wymyślając sobie w duchu, że nie dopytałam o preferencje w sprawie pieczywa. Postanowiłam zatem nabyć różne, w nadziei że w coś trafię, a resztki zjem sama, przerobię na bułkę tartą albo po prostu nakarmię nimi ptaki. Wracając do domu, pochwaliłam się za pragmatyzm i ekologiczne podejście do sprawy.

Dzieciaki w piżamach, spocone i zaspane, weszły do kuchni i przecierając oczy, popatrzyły na leżącą na stole górę płatków.

– Coś nie tak? – zapytałam. – Wybierzcie te, które lubicie, i po sprawie.

– Ale my nie mamy ulubionych... – Zakłopotany Tadeusz podrapał się po głowie.

– Mogą być jakiekolwiek – dodała Zosia, kręcąc na palcu kosmyk włosów.

– W takim razie mam pomysł... – Rozejrzałam się po kuchni. – O, jest! – Podałam im duży, foliowy worek, w który zapakowano mi pieczywo. – Zróbcie sobie mieszankę i odpadnie kłopot z wyborem.

Popatrzyły z niedowierzaniem, ale po minach widać było, że koncepcja przypadła im do gustu. Za chwilę siedziały i jadły śniadanie. Pośrodku stołu leżał olbrzymi wór.

– Dzień dobry, księżniczko! – Piotr pierwsze kroki w kuchni skierował ku Zosi. Czule pocałował córkę w policzek. – O! I książę też już wstał! – Z ojcowską troską poczochrał Tadeusza po czuprynie. W następnej, a co za tym idzie – ostatniej, kolejności podszedł do mnie, objął mnie w pasie, przyciągnął i pocałował. – No i mamy tu jeszcze jutrzenkowego ptaszka. Czy moja królewna ma dla mnie kawę? – Pocałował mnie ponownie, uścisnął jeszcze mocniej.

Ponad jego ramieniem zobaczyłam, jak Zosia z rozmachem odstawia talerz z niedojedzonym śniadaniem, głośno odsuwa krzesło i ostentacyjnie wychodzi z kuchni. Zaskoczony jej zachowaniem Tadeusz gorączkowo, ze spuszczonym wzrokiem, opróżnił zawartość talerza i natychmiast podążył za siostrą.

Odwrócony plecami Piotr nie zauważył niczego. Odepchnęłam go speszona.

– Misiu? Już mnie nie kochasz?

– Dzieci chyba są zazdrosne – wyszeptałam konspiracyjnie. – Zosia nie dojadła śniadania, a Tadeusz wyszedł z nietęgą miną. Nie możesz mi tak jawnie okazywać czułości…

– Zazdrosne! A niby o co?

– O ciebie.

– Dobre! – Był wyraźnie rozbawiony. – Nie wiesz, jak to jest. Zosia to niejadek od urodzenia. Razem z Ewą toczyliśmy boje, by tknęła cokolwiek. A poza tym, śpieszą się do szkoły. Masz dla mnie tę kawę?

– Piotr, bagatelizujesz problem. Postaraj się zrozumieć, co one czują!

– Misia, nie histeryzuj. Zapewne ci się wydawało. Nie baw się w psychologa, tylko dawaj kawę. – Ziewnął. – Muszę jeszcze zrobić korektę artykułu.

Podałam śniadanie, a on usiadł przy stole i postawił przed sobą laptopa. To popijał, to pogryzał kanapkę, to stukał w klawiaturę.

– Tatusiu, czy możesz przyjść do mojego pokoju? – Zosia stanęła w drzwiach. Patrzyła wyłącznie na Piotra, jakbym była powietrzem.

– A co się stało, słoneczko? – zapytał, nie odrywając wzroku od ekranu.

– Proszę, chodź. Mam ważną sprawę! – nalegała, niecierpliwie przestępując z nogi na nogę.

Wstał bez entuzjazmu, ale posłusznie. Zostałam w kuchni sama. Właśnie kończyłam pakować trzy zestawy drugiego śniadania, gdy usłyszałam wołanie Piotra:

– Izuniu, potrzebujemy cię! Możesz?

– Zaraz! – Trzęsącymi się z pośpiechu rękami zawijałam w przezroczystą folię ostatnią bułkę.

– Nie zaraz, tylko natychmiast! Mamy sprawę niecierpiącą zwłoki!

Rzuciłam wszystko. Zosia stała pośrodku pokoju nadąsana, ze skrzyżowanymi ramionami. Na łóżku leżało kilka swetrów.

– Zosia ma problem, a ty musisz nam poradzić. Nie wie, który sweter włożyć do szkoły. Nie znam się na babskich fatałaszkach, ale proponuję ten niebieski.

– Piotr siedział rozparty na rattanowym fotelu, patrząc z nadzieją, że potwierdzę wybór i kłopot z głowy.

– Ładny. Naprawdę, ale musi poczekać do wiosny. Jest cieniutki. Przyda się w ciepłe majowe wieczory. – Taktownie próbowałam im wybić z głowy pomysł, że Zosia pójdzie do szkoły w trzaskający mróz w lekkiej, króciutkiej bluzeczce z lycry, z dekoltem sięgającym pępka. – Nie lepszy byłby ten zielony golf? Twarzowy, milutki i ciepły – proponowałam. Niepiękny, ale odpowiedni.

Zosia nie zaszczyciła mnie spojrzeniem. Ostentacyjnie wzięła błękitną bluzeczkę, podeszła do Piotra, pocałowała go i – nadal odwrócona do mnie plecami – powiedziała, wyraźnie jak logopeda:

– Wiesz, tatusiu, że jesteś najlepszy pod słońcem i znasz się na modzie? Kocham cię. Zawsze się rozumieliśmy i zawsze będziemy. Nawet bez słów.

Na wyjście całej trójki czekałam jak na szpilkach. Niczego na świecie nie pragnęłam tak, jak wówczas samotności. Z wymuszonym uśmiechem pożyczyłam wszystkim miłego dnia, a gdy wreszcie zamknęły się drzwi, poczułam się jak zbity pies. Poszłam do kuchni i usiadłam na krześle. W głowie miałam gonitwę myśli. Musisz wziąć się w garść! – napominałam samą siebie. Początki zawsze są trudne. Może jesteś przewrażliwiona, a może zmęczona...?

Na policzku poczułam coś ciepłego. Podniosłam rękę i dotknęłam twarzy. Oczywiście – łza. Wstałam pośpiesznie. Tylko nie dramatyzować! Nie płacz i nie mazgaj się, pomyślałam. W końcu zaczynasz nowy etap w życiu. Pełna mobilizacja! Nie ma czasu na lamenty!

Godzinę później stałam już pod dawnym blokiem Piotra. Sięgnęłam do torebki w nadziei, że na klucze trafię już za pierwszym razem. Przeszukując jej czeluście, natrafiałam na wszystko: miniperfumy, odświeżające drażetki o smaku egzotycznym, komórkę służbową, komórkę prywatną, czarną konturówkę do oczu, potwierdzenia transakcji z kart kredytowych, paragony, błyszczyk o smaku melona, puste opakowanie po tabletkach na gardło…

Tylko nie na klucze.

– Proszę wejść. No, bardzo proszę! – Ktoś przytrzymywał otwarte drzwi. Spojrzałam w bok i zobaczyłam faceta ubranego w zieloną puchową kurtkę z kapturem na głowie. Całego ośnieżonego i zziębniętego. Dopiero teraz zauważyłam atramentowe niebo i padający gęsty, pędzony silnym wiatrem śnieg.

– Dziękuję. – Uśmiechnęłam się do nieznajomego i weszliśmy do środka.

– Które piętro? – zapytał życzliwie, ściągając kaptur.

Nie ma się co dziwić, że tak szczelnie okrywa głowę, przeleciało mi przez myśl; mimo, na moje oko, nieprzekroczonej czterdziestki włosy miał mocno przerzedzone, z prześwitującymi na czubku początkami łysiny. Ciekawe, czy zadziałałby ten reklamowany szampon konkurencji? Doskonały przypadek do przetestowania, pomyślałam bez śladu szyderstwa. Uważam, że na łysinę uwarunkowaną genetycznie są dwie metody – albo ją polubić, albo zrobić przeszczep.

– Trzecie.

Mężczyzna zerknął na mnie przenikliwie. Na trzecim piętrze wyszedł, przytrzymał drzwi i zaczekał, aż opuszczę windę. Kątem oka zauważyłam, że przytrzymuje drzwi stopą i ukradkiem podgląda, gdzie idę.

Sięgnęłam do torebki po klucze i zagrałam na zwłokę, rozpoczynając tradycyjne poszukiwania. Czułam na plecach jego wzrok. Niestety, już za pierwszym razem wyłowiłam należący do Piotra pęk, zawieszony na breloczku z małym słonikiem z afrykańskiego jaspisu. Przez dłuższą chwilę wpatrywałam się w zwierzaka, jakby mógł mi podpowiedzieć, co robić. Czy ten facet czeka tylko na otwarcie drzwi, czy chce wtargnąć za mną i na przykład udusić. Choćby wkładając mi siłą na głowę jeden z foliowych worków, które Piotr ponoć zostawił w kuchni? Albo, jeszcze gorzej, najpierw zgwałci, a potem skrępuje ręce sznurem, usta zaknebluje szmatą do podłogi i utopi w wannie ? Nie, nie wchodzę, tu jest bezpieczniej, postanowiłam. Mimo że na korytarzu panował półmrok i cisza niemal absolutna, pomyślałam, że mam większą szansę na wezwanie pomocy. W końcu ktoś nadejdzie. Opanowana wizją coraz okrutniejszych sposobów zejścia z tego świata, odwróciłam głowę, a speszony facet cofnął nogę i winda z głośnym jękiem ruszyła w górę. Jasny gwint! Zboczeniec, wariat, podglądacz czy tylko wścibski?

A może wszystko mi się wydawało? Przecież to trwało zaledwie kilkanaście sekund, a ty już robisz z tego zbrodnię stulecia! – tłumaczyłam sobie.

W mieszkaniu Piotra byłam kilkakrotnie, ale jeszcze nigdy sama. Cztery pokoje, aneks jadalny, kuchnia i łazienka. Wystarczające dla małżeństwa z dwójką dzieci. Przeszło mi nawet przez myśl, by sprzedać wyłącznie moje lokum, pomieszkać tutaj rok czy dwa, zainwestować, coś zaoszczędzić i dopiero przystąpić do polowania na okazje, bez zadłużania i spłacania przez dwadzieścia lat potężnych rat kredytu... W biurach nieruchomości pośrednicy rozkładali ręce: „Szkoda, że się państwu śpieszy. Przepłacicie. Naprawdę trafiają się prawdziwe perełki", mówili. Ale Piotr się uparł. Postawił sprawę jasno: albo kupujemy coś nowego, albo mieszkamy we czwórkę u mnie. Rozśmieszył mnie tym do łez. „U mnie? – upewniłam się, czy rozumiem właściwie. – Przecież ono ma niecałe czterdzieści trzy metry kwadratowe? Chcesz spać na stojąco, a śniadania jadać w kuchni dwójkami, na zmianę?". Ale był twardy. „Nie, nie i jeszcze raz nie", powtarzał konsekwentnie, aż uległam. Sprzedaliśmy oba. W pośpiechu, poniżej rynkowej wartości. Z perspektywą śnienia do pięćdziesiątki o komorniku, jeśli terminowo nie spłacę rat...

Weszłam, zamknęłam za sobą drzwi i przystanęłam w przedpokoju. Poczułam się niepewnie, nieswojo. Jak złodziej. Albo raczej szpieg, u którego gwałtownie rośnie poziom adrenaliny, bo obawia się zdemaskowania. Albo nieproszony gość, którego wizyta wywołała niesmak na twarzach gospodarzy. Nie mogłam sprecyzować. Wzięłam głęboki oddech; moje serce na przemian to spowalniało, to kołatało. Dlaczego Piotr nie chciał tu wrócić i tak bardzo nalegał, żeby go wyręczyć? A może to nawiedzone miejsce? Dostałam gęsiej skórki. Widziałam kiedyś reportaż o domu, którego kolejni właściciele po pierwszej przespanej, a ściślej mówiąc: nieprzespanej, nocy uciekają bladym świtem gdzie pieprz rośnie. A to radio przełączało się na nieistniejącą w realu stację, w której jakiś facet głębokim, ochrypłym głosem czytał fragmenty *Biblii Szatana*, a to niewidzialna ręka szarpała gospodynię za włosy, zegar w szalonym tempie galopował wstecz, a spod podłogi wydobywały się jęki. Jasny gwint! Znieruchomiałam. Może w tym lustrze w przedpokoju zobaczę odbicie Ewy, pierwszej żony Piotra, ubranej w zwiewną, długą białą koszulę nocną, spokojnie szczotkującą włosy? Albo usłyszę tuż obok szyderczy, zagłuszający myśli śmiech? A lodowate, obce usta pocałują mnie w policzek? Jasny gwint! Opamiętaj się! – powtarzałam w myślach. Wystarczy, że zagapi się na ciebie jakiś facet w windzie, a potem prawie puste mieszkanie działa na twoją wyobraźnię jak kanister benzyny wlany w zaledwie tlący się ogień! Wyluzuj, a fantazję zakuj w kajdanki!

Zażenowana, starając się nie hałasować, przeszłam się po mieszkaniu. Wszędzie panował rozgardiasz, normalna rzecz podczas przeprowadzki. Kiedyś mieszkała tu kochająca się, modelowa rodzina – rodzice z dwójką dzieci. A potem już tylko Piotr z dzieciakami... Siedem dni w tygodniu dochodziła do nich pani Bożena. No właśnie... Pani Bożena tydzień przed nami wzięła ślub i wyjechała w rodzinne strony męża, prywatnego detektywa. Wiedziałam o niej tylko tyle, że odpowiedziała na ogłoszenie Piotra w gazecie w sprawie pomocy domowej zaraz po śmierci Ewy i że była świeżo upieczonym magistrem astronomii. Nie mogła znaleźć pracy w wyuczonym zawodzie, przyszła więc na chwilę i została. Szczęśliwym zbiegiem okoliczności ułożyła sobie życie jeszcze przed naszym ślubem. Piotr z dzieciakami był na uroczystości w kościele. Opowiadał potem o łzach przy pożegnaniu i o tym, jak trudno było im się rozstać.

Podniosłam wszystkie rolety i w mieszkaniu zaraz zrobiło się pogodniej, chociaż za oknem na dobre rozszalała się śnieżyca niesiona silnym, porywistym wiatrem. Zdjęłam płaszcz, choć było chłodno. Dotknęłam najbliższego kaloryfera i ze wstrętem odsunęłam rękę – zimny! Jakoś mi to nie przeszkadzało, wystarczy się poruszać i zaraz się rozgrzeję! Wzięłam worki na śmieci i przeszłam do największego pokoju, jednocześnie salonu i jadalni. Przystanęłam i nie wiedziałam, od czego zacząć. Z mebli pozostała wyłącznie orzechowa komoda, którą postanowiłam zaliczyć do rzeczy „do zabrania" (Piotr postawił na niej kiedyś „dosłownie na sekundę" garnek z gorącym rosołem, czego efektem była okrągła biała plama na blacie, ale wykombinowałam, że postawię w tym miejscu szeroki secesyjny wazon i będzie okej). Z czułością przesunęłam ręką po wiekowym, przepastnym meblu. Zawsze lubiłam starocie. Przy każdej okazji odwiedzałam sklepy z antykami i targi staroci, a w wolnych chwilach odbywałam wirtualne wizyty na specjalistycznych internetowych stronach. Moje mieszkanie, nie licząc kuchni i łazienki, wypełniały kupione okazyjnie zaawansowane wiekiem przedmioty: piękna, eklektyczna dębowa szafa, przedwojenna biblioteka, stół i komplet dębowych secesyjnych krzeseł, kredens z epoki i mahoniowa sekretera. Lokum miało ograniczony metraż, więc zagryzałam zęby i siłą woli powstrzymywałam się od korzystania z kolejnych „niebywałych okazji". W starociach pociągała mnie ukryta w nich tajemnica.

Wysunęłam szuflady i znalazłam obrusy, serwetki, bieżniki, dekoracje stołowe, świece, podkładki i podstawki. Zaczęłam od obrusów, których było całe mnóstwo. Większość nieskalanie biała i... Nie wierzyłam własnym oczom! Haftowana białą muliną. Zaparło mi dech. Usiadłam na podłodze i przeniosłam się w inną epokę, gdzie nie ma cerat, plamoodpornych tkanin ani niewymagających prasowania sztucznych, elektryzujących się materiałów. Przyjrzałam się dokładniej. Haft wykonano ręcznie. Piękne motywy kwiatowe, roślinne, delikatna mereżka, ażury, gdzieniegdzie obrębienie ręcznie wykonaną gipiurą. Kwintesencja klasyki i dobrego gustu, misteria i skarby rękodzieła! Sięgnęłam ręką w głąb pierwszej szuflady, żeby upewnić się, czy jest pusta, i wyciągnęłam mały, rzeźbiony w góralskie motywy kuferek na przybory do szycia, a zaraz potem jakieś książki. *Podstawy i techniki haftu*, *Haft angielski bez tajemnic*, *Haftowanie? – Ależ to proste!* i *Wzory 25 najpiękniejszych haftowanych obrusów*.

Nigdy nie byłam miłośniczką robótek ręcznych, wręcz unikałam ich jak diabeł święconej wody. Moja skwaszona mina, gdy miałam przyszyć guzik, wywoływała nieodmiennie uwagę mamy, bym wieczorną modlitwę kończyła sentencją: „Od igły i nici racz mnie chronić aniele stróżu".

Książki były ładnie wydane, na kredowym papierze, bogato ilustrowane, w twardych oprawach. Cieszyły oko, ale nawet ich forma nie potrafiła pokonać mojej awersji do robótkowego szaleństwa. Już miałam je odłożyć, gdy na wewnętrznej stronie okładki *Wzorów 25 najpiękniejszych haftowanych obrusów* zauważyłam napisaną odręcznie dedykację.

Mojej najukochańszej Żonie Misi z okazji czwartej rocznicy ślubu składam podziękowania za wspólne, najcudowniejsze w moim życiu chwile. Dziękuję Ci, że mnie wybrałaś. Z całego serca pragnę, abyśmy nadal szli razem przez życie, po wsze czasy pewni swoich uczuć. Piotr.

W przypływie paniki gwałtownie odrzuciłam książkę. Parzyła mnie milionem wystających z okładki drobnych, ostrych igiełek. Oczy zaszły mi łzami. „Misiu, Misiu, Misiu", dudniło mi w głowie coraz głośniej. Chciało mi się wrzeszczeć, wyć, drzeć – cokolwiek, byle tylko zagłuszyć łomot w czaszce, podobny do zbliżającej się lokomotywy. Dlaczego Piotr nazywa mnie tak samo jak pierwszą żonę? Czy chce, abym stała się jej namiastką? Protezą? Jak może patrzeć mi w oczy i mówić, że mnie kocha? Do której z nas się zwraca? Opadłam na podłogę, skuliłam się, podciągnęłam kolana pod brodę i otoczyłam je rękami, zapatrzona w dedykację i porozkładane dokoła obrusy. Spojrzałam w okno. Zawierucha jeszcze przybrała na sile. Niebezpiecznie targany wiatrem wierzchołek i gałęzie potężnej topoli pochylały się w moją stronę, szydząc, wygrażając i wyganiając z mieszkania. Powstrzymałam wyobraźnię i przywołałam się do porządku. Naoglądałaś się horrorów, idiotko! – ganiłam się w duchu. Te cacka wyhaftowała żona Piotra i można ją tylko podziwiać za cierpliwość do rzeczy, do których ty sama jej nie masz. A z Misią sobie poradzisz! Zacisnęłam zęby. Akumulatory zostały doładowane. Nie zważając na pogodę, otworzyłam szeroko okno w kuchni i drzwi wejściowe do mieszkania, w nadziei, że przeciąg wywieje kotłujące się we mnie emocje.

Dobra, zabieram komodę wraz z zawartością! – postanowiłam. Przekażę dzieciom, gdy dorosną. Będą miały pamiątki po matce. I koniec!

Na baczność postawił mnie potężny rumor. A jednak miałam rację, to miejsce jest nawiedzone! Myśl wbiła się w mój umysł jak miecz w brzuch samuraja przy rytualnym samobójstwie. Zamarłam i z łomoczącym sercem nasłuchiwałam dalszego ciągu. No to, Ewka, zaraz się poznamy, pomyślałam. Odczekałam chwilę i na ugiętych nogach weszłam do przedpokoju. Uff, przeciąg zatrzasnął drzwi. Uspokoiłam się i dla pewności zamknęłam okno, ale porywisty wiatr zdążył już pokryć kuchnię igiełkami śniegu. Czułam, jak tętno powoli wraca do normy. I usłyszałam natarczywy dzwonek u drzwi. Jasny gwint! Tego tylko brakowało! To na pewno ten facet, ten w zielonej kurtce, z ukrytymi pod koszulą morderczymi akcesoriami: rzeźniczym toporem, nożem do filetowania, osełką do kompletu i kłębem sizalowego sznurka do krępowania kończyn. Zdążył się przygotować. Uspokojone na chwilę serce ponownie ruszyło sprintem. Na palcach, starając się nie dotykać obcasami podłogi, podeszłam do wizjera. Odsuwając klapkę, byłam pewna, że po drugiej stronie zobaczę powiększone do monstrualnych rozmiarów przekrwione oko mordercy… Gdybym miała młotek, natychmiast uderzyłabym się w głowę, żeby w końcu poskromić galopującą wyobraźnię.

Postać po drugiej stronie okazała się płci żeńskiej, o raczej kruchej posturze. Otworzyłam i ujrzałam przed sobą niską późną trzydziestkę, ubraną po domowemu, w błękitny dresik. Na nogach kapcie dobrane odcieniem do ubrania, rude jak u wiewiórki włosy upięte na czubku głowy w kucyk owinięty dziecięcą chusteczką w czerwone serduszka. W ramionach trzymała kilkumiesięcznego chłopca. Odezwała się i pierwsze wrażenie o delikatnym usposobieniu znikło bezpowrotnie.

– Co się tu dzieje? – Głos zadudnił po korytarzu. – I kim pani jest?

– A co to panią obchodzi? – Na szczęście odzyskałam pewność siebie. – Nie zamierzam się tłumaczyć.

Do widzenia! – Chciałam zamknąć jej drzwi przed nosem.

– Ja nie żartuję! – Z refleksem godnym mistrza kung-fu wsunęła nogę pomiędzy drzwi a framugę, uniemożliwiając mi zaplanowany manewr.

– No dobrze – powiedziałam nieco zniechęcona. Nie zamierzałam tracić czasu na przepychanki. – Jestem żoną poprzedniego właściciela.

– Na pewno?

– Pokazałabym pani dowód albo prawo jazdy, ale na każdym figuruję pod panieńskim nazwiskiem – tłumaczyłam cierpliwie, marząc, żeby cofnęła nogę.

– W porządku. – Rozluźniła się. Wątpliwości najwyraźniej zostały rozwiane, bo uśmiechnęła się przyjaźnie i wyciągnęła w moją stronę dłoń. – Jestem Lila, sąsiadka. Mówmy sobie po imieniu. Przepraszam za najście, ale znam Piotra, dzieci i nowych właścicieli. Są moimi przyjaciółmi. I wszystkim obiecałam, że będę miała mieszkanie na oku. Wie pani, zdarzają się czasem takie sensacyjki... Niedawno sąsiadowi z dołu ktoś zakradł się do mieszkania pod jego nieobecność. Niczego nie zabrał, tylko zrobił demolkę. A przed chwilą dobiegały stąd jakieś dziwne odgłosy. Jeszcze raz przepraszam.

– Nie ma sprawy i dziękuję za troskę. Zrobiłam mały przeciąg i wiadomo. Aha, i mam na imię Iza. – Odwzajemniłam uśmiech, bo sąsiadka wydała mi się sympatyczna. Taka mała, niepokorna kotka, pazurami walcząca do upadłego.

– A co tu tak chłodno? – Troskliwiej otuliła dziecko ramieniem.

– Ogrzewanie jest wyłączone. Próbuję doprowadzić wszystko do przyzwoitego stanu, żeby zaoszczędzić fatygi nowemu właścicielowi, więc zajmie mi to kilka dni. Piotr nie ma czasu, jest bardzo zapracowany. Ja mam jeszcze urlop.

– Tak, tak, ten zapracowany Piotr... – Zamyśliła się na moment, ale niemal natychmiast odzyskała rezon. – Mieszkam tuż obok, pod osiemnastką. Gdybyś czegokolwiek potrzebowała, zapukaj, tylko cicho. Broń Boże nie dzwoń, bo to prawdziwy cud, jeśli Julek, ten przystojny mężczyzna – z dumą wskazała na dziecko – zaśnie chociaż na chwilę. I zapraszam na kawę, byle nie dzisiaj, bo jak tylko ta zwariowana pogoda trochę się uspokoi, to idę z nim na szczepienie. Ale pamiętaj, zawsze, ale to zawsze, możesz wpaść. Serdecznie zapraszam! – zapewniała, idąc już w stronę swojego mieszkania. W progu odwróciła się i dodała: – Pierwsza żona Piotra była moją przyjaciółką, to chyba możemy się bliżej poznać?

Zamknęłam drzwi, wzięłam dwa duże worki foliowe i zabrałam się do sortowania śmieci. Do pierwszego zebrałam makulaturę, a do drugiego szkło. Zajęcie okazało się tak otępiające, że porzuciłam wszelkie filozoficzne rozważania.

Gdy oba worki były już pełne po brzegi, uznałam, że dość wrażeń jak na jeden dzień. Włożyłam płaszcz i objuczona jak wielbłąd w karawanie z ulgą wyszłam z mieszkania. Śnieżyca ustała, ale zaatakował mróz; przy życiu trzymała mnie jedynie myśl, że za kwadrans będę w domu. Sztywnymi z zimna rękami wrzucałam właśnie do kontenera na szkło słoiki i butelki, gdy usłyszałam za sobą odgłos kroków. Odwróciłam się odruchowo i zobaczyłam faceta w zielonej kurtce, tego samego co rano, tego który tak pobudził moją wyobraźnię. Teraz jednak czułam się bezpieczna – w końcu znajdowałam się w miejscu publicznym, pośrodku blokowiska. Rozejrzałam się dla pewności. Dwóch strażników miejskich spisywało numer nieprawidłowo zaparkowanego na skwerze forda, tuż obok dziadek z wnuczkiem próbował ulepić ze zbyt zmrożonego śniegu bałwana, a młode małżeństwo, kłócąc się, montowało na dachu czarnego kombi bagażnik na narty.

– Proszę to zostawić, to nie dla pani. Ja to zrobię! – Nie dał mi szans na sprzeciw. Chwycił worki. – Proszę włożyć ręce do kieszeni. A tak na marginesie... Rękawiczki i czapka są be? Zaziębi się pani! Tak nie można!

– Proszę się o mnie nie martwić – zapewniłam go pośpiesznie. Stałam z boku i obserwowałam, jak sprawnie mu idzie. Worek ze szkłem był już opróżniony, teraz mężczyzna zabrał się za makulaturę. – Mam nadzieję, że nie będzie mnie pan przepytywać, czy prawidłowo się odżywiam, sypiam co najmniej osiem godzin na dobę, czy uprawiam jakiś sport, używam suplementów i tak dalej – próbowałam dowcipkować, wdzięczna losowi za zesłanie pomocnika. – Ale... – Uświadomiłam sobie nagle i zrobiło mi się głupio, że nadużywam męskiej uprzejmości. Przecież to nie pomoc w niesieniu zakupów. – To nie pana śmieci. Proszę mi je dać!

– Pani też nie! – zripostował buńczucznie, upychając w kontenerze stare egzemplarze miesięcznika „Etnology and Cultural Antropology Today". – No i koniec! – Otrzepał ręce, odwrócił się do mnie i odkaszlnął, nieco zakłopotany. – Podwieźć panią do domu?

– Nie, dziękuję – odparłam zdecydowanie. – Mam niedaleko.

– Wiem... – Patrzył mi w oczy zbyt intensywnie i długo.

– Skąd? – Wytrzymałam spojrzenie.

– Po prostu. Takie rzeczy się wie.

Sytuacja stawała się niezręczna. Najwyraźniej zainteresowany mną facet wie o mnie znacznie więcej niż ja o nim! Otaksował mnie dyskretnym spojrzeniem, ale postanowiłam nie wdawać się w niepotrzebne dyskusje.

– Dziękuję za pomoc i do widzenia! – Odwróciłam się i brnąc przez uformowane wokół kontenerów zaspy, ruszyłam w kierunku chodnika. W pośpiechu, bo dzieciaki zaraz wracają ze szkoły, a tuż po nich Piotr.

– Raczej: do zobaczenia! – Poczułam na plecach jego wzrok. A może nawet oddech?

Na pewno ciarki.

Pierwsza wróciła Zosia. Miała czerwony nos i na pierwszy rzut oka wyglądała na złą jak stu bandytów.

Po względnie grzecznym „dzień dobry" natychmiast poszła do swojego pokoju i zamknęła drzwi. Uśmiechnęłam się pod nosem i cofnęłam pamięcią o kilkanaście lat. Podczas młodzieńczego czasu burzy i naporu dawałyśmy z Agą rodzicom w kość nie raz i nie dwa; wciąż próbowałyśmy naginać domowe zasady. Jednak ciągłe podkreślanie przez rodziców ich bezgranicznego do nas zaufania było tak niesamowitym balastem psychicznym, że kontrolowałyśmy się same. Zdarzały się nam, oczywiście, różne wpadki, ale to rzecz w życiu każdego nastolatka naturalna. Rodzice nie prawili nam kazań, a wszelkie życiowe mądrości wpajali mimochodem, więc nie odczuwałyśmy przymusowej edukacji. Takie wychowanie „od niechcenia" prowadziła głównie mama, która nie pracowała i zawsze miała dla nas czas. Kiedy miałyśmy ochotę pogadać, odstawiała wszystko na bok; siadałyśmy na krzesłach w kuchni i zaczynałyśmy długie babskie rozmowy. Mama mawiała: „Zdrowa rozmowa jest zdrowsza od najzdrowszej surówki". No właśnie, rozmowy... pomyślałam o Zosi urzędującej za zamkniętymi drzwiami pokoju. Cóż, wszystko przed nami.

Do przedpokoju wpadł z hukiem Tadeusz, zaśnieżony jak bałwan. Był w wyśmienitym humorze.

– Dzień dobry! – zawołał. – Zosia jest?

– Tak, u siebie – odpowiedziałam, obserwując, jak usiłuje się uwolnić z kurtki pozapinanej na wszystkie możliwe sposoby: na zamek błyskawiczny, ściągające troczki i zatrzaski. Poza tym cały był omotany szalem, jak mumia egipska bandażami. – Zjecie teraz, czy czekamy na ojca?

– Chciałbym jak najszybciej, bo umówiłem się z kolegami. Chyba mogę wyjść? – Pytanie wprawiło mnie w zakłopotanie, bo po raz pierwszy w relacjach z dziećmi miałam stać się wyrocznią i zadecydować o być albo nie być.

– Zaraz przyjdzie tata – odparłam wymijająco. Nie wiedziałam, czy jestem uprawniona do podejmowania decyzji.

– Ale mogę? – naciskał, z napięciem oczekując werdyktu. Z opresji uratował mnie dźwięk telefonu.

– Misia! – Oczywiście Piotr.

– Nie mów do mnie Misia! – zaprotestowałam przez zęby.

Milczenie.

– No dobrze, Izuniu... – Piotr był zaskoczony. – Ale wiesz, Misia...

– Jeszcze jedna Misia, a słuchawka wylatuje przez okno!

– Ale o co chodzi Mi... – poprawił się. – Izuniu?

– Nie chcę, żebyś mnie tak nazywał!

– Misia, przepraszam... Dlaczego? – wiercił mi dziurę w brzuchu, a w mojej głowie szalały wątpliwości. Powiedzieć czy nie? Lepiej nie, zdecydowałam, bo będzie tak, jakbym przyznała się do czytania cudzych listów. Wprawdzie przypadkowo, ale jednak.

– Bo, bo... kojarzy mi się z... z Misiem Uszatkiem albo pucatą przekupką z targowiska! – wymyślałam.

– Dziwne. Przed ślubem nie miałaś podobnych asocjacji – zauważył podejrzliwie.

– Kobieta zmienną jest. I koniec!

– Wiesz, dlaczego tak cię nazywam? Bo jesteś kwintesencją kobiecości. Ciepła, milutka, aż się chce do ciebie tulić i zapominać o problemach – wyliczał.

– Nie, nie i jeszcze raz nie! – powiedziałam kategorycznie i ugryzłam się w język, żeby nie krzyknąć: Nie jestem Ewą!

– Porozmawiamy później – delikatnie zapowiedział powrót do tematu.

– Nie! Już powiedziałam!

– No już dobrze, ale Mi...

Rozłączyłam się. Telefon niemal natychmiast odezwał się ponownie. Westchnęłam i odebrałam.

– Izunia, kochanie, czy coś się stało?

– Nic.

– Na pewno?

– Na pewno! – ucięłam. – Nie wracajmy do tego. Czekamy na ciebie z obiadem. O której będziesz?

– Nie czekajcie. Właśnie w tej sprawie dzwonię. Wrócę później, bo w przyszłym tygodniu przyjeżdżają do instytutu Belgowie. Musimy ich jakoś przyjąć i siedzimy teraz z Marianem nad programem wizyty. Nie masz nic przeciwko temu?

– Nie. O której będziesz?

– Nie zadawaj mi takich pytań. Odpowiedź jest jedna: jak skończymy.

– Piotr...

– Tak?

– Tadeusz umówił się z kolegami. Może iść?

– Mi... Izunia, kochanie, myślałem, że to coś ważnego. Podejmuj takie decyzje sama. Szczerze mówiąc, zawracasz mi głowę. No to pa, do zobaczenia!

Obiad zjedliśmy we trójkę, przy stole w kuchni. Tadeusz opowiadał, jak po lekcjach na boisku szkolnym kopali tunele w zaspach, a potem robili z kolegami orły i aniołki, czyli kładli się na śniegu na plecach, szeroko rozkładali ręce i nogi i poruszali nimi, malując stosowne wizerunki. A teraz mają plan. Chcą zbudować igloo, bo takie zaopatrzenie w śnieg może się nie powtórzyć przez kilka lat. Ale takie prawdziwe, nie żadne zabawowe. To poważne wyzwanie, więc mają wszystko podzielone na etapy. Dzisiaj chcą przygotować jak najwięcej cegieł. Robi się je prosto, a ułatwiają pracę. Bierze się mocny, prostokątny pojemnik, może być plastikowy, wsypuje śnieg, ugniata butem, odwraca do góry dnem, wyskakuje cegiełka. Tadeusz opowiadał z zapałem, apetyt mu dopisywał i było mu obojętne, co się dzieje wokół. W marzeniach już widział swoje igloo. Zosia natomiast siedziała markotna, jak struta muchomorem sromotnikowym. Myślami była daleko. Gmerała w talerzu widelcem.

– Dziękuję, skończyłem. Mogę iść? – zapytał Tadeusz z ognikami w oczach.

– A lekcje? – zagadnęłam asekuracyjnie.

– Och, naprawdę, mało mam do odrobienia. Załatwię to wieczorem.

– Będziesz na siebie uważał?

– Jasne!

– No dobrze, ale bądź w domu przed dziewiętnastą. I weź inne buty i rękawiczki, bo te, które miałeś dzisiaj, są całkiem przemoczone. Suszą się na kaloryferze. Uważaj przy przechodzeniu przez ulicę. Kierowcy mają zaparowane szyby i nic nie widzą. Jest ślisko, mogą nie zapanować nad samochodem, wpaść w poślizg i cię potrącić. Możesz zachorować, gdy się spocisz i przemokniesz... – wymieniałam znane mi niebezpieczeństwa związane z zimą, bo czułam się odpowiedzialna, podczas gdy Tadeusz słuchał jednym uchem i siedział jak na szpilkach. Jednocześnie zauważyłam, że Zosia przewraca oczami, odsuwa talerz i z ironicznym uśmiechem idzie do siebie. – No to co? Jesteśmy umówieni?

– Jasne! – potwierdził Tadeusz i już go nie było.

Poszłam do Zosi. Zapukałam i cichutko weszłam. Leżała pod kołdrą, odwrócona tyłem do drzwi. Chyba spała.

Rozpakowałam kilka kartonów Piotra, tych, w których były jego ubrania. Musiałam opracować jakąś strategię, co i na jakim miejscu powinno się znaleźć w tym mieszkaniu. Zosia i Tadeusz mieli własne pokoje. Piotr osobiście zadbał o to, by były takie, jakie sobie wymarzyli, „żeby na maksa zniwelować stres związany z przeprowadzką". Starał się podkreślać wszystkie pozytywne strony zmiany miejsca, czyli: mieszkanie i pokoje znacznie większe i wyższe, jest czym oddychać, zabytkowa kamienica z duszą, piękny balkon, biblioteka tuż, tuż, cisza i w ogóle żaden beton i wielka płyta, tylko cegła. Do aranżacji wnętrz zatrudnił architekta. Z Tadeuszem nie było problemów, bo poza „kącikiem sportowym" chłopiec nie miał żadnych wymagań. Więc niemal połowę pokoju zajmowała teraz mała siłownia z rowerem treningowym, skakanką, hantlami, zamocowanym pod sufitem drążkiem, dartami, twisterem i stepperem. Pan projektant był bardzo zadowolony, bo mógł wcielić w życie swój ideał pokoju dla bardzo młodego mężczyzny. Wszystko w czerni i bieli, na szczęście kontrast przełamał szarością. Większe wymagania miała Zosia, która raz po raz zmieniała koncepcje. Na początku miał to być romantyczny pokój księżniczki, w kremowej i różowej kolorystyce, z łóżkiem z baldachimem i komódką. Gdy już wszystko zostało ustalone, w tym tapety w subtelne kwiatuszki, pościel z falbankami, kremowe firaneczki ze wzorem w różowe serduszka i różowa, puchata wykładzina, Zosia stwierdziła, że to „styl słodkiej idiotki", a ona z siebie takiej robić nie będzie. Zaraz potem przypomniały jej się wakacje w Toskanii i „cały ten klimat". I w związku z tym zamarzyła o pokoju lawendowym, typowo kobiecym, spokojnym i z klasą, która zapiera dech. Po kolejnych kilku pomysłach, kiedy architektowi wysiadały nerwy i bliski był rezygnacji ze zlecenia, stanęło na pokoju globtroterki, do czego Zosię zainspirowały nagrania z wypraw Piotra. Poinformowała wszem wobec, że będzie w przyszłości robić to co tatuś, a wtedy ma pokój jak znalazł. Wszystko skomponowane zostało w kolorach ziemi: pomarańczach, żółciach i brązach, z dominującym wzorem moro na tkaninach. Panna wybrała sobie meble z ciemnobrązowego rattanu i roletę okienną z bambusa, malarz pomalował ściany na słoneczny żółty, a wzdłuż i wszerz Zosia porozwieszała zdjęcia z wojaży Piotra i poustawiała przywiezione przez niego afrykańskie ozdoby.

Zajrzałam tam ponownie. Zosia nadal leżała w łóżku, tym razem na plecach, wpatrzona w sufit. Gdy weszłam, ani drgnęła. Oczy miała szkliste, pod nimi sine podkówki. Rozpalone policzki kontrastowały z bladością cery i brązowymi, długimi włosami rozrzuconymi na poduszce. Wyglądała źle. Zrobiło mi się jej żal. Była taka krucha, smutna, tak niepozorna, że chciałam natychmiast coś zrobić, żeby poczuła się lepiej. Powróciły wspomnienia z rodzinnego domu. Co robiła mama, gdy Aga czy ja byłyśmy chore albo przygnębione? Po pierwsze przytulała. To uczucie bezpieczeństwa, gdy już znalazłam się w jej ramionach! Wszystko natychmiast stawało się proste i łatwe. Znikały troski i nie było już nad głową czarnych chmur, a mama całowała i tylko pytała: „Już lepiej?". Odpowiadałam: „Odrobinę" i wtulałam twarz w jej włosy. Całowała drugi raz i powtarzała sondaż: „A teraz?". „Znacznie". Nierzadko taka seria pocałunków, pytań i odpowiedzi wystarczała za wszystkie lekarstwa świata. Ramiona mamy były jedynym prawdziwie bezpiecznym miejscem, w którym mogłam się schronić. Czułam bicie jej serca i dyskretny zapach ulubionych perfum, których używała, odkąd sięgałam pamięcią. Zapach, który dawał mi stabilizację.

Ale jak powinnam zachować się ja? W głowie miałam pustkę, a porady nie znalazłabym w żadnej bibliotece świata. Wziąć ją w ramiona? Tak jak to robiła moja mama? Ale mama mnie urodziła i dla niej było to coś naturalnego. A już z pewnością się nad tym nie zastanawiała. Kierował nią najzwyklejszy matczyny odruch, tak samo jak przy przystawieniu mnie do piersi i karmieniu w ten sposób do niemal trzecich urodzin. Po prostu skutek więzi, która narodziła się w chwili, gdy powstałam jako malutka zygota. Już wtedy odczuwałam całkowitą akceptację, mimo że na świecie była już Aga. Mama wspominała, że od początku znała moją płeć i z niecierpliwością oczekiwała rozwiązania. Dla niej nie byłam żadnym płodem czy jajeczkiem. Byłam Izą. Obie z czteroletnią Agą śpiewały mi piosenki i opowiadały różne zabawne historie, żebym nie czuła się w jej łonie taka samotna. Twierdziła nawet, że w ostatnich tygodniach prowadziłyśmy rozmowy: pytała o moje samopoczucie, a ja dawałam jej znać, poruszając się w konkretny sposób. I już wiedziała, o co chodzi, bo była hormonalnie nastawiona na miłość do mnie, a ja czułam się w brzuchu bezpiecznie odcięta od problemów zewnętrznego świata. Odżywiałyśmy się tym samym jedzeniem, oddychałyśmy tym samym powietrzem i odczuwałyśmy te same emocje. Wspólnie miałyśmy swoje lepsze i gorsze dni. I mama, przekonana, że urodzi dziewczynkę, zwracała się do mnie po imieniu. Gdy Aga zachowywała się zbyt głośno, prosiła ją o ciszę, bo „Iza zasnęła". A potem nastąpił poród, który jeszcze bardziej zaprogramował mamę na uczucie naturalnej miłości, również za sprawą oksytocyny, czyli hormonu miłości i przywiązania. Cały okres po porodzie jeszcze tę więź umocnił. Kołysanki, pieszczoty, szeptanie miłosnych zaklęć, przytulanki, bliskość, bezwarunkowa miłość, przechowywane opaski ze szpitala i pierwsze buciki dawały mamie satysfakcję z macierzyństwa, a mnie radość z faktu, że jestem dzieckiem tej właśnie mamy.

Patrzyłam na Zosię i było mi jej żal całą duszą. Zamiast mnie powinna być przy niej Ewa. Usiadłam ostrożnie na skraju łóżka i objęłam jej dłoń swoją. Najbardziej intymna chwila, jaką dotychczas przeżyłyśmy... Dotyk pozwolił mi poczuć nieznany wcześniej kształt drobniutkiej, ale bardzo gorącej rączki, z delikatnym, gładziutkim naskórkiem. Miałam nadzieję, że Zosia właściwie odczyta moje intencje. Wprawdzie nie jestem jej matką, ale troszczę się o nią i chcę ją pocieszyć, ponieważ jest mi bliska jako cząstka ukochanego mężczyzny. Nie jestem wrogiem i chcę jak najlepiej... Zrobiłam to odruchowo i przez kilkanaście sekund miałam nadzieję na zawiązanie się pomiędzy nami słabej nici porozumienia.

– Zosiu? Co jest? Co się dzieje?

– Nic. – Moment rozejmu, strumień pozytywnej energii, który – jak mi się zdawało – zaczął krążyć między nami, został gwałtownie przerwany. Mała rączka dość stanowczo wysunęła się spod mojej, jakby Zosia nagle postanowiła kontrolować emocje.

– Źle się czujesz? – dopytywałam, starając się nie zmieniać tonu, choć reakcja podziałała na mnie jak policzek.

– Nie wiem... – Nie przestawała wpatrywać się w sufit.

– Boli cię coś?

– Nie wiem.

– Przyniosę termometr. Może masz gorączkę? Zaraz coś zaradzimy – usiłowałam ją uspokoić. Tylko jak, skoro nie dysponowałam żadną sprawdzoną, wypróbowaną i pewną metodą?

Poszłam do kuchni, gdzie jedną z szafek przeznaczyłam na tabletki, plastry, bandaże, gaziki, wody utlenione. I termometr. Natrafiałam na wszystko, tylko nie na to, czego potrzebowałam, postanowiłam całą zawartość wyciągnąć na stół i działać systematycznie, czyli wkładać z powrotem po jednej rzeczy. Poszukiwania przerwał powrót Piotra i Tadeusza.

– Iza, popatrz tylko na niego! Cały przemoczony! Zabrałem go z podwórka, tarzał się w zaspach pod śmietnikiem! – wykrzykiwał Piotr od progu z pretensją w głosie. – Będzie chory!

– Nie będę! I zaraz miałem wracać do domu, naprawdę! – Tadeusz strząsał grubą warstwę śniegu z kurtki, ale nie patrzył mi w oczy. – Mamy taki śnieg, że może się nie powtórzyć! Zresztą nie ma jeszcze dziewiętnastej! – dodał tryumfująco.

– Co to znaczy: nie ma jeszcze dziewiętnastej?!

– Pozwoliłam Tadeuszowi być na dworze do dziewiętnastej – odparłam, stając w progu kuchni i obserwując ich zmagania z zaśnieżonymi ubraniami. Ściślej mówiąc, intrygowały mnie ich następstwa, czyli sprasowane kawałki śniegu wylatujące spod otrzepywanych butów, które błyskawicznie się rozmrażały i zmieniały stan fizyczny ze stałego w ciekły.

– Przegięłaś Iza? Do dziewiętnastej? A nauka? Kto się za niego nauczy? Krasnoludki, czy wiedzę będziemy mu wlewać lejkiem do ucha w czasie snu? – Poziom złości Piotra wzrastał, chociaż na moje oko daleko mu było do wartości krytycznej.

– Tak, do dziewiętnastej. Tadeusz da sobie ze wszystkim radę! – zapewniłam z przekonaniem i kątem oka obserwowałam, jak dzieciak przemyka do pokoju, starając się być niewidoczny. – Poza tym... – Zależało mi na zmianie tematu i poprawieniu Piotrowi humoru. – Miałam dzisiaj pracowity dzień.

– Tak? – Rozejrzał się zdziwiony i zatrzymał wzrok na stercie tobołów i worków z ubraniami piętrowo poukładanych w kącie przedpokoju.

– Przecież nie tutaj! – roześmiałam się. – Sprzątałam twoje mieszkanie i... – Chciałam zdać mu szczegółową relację, nie pomijając faceta w zielonej kurtce z nie wiadomo jakimi zamiarami.

– Misia, proszę, nie mów mi o tym – nie pozwolił mi dokończyć. Jego słowa zabrzmiały szorstko. – Zamknąłem pewne życiowe rozdziały i…

– Tatusiu, tatusiu, chodź tu, jestem chora! – Pierwszą małżeńską sprzeczkę przerwał nam głos dobiegający z pokoju Zosi.

– Zosia jest chora? – Piotr spojrzał na mnie z wyrzutem, jak na winowajcę. – Czemu nic nie mówisz?

Było to na szczęście pytanie z rodzaju retorycznych. Piotr nawet nie powiesił kurtki na wieszaku, tylko upuścił ją na podłogę i podążył za głosem córki.

Poszłam również. Po raz drugi tego wieczoru poczułam – delikatnie mówiąc – upokorzenie. Zosia teatralnym gestem, z grymasem wielkiej boleści, której poprzednio nie widziałam w jej oczach, podawała Piotrowi termometr. Już wiedziałam, dlaczego moje poszukiwania spełzły na niczym.

– Tatusiu, popatrz. No spójrz tylko, trzydzieści osiem i dwie kreski! – Wbiła wzrok w Piotra, traktując mnie jak niebyt.

– Co cię boli, skarbie? – Pochylił się nad córką i pocałował ją w policzek. – Co z moją księżniczką?

– Chyba coś mi zaszkodziło, tatusiu. Myślę, że jedzenie. No wiesz, obiad i te całe resztki z greckiej restauracji, takie niedomowe… – Jej głos był coraz słabszy, jakby lada moment miała zejść z tego świata.

– Wymiotujesz?

– Nie, ale nigdy nie wiadomo, kiedy zacznę… – Zosia szukała dziury w całym.

– A może ta błękitna bluzeczka, w której poszłaś do szkoły, była za cienka? I stąd to przeziębienie?

Muszę przyznać, że nawet nie próbowałam ukryć złośliwości, ale Zosia uwagą na temat jedzenia zagrała mi na nerwach. Obiadu prawie nie ruszyła, a my z Tadeuszem po tych „resztkach" mieliśmy się wcale dobrze. Moje pytanie, oczywiście, pozostało bez odpowiedzi. Córeczka tatusia, wpatrując się Piotrowi w oczy, wyczekiwała jego reakcji, ostatecznej instancji, w której ważą się losy: moje i jej.

– Myślę, Iza... – Piotr odwrócił się do mnie. – Że najlepiej będzie, jeśli pojedziecie do przychodni. Na Akacjowej jest całodobowy pediatra, niech zbada Zosię. Ubierz się, kochanie – zwrócił się do córki. – Lepiej zaufać specjaliście. Ja naprawdę lecę z nóg... – Tym razem popatrzył na mnie. – Jakby co, jestem pod telefonem. To wam zajmie chwilkę, a ja w tym czasie jeszcze trochę popracuję. Dobrze, Izunia?

W przychodni czekały na swoją kolej jeszcze dwie mamy. Jedna nerwowo chodziła po poczekalni, trzymając w objęciach opatulone w kocyk niemowlę, które darło się wniebogłosy. Starała się je uciszyć kołysaniem, ale z opłakanym skutkiem – już, już wydawało się, że dziecko się uspokaja, a ono po prostu nabierało sił i łapało oddech tylko po to, by rozpocząć koncert na nowo. Nie było w tej scenie żadnych konotacji z matką Polką, która z bezwarunkową miłością stara się dać dziecku ukojenie. Wyglądało na to, że doprowadzona do granic wytrzymałości młoda kobieta niecierpliwie czeka na przekazanie pałeczki, czyli grającej jej na nerwach pociechy, pod opiekuńcze skrzydła medyka, który radykalnie zmieni sytuację. Da zastrzyk i dziecku się polepszy. Druga mama, starsza, chodziła krok w krok za kilkulatkiem w marynarskim ubranku, trzymając go za duży, prostokątny kołnierz bluzy. Jak pan z niewytresowanym psem. Przy każdym gwałtowniejszym ruchu malca przywoływała go do porządku, ciągnąc do siebie. Drugą ręką co chwila wycierała mu wyciekające z nosa gile. Czynnościom tym towarzyszyło ciągłe strofowanie: „Jak ty wyglądasz taki usmarkany?", „Uważaj, bo się przewrócisz i zabrudzisz", „Co na to powie doktor?", „Lepszy od ciebie byłby chomik".

Obserwowałam to, siedząc obok Zosi na plastikowych krzesłach pod ścianą, i miałam wrażenie, że oglądam film science fiction. Zosia skubała skórki przy paznokciach i wydawała się nieobecna. W chwili gdy starsza z mam dawała chłopcu serię klapsów w pupę za odsuwanie zaczerwienionego, napuchniętego i błyszczącego nosa od chusteczki, z gabinetu wyszła pielęgniarka. Uśmiechnięta jak na plakatach reklamujących przyjazną dzieciom poradnię. Udawała, że nie widzi szarpania się matki z synkiem i nie słyszy wyjącego duetu maluchów.

– O, widzę, że mamusie trochę zniecierpliwione. Proszę jeszcze o chwilunię cierpliwości – szczebiotała. – Pani doktor robi mały zabieg, ale zaraz się zajmie następnymi pacjentami. I kogo my tu mamy? – Podeszła do młodszej kobiety. – Ach! Jakie śliczne dzieciątko! – Pochyliła się z udawanym zainteresowaniem. – A jaki ma głos! Śpiewakiem w operze zostanie. Rośnie nam w rejonie mały Pavarotti! – Młoda kobieta uspokoiła się trochę i spróbowała wykrzesać na twarzy grymas podobny do uśmiechu, ale pielęgniarka była już przy kilkulatku. – A tu widzę przyszłego zdobywcę mórz i oceanów! Widać, że jest bardzo odpowiedzialny i będzie można mu powierzyć największe statki świata! – zatrajkotała, pogłaskała chłopca po spoconej główce i podeszła do nas. – No, no, a tutaj młoda dama ze swoją mamusią. Kropka w kropkę, jota w jotę podobne, nie wyparłaby się mamusia córeczki, chociażby po włosach. Zaraz pani doktor was przyjmie, proszę o jeszcze trochę cierpliwości i z góry dziękuję. – Jeszcze raz posłała wszystkim służbowy uśmiech i już jej nie było.

Siedziałam jak słup soli. Nie pamiętam, czy oddychałam. W każdym razie przez kilka minut wydawało mi się, że mnie nie ma. Nie mogłam dojść do siebie i pozbierać myśli. W głowie kłębiły się na przemian „kropka w kropkę" i „jota w jotę". Czy ta kobieta kpiła w żywe oczy, czy rzuciła zdawkową sentencję, często używaną przy pacjentach? Taki grzecznościowy zwrot, żeby sprawić im przyjemność? Moje chwilowe nieistnienie przerwał wrzask starszej matki.

– Ty usmarkańcu, ja ci pokażę w domu! W dupę dostaniesz, to się opamiętasz! – Chwyciła malca oburącz, podniosła i potrząsnęła nim histerycznie;

na granatowych spodenkach w okolicy krocza zauważyłam ciemniejszą, mokrą plamę. Odruchowo zacisnęłam pięści i już chciałam zwrócić jej uwagę, gdy z gabinetu wychyliła się pielęgniarka. Oboje weszli do środka.

Mimowolnie zaczęłam analizować komfort bycia tak zwaną rodzoną matką. Wolno jej zrobić z dzieckiem niemal wszystko. Może go nie kochać, nawet nienawidzić, bić i wyzywać, dopuszczać się rękoczynów albo stać się jego największym wrogiem, zatruwając toksyczną energią. A nikt przed zajściem w ciążę nie przeprowadza testów, nie robi wywiadów ani szkoleń, jak w przypadku potencjalnej matki adopcyjnej. Żadna instytucja nie cenzuruje motywów bycia matką. Nie sprawdza predyspozycji psychicznych, nie bada warunków materialnych i mieszkaniowych, nie przeprowadza wywiadów środowiskowych i nie upewnia się, czy dziecku po urodzeniu na pewno będzie dobrze. A potem nie węszy, czy dziecko prawidłowo się rozwija, czy jest otoczone miłością i uwagą. Ale sam fakt bycia rodzoną matką to wielka rzecz, niezależnie od tego, czy jest ona alkoholiczką, narkomanką, czy ma inne cechy utrudniające, a czasami nawet uniemożliwiające jej nawiązanie ciepłych stosunków z dzieckiem. Akt wydania na świat dziecka nobilituje ją do rangi superbohaterki.

Powierzchowne dywagacje na temat macierzyństwa przerwał mi jakiś ruch po lewej stronie – Zosia poprawiała się na krześle. Poczułam, że bokiem uda dotyka mojego i zastyga w tej pozycji. Przypadek czy zamierzony gest? Siedziałyśmy w milczeniu. Ukradkiem i delikatnie, żeby nie przerwać tej nikłej nitki kontaktu – miałam nadzieję, że pierwszej próby przełamania lodów – spojrzałam na włosy Zosi błyszczące w świetle lampy ściennej za nami. Owszem, i moje, i jej były proste, długością przekraczające linię ramion. Nigdy nie obcięłam włosów na krótko, zaledwie je podcinałam. Wychodziłam z założenia, że długość jest ponadczasowa, można z nią eksperymentować. No i jest synonimem kobiecości. Zerknęłam powtórnie. Obie miałyśmy przedziałki nieco z boku i odsunięte grzywki. No i ten kolor: średni brąz wpadający w kasztan, z blond refleksami. W przypadku Zosi płowe pasma były arcydziełem natury, a u mnie, niestety, efektem zabiegu u fryzjera.

– A teraz prosimy do gabinetu Zosieńkę! – Uśmiechnięta, tym razem bardziej naturalnie, pielęgniarka stała w progu gabinetu, gestem dłoni zapraszając do środka. Przyczyną tej szczerości był najprawdopodobniej fakt, że w poczekalni pozostałyśmy już tylko my. Przynajmniej na tę chwilę, jak to w całodobowym pogotowiu pediatrycznym. – Oczywiście, razem z mamusią! – dodała.

Lekarka, choć niemłoda, tryskała wigorem, jakby dopiero co rozpoczęła pracę. Myła ręce i podśpiewywała jakiś przebój z top listy. Zosia usiadła na kozetce, a ja na krześle przed biurkiem.

– Widzę, że masz gorączkę. Ile i od kiedy? – zapytała pacjentkę, dotykając jej czoła i węzłów chłonnych w okolicach szyi.

– Trzydzieści osiem stopni i dwie kreski. Chyba od wczoraj.

Pierwsze słowa Zosi od wyjścia z domu. Obie jakoś nie wykazywałyśmy chęci do rozmowy. Zostałyśmy na siebie skazane, a ja nie mogłam jej zapomnieć wpadki z termometrem. Nawet słowem nie pisnęła, żebym go nie szukała...

– Otwórz gardło i powiedz „aaa".

– Aaa.

Nastąpił szereg rutynowych pytań o towarzyszące gorączce objawy, o wymioty, biegunkę, czy Zosia wzięła jakieś leki, czy ktoś w domu jest przeziębiony, czy pacjentka często gorączkuje i tak dalej. Na wszystkie Zosia odpowiadała negatywnie. Przyglądałam się badaniu, nie wtrącając do dialogu.

– A tak w ogóle, to nie wiem, jak masz na imię – zauważyła lekarka, przykładając stetoskop do Zosinych pleców w okolicy płuc.

– Zosia.

– A kto napisał: „Niechaj mię Zośka o wiersze nie prosi"...? – Pani doktor starała się o miłą i serdeczną atmosferę.

– Juliusz Słowacki.

Odpowiedź zaimponowała nam obu.

– Brawo! Kto teraz czyta poezję? – Lekarka zadała retoryczne pytanie. – Wiesz, tak samo jak ty ma na imię moja najstarsza siostra – dopowiedziała, lekko uderzając Zosię w okolicy nerek. – Najstarsza, bo oprócz niej mam jeszcze trzy. Było nas w domu pięć i ani jednego brata. Istny babiniec! Mój ojciec nierzadko dostawał z nami białej gorączki. To znaczy nie mógł wytrzymać, kiedy wspólnymi siłami starałyśmy się go naciągnąć na kupno nowych ciuchów... Bo to oznaczało, nie licząc mamy: pięć sukienek, pięć bluzeczek i wszystkiego razy pięć. Po naszej stronie była siła perswazji, ale on miał ograniczony portfel. Było u nas trochę, jak to się mówi, goło, ale wesoło. – Zamyśliła się na chwilę z rozrzewnieniem. – A ty masz siostry?

– Nie. Ale mam brata – odpowiedziała Zosia wyniośle.

– Pochyl się nieco do przodu, przy okazji sprawdzę ci kręgosłup. Ale nie moralny, tylko ten zwykły, kostny. – Lekarce całkiem dobrze wychodziło podtrzymywanie dobrej aury. – Brata, powiadasz... – kontynuowała, dokładnie lustrując plecy i przesuwając ręce po kręgach. – Brat podobno fajna rzecz. Podobno, bo nie testowałam tego na sobie. Ale siostry – bodaj absolutne minimum, czyli jedna – to konieczność. Bez nich nie da się żyć, tak samo jak bez tlenu albo telefonu komórkowego. Możesz się wyprostować. Więc jak z tą siostrą?

– Mam brata. – W reakcji Zosi nie było już śladu hardości. Zauważyłam na jej twarzy lekki rumieniec, być może efekt pozycji, w której trwała przed chwilą.

– To już słyszałam. Zaczekaj chwilę, obejrzę jeszcze te twoje znamiona, masz ich kilka na plecach. A wracając do siostry… Co ona oznacza, zrozumie tylko ktoś, kto ją ma. To taka wiedza tajemna. Nie masz – nie wiesz. Masz – wiesz. Ale wszystko przed tobą! – Pani doktor zerknęła na mnie porozumiewawczo, a ja się zaczerwieniłam. – Masz taką młodą i ładniutką mamusię. Z pewnością dojdziecie w tej kwestii do porozumienia. A teraz możesz się ubrać! – dodała, przechodząc w stronę umywalki. Zaczęła myć ręce.

Zosia ubierała się nieśpiesznie, starając się na mnie nie patrzeć, a jednak trwałyśmy w jakimś nieoficjalnym pakcie. Ani ja, ani ona, nie uświadamiałyśmy lekarki, że błądzi, nazywając mnie mamusią. Między mną a Zosią nie było więzów krwi ani chociażby stosunku przysposobienia. Jeszcze przed kwadransem byłyśmy sobie obce. Sytuacja była tak nowa i zaskakująca, że nie miałyśmy pojęcia, jak się zachować. Teoretycznie powinnam sprostować nieporozumienie, w końcu byłam starsza i teoretycznie mądrzejsza, ale w tych realiach nie miało to znaczenia. „Mamusia" w wydaniu lekarki i pielęgniarki speszyła mnie i przerosła. Zaczynałam mieć wyrzuty sumienia, że dałam się wkręcić i nie wyjaśniłam, ale zaraz pomyślałam o Zosi. Mała znalazła się w położeniu nie do pozazdroszczenia. Nie wierzyłam, że ten teatr nie był dla niej szokiem. Na pewno czuła zakłopotanie, ale było za późno na wyjaśnienia i tłumaczenia. Zresztą, po co? – pomyślałam. Lepiej potraktować rzecz z dystansem.

– Ma pani książeczkę zdrowia Zosi? – Lekarka zdążyła już usiąść za biurkiem.

– Nie... – zawahałam się. Nawet nie miałam pojęcia, że istnieje coś takiego. – Nie zabrałam.

– Nie szkodzi. Proszę mi tylko powiedzieć, czy Zosia w przeszłości przebyła jakieś poważniejsze choroby?

– Poważniejsze choroby... – usiłowałam sprawiać wrażenie, że zastanawiam się nad odpowiedzią, i gorączkowo rozważałam, jak wybrnąć z kłopotliwej sytuacji.

– Przecież nie! – wtrąciła szybko Zosia, patrząc mi prosto w oczy. Była już ubrana. – Oczywiście, nie licząc tej nogi złamanej dwa lata temu na nartach – dodała.

Najwyraźniej postanowiła wyratować mnie z opresji. Być może trwanie w naszym potajemnym spisku ad hoc było wygodnictwem, jednak uniemożliwiało postronnym wgląd w nasze sprawy osobiste i gwarantowało nam spokój. Uśmiechnęłam się, a Zosia ku mojemu zdumieniu odwzajemniła uśmiech.

– To dobrze. – Lekarka spoglądała uważnie to na mnie, to na Zosię. – A teraz, Zosiu, poczekaj, proszę, na korytarzu, a ja porozmawiam z mamą. To potrwa chwilę. Życzę ci zdrowia! – dodała.

Przejrzała nas czy nie? Wpatrywała się we mnie, jakby miała rentgen w oczach. Czyżby rozgryzła nasz sekret? Podobno istnieją ludzie umiejący w niewytłumaczalny naukowo sposób wejrzeć we wnętrze drugiej osoby i wykryć wszelkiego rodzaju anomalie, nowotwory i wrzody. Czy odkryła naszą mistyfikację, zaimprowizowaną na gorąco grę pozorów? Poczułam niepewność, jak przed ogłoszeniem wyników matur.

Albo podczas jazdy na łysych oponach po zlodowaciałej jezdni.

– Sprawa wygląda i dobrze, i źle – zaczęła pani doktor. Po tonie jej głosu i wyrazie oczu z ulgą przyjęłam, że moje obawy były na wyrost. – Zosia jest zdrowa. Pod względem fizycznym jak najbardziej. Chyba że się mylę i to początek jakiejś infekcji, ale moje czterdziestoletnie doświadczenie raczej to wyklucza.

– A gorączka? – zapytałam z niepokojem. Jak można być zdrowym i mieć gorączkę? Przecież jedno przeczy drugiemu.

– Gorączka może być nie tylko objawem choroby somatycznej, czyli na przykład przeziębienia, infekcji żołądkowo-jelitowej, zapalenia pęcherza czy zapalenia opon mózgowych. Pani córka jest silna i odporna, i trzeba robić wszystko, żeby ją utrzymać w takiej kondycji.

– Czyli co jej jest? – Poczułam, że moje tętno gwałtowanie przyśpiesza. Może Zosia umiera na jakąś tajemniczą chorobę? Zaczynałam panikować.

– Czy córka ma jakiegoś doła?

– Doła?

– No, doła. Sformułowanie dość kolokwialne, ale chcę, żeby pani trochę wyluzowała. Bardzo się pani denerwuje. – Starała się mnie uspokoić. – Chodzi o to, czy przeżyła w ostatnich dniach jakąś traumę, stresujące wydarzenie?

– Stresujące wydarzenie... – powtórzyłam nieco bezmyślnie. – Chyba nie...

– Proszę bez pośpiechu rozważyć to w domu. Stres jest dla organizmu niebezpiecznym prześladowcą. Coś, co dla jednego jest stresujące, dla innego może być nawet miłe. A umysł kontroluje ciało. Uważam, że gorączka córki ma podłoże psychiczne. Być może na tle, o którym nie ma pani pojęcia. Na przykład kłótnia z przyjaciółką, rozstanie z chłopakiem, czekający ją występ w szkolnym przedstawieniu. Zosia jest nastolatką. Wprawdzie... – spojrzała na kartę zdrowia na biurku – ...jedenastolatką, ale jest. Dziewczynki w tym wieku są bardzo wrażliwe, mają problemy, o których nie wiedzą rodzice. A długotrwały stres może zrujnować odporność organizmu.

Słuchałam z zapartym tchem. Mimo gonitwy myśli w mojej głowie zaczynała się klarować jasna sytuacja. Lekarka była niespełna rozumu.

– Już wiem. Zosia uparła się i poszła dzisiaj do szkoły w takiej cieniutkiej bluzeczce, na mróz. Zaziębiła się, i tyle! – Roześmiałam się nerwowo.

– Już pani mówiłam, że córka jest odporna. Fizycznie nie zaszkodził jej nawet taki niedobrany do pogody strój. To jak hartowanie noworodka w zimnej albo lodowatej wodzie. Proszę mnie posłuchać. – Pochyliła się lekko do przodu. – Zosia potrzebuje teraz silnego wsparcia. W zasadzie niepotrzebne jej żadne leki. Wypiszę receptę na cokolwiek, może na... – Zastanowiła się przez chwilę, lekko marszcząc czoło. – Multiwitaminę i aspirynę. Tylko i wyłącznie, by nie myślała, że wizyta była niepotrzebna. Proszę z nią pojechać do apteki, wykupić tabletki, które i tak można nabyć bez recepty, ale niech się dowie, że coś zaordynowałam. Później proszę dać jej po jednej pigułce i spróbować z niej wydobyć przyczynę zmartwienia. Jeżeli się otworzy, być może gorączka ustąpi.

– A jeśli nie? Jeżeli się to nie uda? – pytałam coraz bardziej spięta, wiedząc, że dzisiejszego wieczoru szansa zostania powierniczką Zosi jest raczej zerowa. – Co mam zrobić?

– Jeżeli się pani nie uda, chociaż szczerze wierzę w powodzenie... – Lekarka starała się mnie dowartościować. – Proponuję wizytę u psychologa albo, w drugiej kolejności, u psychiatry. Ale nie sądzę, żeby okazał się potrzebny ktokolwiek z zewnątrz. Takie sprawy najlepiej załatwia się w domu. Wie pani, *home, sweet home*... – Uśmiechnęła się ciepło. – Jak mówią Anglicy. Mogę przyjąć, że mamy opracowaną koncepcję działania? – zapytała uprzejmie, z niepokojem popatrując na drzwi, zza których dobiegało histeryczne wycie jakiegoś malucha.

– Tak, oczywiście! – Wstałam pośpiesznie, zdając sobie sprawę, że ktoś bezzwłocznie potrzebuje pomocy, a moje pięć minut właśnie dobiegło końca. – Dziękuję bardzo. Serdecznie dziękuję.

– Za to mi płacą i po to tu jestem. I jeszcze jedno. Niech Zosia pójdzie jutro normalnie do szkoły. Rozmyślanie i roztrząsanie problemu w domu nie ma sensu. Musi skupić myśli na czymś innym. – Lekarka wstała i otworzyła drzwi do poczekalni. – Tego małego krzykacza poproszę!

W domu powitała nas głucha cisza. Zajrzałam do pokoju Tadeusza; spał snem sprawiedliwego. Kołdra w biało-czarną zebrę zsunęła się na podłogę, ale jemu najwidoczniej to nie przeszkadzało. Podeszłam cicho i nakryłam go delikatnie, aby nie obudzić, choć w zasadzie powinnam się upewnić, czy zgodnie z obietnicą odrobił zadania domowe... Nie warto, na pewno tak. Jest bystry, zrobił je w tempie błyskawicy. Ciekawe, czy plecak przy biurku jest jeszcze nierozpakowany, czy już gotowy do szkoły, zastanowiłam się przelotnie i przyjęłam tę optymistyczną wersję. Gdy się odwróciłam, w drzwiach zobaczyłam Zosię.

– To w końcu co mi jest? – zapytała, nie ruszając się z miejsca.

– Jesteś przeziębiona. – Podeszłam do niej. – Nic wielkiego.

Mówiłam spokojnie, zastanawiając się, czego ode mnie oczekuje, bo cały czas trwała w tej samej pozycji. Niepewnie podniosłam dłoń i czule pogładziłam ją po policzku; ku mojemu zdziwieniu przyjęła ten gest. Intymność sytuacji mnie przerosła, więc wycofałam się niemal natychmiast. Nie byłam przygotowana.

– Chodź, zobaczymy, co robi twój ojciec, a potem coś zjemy i pogadamy – zaproponowałam.

Piotr siedział w swoim pokoju przy biurku. Miał słuchawki na uszach, więc nas nie słyszał; sprawiał wrażenie, że przebywa w innym świecie. Cicho, sylaba po sylabie, jak mantrę wypowiadał jakieś słowa. Zauważył nas dopiero, gdy stanęłyśmy obok.

– Uczę się tswana, wiesz tego plemiennego języka. Im dalej w las, tym więcej drzew. – Oparł głowę na zagłówku fotela i ziewnął przeciągle. – Jeszcze dużo przede mną. Trochę to ostatnio zaniedbałem, ale jakiż miałem cudowny powód… – Spojrzał znacząco, co nie uszło uwagi Zosi; lekceważąco wydęła wargi. Wątła nić serdeczności, łącząca nas jeszcze minutę temu, została zerwana, powiało chłodem. Udałam, że nic się nie stało, a ona usadowiła się na kolanach Piotra i objęła go za szyję.

– Jestem przeziębiona – wyszeptała mu do ucha. – A to jest niebezpieczne. Słyszałam, że lekarze lekceważą przeziębienia, a powinni być czujni. – Mówiła cicho, ale wyraźnie, jak sufler w starym teatrze. Chciała, żebym słyszała każde słowo. Stałam z boku jak przysłowiowe piąte koło u wozu i miałam wrażenie, że między nami rośnie mur. Znowu byli oni i ja. I żadnego my. Oni, których łączą geny, więzy krwi i znajomość od dnia narodzin i którzy nie zdają sobie sprawy z moich uczuć. Postanowiłam się wycofać.

– Przygotuję kolację. Zosiu, na co masz ochotę? – Starałam się nie okazywać przygnębienia.

– Na to samo co tatuś! – Odsunęła się lekko, żeby móc patrzeć Piotrowi prosto w oczy. – Zawsze na to samo! – Gładziła go po policzku, a w jej spojrzeniu kryła się spora doza kokieterii.

– Czyli co?

Znudziło mnie to ciągłe stawianie poza nawiasem. Zapragnęłam jak najszybciej wyjść z pokoju i przestać brać udział w przedstawieniu reżyserowanym przez małą manipulantkę przy nieświadomym uczestnictwie Piotra. Poczułam ucisk w żołądku.

– Ja bym zjadł... – zastanawiał się, jak w restauracji podczas przeglądania karty dań. – Już wiem! – Uśmiechnął się szeroko. – Bułkę z masłem i miodem. A do tego kakao. – Pocałował Zosię w policzek.

– Dobra, czyli dwie bułki i dwa kubki kakao – potwierdziłam jak kelnerka, której nie obchodzi zachowanie gości, beznamiętnie przyjmująca zamówienie, żeby szybciej mieć ich z głowy. Odwróciłam się, by odejść, ale przypomniał mi się śpiący Tadeusz. – A Tadeusz? – zapytałam na odchodnym.

– Co Tadeusz? – Piotr na chwilę uwolnił się z uścisku.

– Coś jadł?

– No właśnie. Misia... – kontynuował, ale zobaczył w moich oczach wszystkie sztylety, sprężynowce, koziki i handżary świata. – Słuchaj, Iza, odkryliśmy z Tadeuszem w lodówce coś pysznego i sobie podjedliśmy.

– W lodówce mamy same pyszności – odparłam z przekąsem. – A gwoli ścisłości, co miałeś na myśli?

– Takie coś, że niczego słodszego nie można sobie wyobrazić! – Zaiskrzyły mu się oczy, jakby relacjonował lądowanie UFO na naszym balkonie. – To były takie kupki z ciasta, chyba źle wymieszanego, bo się rozwarstwiało. I pełno orzechów. Nie szkodzi, że nieudane, bo bardzo smaczne. Coś podobnego jedliśmy w Grecji z lodami.

– Kupki? – powtórzyłam, starając się odgadnąć, co miał na myśli. Przypomniałam sobie dotychczas nieskonsumowane smakołyki przygotowane specjalnie na noc poślubną. – To była baklawa, ciasteczka według greckiego przepisu. Upiekłam je sama i dokładnie takie miały być! – Nie siliłam się na grzeczność.

– Ale to było takie mniam, mniam... Prawdziwe niebo w gębie! – Piotr postarał się o komplement; chyba wreszcie zauważył, że nie jest mi do śmiechu. – Naprawdę coś wspaniałego!

– Tatusiu, będziesz dzisiaj ze mną spał? – Pochwalny pean bezpardonowo przerwała Zosia.

Piotr wychylił się zza pleców córki i spojrzał na mnie, oczekując zaprzeczenia lub aprobaty. Pomysł Zosi nie pasował mi wyjątkowo. A już na pewno nie dzisiejszej nocy. Dzieciaki miały zasnąć, a ja planowałam dokładnie zamknąć drzwi sypialni i powiedzieć Piotrowi o diagnozie. I o planie poinformowania Izby Lekarskiej o tym, co ta kobieta wygaduje, a co najmniej o znalezieniu dzieciom jakiejś innej, sprawdzonej poradni, gdzie zatrudniani są wyłącznie kompetentni lekarze.

– Piotr, chciałabym porozmawiać. Chociaż kilka minut... – Popatrzyłam błagalnie.

– Miśka, padam z nóg. Jak cię znam, będziesz mi zawracała głowę o niepowieszone lustro w łazience albo jeszcze gorzej, o niezakręconą tubkę po paście do zębów, bo wysycha, a ty musisz potem tę skorupę przebijać wykałaczką. To może zaczekać. To banały, prawda? – zwrócił się do Zosi.

– Prawda – potwierdziła i zalotnie zatrzepotała rzęsami.

– Lustro powiesiłam rano. Sama. Chodzi o coś innego. – Kątem oka obserwowałam, jak Zosia oburącz chwyta głowę ojca i odwraca w ten sposób, by patrzył tylko na nią.

– Iza, czy jest coś ważniejszego niż zdrowie dziecka? Świat się nie zawali, jeżeli porozmawiamy jutro. Prawda? – Siłą uwolnił na chwilę głowę z uścisku Zosi i przelotnie spojrzał na mnie. – Obiecuję, porozmawiamy. Ale jutro, może nawet dłużej niż kilka minut. Bo wiesz, teraz przygotowuję skrypt na temat kontrowersyjnych znaczeń rytuałów w pozbywaniu się lęku…

– Oczywiście, wiem – przerwałam. Zalewał mnie informacjami na ten temat nawet w dniu ślubu, kiedy przed wejściem do kościoła nerwowo penetrował kieszenie w poszukiwaniu obrączek. Był tak rozemocjonowany opublikowaną poprzedniego dnia nową teorią francuskiego badacza, z którą się nie zgadzał w żadnym punkcie, że w pewnym momencie zapytał: „Miśka, a po co ja w końcu wywracam te kieszenie?". Wtedy mnie to rozśmieszyło. „Szukasz obrączek", wyszeptałam zarumieniona, bo zgromadzeni goście z zainteresowaniem przyglądali się tej scenie.

– Tatusiu, opowiesz mi przed snem o tym skrypcie? Wprost skręca mnie z ciekawości! – Zosia sprawiała wrażenie szczerze zainteresowanej.

– Oczywiście, że tatuś może z tobą spać, księżniczko.

Dałam za wygraną. Chciałam dodać, że życzenie księżniczki jest rozkazem, ale ugryzłam się w język.

– Za chwilę w kuchni będzie kolacja dla obojga, a dla ciebie, Zosiu, lekarstwa. Ja idę spać. Dobranoc!

– Ale tylko dzisiejszej nocy! – Słowa Piotra usłyszałam już w korytarzu. Donośne i wyraźne. – Dobranoc, kochanie.

Zamknęłam drzwi sypialni i poczułam się jak w azylu albo betonowym schronie podczas bombardowania. Najchętniej przekręciłabym klucz w zamku, ale nim nie dysponowałam. Po trzech dniach małżeństwa byłam wykończona psychicznie. Czy wystarczy mi cierpliwości? Do anioła mi raczej daleko... Powróciła nostalgiczna tęsknota za starym mieszkaniem, gdzie nieraz miałam dość pustych pokoi i wieczorów w pojedynkę. Chyba jestem nienormalna, w końcu z czegoś powinnam być zadowolona? Rozejrzałam się wokół. Bałagan – kartony, rzucone przez Piotra na podłogę ubranie, w którym był w pracy, gdzieniegdzie rdzawe już i suche płatki kwiatów ze ślubnego bukietu. Wprawdzie je zbierałam, ale część umknęła mojej uwagi... Kiedy ja to wszystko doprowadzę do porządku? Dotychczas żyłam w zorganizowanym świecie, gdzie wszystko miało swój rytm. A ja czas dla siebie. Z odrazą spojrzałam na paznokcie. Dwa złamane wskutek zmagań ze śmieciami w mieszkaniu Piotra. Żałosne, nawet nieopiłowane. Odruchowo wzięłam się za obgryzanie, ale zrugałam się w duchu. Infantylizm czy co? Nie robiłam tego od wczesnego dzieciństwa! I jeszcze ta mała manipulantka i jej choroba... I niekompetentna lekarka. Pierwsze słyszę o takiej diagnozie! Kobieta powinna na emeryturze dokarmiać ptaki w parku, a nie wyjeżdżać z takimi tekstami! Lepiej byłoby zakazać jej wykonywania zawodu!

Byłam wściekła i tak bardzo samotna... Pragnęłam przytulić się do Piotra i zrelacjonować mu wydarzenia dnia, ale był zaabsorbowany Zosią, a ja nie chciałam im burzyć planu spędzenia wieczoru. Nie mogłam przecież siłą odciągać Piotra od przyczepionej doń jak rzep córki. Poczułam nagłą i niepohamowaną potrzebę rozmowy. Tylko z kim? Spojrzałam na zegarek. Dochodziła dwudziesta druga. Przypomniała mi się opowieść lekarki o siostrach. No właśnie! Mam wprawdzie jedną, ale mam. I to nie byle jaką. Psychologa!

Aga, starsza ode mnie o cztery lata, wyszła za mąż na pierwszym roku studiów. Krótka znajomość z Andrzejem – świeżo upieczonym absolwentem szkoły oficerskiej – zakończyła się ślubem podczas zimowej przerwy międzysemestralnej. W rok potem Aga urodziła pierwsze dziecko, a bóle porodowe związane z drugim porodem dopadły ją podczas obrony pracy magisterskiej. I tym sposobem jeszcze przed podjęciem pracy była mamą dwóch chłopaków. Ale moja systematyczna i uporządkowana siostra potrafi trzymać w ryzach i dom, i zobowiązania zawodowe. Jest żywym przykładem, że jak się chce, można nadążyć ze wszystkim. Andrzej, oficer zawodowy, w domu jest kompletnym fajtłapą i podkomendnym żony. Nie potrafi zrobić niczego, co facet w domu zrobić powinien. Gdy kiedyś późną jesienią w mieszkaniu wysiadły korki (Aga akurat miała popołudniowy dyżur), Andrzej siedział z chłopcami przy świecach, uparcie twierdząc, że to na pewno chwilowa przerwa w dostawie prądu. Tłumaczenie wyjątkowo niedorzeczne, ponieważ zarówno na klatce schodowej, jak i u sąsiadów było jasno... Innym razem zatrzasnął w mieszkaniu klucze podczas próby wyjścia z rodziną na niedzielny spacer... Cóż, Aga sprowadziła straż pożarną, a strażacy za pomocą drabiny na wysięgniku weszli do środka przez okno i otworzyli drzwi. Na szczęście było lato... Andrzej potrafił zepsuć praktycznie wszystko, nawet rzeczy całkiem nowe, choćby świeżo nabyty odkurzacz, w którym spalił silnik wskutek nieprawidłowego obsadzenia węża. Sklep, naturalnie, nie uznał reklamacji. I to wszystko działalność męża mojej siostry, który w pracy szybko pnie się po stopniach kariery, potrafi wydawać i egzekwować rozkazy, któremu zwierzchnicy wróżą karierę międzynarodową... Mimo to Aga i Andrzej są zgodnym małżeństwem, choć obowiązki domowe dzielą dość niekonwencjonalnie. Ona dźwiga na barkach wszystkie sprawy techniczne (łącznie ze sprawdzaniem poziomu oleju w samochodzie i wlewaniem płynu do wycieraczek), on zaś robi zakupy czy myje okna. Zdarza mu się nawet zaskoczyć gości jakimś popisowym daniem, ciastem lub deserem. Praca Andrzeja wiąże się z wyjazdami – na dzień, dwa lub nawet kilka tygodni – ale Aga nie narzeka. Owszem, wszystko wówczas jest na jej głowie, ale wykorzystuje ten czas na zdystansowanie się, odetchnięcie od męża, naładowanie akumulatorów i tęsknotę. A pierwsze godziny razem po rozstaniach? Zawsze podkreśla: „Dla nich warto żyć!".

Aga pracuje w ośrodku terapii uzależnień od hazardu; prowadzi psychoterapię indywidualną. I jest dla swoich pacjentów najlepszym lekarstwem, ponieważ w takich przypadkach nie działa żaden antybiotyk czy inny farmakologiczny specyfik. Aga nigdy nie grała w pokera, ruletkę, nie próbowała gry na automatach, w bingo, zakładów u bukmachera, więc obce jej są uderzenia adrenaliny i uczucie, że serce wyskoczy z piersi, lecz wcale jej to nie przeszkadza w skuteczności. Wbrew powiedzeniu, że „ktoś, kto nie pływał, nigdy nie nauczy innego", uwolniła ze szponów hazardu bardzo wielu pacjentów.

Wybrałam w komórce numer Agi i wysłałam jej esemesa. „Śpisz, czy mogę zadzwonić?". „Dzwoń", zobaczyłam na wyświetlaczu za kilkanaście sekund. Wyszłam cichutko do przedpokoju po przenośną słuchawkę telefonu stacjonarnego i przez uchylone drzwi do Zosinego pokoju usłyszałam fragment rozmowy.

– ...a stąd mam dalej do szkoły i się spóźniłam. W tamtym mieszkaniu było lepiej. Lepiej bez dwóch zdań. Tęsknię za moim dawnym pokojem... – skarżyła się Zosia, jakby działa jej się największa krzywda na świecie.

– Och, Zocha, przecież to prawie ta sama droga. Po prostu wyjdź jutro kilka minut wcześniej. Uważam, że tu jest lepiej. Osobiście za żadne skarby świata nie chcę wracać do starego mieszkania. Zobaczysz, przyzwyczaisz się...

Nie chciało mi się tego słuchać. Chwyciłam za słuchawkę i bezszelestnie zamknęłam za sobą drzwi sypialni. Usadowiłam się wygodnie pod kołdrą. Aga odebrała po pierwszym sygnale.

– Iza, co jest? O tej porze powinnaś się cieszyć świeżo upieczonym mężem, a nie dzwonić do siostry. Świeżo upieczony, czyli taki smakowity, którego trzeba schrupać natychmiast, bo jutro będzie nieświeży!

Żartowała, ale głos miała zmęczony.

– Mój małżonek spędza dzisiejszą noc w pokoju córki.

– Bywa, samo życie. Masz o to pretensje?

– Och, Aga. Właśnie mam, bo to z nim teraz powinnam rozmawiać, a nie z tobą. Przynajmniej w pierwszej kolejności. Chodzi o Zosię, a konkretnie o jej zdrowie. Byłam z nią dzisiaj w przychodni i wiesz co? Trafiłam na lekarkę, która ma nierówno pod kopułą. Wyobraź sobie, że zdiagnozowała gorączkę o podłożu stresowym. – Starałam się mówić cicho. – Dasz wiarę?

– W co?

– No, w taką diagnozę. – Zerknęłam z niepokojem na drzwi. Wydało mi się, że słyszę kroki.

– A kto ma tę gorączkę? Ty?

– Aga, czy ty mnie słuchacz? Mnie pediatra niepotrzebny. To Zosia. Wierzysz w taką diagnozę?

– Owszem – odparła zdecydowanie..

– Co „owszem"?

Kolejna nawiedzona, pomyślałam. Ale mam szczęście!

– Iza, taką reakcję mogą wywołać różne okoliczności. Na przykład śmierć bliskiej osoby, przegranie życiowego dorobku w ruletkę, odkrycie, że partner zdradza cię z twoją najlepszą przyjaciółką, utrata pracy, gdy ma się do wyżywienia niepracującą żonę i szóstkę małoletnich dzieci. Bo stres, moja kochana, gwałtownie zmienia biochemię mózgu. Jeżeli ktoś nie potrafi sobie poradzić z napięciem, z tą całą nerwówką, zaczyna cierpieć ciało i scenariusz gorączki czy innych objawów gotowy. Wszelkie stany lękowe, niepokoje mogą wywołać wiele symptomów: swędzące wysypki, wzdęcia czy zatwardzenia. Katalog jest bardzo szeroki. A swoją drogą, co jej przepisała ta pani doktor?

– Powiedziała, że tylko multiwitaminę i aspirynę. Żeby zachować pozory.

– Wiesz... Gdyby zaleciła coś bardziej konkretnego, zagłuszyłaby tylko objawy, ale nie dotarła do przyczyny. A przecież nie o to chodzi. W życiu Zosi pojawiły się problemy całkiem odmiennej natury niż dotychchczas, z którymi dzieciak nie potrafi sobie poradzić.

– Masz na myśli mnie? – przerwałam jej bezceremonialnie, czując, w jakim kierunku zmierza ten wywód. Zamiast posmarować balsamem moją duszę, Aga wywoływała w niej niepotrzebną nerwowość. Pozycja, w której trwałam, stała się niewygodna. Zaczęłam się wiercić. – Z tego wynika, że to wszystko moja wina? – kontynuowałam z pretensją. – To ja jestem tym chorobotwórczym czynnikiem? Jak tasiemiec powodujący chudnięcie, anemię, mdłości, biegunkę i wymioty? Albo jad osy, który może wywołać wstrząs anafilaktyczny? A nawet śmierć?

– Iza, nie bierz tego do siebie… – uspokajała mnie Aga beznamiętnym, wyuczonym tonem psychoterapeutki. – Chodzi mi o wszystko, co związane z diametralną zmianą w jej życiu. Pomyśl: straciła opiekunkę, z którą zdążyła się zżyć, a ojciec się ożenił i trzeba walczyć o jego względy. Bo facet miłość dla dwojga musi teraz podzielić na trzy osoby. Zrozum ją, proszę.

– A kto zrozumie mnie? – zapytałam, czując pod powiekami łzy.

– Spoko Iza, ja. Zawsze cię zrozumiem. Mam nadzieję, że Piotr również. No, przynajmniej spróbuje. Daj sobie czas, bo on odgrywa tu najważniejszą rolę. Wiem, że jesteś w gorącej wodzie kąpana i chciałabyś, żeby wszystko było dobrze. Już i natychmiast. A tak nie da rady. Musicie się wszyscy oswoić z nową sytuacją. Bo wszyscy przeskoczyliście na wyższy pułap.

– O czym ty gadasz? – przerwałam brutalnie.

– A wyobrażasz sobie przyjęcie od razu na piąty rok studiów? – odpowiedziała pytaniem na pytanie.

Niezbyt inteligentnie, pomyślałam.

– Twoje małżeństwo zostało właściwie zawarte bez okresu narzeczeństwa. Nie dany był ci czas bez dzieci, kiedy dwoje ludzi żyje wyłącznie dla siebie. A to fajny okres. Można się poznać, zintegrować i zacieśnić emocjonalne więzi... Nie było ci dane przygotować się do roli matki podczas ciąży. Nie wybierałaś imion po dziadkach, nie szykowałaś szatek do chrztu, nie kupowałaś odsysacza pokarmu. Przeskoczyłaś etap młodej mamy, która wstaje nocą, bo dziecko skręca kolka. Nie miałaś szansy, żeby nauczyć się roli rodzica. Wiesz, sprawność wychowawczą nierzadko wypracowuje się metodą prób i błędów i nie zawsze jest ona jednakowa w stosunku do wszystkich dzieci. Ja też mam dwóch chłopców, po tych samych rodzicach, a jednak różnych. Co działa na jednego, nie działa na drugiego. Iza, czy ty mnie słuchasz? Nie zasnęłaś? – przerwała monolog.

– Nie śpię. Słucham. – Naprawdę słuchałam uważnie.

– Wracając do wątku, nie miałaś czasu, żeby wypracować autorytet i ukształtować związki z dziećmi. Przyzwyczaić się do nowej roli, obowiązków. W najlepszej sytuacji jest Piotr. Ojciec to osoba jednoznaczna. To ty musisz się przystosować, i to do całej trójki. Jak do protezy. Trzeba zdać się na czas i ćwiczyć. Nawet jeśli ona jest, nie muszą wiedzieć o niej inni. Rozumiesz? Niczego nie przyśpieszaj. Musisz się oswoić. A jak dzieci? Jak to wszystko widzisz?

– Na Zosię działam jak płachta na byka. Nie potrafię do niej dotrzeć. Czarno widzę stanie się choć namiastką matki. A Tadeuszowi... Przynajmniej tak mi się wydaje... Jemu jest wszystko jedno, kto podaje obiad. On żyje w swoim świecie, ma plany, idee. Jak Piotr. Z nim chyba pójdzie łatwiej.

– Zobaczysz, wszystko się unormuje. Będzie okej. Jesteś dobrym człowiekiem. I w końcu moją siostrą – starała się podnieść mnie na duchu. – Pamiętasz, co mówiła nasza babcia? Dobro zawsze wraca. W tej czy w innej formie. Wcześniej czy później. Zobaczysz.

– Ale nie wiadomo, czy w tym życiu, czy w następnym, czy w jeszcze następnym po następnym. – Byłam zrezygnowana.

– W tym czy następnym, ale wraca. Dajmy sobie z tym na dzisiaj spokój. Posłuchaj tylko, co wczoraj zrobił mój ukochany małżonek. Ubawisz się i odstresujesz. Mogę mówić swobodnie, bo dziś rano wyjechał i nie będzie go do końca tygodnia. Na marginesie, w armii szykują awanse. Ale wczoraj, gdy byłam w pracy, Andrzej przypomniał sobie, że gdy był mały, mieli w domu taki radziecki cud techniki, czyli kolorowy telewizor. I że podobno nieodkurzane i przegrzane toto potrafiło samo z siebie wybuchnąć albo ulec samozapłonowi. Więc Andrzej postanowił zrobić coś dla domu. Zdemontował tylną pokrywę z nowej plazmy, tej kupionej dopiero co, przed Bożym Narodzeniem, i… No, zgadnij?

– Zaczął odkurzać? – zapytałam, choć wiedziałam doskonale.

– Oczywiście. Sama już nie wiem – śmiać się czy płakać. Nie mam nawet szansy, by skorzystać z naprawy gwarancyjnej. Facet nie wziął pod uwagę postępu technicznego i tego, że tam, gdzie kiedyś były lampy, znajduje się kwintesencja elektroniki. Z takim zapałem zabrał się do roboty, że aby obejrzeć wiadomości, muszę kupić nowy telewizor... Gdy mu o tym powiedziałam, poradził, żebym sobie posłuchała w radiu. Rozwiązanie w jego mniemaniu o niebo lepsze, bo rozbudza wyobraźnię. Dobrze, że pojechał, bo tak mnie rozbudził, że lada chwila musiałby tuszować korektorem śliwę pod okiem! – śmiała się Aga. Obie wiedziałyśmy, że nie doszłoby do takiej sytuacji; takie i podobne wypadki przy pracy towarzyszyły im nieustannie. – Iza, każdy ma jakieś problemy. Takie już jest życie. – Jej głos był teraz ciepły, taki siostrzany. Profesjonalizm ulotnił się z niego jak sen złoty.

– Aga, czemu nie powiedziałaś mi o tym przed ślubem?

– To się stało dopiero wczoraj! Nie słuchasz mnie! – Stwierdziła karcąco.

Poczułam się jak w liceum, na lekcji geografii (mojego, nawiasem mówiąc, znienawidzonego przedmiotu), kiedy zostałam nakryta na potajemnym czytaniu ułożonego na kolanach *Paragrafu 22* przez nauczyciela o ksywie Kapsel (znanego z otwierania butelek z piwem za pomocą aparatu szczękowego).

– Nie o to chodzi. O to, że musimy dać sobie czas i tak dalej.

– A pytałaś? – docięła. – Pytałaś?

– Nie! – Odpowiedź szczera do bólu. Krótka piłka.

– A pamiętasz, co mówiłaś o psychologii? Nawet przy świątecznym stole?

– Nie pamiętam, żeby taka sytuacja miała miejsce podczas świąt. Ale potwierdzam, mówiłam o zerowym wykształceniu, bo psychologia to żadna nauka. I że każdy z nas jest psychologiem od urodzenia, a ty robisz z igły widły. – Jak już szczerość, to do końca.

– I jeszcze, że psycholog, to... No, uzupełnij.

– ...zawód dla leserów – dokończyłam posłusznie.

– No już dobrze – mruknęła udobruchana. – Pamiętaj, Iza, możesz do mnie dzwonić zawsze, byle nie do pracy. Wiadomo. Natłukłam ci dzisiaj w głowę. Prześpij się z tym. Jeszcze tylko pytanie. Czy gdybym ci to wszystko powiedziała przed ślubem, to i jeszcze wiele innych rzeczy, o których nie rozmawiałyśmy, czy twoja decyzja byłaby inna? Czy nie wyszłabyś za Piotra?

– Nawet gdybym wiedziała i nawet gdyby miał dziesięcioro dzieci, które trzeba na zmianę przystawiać do piersi, to i tak wyszłabym za niego.

– Bo...? – Aga pytała jak w teleturnieju.

– Bo go kocham. Po prostu.

– Właśnie to chciałam usłyszeć. Bo to jest w życiu najważniejsze. Dasz radę, siostrzyczko.

– Aga, wiem, że padasz z nóg, ale jeszcze jedno. Byłam dzisiaj w mieszkaniu Piotra. Sprzątałam...

– Co robiłaś?!

– No, może źle się wyraziłam. W zasadzie segregowałam i usuwałam wszystko, co jeszcze tam zostało... – wyszeptałam zażenowana, wiedząc doskonale, że Aga na moim miejscu nigdy by się na to nie zgodziła.

– Czyli dobrze usłyszałam. Nie owijaj w bawełnę. Po prostu na głowę upadłaś, godząc się na sprzątanie

nie swoich brudów – podsumowała. Westchnęła z dezaprobatą. – Powinnaś sobie w najbliższym czasie zafundować kurs asertywności.

– Aga, to nie tak. – Udawałam, że nie słyszę krytycznych uwag pod adresem mojego umysłu. – Piotr opracowuje teraz ważny skrypt i nie ma czasu… – Zamilkłam, uświadomiwszy sobie słabość argumentów.

– Iza, powtarzam po raz setny: wszystko jest kwestią organizacji. Ale cóż, jeżeli komuś się nie chce, a ponadto trafi jeszcze na taką Izę, to tylko żyć, nie umierać. – Westchnęła ponownie, tym razem głośniej i bardziej ostentacyjnie.

– No dobra, może masz ciut racji – przyznałam, bo wiedziałam, że na temat mojej ledwie tlącej się asertywności Aga może mi suszyć głowę do bladego świtu. – Wiesz, co mnie intryguje? Odnoszę wrażenie, że Piotr nie chce tam wracać. Już nigdy. Może to nawiedzone miejsce, a on skazał mnie na pożarcie? Może Ewa jest tam wciąż obecna i zmaterializuje się znienacka? – Miałam gęsią skórkę od stóp do głów. – Może nawet ubrana w zieloną garsonkę, w której ją pochowano? A potem z obcą istocie z krwi i kości mocą…

– Iza, przestań! – przerwała Aga bezpardonowo. – Gdybym cię nie znała, podejrzewałabym, że na kolację zjadłaś kilka grzybków halucynogennych. Twoja wyobraźnia w niektórych sytuacjach bywa destrukcyjna. Postaraj się poskromić ją choć trochę, bo chore iluzje zastąpią rzeczywistość. Cała moja siostrzyczka! – podsumowała ciepło.

– Co do niebezpieczeństwa… Jeden facet budzi we mnie poważne obawy.

– Jaki? – zapytała z niepokojem.

– Taki w zielonej kurtce.

– Mój Andrzej też ma zieloną kurtkę. Wyrażaj się precyzyjniej.

– Facet z bloku Piotra. Gdy wychodziłam z windy, patrzył, do których drzwi podejdę. I jeszcze mi pomógł, kiedy wyrzucałam śmieci.

– Tak, tak… – mruknęła moja siostra. – Doskonały portret psychologiczny przestępcy. Opanuj wyobraźnię. A teraz idź spać, kochanie. Wszystko będzie dobrze.

Rano po gorączce Zosi nie było śladu. Jak ręką odjął. I wszyscy obudziliśmy się w dobrych humorach. U Zosi sen u boku taty zadziałał najwyraźniej jak seans psychoterapeutyczny u specjalisty z najwyższej półki. Piotrowi wigoru dodały kawa i poranny spokój. Tadeusz był wyspany i nie stroił fochów przy pałaszowaniu coraz to nowych porcji miksu płatków śniadaniowych, podlewanych co chwila mlekiem. Gdy już ich sprawnie wyprawiłam z domu, mogłam się zająć porządkami. Pomimo stanu totalnej rozsypki spojrzałam na mieszkanie łaskawszym okiem. „Wszystko jest kwestią organizacji", powtarzałam w myśli słowa Agi. Sprzyjała mi nawet pogoda – mroźna, ale bezchmurna i bardzo słoneczna. Wymarzony dzień dla amatorów zimowego szaleństwa. Z przyjemnością pomyślałam o czekającym mnie spacerze do poprzedniego lokum Piotra i wywołujących optymizm promieniach słońca na twarzy. Naturalnie po ogarnięciu naszego mieszkania.

Włączyłam zmywarkę, dziękując w duchu wszystkim świętym za ten wynalazek. Przyniosłam z tarasu ostatni pojemnik z obiadowym gotowcem, tym razem w postaci wołowiny po grecku, zabranej na odchodnym z restauracji po przyjęciu. Małe kawałki mięsa przysmażone na rumiano, w słodko-kwaśnym sosie z warzywami. Zagotowałam wodę, wsypałam ryż i podgotowałam go kilka minut, a potem sposobem mojej babci opatuliłam garnek kołdrą. Do obiadu powinien być cieplutki, mięciutki i co najważniejsze – nieprzypalony. Przygotowałam śmieci do wyrzucenia, powycierałam szafki, zmieniłam obrus ze śladami poprzednich posiłków na świeży. Postanowiłam, że wracając do domu, kupię po drodze kawałek ceraty. Obrus to obrus, ale bez przesady. W kuchni może sobie leżeć piękna, kwiecista, błyszcząca cerata. Jak u babci.

Z prędkością pershinga wyszorowałam umywalki, zmieniłam ręczniki w łazience i toalecie, odkurzyłam mieszkanie i włożyłam pierwsze rodzinne brudy do pralki, bo kosz na brudną bieliznę pękał w szwach. Spojrzałam na zegarek. Niestety, nie zmieściłam się w czasie. Wszystko zajęło mi niemal dwie godziny mimo raczej mizernych efektów. Ale dobry humor mnie nie opuszczał: przeznaczyłam aż kwadrans wyłącznie dla siebie, czyli na opiłowanie paznokci, zrobienie makijażu i kubek kawy. Pierwszy i jedyny posiłek tego ranka.

Żwawo pomaszerowałam do mieszkania Piotra. Zajęta opracowywaniem harmonogramu na cały dzień, zapomniałam o rozkoszowaniu się słońcem. Po obiedzie zakupy, a wieczorem rozpakowanie chociaż dwóch kartonów. I koniecznie telefon do ojca. Muszę w najbliższym czasie do niego zajrzeć. Nie zamierzałam zmieniać wypracowanego przez lata zwyczaju.

Tym razem przez drzwi wkroczyłam z większą pewnością siebie, z mocnym postanowieniem, że potraktuję te porządki jak misję. Bez sentymentów i roztrząsania drobiazgów. A przede wszystkim – bez udziału wyobraźni. Na szczęście tym razem windą jechałam sama i kwestia wyimaginowanych krwiożerczych zamiarów faceta w zielonej kurtce zeszła na dalszy plan.

Chwyciłam za duże worki i zajęłam się pokojami dzieci. Z szafek, które po opróżnieniu miał zabrać asystent Piotra, wyciągnęłam od dawna za małe ubrania. I zabawki. Zawiozę to do Domu Samotnej Matki. A przy okazji oddam do wypożyczalni zapomnianą, o zgrozo! suknię ślubną. W malutkim radiu z budzikiem nastawiłam stację z „tylko modnymi przebojami" i robota ruszyła. Lepiej i sprawniej, niż się spodziewałam. Uff, skończone. A jednak można.

Zdecydowałam, że zrobię coś ponad plan. Tylko co? Pawlacz? A może jest już pusty? Wspięłam się na małą drabinkę i otworzyłam dwuskrzydłowe, pokryte sosnową boazerią drzwiczki. Na linoleum w przedpokoju runęła sterta papierów, więc sięgnęłam i zrzuciłam pozostałe. Pomimo że makulatura wypełniała połowę korytarzyka, jej upchnięcie w dwóch czy trzech plastikowych worach nie powinno mi zająć pięciu minut. Piotr mówił przecież, że zarchiwizował potrzebne rzeczy, więc bez emocji ładowałam stare prace semestralne studentów, wycinki z gazet, notatki, konspekty wykładów, brudnopisy i wszelkiego rodzaju gryzmoły. Dla świętego spokoju odłożyłam na bok jakieś grubsze egzemplarze, z zamiarem sprawdzenia, czy coś jednak nie zostało przeoczone.

Usiadłam wygodnie, po turecku, na podłodze. Pierwszy pod nóż poszedł segregator z konspektami ćwiczeń, opracowany przez Piotra jeszcze za asystentury. Do wywalenia, zadecydowałam. Niech jego następcy idą własną ścieżką i wykazują inicjatywę. Drugie i trzecie „coś tam" okazały się brulionami w sztywnych, kolorowych okładkach. Takimi, jakich wiele. Otworzyłam i na pierwszej stronie ujrzałam odręczny, starannie wykaligrafowany napis: „Pierwszych dwanaście miesięcy mojej Zosieńki". Nie potrzebowałam wysilać wyobraźni, żeby odgadnąć, co znajdę w drugim... Kartki z gładkiego, błyszczącego papieru kredowego aż zapraszały do powierzenia im czegoś wyjątkowego i ochrony przed zapomnieniem ważnych wydarzeń, najskrytszych pragnień, rozterek, wypieranych do podświadomości żądz, marzeń i tęsknoty. I znów to samo natrętne doznanie. Czy mogę? Czy jestem uprawniona do przejrzenia zawartości?

Czy nie naruszam intymności Ewy? Czy na pewno jestem właściwą osobą, która może pooddychać tym samym powietrzem, co autorka notatek? Gdyby żyła, mogłabym ją o to zapytać... Może nawet pokazałaby mi swoje skarby. Na pewno zaglądała do nich od czasu do czasu, a po osiągnięciu przez dzieci dorosłości planowała przekazać je z błogosławieństwem na dalszą drogę życia. Gdyby żyła... Ale Ewa nie żyje.

Nie, bruliony nie wylądują w kontenerze na makulaturę. Zabiorę je do domu i podaruję dzieciom, choć jeszcze nie teraz. Są zbyt młode, niedorosłe. Być może, przeglądając je, zniszczą pamiątki, których będzie im brakować w dorosłym życiu? Z wiekiem każdy staje się sentymentalny. Pamiętam, jak wyrzucałam jedno po drugim zdjęcia z dzieciństwa, którymi bawiłam się jako kilkuletnia smarkula, uznawszy, że na tym jestem za gruba, na tym za chuda, a na tym mam głupio ułożoną grzywkę. W tajemnicy przed mamą darłam je na strzępy i ukrywałam na samym dnie kosza na śmieci, a teraz wspominam z nostalgią, ganiąc się za szczenięcą głupotę. Zwłaszcza że byłam na nich nie tylko ja. Na niektórych trzymałam za ręce rodziców. Na innych, na plaży w Kołobrzegu, budowałam z nieżyjącą, ukochaną ciocią zamki z piasku albo zbierałam muszelki do przeciwsłonecznego kapelusika. Ależ ja byłam głupia! Pozostaje nadzieja, że jakimś cudem natrafię na stare klisze i odzyskam cząstkę samej siebie...

A więc postanowione: to dla dzieci, gdy dorosną. I docenią podarunek. A tymczasem, jeżeli mam być dla nich choć namiastką matki, dowiem się o nich jak najwięcej. Bodaj z tych brulionów. Przypomniałam sobie, jak wiele razy starałam się wytłumaczyć Adze powody niestosowności mojego zachowania, chociaż w głębi duszy wiedziałam, że przekroczyłam zakazaną granicę. I nawet zaczynałam w nie wierzyć. A moja znająca mnie jak własną kieszeń siostra śmiała się, kręciła głową i nazywała to racjonalizacją. Wyjaśniała, że to mechanizm obronny. Że nawet przed sobą trudno nam się przyznać do prawdziwych motywów i emocji. Wstydzimy się i by zachować twarz, wynajdujemy usprawiedliwienia z najwyższej półki... Zrobiłam do bólu szczery rachunek sumienia i okazało się, że najzwyczajniej w świecie jestem zaintrygowana zawartością brulionów. Ot, czysta babska ciekawość.

Drżącymi z emocji, spoconymi rękami sięgnęłam po brulion Tadeusza. Odciski umazanych w plakatówce niemowlęcych stópek i dłoni. I linijki równego, niemal kaligraficznego pisma. Zaczęłam czytać.

Mój Synku Kochany. Cztery dni temu nadszedł wreszcie szczęśliwy dzień, gdy po dziewięciu miesiącach spędzonych w moim brzuchu zdecydowałeś się wyjść, spojrzeć na mnie i (naprawdę!) się uśmiechnąć, a potem wygodnie ułożyć się w moich ramionach. Wiem, Synku, nie było Ci łatwo opuszczać bezpieczną przystań... Poród lekarze określili jako trudny; już w trakcie żałowali, że nie zdecydowali o cesarskim cięciu. Bardzo, ale to bardzo wszyscy baliśmy się komplikacji, a szczególnie urazu

Twojej główki. Nikt wprawdzie nie mówił o tym na głos, ale dało się to wyczytać z nerwowych ruchów i wyrazu twarzy dwóch lekarzy i kilku położnych towarzyszących nam w tym Ważnym Wydarzeniu. Przyjąłeś trochę nietypową pozycję, ale wiem, Synku, nie miałeś doświadczenia, myślałeś, że tak lepiej. W ułożeniu pośladkowym rytm Twojego serduszka nie był łatwy do wychwycenia, ale ja wiedziałam, że ono bije. Bo serce matki zawsze jest połączone niewidzialną, tajemną nitką z sercem dziecka...

Wystarczy, wzdrygnęłam się, i odłożyłam brulion jak złodziej tknięty wyrzutami sumienia. Nie byłam ani autorką, ani adresatką tych wzruszających, intymnych słów. One dotyczyły tylko i wyłącznie Ewy i Tadeusza. To ich Tajemnica Tajemnic, a mnie nic do niej. Zrugałam się za pospolite wścibstwo i wściubianie nosa w cudze życie, a jednocześnie natychmiast spróbowałam poszukać usprawiedliwienia. No tak, spodziewałam się czegoś w rodzaju kroniki, pierwszych zdjęć, wagi, wzrostu, koloru włosów, oczu, pierwszych szczepień i tak dalej. A tymczasem wystarczył niewielki fragment, bym dowiedziała się, jak to jest być szczęśliwą mamą i bardzo kochać swoje dziecko. Ewa na pewno cierpiała podczas porodu, choć nie robiła z siebie męczennicy, nie oczekiwała fanfar.

Zosia i Tadeusz niefortunnym zrządzeniem losu zostali pozbawieni jedynego, niczym niedającego się zastąpić uczucia. Miłości rodzonej matki do rodzonego dziecka.

Nagle, ku swemu zaskoczeniu, doznałam dziwnego związku z ich matką, czegoś w rodzaju duchowej transmisji z tamtego świata. Wyrzuty sumienia odpuściły i zyskałam pewność, że tak miało być. Że miałam przeczytać te słowa. Nie potrafiłam sprecyzować tego uczucia, ale odniosłam wrażenie, że Ewa, gdziekolwiek jest, daje mi znać, że nie stało się nic złego. Powiedziała mi o swojej miłości do dzieci, dając szansę, bym spróbowała w jej imieniu przekazać im choć jej część. W jednej chwili emocje opadły i odetchnęłam z ulgą. Rozejrzałam się. Nic, żadnego znaku. Nie zapaliło się i nie zgasło światło, nie trzasnęły drzwi ani nie pojawiła się świetlista istota. Poczułam przypływ nowych sił. Usadowiłam się wygodniej.

Następnym „czymś" okazała się oprawna w szary papier sfatygowana, stara książka pod tytułem *Myths and legends of Botswana*, a zaraz po niej druga, również wysłużona *Tswana: terminology and ortography*. Domyśliłam się w nich pierwszych czytanek Piotra z dziedziny, na punkcie której ma hopla. Wiadomo, wylądują w domu. Może sama poczytam w wolnym czasie?

Sięgnęłam po ostatni odłożony egzemplarz. Sztywne okładki ze skóropodobnej, srebrnoszarej okleiny. Niewątpliwe dzieło odchodzącej do lamusa sztuki introligatorskiej, wypierane przez bardziej nowoczesne i tańsze bindowanie czy oprawy zaciskowe. Na grzbiecie grafitowy, tłoczony napis: „Praca magisterska". No nie, dlaczego Piotr jej nie zabrał? Z ciekawości, i poniekąd z obowiązku, otworzyłam rzecz na stronie tytułowej. Ciekawe, czy już wtedy pasjonowały go południowo-afrykańskie obrzędy? Spojrzałam i dostałam wypieków.

„Uniwersytet (...), Wydział Polonistyki, praca magisterska napisana pod kierunkiem naukowym prof. dr. hab. (...), autor: Ewa Garlicka, Tytuł: *Analogie i dysharmonie związku Tadeusza Soplicy i Zosi w korelacji z wzorcem miłości romantycznej*".

Zamknęłam okładki, pogładziłam skóropodobną koleinę i umocniłam się w przekonaniu, że oto dostałam znak, którego wypatrywałam jeszcze przed chwilą.

Wstałam z poczuciem dobrze spełnionego obowiązku. Rozprostowałam zdrętwiałe nogi, od godziny uwięzione w wymuszonej pozycji. Zapakowałam do przepastnej torby pracę magisterską Ewy, oba bruliony i „elementarze" Piotra. Należała mi się chwila relaksu, więc postanowiłam skorzystać z zaproszenia i wpaść na kwadrans do Lili.

Na wszelki wypadek kilka razy upewniłam się, czy pozamykałam wszystko porządnie na oba zamki. A nuż ten facet w zielonej kurtce to włamywacz? Co tam, uspokoiłam się, i tak nie znajdzie niczego poza śmieciami i pustką. Ale się natnie!

Zapukałam pod osiemnastkę. Cichutko, jak prosiła Lila, chociaż odgłosy z głębi mieszkania wskazywały, że Julek nie śpi. Gospodyni otworzyła niemal natychmiast, jakby na mnie czekała. Ubrana w ten sam dresik co poprzedniego dnia, lecz tym razem z głową owiniętą ręcznikiem. Cała zdyszana i spocona, z trudem łapała powietrze. Szerokim gestem zaprosiła mnie do środka.

– Bawimy się z Julkiem w lokomotywę. Od samego rana. On to uwielbia. Ja jestem maszynistą i muszę wydobywać z siebie te wszystkie piski. Ale dla niego to frajda, więc nie mam chwili wytchnienia. – Starała się doprowadzić rytm oddechu do normy. – Wiedziałam, że jesteś, a raczej słyszałam. Te mieszkania są takie akustyczne! Chodź, tylko nie zważaj na bałagan. – Zaprowadziła mnie do jednego z pokojów, zbierając po drodze porozrzucane kolorowe plastiki: tory, budynki, wagoniki i rozjazdy. Co większe zabawki odsuwała nogą, robiąc coś w rodzaju drogi ewakuacyjnej. Działała sprawnie jak spychacz. – Usiądź sobie wygodnie i zerknij na Julka, a ja zrobię kawę.

– Wpadłam tylko na chwilę, naprawdę. Nie przejmuj się – zapewniałam, ale Lila już pobiegła do kuchni.

Usiadłam w fotelu i rozejrzałam się dyskretnie. Miałyśmy zgoła odmienne gusta w kwestii wyposażenia i wystroju mieszkania. Gospodyni, w przeciwieństwie do mnie, lubowała się w wyrazistych, kontrastujących kolorach i awangardowym stylu. Wnętrze szokowało miksem barw z dominującym turkusem i fioletem, który przyprawiał mnie o oczopląs. Patrzyłam na meble wykonane ze stali chromoniklowej łączonej ze szkłem, drewnem, w śladowej ilości tapicerowane, i zastanawiałam się, jak się tutaj daje mieszkać. Podobnie zresztą intrygowało mnie zagadnienie, kto kupuje nowoczesne, designerskie, niebotycznie drogie meble, których zdjęcia zdarzało mi się oglądać w specjalistycznych czasopismach. Fotel, który zajmowałam, był tak niewygodny, że siedzenie na nim mogłyby orzekać sądy, zamiennie z karą pozbawienia wolności na lat pięć.

Obok mnie, na dywaniku w zielono-żółte pręgi, bawił się Julek. Z pozycji siedzącej błyskawicznie przeszedł do raczkowania. Na czworakach powoli to zbliżał się do mnie, to wycofywał, jakbym była unikatowym muzealnym eksponatem, wartym obejrzenia zarówno z bliska, jak i z perspektywy. Podobnie jak on mnie, tak ja nie spuszczałam go z oka w obawie, że zawadzi o ostry, metalowy róg stolika czy uchwyty szafek.

– Wiem, wiem... Każdy, kto tu wchodzi, myśli o tym samym. Nie podoba ci się? – zapytała Lila, stawiając na stoliku dwa najnormalniejsze w świecie kubki z ciepłą i pachnącą kawą. Takie zwykłe, domowe, ceramiczne kubki, obecne w każdym domu. Prozaiczność naczyń kontrastowała z dziwacznością wnętrza.

– Eee... – Nie chciałam jej sprawić przykrości szczerą odpowiedzią.

– Nie wysilaj się. Nie jestem obrażalska – naciskała, sadowiąc się naprzeciwko mnie w fotelu, prawdopodobnie jeszcze bardziej niewygodnym niż mój. Siedzisko i oparcie ze sklejki pomalowano na bijący w oczy róż.

– No, nie za bardzo... – zaczęłam pokrętnie. – Ale o gustach się nie dyskutuje.

– Czyli po prostu nie. I kropka. Mnie też nie. I też kropka. Niestety, nie mogę cię podjąć gdzie indziej, bo mamy tylko trzy pokoje. Najmniejszy należy do Julka. Drugi to sypialnia. A ten jest jednocześnie salonem, jadalnią, pokojem telewizyjnym, gościnnym i moją pracownią. Jestem korektorką i pracuję w domu. No i najważniejsze – to pracownia doświadczalna mojego męża.

– Pracownia? – Rozejrzałam się zdziwiona, bo nie zauważyłam tu żadnych probówek, odczynników, elektrod, mierników czy innych przyrządów.

– Tak, kochana. Mój mąż bada granice ludzkiej wytrzymałości. – Zaśmiała się gorzko. – A tak naprawdę jest historykiem i pracuje w szkole. Jest wypalony i niespełniony. I marzy o własnej firmie produkującej meble. Takie specjalne, dla wymagających. – Ironicznie wywróciła oczami. – A to są jedne z wielu prototypów, które tworzy w garażu. Co chwila zmienia mi wystrój salonu, bo niestrudzenie poszukuje własnego stylu, jak to określa. I kolorystyki, oczywiście. A robi to już od ponad dziesięciu lat. Nie skarżę się, przywykłam. Okazuje się, że można. – Lila poderwała się z fotela, aby zaasekurować Julka przy pierwszych, nieudolnych próbach przyjęcia pozycji pionowej. – Słuchaj, chcę ci coś powiedzieć... – Ponownie usadowiła się naprzeciwko. – Naprawdę nie musisz prosić nikogo obcego o pomoc. Masz przecież nas, to jest mnie i mojego poszukiwacza własnego stylu, czyli Tomka.

– Co masz na myśli? – zapytałam skołowana.

– Na przykład przy wyrzucaniu śmieci. Widziałam wczoraj tego wyręczyciela. Wychodziłam z Julkiem na szczepienie i widziałam – mówiła, unikając mojego wzroku i patrząc na Julka, który siedział całkiem spokojnie i bawił się nieprzemakalną książeczką. – Tomek, jak to nauczyciel, wcześnie wraca do domu… Następne śmieci on wyrzuci, zgoda?

– Ale… Nie chcę was absorbować. – Dlaczego ona w ogóle poruszyła ten temat? – To był przypadkowy facet…

– Przypadkowy? – Lila spojrzała mi prosto w oczy. Wyczułam w jej głosie ledwie słyszalną nutkę nieufności.

– No tak. – Wytrzymałam to spojrzenie. – Najpierw jechaliśmy razem windą. Nawet zastanawiałam się, czy to nie jakiś gwałciciel…

Zarumieniłam się, bo przecież żaden ze mnie ósmy cud świata. Nie pochlebiam sobie, że bywam obiektem erotycznego zainteresowania każdego napotkanego mężczyzny. Lila bezceremonialnie otaksowała mnie od stóp do głów, a mnie zapłonęły policzki. Jasny gwint! No tak, jestem żałosna! Może Rubens byłby zachwycony, ale ten kanon kobiecego piękna jest nieaktualny od epoki baroku… Nie miałam odwagi podnieść oczu, bałam się, że Lila lada moment wybuchnie śmiechem.

– Gwałcicielem… – powtórzyła jak echo. Lila zdawała się jakaś nieobecna. Skupiła wzrok na kubku z niedopitą kawą, leciutko postukując w oparcie fotela końcówkami nieskazitelnych pomarańczowych paznokci. W oczekiwaniu na dalszy ciąg wstrzymałam oddech. Nawet Julek przerwał zabawę i wpatrywał się w mamę z otwartą buzią. – Nic mi o tym nie wiadomo... – powiedziała prawie bezdźwięcznie po dłuższej chwili. – Dużo ci jeszcze zostało?

– Czego? – zapytałam zdezorientowana.

– Sprzątania po sąsiedzku.

– Lada moment powinnam skończyć. Powiedz mi, kim jest... – Usadowiłam się wygodniej na twardym fotelu, spodziewając się długiego, aczkolwiek niezwykle interesującego wykładu.

– Bogu dzięki, że jesteś na finiszu! – przerwała mi Lila i westchnęła z ulgą. – A uprzedzając twoje pytanie... O pewnych rzeczach wolę nie mówić, a i lepiej o nich nie wiedzieć. – Wysłała wyraźny sygnał, że nie ma ochoty kontynuować tematu i zaspokajać zżerającej mnie ciekawości. – Jest tak wiele innych, przyjemniejszych rzeczy do omówienia. Właśnie, jak tam dzieci? – zapytała z nieukrywaną troską.

– Dzieci... – zawahałam się. Nie miałam zamiaru wtajemniczać jej w alergię Zosi na moją osobę. – Dzieci w porządku. Na razie je poznaję.

– Ja je znam od urodzenia. Studiowałyśmy razem z Ewą na polonistyce, tyle że ona rok wyżej. Wtedy się nie przyjaźniłyśmy, znałyśmy się raczej z widzenia. Zbliżyłyśmy się dopiero, gdy przypadkowo zamieszkałyśmy po sąsiedzku. Ja pracowałam w domu, ona uczyła polskiego w szkole. Ona rodziła dzieci, ja przez lata leczyłam się z bezpłodności. Często zajmowałam się Zosią i Tadkiem. To pomagało trochę oszukać instynkt macierzyński... Aż w końcu trafił mi się taki mały mężczyzna mojego życia. – Z czułością popatrzyła na Julka, który obracał się na pupie wokół własnej osi. – Potem, gdy zmarła Ewa... – Oczy Lili zrobiły się szkliste. – Starałam się wspierać Piotra i dzieciaki. Jak potrafiłam. Towarzyszyłam im w najtrudniejszych chwilach. Piotr na pewno ci opowiadał?

– Tak, ale bez szczegółów. Nie chcę się dopytywać. To chyba dla niego bolesne. Nigdy nie wspomniał na przykład, że Ewa była taką artystką!

– Jaką artystką? – Lila omal nie zakrztusiła się kawą.

– Przecież ona pięknie haftowała! Znalazłam wczoraj w komodzie obrusy jak dzieła sztuki.

– Aaa, o to chodzi. – Uspokoiła się. – Nie wiedziałam, co masz na myśli. Określenie „artystka" bywa pejoratywne. Wiesz, taka spryciara, która nie zawsze gra fair i nie waha się używać wdzięków dla osiągnięcia celu...

– Nie to miałam na myśli! – zaprotestowałam gwałtownie. – Tylko nie to! Broń Boże! Podziwiam Ewę i za piękne obrusy, i za samodyscyplinę – trajkotałam, by jak najszybciej rozwiać wątpliwości. – Musiała być zorganizowana, żeby znaleźć czas na takie rzeczy. – Posłużyłam się złotą myślą mojej siostry, której notabene nigdy nie widziałam haftującej, dziergającej czy nawet zszywającej na okrętkę pęknięcia w dziecięcych szortach.

– Tak... Często robiła je popołudniami, kiedy zabierałam dzieci na spacer, plac zabaw albo po prostu do siebie. Wiesz, nieraz... – Lila ściszyła głos i popatrzyła mi prosto w oczy, jakby chciała wyjawić mi jakąś tajemnicę.

W zamku zachrobotał klucz.

Gospodyni była wyraźnie zawiedziona, że to już koniec babskich pogaduszek. Rozumiałam ją doskonale. Wszystkie moje koleżanki i znajome, które zaznały uroków macierzyństwa i zdecydowały się na urlop wychowawczy, czyli trzyletnie sam na sam z maleństwem, twierdziły, że miłość miłością, ale separacja od wszystkiego, co dotychczas doskwierało i wydawało się kwintesencją nudy, stawała się nagle karą za macierzyństwo. Pomimo że w domu i przy dziecku zawsze było coś do zrobienia, niecierpliwie wyczekiwały przerywników, czyli wizyty, telefonu czy choćby esemesa. Z drugiej strony unikali ich wszyscy znajomi, serdecznie zniesmaczeni opowieściami o kupkach, trudnościach z zasypianiem, zalegającym w piersiach pokarmie czy ząbkowaniu. A jeżeli już kogoś dopadły, nie chciały wypuścić zdobyczy ze szponów i napawały się dialogiem odmiennym od utartego schematu rozmowy z niemowlakiem.

Zerknęłam na zegarek. Robiło się późno. Dopiłam ostatni łyk kawy. Tymczasem do pokoju wszedł, a raczej wtoczył się niewysoki mężczyzna o dość pokaźnej tuszy. Taki, co to go łatwiej przeskoczyć, niż obejść. Poruszał się jednak żwawo i tryskał dobrym humorem.

– Hej! Mamy gościa! Super! Jestem Tomasz. A ty, jak się domyślam, Iza, żona Piotra! – Podał mi dłoń na powitanie. Poczułam zdecydowany, przyjacielski uścisk. Tomasz w niczym nie przypominał stereotypowego nauczyciela historii, już raczej właściciela irlandzkiego pubu, który potrafi w lokalu stworzyć fantastyczną atmosferę, serwując wyborne trunki przy muzyce na żywo.– I żaden niewierny Tomasz, ale mąż swojej żony! – Puścił do mnie oko, spojrzał na Lilę i zamarł. – Kochanie, jaki tym razem kolor? – Wskazał na jej owiniętą ręcznikiem głowę. – Z kim będę spał dzisiaj? Z tajemniczą blondynką? Ognistą brunetką? A może z czułą i delikatną szatynką?

– O kurczę, zapomniałam o farbie! Dziesięciominutowej! – Lila z przerażeniem podniosła dłoń, a później z jeszcze większym przerażeniem spojrzała na zegarek. – Ponad sześć godzin!

– No to tym bardziej będziesz szokowała wyglądem. Czarno widzę te resztki... – Tomasz podniósł Julka z podłogi i ucałował chłopca.

Pożegnałam się szybko. Niech lepiej Lila od razu zmyje farbę, a na mnie już najwyższy czas. Zjechałam windą i wyszłam przed klatkę schodową. Źle domkniętymi drzwiami zakołysał podmuch wiatru. Odwróciłam się i docisnęłam. No tak, zepsuty samozamykacz. Siłowałam się przez chwilę. Kiedy podniosłam wzrok, przy oknie na pierwszym piętrze dostrzegłam postać w zielonej kurtce. Jasny gwint!

A może tylko mi się zdawało?

Wracałam do domu, wystawiając twarz do słońca. Tak jak robiłam to w Grecji. Mimowolnie cofnęłam się w czasie. O tym, że Piotr jest wdowcem, dowiedziałam się już następnego dnia po naszym poznaniu. Siedzieliśmy w cukierni, popijając mrożoną kawę frappe, zajadaliśmy się ciastem cappuccino i tortem orzechowym i gadaliśmy, jakby chcąc nadrobić wszystkie spędzone osobno lata. Oczywiście, już iskrzyło, a ja bałam się zapytać o jego stan cywilny, zdając sobie sprawę, że żona oznacza koniec znajomości zaraz po wejściu do samolotu. Głupie, ale prawdziwe. Wiedziałam, że chwila nie trwa wiecznie i w końcu słodką niewiedzę może zastąpić dołująca świadomość, że obiekt westchnień jest zajęty. A ja, licząc na cokolwiek więcej, okażę się kompletną idiotką. Więc nie poruszałam tematu, bo tak mi było wygodniej. Podczas rozmowy Piotr sięgnął do torby i wyciągnął z niej dwa pudełka zawinięte w ozdobny papier.

– Iza, chcę ci coś pokazać. Co o tym myślisz? – Zaczął ostrożnie rozpakowywać zawiniątka, żeby nie uszkodzić papieru. – Kupiłem prezenty dla Zosi i Tadeusza. Naprawdę drobnostki, bo gdybym z każdej podróży czy delegacji przywoził coś większego, musiałbym wynająć specjalny magazyn.

Dobrze, że miałam wtedy w rękach szklankę z kawą. Pociągnęłam spory łyk, żeby zyskać na czasie, i wraz z przyjemnym zimnem, które otuliło mój przełyk, poczułam, jak stygnie moja euforia. Wszystko jasne: żona Zosia i syn Tadeusz. I jeszcze pyta mnie o zdanie! Co za bezczelność! Zbeształam się w duchu za głupotę i naiwność. Postanowiłam wstać i wyjść, nie zważając na motyle w brzuchu. Niech tylko minie ten wewnętrzny dygot, bo nie zrobię kroku... Już nigdy się z nim nie spotkam. Nigdy. Przenigdy nie będę tą trzecią.

Zaabsorbowany Piotr nie zwracał na mnie uwagi. W końcu położył przede mną dwa przedmioty, których naprawdę nie miałam ochoty oglądać.

– To nic wielkiego. Dla Zosi kupiłem mati, takie greckie oko. Niektórzy mówią, że to oko opatrzności, inni, że Ateny. Ponoć ma chronić przed złem. A dla Tadeusza podstawkę pod komórkę. Są w nią wbudowane kamyczki i kryształki mocy. Ponoć magiczne i zapewniają szczęśliwe życie, podejmowanie trafnych decyzji i właściwe wykorzystanie talentów. No i co? – Przesunął prezenty po stoliku w moją stronę.

– Fajne... – Zagryzłam usta. – Greckie oko dla żony, powiadasz? Długo się nad tym zastanawiałeś? Ma ją chronić? Przed czym? Przed twoimi skokami w bok? Takie czary-mary? – Niosła mnie furia, patrzyłam mu prosto w oczy. Nie zamierzałam silić się na grzeczność. Jakim cudem, idiotka, mogłam się zadać z takim chamem?

– Co ty mówisz? Iza, czy ty wiesz, co mówisz? – Piotr był zszokowany. Podniósł oczy i zastygł w bezruchu.

– Pytam prosto i po polsku. Znasz chyba ten język? Mam zapytać po angielsku? Bo, niestety, w tswana nie potrafię! Mati dla żony! Gratuluję wyboru! – wykrzykiwałam, nie panując nad sobą. Złapałam torebkę i wstałam. Goście przy sąsiednich stolikach gapili się bezceremonialnie. Zawsze to jakaś odmiana!

– Siadaj, Iza. Proszę cię, zostań! Uspokój się! – Piotr chwycił zdecydowanie moją rękę. Szarpnęłam.

Zainteresowanie gości wzrastało. Niektórzy, żeby lepiej widzieć, przesunęli krzesła. – O co ci chodzi?

– O oko. O to oko dla Zosieńki, czy jak tam nazywasz tę zapewne niezwykle piękną i wierną żonę, która na ciebie czeka, podczas gdy ty… Podczas gdy… – Chciałam dodać: „masz ochotę przelecieć inną", ale ugryzłam się w język. Ponowiłam próbę wyrwania dłoni. Bezskutecznie.

– Iza, Zosia to moja jedenastoletnia córka, a Tadeusz – trzynastoletni syn. Przecież ja jestem wdowcem. Miałem żonę.

Gwałtownie zmieniłam pozycję z półstojącej na siedzącą; nogi miałam jak z waty. Bez słowa wpatrywałam się w Piotra. Zawiedzeni goście powrócili do swoich spraw. Spektakl skończony.

– Iza… – Piotr wyglądał na zakłopotanego. – Znamy się od wczoraj, a ja odnoszę wrażenie, że od zawsze. Stałaś mi się bardzo bliska. Naprawdę nie spodziewałem się, że jeszcze poznam kogoś takiego… Przysięgam. Na szczęście mamy jeszcze czas. Jeżeli nie odpowiada ci mój stan cywilny i dwoje dzieci, nie obrażę się, jeśli odejdziesz. Będzie mi ciężko, ale zrozumiem. Jesteś młoda, całe życie przed tobą. Może nie zechcesz wiązać się z wdowcem z dorobkiem w postaci nieletnich. Podejmij decyzję. Masz wybór.

– Zaskoczyłeś mnie – wyjąkałam. Tym razem ja pochwyciłam jego dłoń. – Wybacz. Myślałam, że Zosia to twoja żona, a ty, jak wielu innych facetów, masz ochotę wyłącznie na romans. Że lada moment zaczniesz się skarżyć, jak ci źle. I że prezent dla niej kupiłeś na odczepnego, żeby ci znowu nie zrobiła awantury. Potem dodasz, że twoje małżeństwo to fikcja i jego rozwiązanie jest tylko kwestią czasu...

– Nie musisz się tego obawiać. Nie będę cię oszukiwać. Od sześciu lat jestem sam z dwójką dzieci. Oczywiście, od śmierci Ewy zdarzały się chętne na jej miejsce, ale żadna nie było tą. To się czuje. A teraz... Teraz jesteś ty. I gdybyś tylko zechciała, poprosiłbym cię o rękę natychmiast, bo znaczysz dla mnie więcej niż wszystkie kobiety świata. Od wczoraj nie liczy się dla mnie nikt inny. I naprawdę nie mówię tego każdej, która mi się spodoba. – Uniósł moją dłoń i pocałował.

Mówił szczerze. Nie wciskał mi ściemy wyuczonej na okoliczność polowania na kolejną zdobycz. Widziałam w jego oczach obawę, niepewność, czy zgodzę się na taki układ, czy odejdę. I jednocześnie prośbę o szansę. Tak jakby zakochanej od doby kobiecie ta prośba była do czegoś potrzebna. Dla mnie nie istniały już żadne przeszkody, trudności czy kłopoty. Byłam przekonana, że takie uczucie do drugiego człowieka jest jak wygrana w lotto. Odejście równałoby się zniszczeniu zwycięskiego kuponu zaraz po losowaniu. Nie zamierzałam zostawiać Piotra, ani wtedy, ani nigdy. Tyle że nie zdawałam sobie sprawy, że godząc się na związek z nim, godzę się na związek z jego dziećmi. Tam, w tej greckiej cukierni, byliśmy tylko my i nie liczyło się nic innego.

Przez chwilę siedzieliśmy w milczeniu. Czułam, że myśli Piotra wędrują ku innej kobiecie i innym sytuacjom. Siedziałam bez ruchu, nie chciałam przeszkadzać.

– Z Ewą poznaliśmy się jeszcze w liceum – usłyszałam. – Chodziłem do trzeciej, a ona do pierwszej klasy. Wielka młodzieńcza miłość. Wystarczyło, że spojrzała na innego, a wpadałem w obłęd. Nie mogłem jeść ani spać. Gdy ja zamieniałem słowo z inną, choćby pytając o wybór studiów, Ewa zrywała ze mną w jednej sekundzie. Potem były płacze, wyjaśnienia, obietnice i ponowne zejście. I tak na okrągło. W naszym burzliwym związku nie było czasu na nudę.

Piotr był w innym świecie. Ożyły wspomnienia. Siedziałam wyprostowana i czekałam na jego powrót. I marzyłam, by mieć taką moc, żeby przewinąć tę taśmę do przodu. Byłam zazdrosna o przeszłość, choć z całych sił starałam się nie dać tego po sobie poznać i zapanować nad sobą. Zbuntowałam się: przecież to ja powinnam być dla niego całym światem! Ale zaraz stłumiłam emocje. Przecież nie mogę, a przede wszystkim nie powinnam, być zazdrosna o nieżyjącą poprzedniczkę! Poczułam się jak w ślepym zaułku. Trudno mi się było przyznać przed sobą do tego uczucia. A jednak! I powstały wątpliwości. Jak będę żyć w cieniu Ewy? Czy sprostam nadziejom i oczekiwaniom mojego mężczyzny? Co, jeżeli ta miłość w nim pozostanie? Żałowałam, że nie mogę wziąć gumki i po prostu wytrzeć Ewy z jego życiorysu. Ona tam była i będzie.

– A potem... – Piotr westchnął głęboko i pochylił się ku mnie. Poczułam, że wrócił.. – Potem zacząłem studia. Ewa skończyła liceum i po dwóch latach zamieszkaliśmy razem w pokoju w akademiku. Tyle że ona studiowała polonistykę. Wzięliśmy ślub, a po roku niespodziewanie dostaliśmy przydział na mieszkanie spółdzielcze, w którym mieszkam z dziećmi do dziś. Chociaż – nachmurzył się i pomasował skronie – bardzo chciałbym się stamtąd wyprowadzić, ale to już inna bajka. Rodzice Ewy pomagali nam finansowo, ja dorabiałem, gdzie mogłem. Na przykład sprzątałem po nocach wagony kolejowe. Po studiach dostałem pracę asystenta na uczelni. Ewa po obronie pracy magisterskiej poszła do pracy w szkole na pół etatu i urodziła dzieci. Najpierw Tadeusza, a po dwóch latach Zosię. Dzieciaki są fajne, zobaczysz. Na pewno je polubisz. Wcześnie straciły matkę. Z dnia na dzień. Niespodzianie.

– Jak to się stało? – zdołałam z siebie wydusić. Wciąż byłam zakłopotana.

– Została potrącona na przejściu dla pieszych. Kierowca uciekł. Ewa miała zaledwie trzydzieści lat. Może sprawca wypadku nie był trzeźwy, może jej nie zauważył, może się zagapiła? Nie wiem. W andrzejkowy wieczór była ze swoją klasą w domu kultury na jakimś przedstawieniu. Pierwsza weszła na jezdnię, żeby się upewnić, czy inni mogą przejść bezpiecznie. Kierowca taksówki zatrzymał się, ale nadjeżdżający z przeciwnego kierunku samochód nawet nie wyhamował. Ewa zginęła na miejscu. Na oczach uczniów. Przynajmniej nie cierpiała. Bezpośrednią przyczyną zgonu było rozerwanie aorty. Zeznania dzieciaków na temat koloru i marki auta były tak rozbieżne, że policja nawet nie podjęła poszukiwań. Nikt nie zapamiętał numeru na tablicy rejestracyjnej. Tyle dobrego, że Ewa nie wzięła wówczas ze sobą Zosi i Tadeusza...

Zauważyłam, że na wspomnienie dzieci oczy Piotra jaśnieją ogniem ojcowskiej miłości. Podobnie jak oczy mojego taty. Pojawiają się zawsze, gdy Aga albo ja zrobimy coś, co sprawia mu satysfakcję. I nie chodzi wyłącznie o życiowe sukcesy, a na przykład o upieczenie ciasta ze śliwkami. Jakiekolwiek jest. Nawet „gniotek-wymiotek", byleby własnoręcznie zrobiony przez córkę. Sięgnęłam po szklankę z frappe. Była pusta.

– Masz ochotę na następną?

– Tak. Albo nie! – Zmieniłam decyzję. Niecodzienna sytuacja wymagała czegoś mocniejszego. – Mam ochotę na drinka.

– Przed obiadem? Jesteś pewna?

– Owszem. Zrobię wyjątek. Zresztą, jak znam życie, wyjątki są liczniejsze od reguł. Takiego orzeźwiającego. Z wódką i cytryną. Tylko bez żadnych parasolek. – Odsunęłam resztkę torcika orzechowego. Straciłam apetyt.

– Okej. Ale później pójdziemy coś zjeść. Czujesz ten zapach? – Piotr ruchem głowy wskazał na pobliską tawernę.

Przed lokalem urządzono ogródek z kilkoma stolikami i całość osłonięto markizą. Wśród kwiatów i lampionów stał grill, obsługiwany przez ubranego w biały, poplamiony fartuch grubego Greka. Mężczyzna, pogwizdując pod nosem zorbę i popalając cygaro, nieśpiesznie obracał szczypcami kolorowe szaszłyki – kawałki jagnięciny, plastry bakłażanów i sera halloumi. Charakterystyczny aromat miksu dojrzewających w słońcu greckich przypraw stymulował mózg i działał antydepresyjnie. Sam w sobie był darmową reklamą, skłaniającą przechodniów do zatrzymania się na małe garden party. Specyficzna atmosfera ogródka była nie do odtworzenia w domowej kuchni.

– Tak, rzeczywiście pachnie apetycznie – rzuciłam na odczepnego, dyskretnie ocierając spocone z emocji dłonie o miękką bawełnę spódnicy.

Poszukaliśmy wzrokiem kelnera, ale jak to zwykle w greckich lokalach, obsługi nie było ani na lekarstwo. Przecież na wszystko jest czas. Żadnego zabiegania i ekspresowego tempa. Dopiero wycieczka Piotra do baru sprawiła, że na naszym stoliku pojawiły się dwie oszronione, wysokie szklanki. Wódka, lemoniada, lód i plasterki cytryny. Tego mi było trzeba, choć nigdy nie postrzegałam alkoholu jako antidotum na smutki i problemy. Trzymałam się raczej tego, że chwilowo poprawia nastrój, rozluźnia i odblokowuje, a w niewielkich dawkach korzystnie wpływa na zdrowie. Wyjęłam słomkę i z przyjemnością pociągnęłam pierwszy łyk. A potem następny. Dobre. W tej sytuacji najlepsze.

– Tamtego wieczoru nawet nie odczuwałem niepokoju – kontynuował Piotr. – Myślałem, że jak zwykle czuwa, by wszyscy trafili do domu. Zosia i Tadeusz marudzili, ale sąsiadka nakarmiła ich i położyła spać. Ja zająłem się pracą i straciłem poczucie czasu. Sąsiadka przyszła ponownie, już po północy, żeby się upewnić, że wszystko w porządku. I dopiero wtedy zadzwoniliśmy na komórkę Ewy. Okazało się, że aparat leży w przedpokoju; zapomniała go zabrać. Uczepiliśmy się myśli, że zagadała się z którymś z rodziców, ale przy kim mogłaby zapomnieć o dzieciach? One były najważniejsze. Zosię i Tadeusza zostawiłem pod czujnym okiem sąsiadki, a sam wskoczyłem w samochód i pojechałem po opustoszałych ulicach w kierunku domu kultury. Już z daleka słyszałem syreny i widziałem błyskające światła... Wypadek na kilka godzin zatamował ruch. Przyznam, niewiele pamiętam. Nie wiem, jak załatwiłem formalności, kto powiedział dzieciom, jak przebiegał pogrzeb, jak sobie radziłem... Jak przez mgłę przypominam sobie kondolencje, wyrazy współczucia, obietnice wsparcia, że jakby co, wystarczy jedno słowo. Pamiętam tylko, że teściowa poprosiła mnie, abym wybrał dla Ewy ubranie. Pochowaliśmy ją w ulubionej zielonej garsonce. Ewa zawsze powtarzała, że się z nią nie rozstanie. I rzeczywiście.

Zrobiło mi się gorąco. Doskonale pamiętam tamten dzień. Późny wieczór z 29 na 30 listopada sześć lat temu. Aga urządziła mężowi tradycyjne andrzejki, dość huczną imprezę w klubie garnizonowym. Bawiliśmy się w lokalu pod nazwą „Zardzewiała Szabelka" wyłącznie w zaprzyjaźnionym gronie, a było co świętować – po pierwsze imieniny, po drugie awans solenizanta. Była zabawa, tańce i oczywiście wróżby. Przy słowach „Andrzeju, Andrzeju, daj mi znać, co się będzie dziać" laliśmy wosk przez duży klucz, ustawialiśmy w rzędach buty, losowaliśmy własnoręcznie przygotowane przez Agę ciasteczka z zapieczonymi w środku wróżbami. W ogóle moja siostra wykazała się wówczas dbałością o szczegół. Panował klimat „ciemno wszędzie, głucho wszędzie", salę oświetlały wyłącznie świeczki, lampiony i lampy naftowe. Mało tego, wypożyczyła od sąsiadki czarną kocicę… Spędzaliśmy czas na beztroskich wygłupach, dokuczając solenizantowi frywolnymi przyśpiewkami. Andrzej koniecznie chciał mnie przedstawić przyjacielowi ze studiów, również zawodowemu wojskowemu. Broniłam się, jak mogłam, bo owszem, „za mundurem panny sznurem", ale wystarczał mi przykład Agi. Nie zamierzałam tracić życia na naprawianie szkód.

Przyjaciel mojego szwagra, niejaki Staś, okazał się doskonałym kompanem do zabawy i tyle. Nie wiem, które pierwsze wpadło wtedy na ten idiotyczny pomysł, on czy ja, ale po kilku drinkach wyprosiliśmy u obsługi kuchni białe obrusy i… przebraliśmy się za duchy. I hulaj dusza, piekła nie ma! Straszyliśmy, udając zabłąkane dusze, które dopiero co straciły życie w dramatycznych okolicznościach. Namawialiśmy do przejścia na naszą stronę, żeby „było raźniej". Zabawa trwała w najlepsze, gdy Aga dostała telefon z ośrodka wsparcia psychologicznego, gdzie udzielała się jako wolontariuszka. Pośpiesznie ubrała się i ulotniła z imprezy. Przed wyjściem zdążyła mi szepnąć, że pod domem kultury był wypadek samochodowy, a ona jedzie wspomóc dzieciaki, na których oczach zginęła młoda nauczycielka. „Zadbaj, żeby się dobrze bawili do końca", poprosiła i znikła.

Kolejne wspomnienie sprawiło, że zadrżałam; złapałam kurczowo za wciąż zimną szklankę z resztką drinka i przyłożyłam do rozgrzanego czoła. Przypomniał mi się tekst wróżby wydłubanej wówczas z ciasteczka, zlekceważonej wzruszeniem ramion jako niezrozumiała. Teraz, w jednej chwili, wszystko stało się jasne:

„Przez cały czas i w każdym wymiarze, co dla jednych końcem, dla innych początkiem jest. Co jedni porzucają, inni dostają".

Po południu, jak sobie obiecałam, wybrałam się po zakupy. Zdjęłam przyczepioną magnesem do drzwi lodówki długą listę, do której systematycznie dopisywałam pozycje, których w domu zabrakło lub miało zabraknąć lada moment. Skończył się dobry czas, gdy posiłki zastępowałam gotowcami z weselnego przyjęcia. Nie chciało mi się iść, ale jak trzeba, to trzeba. Zapytałam jeszcze dzieciaki, czy mają ochotę na coś specjalnego, ale nie miały. A może były skrępowane takim pytaniem wprost? Nie, nie zamierzam i nie mam czasu ani ochoty bawić się w psychoanalityka, kłaść ich na kozetkach i dowiadywać się za pomocą hipnozy, czy na obiad mogą być kotlety mielone z duszoną marchewką. Ślęczący przy komputerze Piotr odparł tylko: „Wszystko, co zrobisz, kochanie, będzie najlepsze na świecie", co całkowicie mnie satysfakcjonowało. Na szczęście obeszło się bez „ja to", „ja tamto", a „ja jeszcze coś innego". Nie jest tak źle, pomyślałam.

W markecie, jak zwykle w środku tygodnia, nie było zbyt wielu klientów (prawdziwe oblężenie panowało w piątkowe popołudnia). A ci, którzy byli, traktowali wypełnione od sufitu do podłogi sklepowe półki jak eksponaty w muzeum. Powoli i z zaciekawieniem lustrowali towary. Jakby po raz pierwszy w życiu widzieli konserwy z groszkiem, kukurydzą czy fasolą. Apogeum zainteresowania przypadało na produkty oznaczone karteczkami „Stop – promocja", „Zapłać za jeden – dostaniesz dwa" oraz „Totalna wyprzedaż". Ludzie poruszali się jak zaprogramowane roboty, sterowane przez specjalistów od prania ludzkich mózgów obserwujących swoje dzieło zza weneckich luster i wizjerów kamer przemysłowych. Zakupowy letarg przerywały jedynie okrzyki dzieci. „A kupisz mi?", „Kup mi, kup, to okazja!". Tak, większość przyszła po małe co nieco, a wyjedzie wózkami obładowanymi do granic wytrzymałości... Znam te chwyty, ale nie ze mną takie numery. Muzyka nie zachęci mnie do zakupu niczego spoza listy. Ja jestem ponad to. Mam plan i będę się go trzymać. Bez wpadek. Nie dla mnie odświeżane w solance wędliny! Nie dam się złapać na kupno sześciopaku pseudokawy, wciskanej przez hostessę do degustacji w małych plastikowych kubeczkach! A właśnie że przejdę obojętna wąskim przesmykiem, gdzie pośrodku ustawiono wielki kosz z napisem: „Uwaga! Absolutnie wszystko po dwa złote"!

Po godzinie biegania z listą pomiędzy półkami miałam już czerwone oczy – skutek klimatyzacji i sztucznego jarzeniowego oświetlenia. Spojrzałam raz jeszcze na kartkę. Jeszcze tylko płyn do mycia naczyń i papierowe ręczniki. Gdzie ja to upchnę? W napełnionym z potężnym czubem wózku nie było miejsca, a przecież kupiłam same najpotrzebniejsze rzeczy. Naprawdę. Wprawdzie kwiatki doniczkowe… Nie, w domu nie ma żadnego, a trochę zieleni w środku zimy poprawi nam nastrój. Zwłaszcza po okazyjnej cenie, jak krzyczały megafony: „Wszystkie artykuły z działu dom i ogród z trzydziestoprocentowym rabatem!". No, a jak kwiaty w doniczkach, to również osłonki… A obok totalna wyprzedaż świątecznych ozdób. Dobrze, że trafiłam na jej początek, bo za kilka minut był już tłum. Miałam szczęście. Magia świąt za tak małe pieniądze! Niesamowite! Poza tym pomogłam tym biednym Chinkom – dzięki takim jak ja mają pracę, też mogą robić zakupy i ogólnie czują się wyróżnione. Kupiłam, między innymi, jedenaście głów Mikołaja odzianych w czerwone czapeczki, łącznie z zawieszkami. Słodziutkie. Były też inne, nietypowe, bo w niebieskich nakryciach głowy. Unikaty. Do kompletu wzięłam również jedenaście. Spodobała mi się ta liczba, więc w wózku wylądowało jeszcze tyle samo białych filcowych śnieżynek, czerwonych reniferów z dzwoneczkami, gwiazd betlejemskich na patykach, którymi można ozdobić doniczki. W ostatniej chwili zdążyłam złapać naprawdę super brodę Mikołaja na gumce, rogi renifera, skrzydełka aniołka i elfią czapkę. A że trafiłam na fajną promocję na skarpetki, kupiłam dwadzieścia sześć par. Dla Piotra i dzieci. Dla siebie ani jednej, ale o sobie pomyślę następnym razem. Skarpetek nigdy dość. I przypomniało mi się, że w domu nie ma żadnego gwoździa ani kołka. Niczego nie można zawiesić. Taki stan nie może trwać wiecznie, więc nabyłam kilka opakowań w różnych rozmiarach. No i na wszelki wypadek młotek. Chyba nie widziałam go w żadnym kartonie? A jak młotek, to i obcęgi. Co to za dom, w którym nie ma podstawowych narzędzi? Płyn do mycia naczyń i papierowe ręczniki kupię nazajutrz, w kiosku obok domu. Przystanęłam gwałtownie, wstrzymana smakowitym zapachem. Mmm, świeżutkie bagietki, które uśmiechnięta pani w białym fartuszku właśnie wkładała do wiklinowych koszy. Jeszcze cieplutkie i z taką chrupiącą skórką! Biorę dwie! Niosłam je w papierowej torebce w jednej ręce, drugą popychając ciężki wózek.

Zadowolona opuszczałam sklep. Czułam się jak wracający z polowania myśliwy, którego po wielogodzinnym tropieniu, ściganiu i wreszcie ustrzeleniu grubego zwierza wita radośnie głodna rodzina. Pozostało mi jeszcze dostarczenie łupu pod dom, wniesienie do mieszkania i poukładanie na półkach i w lodówce.

I załatwione.

Od pomagających mi targać zdobycz Piotra i dzieci nie usłyszałam żadnych ochów czy achów. Nie było również fanfar. A przecież straciłam całe popołudnie, żeby zdobyć takie fajne rzeczy... Dobrze, że Zosia z Tadeuszem przez kilka minut powygłupiali się przy przymierzaniu mikołajowych atrybutów. Chociaż tyle. Spojrzałam na tak smakowicie pachnące w sklepie bagietki i w tej samej chwili przypomniałam sobie, że przed wyjściem przygotowałam na kolację górę kanapek z pastą rybną. Nie było po nich śladu. No tak, całkiem zrozumiały brak entuzjazmu... A jeszcze mniej go będzie jutro rano. Bagietki sczerstwieją. Trudno. Zrobię z nich grzanki. Może ktoś się skusi...

W miarę porządkowania sterty zakupów, mój błogostan konsekwentnie się ulatniał, aż w końcu uświadomiłam sobie rozmiary porażki. Chyba totalnie postradałam rozum! Przed hipermarketową eskapadą i tak mieliśmy wszystkiego po dwa zestawy – jeden z mojego mieszkania, a drugi z mieszkania Piotra. Jeszcze nie doprowadziłam do ładu przeprowadzkowych kartonów, a kuchnię i znaczną część przedpokoju zalegał stos przedmiotów, który tylko przysporzy mi kłopotu. I – uderzyłam się w piersi, przyznając do głupoty – w pewnych kategoriach będzie zestawem numer trzy. Chyba w tym sklepie niepostrzeżenie wpuszczano przez otwory wentylacyjne gaz. Paraliżujący czasowo szare komórki.

I jeszcze te kwiaty! A Aga tyle razy zachęcała mnie, żebym wzięła część systematycznie rozmnażanych przez nią i pielęgnowanych roślin doniczkowych! Moja siostra robi to z zapałem i profesjonalnie. Wie, kiedy którą przesadzać, jak podlewać i zna wymagania. Ma kolekcje fikusów, bluszczy, azalii, krotonów i begonii. I sama mówi, że jej dom przypomina małpi gaj. Co za dużo, to niezdrowo. Obdarowuje zielskiem wszystkich, którzy się napatoczą, z listonoszem i dozorcą włącznie. A ja właśnie kupiłam taki mini małpi gaj. Moja głupota sięgnęła zenitu. Aga nigdy nie pozwoliłaby sobie na coś takiego. Opanowana, nie podejmuje decyzji pod wpływem emocji i nie pozwala sterować swoimi myślami. Jest zresztą fachowcem i wszelkie meandry ludzkiego umysłu zna jak własną kieszeń.

Zrezygnowana, z zerowym poczuciem własnej wartości i wyrzutami sumienia usiadłam przy kuchennym stole, wyciągnęłam komórkę i wysłałam do Agi esemes następującej treści:

„Dziś padłam ofiarą psychomanipulacji w markecie. Jestem taka jak miliony innych – postępujących nielogicznie i do bani. Coś muszę zrobić ze swoim odmóżdżeniem. Chcesz może dwadzieścia dwie głowy Mikołaja, w tym pierwsze jedenaście w niebieskich, a drugie w czerwonych czapeczkach? Wprawdzie mamy luty, ale za dziesięć miesięcy będą jak znalazł!".

Wstałam, żeby zrobić herbatę, ale nie zdążyłam nawet nalać wody do czajnika.

„Kochana siostrzyczko! – brzmiała odpowiedź. Właśnie wróciłam z centrum handlowego. Nie potrzebuję Mikołajów. Przed chwilą napędziłam koniunkturę ogólnoświatowemu przemysłowi rybnemu. Kupiłam w promocji całego łososia (prawie osiem kilo) i skrzynkę krewetek z terminem ważności do jutra. Dopiero w domu poczułam, że jedno i drugie mocno już podśmierduje... Odtąd robię zakupy w małych sklepikach! Wychodzi tylko pozornie drożej, a tam przynajmniej nie zastawiają tylu sideł na klientów. Kupuje się tylko potrzebne rzeczy. I tobie radzę to samo. Idę te cuda wywalić do śmietnika. Pa!".

Odetchnęłam z ulgą. Nie byłam sama. No proszę, a jeszcze przed chwilą za moją rezolutną siostrę dałabym sobie rękę uciąć. Centra handlowe będę omijać szerokim łukiem, postanowiłam.

Wieczorem, zgodnie z planem, wzięłam słuchawkę i zamknęłam się w sypialni z zamiarem zadzwonienia do taty. Pomieszczenie, które miało niekwestionowany atut: doskonałe wyciszenie, powoli zaczynało pełnić rolę domowej budki telefonicznej i atelier. Grube ściany działowe i solidne drzwi gwarantowały intymność. Jak to dobrze, że uległam Piotrowi i nie zamieszkaliśmy w jego starym mieszkaniu! – pomyślałam. Wprawdzie kredyt przez dwadzieścia lat będzie spędzał mi sen z oczu, ale coś za coś. Tu mam komfort. Tam zapewne nic by nie dało nawet ściszenie głosu; byłabym słyszana wszem wobec. Poza tym tutaj czuję się bezpieczna, a tam... Ciarki przeszły mi po plecach na myśl o sekrecie tamtego miejsca. Przypomniałam sobie bezwzględne i zimne spojrzenie Piotra na propozycję zamieszkania u niego, otrząsnęłam się i myślami powróciłam do taty.

Gryzły mnie wyrzuty sumienia, bo przed ślubem odwiedzałam go przynajmniej raz w tygodniu; z pomocą Agi i mnie jakoś sobie radził po śmierci mamy. Gdy jeszcze żyła, obowiązki były podzielone. Tradycyjnie. Tata był od zapewnienia rodzinie bytu, a mama od zajmowania się domem i wychowywania dzieci. Choć nie do końca. Rodzice byli fizykami, którzy zaraz po studiach podjęli pracę w dwóch różnych, konkurujących ze sobą liceach. Mama zrezygnowała z etatu po urodzeniu Agi, ale utrzymała kontakt z zawodem, udzielając korepetycji. Zawsze nam powtarzała, że kobieta powinna mieć własne pieniądze, zarobione jeśli nie rękami, to głową. Nawet małe, ale takie, które dają komfort psychiczny i pozwalają nie prosić męża o pieniądze „na peeling do stóp czy batonik marcepanowy". Nie przypuszczam zresztą, by kiedykolwiek musiała to robić, bo była domowym ministrem finansów. I by cierpiała z powodu pewnej izolacji i nieuczestniczenia w wyścigu szczurów.

Taki podział obowiązków nie oznaczał jednak, że ojciec wracał ze szkoły, siadał w fotelu, a mama przynosiła mu kapcie i gazetę. Podawała mu, oczywiście, obiad, pozwalała na chwilę relaksu, a potem podrzucała mu nas „do dyspozycji", co oznaczało sto dwadzieścia minut zwariowanych zabaw albo w plenerze, albo w minipracowni fizycznej urządzonej w kącie kuchni. Wszystkie koleżanki zazdrościły mi takiego ojca.

Zrobiło mi się ciepło na sercu.

Kiedyś w parku bawiliśmy się w pogromców dzikich zwierząt, a nie mając innych obiektów do tresury, próbowaliśmy ułożyć wałęsające się psy. Tata wrócił do domu z poszarpanymi nogawkami po bohaterskim odparciu ataku wkurzonego zwierzaka, na szczęście na obu nogach, bo wreszcie pojawił się właściciel psa. A w domu czekało go tłumaczenie, że była to zabawa edukacyjna, ponieważ „dziewczynki dowiedziały się, że doberman to rasa niebezpieczna".

Tata starał się, jak potrafił, przekonać nas do nauk ścisłych. W moim przypadku odniósł sukces, lecz Aga okazała się urodzoną humanistką i żadne fizyczne i chemiczne eksperymenty połączone z eksplozjami i iluzjami nie sprowadziły jej na manowce. Choć obie do dzisiaj wspominamy „wybuch wulkanu" wywołany za pomocą octu i sody, jajko w butelce po rumie czy wbijanie gwoździ gąbką. Tata zawsze powtarzał: „Taka jest akcja, a jaka będzie reakcja – zobaczymy". On się nami zajmował, a mama udzielała korepetycji. Nawet największym nieukom potrafiła wytłumaczyć, czym jest na przykład prędkość średnia. Po tatowej opiece nierzadko wymagałyśmy wody utlenionej i plastra, więc przejmowała nas mama i następowała zamiana ról. Tata udzielał lekcji (których nie pozwalał nazywać korepetycjami, bo korepetycje są dla słabeuszy); zresztą udziela ich do dziś, pomimo że jest na emeryturze. Cieszy się opinią guru w dziedzinie fizyki i spośród wielu chętnych wybiera na zajęcia tych, którzy „poważnie rokują", ze studentami fizyki i kierunków ścisłych włącznie.

Spojrzałam na zegarek. Po dwudziestej, czyli powinien mieć już wolne. Wybrałam numer. Tata nie odbierał, a we mnie z każdym sygnałem rósł niepokój o jego życie. Ruszyła wyobraźnia. Leży nieżywy. Zadławił się na przykład, doznał nagłej śmierci sercowej albo skrętu kiszek po którymś z abonamentowych obiadów w barze „U Anieli". Gdy podniósł słuchawkę, kamień spadł mi z serca.

– Słucham? – Głos miał zadyszany. Ale żył. To było najważniejsze.

– Tato, to ja. Co tak dyszysz?

– Aaa, cześć córeczko. Nic takiego. Gimnastykuję się – powiedział z dumą.

– Co? – Chyba źle zrozumiałam. Nie wyobrażałam go sobie przy skłonach, przysiadach i pompkach.

– Przecież mówię. Gim-na-sty-ka.

– Od kiedy? – dociekałam.

– Od... Zaraz... Od dwunastu minut.

– Ale od kiedy tak w ogólne.

– Och, Iza. Kiedyś trzeba zacząć. Więc ja zacząłem od dzisiaj. Przełamałem opory psychiczne i żyję wizją kształtowania ciała. – Dobrze, że wygodnie leżałam, bo gdybym stała, z wrażenia musiałabym przynajmniej usiąść. – Wiesz, mężczyzna nie tylko powinien się golić – kontynuował. – Powinien też dbać o całe ciało. Nie mogę bagatelizować otyłości...

– Tato, przecież nie jesteś gruby! – przerwałam.

– Nie chodzi o to. Po prostu moje komórki tłuszczowe są zbyt duże. No i ogólnie się zaniedbałem. Postanowiłem żyć aktywnie. Kupiłem kwartalny karnet na siłownię, bo taniej. Poza tym mam zniżkę jako senior. Rozumiesz, Iza? Jako senior! – roześmiał się. – A mam dopiero sześćdziesiąt dwa lata! Statystycznie przede mną szmat życia! Ale zostawmy to. Co u ciebie? – zapytał z wyraźnym zainteresowaniem.

– W porządku. Przepraszam, że ostatnio u ciebie nie bywałam. Ani nie dzwoniłam.

– Przestań. Nic się nie stało – zapewnił szczerze.

Natychmiast mi ulżyło, bo przed rozmową przygotowałam się na marudzenie, że zapominam o starym ojcu, że zanim odebrał telefon, musiał go odkurzyć... Podejście taty do mojego kilkudniowego milczenia mile mnie zaskoczyło. W ogóle był jakiś inny, optymistyczny, odmieniony. Nie dawało mi to spokoju.

– Tato... – Zająknęłam się, bo zabrakło mi słów. – Tato, masz kontakt z młodymi ludźmi, zawsze jesteś na czasie – komplementowałam go przed atakiem. – Czy ty... Czy ty coś bierzesz? – wykrztusiłam.

– Iza, wal prosto z mostu i nie wkurzaj mnie. O co ci chodzi?

– Tato, ja wszystko zrozumiem. – Uspokajałam, jednak oczami wyobraźni zobaczyłam, jak prowadzi zajęcia w zamian za działkę amfy albo wysupłuje z portfela resztki emerytury i rozglądając się nerwowo pod którymś z gimnazjów, zamienia je u nieletniego dilera na marychę. – Chodzi mi o to, czy nie bierzesz przypadkiem jakichś dragów albo czegoś w tym rodzaju.

– Iza! – roześmiał się szczerze. – Nic z tych rzeczy. Chociaż... Jeżeli mam być do końca szczery, to przeglądałem dzisiaj oferty sklepów internetowych z suplementami diety dla mężczyzn. Ale tobie nic do tego! – skwitował. – Poza tym chcę ci powiedzieć, że jestem szczęśliwy! – wyznał entuzjastycznie.

– Cieszę się!

– Głównie z tego powodu, że zeszłaś z mojego garnka.

– Co proszę?

– Że zeszłaś z garnka – powtórzył, artykułując każde słowo. – Nie muszę cię utrzymywać – wyjaśnił lakonicznie lekkim tonem, a ja dostałam cios w samo serce. Zagotowałam się. Zdenerwowana wzięłam w palce kosmyk włosów i zaczęłam skubać go zębami.

– Zaraz, zaraz... Tato, przecież jestem samodzielna przynajmniej od czterech lat! – zaprotestowałam wzburzona. Wzięłam głęboki oddech i kontynuowałam, spokojnie i wyraźnie. – Kupiłam mieszkanie między innymi za polisę, którą mi założyliście z mamą jeszcze w dzieciństwie, za co dziękuję. Sam wiesz, że to nie wystarczyło i musiałam wziąć kredyt, ale spłaciłam go całkiem sama. Nie dołożyłeś mi ani grosza!

Nerwy puściły i bezkonfliktowy ton diabli wzięli.

– Mała, wrzuć na luz. – Uspokajał mnie, nie zdając sobie sprawy, jak bardzo mnie zranił. – Użyłem przenośni. Jestem szczęśliwy, bo mam cię z głowy. Wyszłaś za mąż i założyłaś rodzinę. Czyli mogę was obie z Agą odhaczyć jako sprawy załatwione. Tak to jest. Raczej nie inaczej.

– Tato, czy ja byłam kulą u nogi? – dociekałam, udobruchana nieco.

– Nie i jeszcze raz nie! Ale nie można żyć wyłącznie życiem ojca. Teraz masz własne, a ja mogę zająć się sobą! I nie wracajmy już do tego!

– Ale...

– Nie ma żadnego ale – uciął bezceremonialnie. – Mogę ci ewentualnie wyjawić kolejny powód mojego szczęścia. Jeżeli chcesz, oczywiście.

– Tak!

A niech mnie dobija! I tak byłam skołowana. Pociągnęłam kosmyk włosów, który jeszcze przed chwilą skubałam zębami, jakbym chciała wyrwać go z głowy.

– Cieszę się, że nie zrealizowałem tego szatańskiego pomysłu, na który wpadłem po śmierci waszej matki. I nie zamieniłem mieszkania na mniejsze. Pamiętasz, jak to było?

– Jasne, tato. Dokładnie.

Rzeczywiście pamiętałam. Tata twierdził wówczas, że mieszkanie jest za duże dla jednej osoby, że potęguje w nim smutek i że jemu wystarczyłoby mniejsze. Rozumiałyśmy z Agą ból po stracie mamy, jednak robiłyśmy wszystko, żeby nasz dom, nasza przystań pozostała w rodzinie. Przy każdej przykrości lub chandrze ciepło miejsca, w którym zaznałyśmy tyle miłości, koiło nasze smutki. I choć nie było w nim mamy, wszystko pozostało tak, jakby na chwilę wyskoczyła po zakupy.

– Tak, Iza – kontynuował ojciec rozpoczęty wątek. – To naprawdę zbawienne. W dziupli, mam na myśli małe mieszkanie, czułbym się jak w tramwaju w godzinach szczytu. Iza! – wykrzyknął jak oparzony. – My tu sobie gadu-gadu, a moje dopiero co rozgrzane mięśnie stygną! Plan treningów mam hardkorowy, wiesz? Zajmij się swoimi sprawami, córeczko – poradził mi pośpiesznie. – I przyjmij do wiadomości, że jestem szczęśliwy. Pa!

– Pa, tato... – odpowiedziałam, choć po drugiej stronie panowała już cisza. Patrzyłam na słuchawkę, jakbym widziała ją po raz pierwszy w życiu. Nie wiedziałam, co myśleć o tej odmianie, ale był szczęśliwy i to najważniejsze.

Tymczasem skorzystałam z rady i poszłam zobaczyć, co z moją rodziną.

Piotr, czego można było się spodziewać, pracował w swoim pokoju, zaś Tadeusz był u Zosi. Sprzeczali się. Ubrani w piżamy, siedzieli po turecku na dywanie przedstawiającym żyrafy pasące się przy akacjowych drzewach. Przystanęłam w progu i oparłam się o framugę, niepewna, czy się wtrącać, czy pozostawić sprawy ich biegowi. Dzieciaki odwróciły głowy w moją stronę i natychmiast przerwały ostrą jeszcze przed chwilą wymianę zdań; patrzyły na mnie wyczekująco. Uśmiechnęłam się i zadowolona dostrzegłam, że odwzajemniły uśmiech. Po raz kolejny poczułam coś w rodzaju więzi i nadzieję, że być może uda się nam porozumieć, a kto wie – może nawet pokochać? Wprawdzie dotychczasowe życie naszej trójki zmieniło się o sto osiemdziesiąt stopni, ale trzeba się z tym pogodzić i dostosować do nowego... I w tym momencie powróciła do mnie wizja tamtego jesiennego wieczoru, gdy małe dzieci kładły się do snu ze świadomością, że gdy się zbudzą, będzie przy nich matka. Przecież poszła tylko na spektakl w domu kultury... Odwróciłam na chwilę głowę, udając zainteresowanie wzorem tapety. Do oczu napłynęły mi łzy.

– Proszę, niech pani do nas wejdzie! – Słowa Zosi wyrwały mnie z zamyślenia. – Proszę z nami usiąść. – Przesunęła się, robiąc mi miejsce.

– Dzięki! – Skorzystałam z zaproszenia i usiadłam obok. Również po turecku. Zwróceni twarzami do siebie tworzyliśmy trzyosobowy minikrąg, jak naradzający się wojownicy. Wrażenie potęgowały jeszcze porozwieszane i porozkładane wszędzie pamiątki z podróży Piotra, głównie maski, figurki zwierząt wyrzeźbione w białym kwarcu, kobalcie i czerwonym marmurze, ręcznie malowane mahoniowe misy i hebanowe świeczniki. Brakowało tylko ogniska i dymu.

– Zosia się martwi, bo ma problem! – wypalił Tadeusz bez ogródek.

– Problemami nie trzeba się zamartwiać, ale je rozwiązywać – odparłam, siląc się na swobodę, choć w głębi duszy odczuwałam niepokój, czy będę w stanie jej pomóc. Przecież do tej pory Zosia załatwiała wszystko z siedzącym tuż za ścianą ojcem. A może... Może po prostu w końcu zaczyna mi ufać, pomyślałam nieśmiało. Moje poczucie wartości, które od kilku dni tkwiło na poziomie zero, drgnęło i zaczęło spacerek ku większym wartościom. Usadowiłam się wygodniej.

– Więc w czym ten problem?

– No, Zosia, powiedz... – ponaglił siostrę Tadeusz. – Jeżeli nie chcesz, to może ja?

– Nie! Ja. To nie twoja sprawa. – Twarz Zosi poczerwieniała.

Speszyła się. Odruchowo spojrzałam na ustawione w ramce na biurku zdjęcie Ewy i odniosłam wrażenie, że do kręgu dołączyła kolejna osoba. Obserwuje mnie i zaraz podda testowi.

– No, Zosiu. Co się stało? – Starałam się mówić delikatnie, wypierając jednocześnie wrażenie sprzed sekundy.

– Jutro jest wywiadówka!

– To o nią chodzi? – wypytywałam podejrzliwie. Chyba w ostatniej chwili nie zrezygnowała i nie powiedziała czegoś na odczepnego.

– Dokładnie!

– I? – Nie widziałam powodu do zmartwienia. Piotr zawsze podkreślał, że ma dzieci błyskotliwe, zdolne, systematyczne, co skutkuje świetnymi ocenami.

– I tatuś powiedział, że nie ma czasu iść.

– Tata nigdy nie ma czasu na takie rzeczy – skomentował Tadeusz.

– I? – Byłam skołowana.

– A ja bardzo chciałabym, żeby... No... No żeby przyszedł ktoś ode mnie. Tatuś nigdy nie chodzi. Mówi, że nasze oceny, nasza sprawa, nasza kariera i nasze życie. I na pewno ma rację.

– Tata zawsze ma rację – wtrącił Tadeusz.

– Cicho bądź, daj mi powiedzieć! – zganiła go siostra. – Zawsze na wywiadówki chodziła pani Bożena. A teraz chciałabym, żeby pani poszła... – wydukała na koniec. – Wywiadówka jest jutro o siedemnastej.

– No dobrze – zadeklarowałam bez entuzjazmu.

Nie dość że nie miałam ochoty na udział w takiej imprezie, to jeszcze ani krztyny doświadczenia. Musiałam się upewnić, co mnie tam może spotkać.

– Tylko szczerze, żeby nie było żadnych nieporozumień. Masz jakieś kłopoty w szkole? – zapytałam. – Jesteś z czegoś zagrożona? Oczywiście, nie przypuszczam, ale w szkole, jak to w szkole, zdarzają się różne wpadki. Więc powiedz prawdę, choćby najgorszą, ale prawdę. Bo w razie czego muszę opracować strategię obronną. No to jak?

– Bez obaw! – roześmiała się Zosia, już rozluźniona i zadowolona, że sprawa poszła po jej myśli. – Nic z tych rzeczy. Naprawdę.

– Cieszę się. A u ciebie kiedy jest wywiadówka? – zwróciłam się do Tadeusza. – Bo wiesz, jeżeli również jutro, to załatwiłabym sprawę hurtem.

– Ze mną nie ma takich problemów. Nasza wychowawczyni nie jest nawiedzona. To normalna babka. Ona takich cyrków nie robi.

– Nie organizuje wywiadówek? – upewniłam się, czy dobrze rozumiem. Nie słyszałam o takich przypadkach, ale do szkoły chodziłam kilkanaście lat wcześniej, a od tego czasu mogło się dużo zmienić.

– Nie. – Wzruszył ramionami.

Ucieszyłam się, że czeka mnie o połowę mniej wyjść.

– A poza tym... Jakieś inne problemy? – zapytałam, nachylając się równocześnie nad Tadeuszem. Podciągnął wysoko w górę nogawkę od piżamy i majstrował przy kolanie. Wyskubywał coś, a oderwane kawałki składał w dłonie.

– Nie.

Nie zwracając na mnie uwagi, kontynuował zajęcie. Przysunęłam się bliżej i omal nie dostałam mdłości. Na rozwalonym kolanie utworzyły się strupy z zaschniętej krwi i ropy, spod których wyzierała mozaika wiśniowego ciała i brązowożółtej wydzieliny. Słyszałam kiedyś o przypadku zajadania się strupami jak najlepszymi delicjami świata, ale na szczęście Tadeusz tego nie robił, choć rozdłubana rana i tak wyglądała ohydnie. Pomyślałam o mamie, która musiała znosić nie takie widoki, kiedy ściągaliśmy z tatą i Agą do domu po zabawach na świeżym powietrzu albo po eksperymentach w kuchennej minipracowni.

– No to pobawimy się w pielęgniarkę... – westchnęłam. – Po pierwsze musimy to oczyścić i zdezynfekować, a potem założyć opatrunek. Zosiu, przynieś z szafki w kuchni wodę utlenioną, gencjanę, waciki i bandaż. Wiesz, gdzie jest apteczka, prawda? Tam, skąd wzięłaś wczoraj termometr – dodałam. To było silniejsze ode mnie.

– Nie trzeba! – Tadeusz próbował się bronić.

– Bez gadania. Może wdać się zakażenie. To tylko pozornie wygląda niewinnie – upierałam się dla spokoju sumienia, by niczego nie zaniedbać, nie dać nikomu pretekstu do wypominek. Porozbijane kolana miałyśmy z Agą przez całe dzieciństwo i nie wyobrażałam sobie, że może być inaczej. Zasada była prosta: rozbite kolano równa się zdrowe dziecko. Mama, która codziennie robiła nam przegląd ran, takimi raczej się nie przejmowała. Zdezynfekowała i pozwalała kontynuować wygłupy. „Do wesela się zagoi", dodawała i miała rację. W dorosłym życiu nie mam po nich śladu.

Opatrywałam kolano Tadeusza i czułam się tak, jakbym robiła operację na otwartym sercu. Zakładała by-passy albo zastawki lub coś w tym rodzaju, a wszystko na oczach obserwujących zabieg na ekranach największych autorytetów światowej kardiologii. Byłam stremowana, tak jakby najdrobniejszy nieprecyzyjny ruch mógł zamienić życie w moich rękach w bezruch materii. Miałam wrażenie, że obserwują mnie trzy (naprawdę trzy!) pary oczu, a jedna czeka na moje potknięcie… Ach ta moja wyobraźnia!

Tej nocy długo nie mogłam zasnąć. Pomimo spokojnego wieczoru i braku rewelacji (jak choćby gorączka Zosi) przewracałam się z boku na bok. Dzieci poszły do łóżek, a my z Piotrem wypiliśmy po lampce wina i mieliśmy po raz pierwszy od kilku dni czas tylko dla siebie. Myślałam, że podobnie jak on zasnę od razu, przytulona do jego ramienia, jednak nie dawało mi spokoju wrażenie, jakiego doznałam w pokoju Zosi: że Ewa jest gdzieś obok, a przynajmniej wpada na inspekcje. Gdy robiłam opatrunek Tadeuszowi, czułam się jak nagrywana przez ukrytą w czwartym wymiarze kamerę. Nie bez przyczyny zapewne, bo gdzieś tam takie i podobne dokumenty będą dowodem w procesie, zapadnie wyrok i ktoś osądzi, czy zrobiłam coś źle, czy się sprawdziłam, czy też nie sprostałam pokładanym we mnie nadziejom. Poczułam presję – psychiczną i moralną. Przed oczami miałam zdjęcie z pokoju Zosi. Młoda, sympatyczna dziewczyna, stojąca w parku wśród kolorowych jesiennych liści. Wiatr rozwiewa jej półdługie, obcięte do ramion, jasne włosy. Obcisłe dżinsy uwidaczniają nieskazitelne kształty, a turkusowy sweterek ładnie harmonizuje z niebieskoszarym kolorem oczu. Uśmiech emanuje wewnętrznym ciepłem. Wydaje się szczęśliwa i przeświadczona, że tak już będzie zawsze i nic się nie zmieni. Spełniona żona, szczęśliwa matka bystrych dzieci, której dwukrotna ciąża nie przyniosła uszczerbku na figurze. Dziewczyna, która może wzbudzać pożądanie i zazdrość, choćby o to, że jest czyjąś żoną. Podejrzałam datę zrobienia fotki – prawie jedenaście miesięcy przed wypadkiem. Tyle czasu cieszyła się jeszcze dziećmi i Piotrem.

Zaczęłam się zastanawiać, czy gdyby los zetknął nas przed jej śmiercią, zostałybyśmy przyjaciółkami. Czy w jakimś stopniu jesteśmy do siebie podobne? A może Piotr się mną zainteresował na zasadzie kontrastu? Zbyt mało wiedziałam o Ewie. Zajęłam jej miejsce, ale może tak było pisane? Jej misja się skończyła, a ja mam swoje pięć minut? Może Bóg miał w tym swój cel? Kto wie?

Przypomniało mi się, co Piotr mówił o Neli, dziewczynie, z którą spotykał się przez kilka miesięcy, i serce zabiło mi mocniej. Podobno była w porządku, ale on nie chciał się angażować. Coś mu mówiło, że to nie ta. Spotkania od czasu do czasu było przyjemne, jednak Nela z dnia na dzień zdawała się zapatrzona w niego coraz bardziej. Zresztą on sam miał nadzieję, że w końcu ulegnie uczuciu. Tyle że pewnego dnia nad ranem zbudził go telefon i Nela powiedziała, że to koniec. Piotr, który obawiał się, czy nie uraził jej słowem lub gestem, i nie chciał rozstawać się w ten sposób, nalegał na wyjaśnienia. Dziewczyna najwyraźniej była wystraszona, ale on postawił na swoim.

Okazało się, że późną nocą coś ją zbudziło. Otworzyła szeroko oczy, lecz nie była w stanie wykonać ruchu. Leżała jak sparaliżowana. I wtedy uświadomiła sobie, o czym przed chwilą śniła. Trudno to było nawet nazwać snem; Nela miała wrażenie, że rzecz dzieje się na jawie. Wyraźnie słyszała czyjś oddech. Najpierw w oddali, potem coraz bliżej, aż w końcu poczuła przy policzku rytmiczny ruch powietrza: wdech, wydech, wdech, wydech... Chciała się zerwać albo krzyczeć, ale nie mogła. Ciało miała ciężkie, jak z ołowiu, a struny głosowe porażone całkowicie. Absolutna niemoc i potworny strach. Nagle poczuła na twarzy dotyk delikatnych kobiecych dłoni. Pogładziły ją ledwie wyczuwalnie, a później łagodnie przesunęły się niżej i oplotły szyję; zaczęły się na niej zaciskać, aż w końcu, z nieziemską siłą, dusić. I w tym momencie Nela się obudziła. Bała się zamknąć oczy, w obawie że koszmar powróci. Zaczęła się modlić. Powoli dochodziła do siebie, analizując doświadczenie, i doszła do wniosku, że był to jednoznaczny przekaz od Ewy: zostawić Piotra i dzieci. Nie została zaakceptowana.

Później opowiedziała Piotrowi o swojej babci, która w dzieciństwie opowiadała jej przed snem mroczne, niesamowite historie. O zmarłych potrafiących wejść w czyjś sen, by wskazać właściwą drogę postępowania, ostrzec przed niebezpieczeństwem lub przekazać swoje życzenia. O uspokajających snach, w których uśmiechnięci zmarli zapewniali, że żyją w innym wymiarze i że jest im dobrze; prosili tylko, żeby przestać za nimi płakać, bo lament przeszkadza im w odejściu w kierunku światła, gdzie będzie już tylko miłość. Babcia snuła opowieści o matkach, które przy porodzie osierociły dziecko i przychodziły nocami je karmić. O duchach mścicielach, siadających po zmroku na piersi swego oprawcy i pozbawiających go oddechu podczas snu. Pragmatyczna Nela, było nie było inżynier budownictwa, babcine gadki kładła między bajki, głęboko przekonana, że to bzdury albo wytwory podświadomości. Aż do tamtej pamiętnej nocy. Świtem pobiegła pod drzwi parafii i gdy tylko ksiądz otworzył kancelarię, ofiarowała równowartość dwóch swoich pensji na mszę za spokój duszy Ewy i wszystkich zmarłych. Kupiła również olbrzymi bukiet świeżych kwiatów, poszła na cmentarz i złożyła go na grobie Ewy.

Mrok pobudził moją wyobraźnię. Czy warto w ogóle zasypiać? A co, jeżeli spotka mnie to samo co Nelę? Spróbowałam poruszyć ręką. Udało się. Przewróciłam się na drugi bok. Też sukces. Nie jest tak źle. Z drugiej strony, kombinowałam, gdyby Ewa mnie nie zaakceptowała, dałaby mi znak przed ślubem. Uspokoiłam się w tej kwestii, lecz za chwilę dostrzegłam kolejny problem. Kiedyś umrę. I Piotr też. To nie podlega dyskusji. Jak będziemy koegzystować w zaświatach? Mówi się, że pierwsza żona jest z miłości, druga z rozsądku, a przecież uczucie ma przewagę nad rozsądkiem. Więc to ja z naszej trójki zostanę odstawiona na boczny tor i spłonę z zazdrości! W dodatku w chwili śmierci Ewa miała prawie tyle lat co ja teraz, a co, jeśli umrę jako stara, bezzębna, półgłucha, półślepa, nietrzymająca moczu babuleńka z zaawansowanymi objawami demencji starczej? Nie będę miała szans! Dopadły mnie pesymistyczne myśli. Piotr musiałby być idiotą, gdyby jej nie wybrał. I co ja będę tam robić? Toczyć z Ewą wojnę o jego względy? A może sobie porozmawiamy, szczerze, bez kłótni, i dojdziemy do porozumienia? Na przykład ten tydzień ja, a drugi ty, a święta wszyscy razem? A może jednak – w mojej głowie pojawiła się iskierka nadziei – bardziej liczy się druga żona?

W końcu przy dwóch testamentach też obowiązuje ten z późniejszą datą... Choć mówią: kto pierwszy, ten lepszy. I pierwsze słowo się liczy. I tak dalej. Gonitwa myśli i nowe światełko w tunelu: przecież z Piotrem brałam ślub kościelny, czyli co Bóg złączył, tego człowiek nie waży się rozłączać. A może oni mieli tylko cywilny? A gdzie tam! Przecież w dawnym mieszkaniu Piotra, na tej ślicznej, wiekowej komodzie stało w ramce zdjęcie z kościoła, dokumentujące wymianę obrączek w obecności księdza.

Wierciłam się, patrząc na Piotra. Spał snem sprawiedliwego, jak zwykle cichutko pochrapując, i nie miał pojęcia, co się dzieje w mojej głowie. Zresztą to go nie obchodzi. A nawet gdyby wiedział, śmiałby się do rozpuku. On będzie w sytuacji komfortowej. Który facet nie chciałby, żeby dwie rywalki wyrywały sobie włosy z głowy, walcząc o jego względy? A swoją drogą, dlaczego miałybyśmy to robić, skoro łączy nas miłość do tego samego mężczyzny? Dlaczego mamy stać po dwóch stronach barykady? Nie ma sensu uprzykrzać sobie życia po życiu! A może zamartwiam się niepotrzebnie, bo gdy już wszyscy zostaniemy aniołami i Bóg otoczy nas wielką miłością, wszystkie doczesne sprawy przestaną być dla nas ważne? Pożyjemy, zobaczymy... A precyzyjniej: umrzemy, zobaczymy.

Resztę nocy przespałam spokojnie, wtulona w ramię Piotra, czując na policzku jego oddech. Nie pamiętam, czy coś mi się śniło, a nawet jeżeli, musiało to być coś nieistotnego.

W nadziei, że robię to po raz ostatni, zamknęłam za sobą drzwi. Znów znajdowałam się w przedpokoju mieszkania Piotra. Skupię się i odwalę robotę ekspresowo, postanowiłam. Piotr być może nie ma ochoty tutaj wracać, bo albo się boi ducha Ewy, albo – co również możliwe – mu się nie chce. Pan hrabia, po którym sprzątam skarpetki, tym bardziej nie zbruka sobie rąk porządkami. Nie, nie będę się zamęczać i skorzystam z pomocy Tomasza i Lili. Sami się zaofiarowali. Najwyższy czas zająć się nowym mieszkaniem, za osiem dni wracam do pracy.

Obeszłam pomieszczenia i opracowałam plan: wszystko, co chcę zabrać, złożę w salonie, rzeczy dla Mariana w sypialni, a te do wyrzucenia w przedpokoju.

Zdjęłam płaszcz i zabrałam się ostro do roboty. Szło mi nadzwyczaj gładko. Po dwóch godzinach w przedpokoju piętrzyły się worki ze starymi, zepsutymi zabawkami, plastikowymi butelkami, kapciami nie do pary, pękniętymi fajansowymi kubkami, starą aluminiową patelnią, gazetami, kartonami i tak dalej. Oczywiście wszystko, ale to absolutnie wszystko, posegregowałam: plastik, makulatura, złom i odpady mieszane. Marian może sobie zabrać lub nie taborety kuchenne, nam niepotrzebne, bo ustawiłam w kuchni krzesła z mojego mieszkania. Firany i zasłony nie pasują do okien w starym budownictwie, więc też może je wziąć, podobnie jak ceramiczny chlebak, alabastrową postać elfa siedzącego na koniu, dwie akwarele w antyramach, czajnik bezprzewodowy, kinkiet łazienkowy, radio z budzikiem, drewnianą szkatułkę i kryształową karafkę. Do nas trzeba przewieźć komodę i wszystkie skarby, które odkryłam w jej wnętrzu, trzy mosiężne świeczniki, trochę książek, posrebrzaną (miałam nadzieję) paterę na owoce, drewnianą figurę Jezusa, dwa wiklinowe koszyczki na pieczywo, miniodkurzacz bezprzewodowy i cały worek płyt DVD. Z samouwielbieniem rozejrzałam się po kątach: wszystko pod kontrolą, po prostu arcydzieło dnia! Poproszę sąsiadów o pomoc i zwijam żagle!

Gdy wyszłam na korytarz, drzwi oznaczone numerem osiemnastym otworzyły się z impetem i ukazała się w nich Lila. Od razu dostałam po oczach kolorem włosów, efektem wczorajszych zabiegów. Nie chciałam jej peszyć i starałam się nie gapić, ale było to ponad moje siły. Ten odcień fluorescencyjnego fioletu, świecącego w ciemnościach jak neon albo świetlówka, mógł być stosowany w kantorach wymiany walut do badania autentyczności banknotów.

– Hej! Wchodź! Mam niespodziankę! W zasadzie specjalnie dla ciebie, zaledwie przy okazji dla Tomka. – Gospodyni uśmiechała się, zapraszając mnie gestem do środka. – Tomasz majsterkuje w pokoju eksperymentów, więc nie będziemy ryzykować życia, siadając na jego nowym wynalazku. W tajemnicy powiem ci, że dzisiaj na tapecie są kute żelazne fotele z bambusowym siedziskiem. Jest z nim Julek, bo podobno czym skorupka za młodu… Przynajmniej będziemy miały spokój.

– Dzień dobry! – powiedziałam zadowolona, że w końcu dopuszczono mnie do głosu. – Ja tylko na chwilę. Już wszystko uporządkowałam. Jutro Piotr załatwi jakiś transport, to przewieziemy do nas kilka rzeczy. Przyjdzie też Marian, wybierze, co chce, a resztę rozda i wyrzuci. No i jeszcze te worki, które trzeba wywalić do kontenerów, i…

– Tak, tak. – Lila eksploatowała struny głosowe. – Tomasz, oczywiście, to załatwi. Cieszę się, że do nas przyszłaś. Chodź do kuchni, usiądziemy sobie na zydelkach. Może mało komfortowo, ale bezpiecznie! Bo życie jest wartością bezcenną. Proszę, siadaj, na którym wolisz!

Przysiadłam zatem i uznałam, że zaproszenie do tego pomieszczenia było pomysłem całkiem trafionym. Uwielbiam atmosferę kuchni, ale wyłącznie tych, w których się gotuje, przypala, wymienia poglądy, rozlewa, chlapie, obiera, kroi, piecze, sieka, płacze nad cebulą, suszy zioła i grzyby, pije w pośpiechu poranną kawę, całuje na dzień dobry i tak dalej. A ta była właśnie taka. Nie żaden cud z katalogu, z półkami, szafkami, błyszczącymi blatami na wymiar i wszechobecnymi dodatkami z chromowanej stali, gdzie zazwyczaj nie robi się nic, bo albo się nie potrafi, albo się nie chce, albo nie ma dla kogo. Ta kuchnia tętniła życiem. Choć miniaturowa, miała wszystkie atrybuty ideału: do lodówki magnesami przyczepiono karteluszki, na szerokim parapecie ustawiono duży, przezroczysty słój z kiszonymi ogórkami i drugi z suszonymi grzybami, na stole stał dzbanek z domowym kompotem z jabłek, w różnych najdziwniejszych miejscach pozawieszano warkocze czosnku (nie tylko zdobiły, ale były używane, bo niektóre były niekompletne). Zewsząd zwieszały się girlandy suszonych ziół: kolendry, majeranku, lubczyku, macierzanki i mięty. W wiklinowych koszyczkach puszyły się dekoracyjne kompozycje z wrzosu, czarnego bzu i gałązek dzikiej róży. W zlewozmywaku leżały dwa brudne garnki i patelnia. I tak w prawdziwej kuchni powinno być!

– Proszę bardzo! – Lila z dumą położyła na stole blaszkę z parującym jeszcze ciastem, pachnącym wanilią i cynamonem. – Oto właśnie niespodzianka! Szarlotka według oryginalnego francuskiego przepisu, który wyprosiłam od szefa kuchni w jednej z tych cudownych, małych kawiarenek w Paryżu. Za jednym zamachem dał mi przepis na bezy z bitą śmietaną i świeżymi malinami. Wypróbuję go, gdy już będą świeże owoce. Wiesz, generalnie nie piekę ciast. W tym się nie specjalizuję. Uwielbiam gotować, ale konkrety. Im bardziej skomplikowane potrawy, tym lepiej. Ach, te kaczuszki faszerowane na winie, pieczenie rzymskie z tymiankiem i jajeczkami przepiórczymi, pulpeciki z mozzarellą, roladki z polędwicy w borówkach i kapuście, bakłażany nadziewane mięsem mielonym! Musicie wpaść z Piotrem i dzieciakami na kolację. Jak za starych czasów, jeszcze z Ewą – paplała, krojąc ciasto na kawałki, równocześnie parząc kawę, wyjmując z lodówki mleko i stawiając na stole talerzyki, kubki i łyżeczki

Coś mi nie grało. Gdy wspomniałam Piotrowi, że poznałam Lilę, powiedział, że jest fajna, że pomagała mu w ciężkich chwilach, miała świetny kontakt z Tadeuszem i Zosią, przyjaźniła się z Ewą i pilnowała mieszkania podczas wyjazdów. Ale ostrzegł mnie jednocześnie, żebym uważała i broń Boże nie dała się zaprosić na kolację. Jasny gwint! O co mu chodziło? Z facetami nigdy nic nie wiadomo! Może nie chce, żebyśmy się zaprzyjaźniły, bo obawia się wyjawienia mrocznych tajemnic, które przede mną ukrywa? Tylko czemu zaraz się roześmiał? Nie kontynuowaliśmy tego wątku, bo śpieszył się do pracy.

– Proszę, częstuj się! Czym chata bogata! – Lila zdążyła już nalać parującej, świeżutkiej, aromatycznej kawy i nałożyć na talerzyk spory kawałek ciasta. Skuszona, wypiłam łyk. Kawa okazała się przepyszna.

– No, no! Zaczynam mieć powody do kompleksów. Do pięt nie dorastam!

– Nie umiesz gotować? – W głosie Lili zabrzmiały niedowierzanie i współczucie.

– Umiem, ale nie tak wykwintnie. W życiu nie faszerowałam kaczki. Co najwyżej wkładam do niej ćwiartki jabłek i kilka suszonych śliwek. Wiesz, znam wszystkie podstawowe polskie dania: kotlety mielone, ogórkowa, pomidorowa, pierogi, barszcz, rosół, grzybowa na kilka sposobów, naleśniki z różnymi farszami, gołąbki, zwykłe jabłeczniki, serniki i makowce. Więc chętnie, jeżeli oczywiście pozwolisz, skorzystam z kilku twoich przepisów.

– Super! Musisz częściej wpadać, to nauczę cię kulinarnych sztuczek. Na przykład, jak zrobić ze zwykłej potrawy afrodyzjak. – Mrugnęła znacząco, sadowiąc się naprzeciwko i biorąc do pałaszowania ciasta.

– Już mnie męczy, co przygotować, kiedy wpadniecie z rewizytą...

– Och, nie przejmuj się! – uspokoiła mnie Lila. – Zrobisz cokolwiek. Tradycyjny keks czy coś tam. Podczas przyjacielskich imprezek ważniejsza jest atmosfera niż to, co na talerzu! Częstuj się! – zachęcała, nakładając na swój talerzyk drugi kawał szarlotki.

– Masz rację. Ale tak czy owak, warto nauczyć się gotować trochę inaczej. – Odłamałam kawałek ciasta i podniosłam do ust.

Dobrze, że Lila wstała, by zamieszać coś w garnku, bo zderzenie oczekiwanego smaku z rzeczywistością sprawiło, że moje kubki smakowe wniebogłosy wrzasnęły: „Wypluj!". Ściśnięte gardło nie chciało przełykać. Wybałuszyłam oczy i desperacko rozejrzałam się dokoła w poszukiwaniu miejsca, gdzie ten kawałek z ust – i ten wielokrotnie większy, oczekujący na talerzu – mogłabym ukryć. Najlepsza byłaby torebka, ale zostawiłam ją w przedpokoju. Spasowałam. Musiałam przełknąć.

– I jak? – Gospodyni odwróciła się do mnie w oczekiwaniu pochwały.

Nabrałam powietrza i gorączkowo zastanawiałam się nad odpowiedzią. Na szczęście z opresji wyratował mnie wrzask Julka.

– Przepraszam! – Lila wybiegła z kuchni i zniknęła w pokoju eksperymentów. Słyszałam, jak uspokaja dziecko, a Tomaszowi robi wymówki. Skorzystałam z okazji i jednym susem wyskoczyłam do przedpokoju po torebkę. Co przełknęłam, to moje, ten kawałek z talerzyka zawinęłam czym prędzej w wyciąg z banku. Rozejrzałam się i po chwili namysłu dołożyłam dodatkowy kawałek z blaszki. Całość wrzuciłam w czeluście przepastnej torby. Na szczęście zdążyłam przed powrotem Lili z Julkiem na rękach. Synek kurczowo oplatał jej szyję małymi rączkami.

– I jak? Pyszna, prawda?

– Tak, przepyszna! – Nie mogłam podnieść oczu. Miałam nadzieję, że się nie zaczerwieniłam. – Muszę już iść, mam jeszcze w domu sporo pracy.

– Zaraz zawołam Tomasza do pomocy, ale musisz się skusić na jeszcze jeden kawałek.

– Nie! – odpowiedziałam, zbyt głośno i gwałtownie. – Zjadłam już dwa i wystarczy!

– Wiem, wiem, na pewno dbasz o linię... – Spojrzała wymownie na moje nieco zbyt rozbudowane biodra i uda. Dwukrotnie szersze niż jej. – Ale zdradzę ci tajemnicę. Pierwszy kulinarny sekret. Nigdy nie należy ściśle trzymać się receptury, a ją udoskonalać. Żeby szarlotka pachniała, trzeba dużo cynamonu. W przepisie jest półtorej łyżeczki. Absurd! Dodałam pół szklanki. Zasada druga: nie dodawaj żadnego proszku do pieczenia. Jest absolutnie niepotrzebny. Przecież te wszystkie spulchniacze to sama chemia, która na stałe kumuluje się w organizmie. Bez proszku ciasto i tak będzie pyszne! – trajkotała, podczas gdy ja szykowałam się do wyjścia.

Z wdzięcznością uśmiechnęłam się do Julka i przesłałam mu w powietrzu całusa.

Tomasz załatwił wszystko raz-dwa i po tobołach w przedpokoju nie zostało śladu. Kiedy wyszedł, zrobiłam pożegnalną rundkę po mieszkaniu. Raz jeszcze przejrzałam rzeczy dla Mariana i zaintrygowały mnie akwarele w antyramach. Nie znam się na malarstwie, ale nie ulegało wątpliwości, że są działem amatora, miłośnika kontrastowych barw i zdecydowanych ruchów pędzla. Pierwsza przedstawiała zimę w górach: kilka chatek, chyba konie, dym z kominów, a w tle zarysy szczytów; niby mroźny klimat, ale w jaskrawych kolorach. Na drugiej znajdował się bukiet kwiatów, sądząc po palecie barw, najprawdopodobniej polnych. Czerwone maki, niebieskie chabry i białe rumianki… Odłożyłam dzieła z westchnieniem. Cóż, każdy ma prawo widzieć świat inaczej… Jeśli ktoś na przykład słucha poezji śpiewanej i się nią pasjonuje, ma prawo postrzegać nasz ziemski padół odmiennie niż wszyscy. I nagle uderzyła mnie myśl, że akwarelki mogła namalować Ewa. Nie mam prawa tego wyrzucać! Być może mam je ocalić od zapomnienia? Kto wie? Pośpiesznie przeniosłam obrazki na stertę rzeczy przeznaczoną dla domu, głównie książek.

Włożyłam płaszcz i już miałam wychodzić, gdy przypomniała mi się dziecięca zabawa we wróżby. Zadawałyśmy z Agą jakieś pytanie, na przykład, czy mama pozwoli nam kupić świnkę morską, a potem na chybił trafił wyciągałyśmy z półki jakąś książkę, otwierałyśmy w losowo wybranym miejscu i czytałyśmy parę przypadkowych zdań. I miałyśmy odpowiedź, nierzadko wcale à propos. A co tam, zmarnuję trochę czasu, postanowiłam.

Usiadłam na podłodze, zamknęłam oczy.

– Co mnie czeka? – zapytałam głośno. Słowa echem odbiły się w pustym mieszkaniu, podkreślając dramaturgię sytuacji, jak nie przymierzając czarny kot siedzący na stoliku wróżki. Zaczynało mi się to podobać. Wyciągnęłam przed siebie ręce i dotknęłam książek; poczułam dreszczyk emocji, wybrałam trzecią od góry. Rozchyliłam strony i zadecydowałam: po lewej stronie, siódma linijka od góry i cztery następne. Uśmiechnęłam się i otworzyłam oczy; na chwilę oślepiło mnie ostre, zimowe słońce, ale zaraz schowało się za chmury. Spojrzałam: poezja. Oby nie współczesna, żeby zanadto nie głowić się nad interpretacją. Policzyłam wersy.

Na każdym miejscu i o każdej dobie,
Gdziem z tobą płakał, gdziem się z tobą bawił,
Wszędzie i zawsze będę ja przy tobie,
Bom wszędzie cząstkę mej duszy zostawił.

Wiadomo, fragment *Do M**** Mickiewicza. Akurat ten wiersz doskonale znałam ze szkoły, jako motto do napisanego przeze mnie referatu na temat miłości romantycznej. Z hukiem zatrzasnęłam książkę i rozdygotana szybko odrzuciłam na stos pozostałych. W powietrzu, w ostrych promieniach południowego słońca, zawirowały drobinki kurzu. Strach przeniknął mnie do szpiku kości, poczułam przerażający, zimny dreszcz. Wyobraźnia szalała. „Bom wszędzie cząstkę mej duszy zostawił, bom wszędzie cząstkę...", powtarzał kobiecy głos w mojej głowie, z regularnością zaciętej winylowej płyty. Zacisnęłam powieki z całej siły i zakryłam twarz dłońmi w nadziei, że uda mi się wyłączyć grający pod czaszką gramofon.

– Ewa... – szepnęłam, nerwowo przełykając ślinę. – Wiem, dałaś mi znak, że tu jesteś. Skoro Piotr nalegał, abym go wyręczyła w porządkach, i wystawił mnie na strzał, zapewne uprzykrzałaś mu życie, ale to sprawa między wami. Ja nie jestem niczemu winna. Ewa, proszę, nie strasz mnie – błagałam. – Przysięgam, nie mam zamiaru robić twoim dzieciom krzywdy. Wiem, nie smakowała im wczoraj zupa pomidorowa z makaronem, ale skąd miałam wiedzieć, że wolą z ryżem? Teraz już będę o tym pamiętała...

Przerwałam, bo poczułam na policzkach i ramionach podmuch dziwnie ciepłego wiatru. Ledwie wyczuwalny, przyjemny, wcale nieprzenikający ciała na wskroś. Opuściłam przyciśnięte do twarzy dłonie, otworzyłam oczy i rozejrzałam się zdziwiona. Drzwi i okna są pozamykane, żadnego przeciągu. Tylko spokój. Płyta w mojej głowie przestała grać. Nie czułam już strachu, choć miałam wrażenie, że za mną ktoś stoi i wbija we mnie wzrok. Nie odwróciłam się. Cierpliwie czekałam na ciąg dalszy.

– Nie bój się – usłyszałam ledwie słyszalny kobiecy szept. – Wybrałam cię. Jeszcze tylko muszę tobą trochę pokierować, zanim odejdę. – Głos słabł z każdym słowem. – A teraz idź już, tylko pamiętaj...

I cisza. Siedziałam jak wmurowana, niepewna, czy to wydarzyło się naprawdę. Z letargu otrząsnęłam się po długiej chwili. Przysnęłam? A może ten szept w głowie... Może to początki schizofrenii? Wzdrygnęłam się. A może naprawdę słyszałam Ewę? Westchnęłam zrezygnowana. I tak nie dojdę prawdy. Nie zmieniając pozycji, pomodliłam się za spokój duszy Ewy, a potem wstałam powoli. Nogi miałam jak z waty. Nie oglądając się, wyszłam z mieszkania, upewniwszy się kilkakrotnie, że dobrze zamknęłam drzwi na oba zamki.

Przed blokiem zadarłam wysoko głowę, lecz tym razem, na szczęście, nie zauważyłam postaci w charakterystycznej zielonej kurtce. Świetnie! Pomimo że nie do końca rozumiałam wydarzenia sprzed chwili w mieszkaniu numer dziewiętnaście, postanowiłam ich nie roztrząsać. Do momentu, dopóki nie ujrzałam swojego (a raczej Piotra) samochodu wyglądającego jak jedna wielka zaspa. W ciągu tych pięciu godzin musiała przejść nawałnica! Jakim cudem, jeśli nie zauważyłam nawet jednego płatka śniegu, chociaż wyglądałam przez okno kilka razy? Dziś wyjątkowo, dla oszczędności czasu, zrezygnowałam ze spaceru i skorzystałam z auta mojego męża. Zrobiliśmy jednodniową wymianę: on pojechał moim, żeby przy okazji zrobić przegląd techniczny, jako że nie znosiłam wjeżdżania na diagnostyczne koleiny. Brnąc w śniegu, podchodziłam coraz bliżej, a w mojej głowie kiełkowała myśl, że może lepiej zostawić tę zaspę do wiosny? Bzdura, jak bym dojeżdżała do pracy? Za tydzień koniec urlopu.

Na szczęście miałam na sobie kozaki, ciepły płaszcz i nawet rękawiczki, ale nie dysponowałam żadnym narzędziem do usuwania śniegu. Mogłam zaczekać albo na cud, albo na pomocną dłoń w postaci tajemniczego faceta w zielonej kurtce. Ani jedno, ani drugie nie miało sensu. Zrezygnowana zrobiłam zwrot w tył, wróciłam do mieszkania (los znów ze mnie zakpił, bo jeszcze przed kilkoma minutami byłam przeświadczona, że jestem tu po raz ostatni), wzięłam miotłę na długim kiju i zabrałam się do pracy. Na szczęście na samochodzie leżał wyłącznie puszek. Nie natrafiałam na większe zlodowacenia, więc robota postępowała jak burza. Przy każdym ruchu śniegowy pył wzbijał się w powietrze, wirował przed oczami i łagodnie opadał na włosy i ramiona. Jak w bajce.

Już prawie kończyłam.

– Dziękuję, naprawdę serdecznie dziękuję! – usłyszałam za sobą. Odwróciłam się i ujrzałam mężczyznę w wieku mojego ojca, ubranego w granatowy elegancki płaszcz i kaszkiet. W ręku trzymał skórzaną teczkę z solidną rączką. Sprawiał wrażenie silnego, stanowczego biznesmena, który śpieszy z jednego spotkania na drugie.

– Za co? – zapytałam, kompletnie skołowana.

– Jak to: za co? – Nawet na mnie nie spojrzał, tylko wyciągnął portfel. Zaczął grzebać w drobniakach. – No to ile?

– Co ile?

– No, konkretnie, bo nie mam czasu!

– Nie wiem, o co panu chodzi!

– No, ile się należy? – Wyraźnie tracił cierpliwość. Oszołom jakiś. Niby z zewnątrz posiada wszelkie atrybuty poważnego biznesmena, ale coś szwankuje pod kopułą. Jak to ludzie potrafią się kamuflować!

– Nic! – odpowiedziałam krótko, ucinając bezsensowny dialog.

– Może chociaż… – Zamknął wreszcie portfel i minął mnie obojętnie, wsuwając mimochodem coś do mojej kieszeni. Wizytówka? Aha, pewnie jakiś domokrążca od chemii gospodarczej albo tych cudownych odkurzaczy! Każdemu wciska namiary na siebie, w nadziei że ktoś skorzysta. Sięgnęłam i w kieszeni natrafiłam na dwie monety. Cztery złote. Dwie dwuzłotówki. Zaniemówiłam.

Odwróciłam się, żeby wyjaśnić sprawę, i wpadłam w popłoch. Mój samochód właśnie ruszał, prowadzony przez tego pseudobiznesmena, czyli złodzieja pospolitego, który ogłupia ofiary wyszukanymi fortelami! Podbiegłam, wygrażając, ale nie zrobiło to na przestępcy wrażenia; postukał się znacząco w czoło, dał na gaz i już go nie było! Gorączkowo przeszukiwałam czeluście torby w poszukiwaniu komórki, rozpaczliwie rozglądając się dokoła za świadkiem tego skoku stulecia, który pomoże mi sporządzić portret pamięciowy oszusta. Za kimkolwiek! Bodaj za facetem w zielonej kurtce... Na próżno. No tak, nie miała baba kłopotu! Nigdy nie miałam do czynienia z policją, a teraz te wszystkie zeznania, wyjaśnienia, opisy! I gdzie jest audi? Chciało mi się wyć i płakać! Oto samotność w wielkim mieście. I nagle... Charakterystyczny spojler na zamówienie? Kochane, srebrzyste audi, które spokojnie stoi sobie po drugiej stronie śmietnika! I co najważniejsze nie wymaga odśnieżania, bo żadnej nawałnicy nie było na bank!

Podeszłam na lekko ugiętych nogach. Ostrożnie, żeby wizja nie znikła i nie okazała się fatamorganą w środku polskiej zimy. Dotknęłam maski i roześmiałam się. Odśnieżyłam obce auto! Jakie to szczęście, że nie na swoim osiedlu, bo nie mogłabym chyba spojrzeć temu mężczyźnie w oczy! Nic dziwnego, że wziął mnie za lumpa, latem myjącego szyby samochodom na skrzyżowaniu, a zimą odśnieżającego za „co łaska". Sadowiąc się wygodnie w fotelu, stwierdziłam, że nie powiem o tym nikomu. Niech to pozostanie moją słodką tajemnicą.

– Nie mów, że to prawda! Nie wierzę! – Piotr zaśmiewał się do rozpuku, a wraz z nim Tadeusz i Zosia.

– Przysięgam! I stałam tam jak bałwan, z rozdziawionymi ustami! A najlepsze było, jak mu zaczęłam wygrażać. „Ty złodzieju, ty wilku w przebraniu owcy! W Iranie za kradzież czekolady ucina się ręce! Masz szczęście, że nie mamy takiego prawa! Gdybyśmy mieli, ty idioto, byłbyś naznaczony! Na całe życie! Ale ja cię dorwę, jeszcze mnie nie znasz!". Stałam pośrodku kuchni i demonstrowałam scenę z rzekomym opryszkiem. Oczywiście, nie wytrzymałam i puściłam farbę. Inaczej nie doznałabym katharsis. Ludzie zazwyczaj nie lubią się z siebie śmiać, ale ja uwielbiam traktować moje pomyłki autoironicznie. Lepsze to niż pielęgnowanie negatywnego obrazu własnej osoby; wychodzi tylko na zdrowie. I gafy bawią towarzystwo.

W końcu, zmęczona, opadłam na krzesło.

– Jak ten gość dokładnie wyglądał, kochanie? – Piotr spoważniał w ułamku sekundy i popatrzył na mnie znanym mi doskonale, świdrującym wzrokiem. Był spięty. Ręka z nadzianym na widelec racuchem zawisła w pół drogi pomiędzy talerzem a ustami.

– No... Taki lekko po sześćdziesiątce, twojego wzrostu, gładko ogolony, czyściutki, pachnący, ciemne oczy, dość szczupły, w granatowym, doskonale skrojonym płaszczu. I kaszkiecie...

– Kaszkiecie? – upewnił się.

– Tak, tweedowym.

– Nie mogę! – Piotr momentalnie się rozluźnił i ponownie zaniósł śmiechem. – Wiesz, kogo wyzwałaś od złodziei?

– Ja wiem! – Zosia podniosła rękę, jakby zgłaszała się do odpowiedzi.

– Ja też! – Tadeusz powtórzył gest siostry.

Oboje machali rękami, przekrzykując się wzajemnie wśród kaskad śmiechu.

– Pana Borówkę! – wykrzyknęli niemal równocześnie.

– Borówkę! Poczciwego i statecznego Borówkę!

Piotr zadławił się kawałkiem racucha, który utknął mu w tchawicy i zablokował dopływ powietrza. Podbiegłam i zaczęłam go uderzać zamkniętą dłonią pomiędzy łopatki, gorączkowo przypominając sobie zasady chwytu Heimlicha. Na szczęście nie musiałam go zastosować, opukiwanie wystarczyło. Śmiech ucichł, patrzyliśmy wyczekująco, czy Piotr dojdzie do siebie. Na szczęście po kilku chwilach sina twarz odzyskała kolor.

– Jakiego znowu Borówkę? – przerwałam chwilowe milczenie, spowodowane siłą wyższą.

– Prezesa Digro Banku, jednego z najlepiej opłacanych menedżerów sektora bankowego w Polsce! Tego z listy stu najbogatszych Polaków! – wykrzyknął Piotr i eksplozja śmiechu wybuchła od nowa. – Wiesz, Iza, ale z ciebie awanturnica! Ciekawe, co mnie czeka?

– Już dobrze, dajcie spokój... – uciszałam, bo jednak zrobiło mi się głupio. – A swoją drogą, skoro jest tak obrzydliwie bogaty, czemu mieszka w bloku i jeździ taką sobie bryką?

– Bo to jest bardzo, ale to bardzo skromny facet. Na przykład na własne oczy widziałem, jak zmienia na parkingu opony letnie na zimowe. Krążą słuchy, że większość poborów przeznacza na stypendia dla adoptowanych wirtualnie sierot z krajów Trzeciego Świata, zwłaszcza z Afryki. Konkretne dzieciaki mają dzięki temu co jeść, za co się kształcić i leczyć. A gość regularnie z nimi koresponduje.

– Już dosyć. – Poczułam się jak idiotka. – Na pewno ma jakieś skazy, o których nie wiemy. Nie ma ideałów. Szczęście w nieszczęściu, że tam nie mieszkamy. I kończymy wątek, bo się rozpłaczę! Facet niby cudowny, a potraktował mnie protekcjonalnie. A na marginesie... – Bardzo mi zależało na zmianie tematu. – Dlaczego miałam nie dać się zaprosić Lili na kolację?

– Chyba nie przyjęłaś zaproszenia? – zapytał Piotr z paniką w oczach. – Jeżeli tak, to oświadczam, że nie skorzystam, bo na przykład właśnie wtedy będę miał początki zakażenia otrzewnej albo syndrom zapalenia ślepej kiszki. Nie zaciągniesz mnie tam tabunem koni. Mówię zresztą nie tylko o kolacji u Lili, ale o obecności w tym bloku, a nawet na ulicy. Przyjmij to do wiadomości – zakomunikował stanowczo. – Przyznaj się, na pewno przyjęłaś? – Patrzył podejrzliwie.

– Nie na kolację, chociaż padła ogólnikowa, wstępna propozycja. Nic poważnego. Byłam dzisiaj u niej na kawie.

Spojrzenie Piotra stało się czujne, jak przy obserwowaniu w menzurce mieszanki, która lada chwila może eksplodować. Odwzajemniłam się podobnym. No tak, zapewne ukrywa tajemnicę, a Lila ją zna. Choćby pozamałżeńskie niepełnosprawne dziecko, wychowywane przez siostry zakonne w specjalnym ośrodku, z dala od przyjaciół i uczelni, podpowiadała szalona wyobraźnia. Takie sekrety wcześniej czy później wychodzą na jaw. Walka na spojrzenia trwała.

– Na kawie?

– Tak. A przy okazji poczęstowała mnie ciastem – powiedziałam spokojnie.

Cała trójka spoważniała jak na komendę.

– Nie mów, że zjadłaś?

– Odrobinę.

– I co?

– Było trochę nie w moim guście, ale Lila nie specjalizuje się ponoć w słodkościach, a w potrawach konkretnych. Powinieneś wiedzieć.

– Iza, obiecaj mi, proszę. Że nigdy, przenigdy niczego u niej nie zjesz.

– Tata ma rację – wtrącił Tadeusz.

– Tak, świętą rację – dodała swoje trzy grosze Zosia.

– Ale dlaczego? – zapytałam skołowana. – Przecież kuchnia i gotowanie to jej pasja. Byłam i widziałam. Te zapachy i w ogóle. Jak z bajki.

– Bo wszystko, co ona przygotowuje, jest niezjadliwe. I grozi zatruciem. A na drzwiach kuchni powinien wisieć specjalny znak ostrzegawczy, że spożywanie czegokolwiek, co stamtąd pochodzi, jest groźne dla zdrowia, a nawet życia. Ona powinna mieć sądowy zakaz zbliżania się do garnków. Dlatego też w imieniu swoim i dzieci proszę, abyś nie tykała u niej niczego. Możesz pić kawę, ale ostrożnie. Tego, przynajmniej teoretycznie, nie da się zepsuć. Teoretycznie, bo gdy Lila wpada w szał eksperymentowania... Boże, miej nas w swojej opiece! – Piotr odzyskał dobry humor. – Zdarzyło mi się pić u niej neskę, do której dodała kurkumy, cukru waniliowego, pieprzu cayenne i, jeżeli dobrze sobie przypominam, jogurtu. I kilkudniowe sensacje żołądkowe gotowe, z odwodnieniem włącznie. Chcieli mnie podłączyć pod kroplówkę. A my pragniemy, żebyś żyła – dodał. Wziął mnie za rękę i przytrzymał przez dłuższą chwilę.

– My też mieliśmy kłopoty po zjedzeniu tego, co przygotowała. Naprawdę nie warto. – Zosia uzupełniła wypowiedź Piotra, porządkując jednocześnie stół po obiedzie. Włożyła brudne naczynia do zmywarki i wytarła blaty szafek do czysta. Na koniec zabrała się do mycia tłustej patelni po racuchach. Byłam pod wrażeniem. Robiła to z własnej, nieprzymuszonej woli. – Kiedyś wieczorem miała nas popilnować. Tadeusz, pamiętasz?

– Uhm – przytaknął ze skwaszoną miną.

– Pani Bożena przygotowała nam kanapki na kolację, a ciocia Lila miała tylko z nami pobyć. Ale gdy za tatą zamknęły się drzwi...

– ...powiedziała, że kanapki są zbyt szablonowe – wtrącił Tadeusz. – I zaczęła eksperymentować.

– Tak dokładnie było – kontynuowała Zosia przy szorowaniu patelni. – Przygotowała więc, jak to sama nazwała, „kotlety ziemniaczane od serca". Miały naprawdę kształty serduszek, pięknie wyglądały i pachniały. Użyła wszystkich przypraw, jakie były w domu, i ozdobiła placki esami-floresami z lukru. Tylko co z tego, skoro w środku były surowe ziemniaki? Całą noc zmienialiśmy się z Tadeuszem w łazience. Raz on stał pod drzwiami i mnie poganiał, raz odwrotnie! A ona jadła to razem z nami i do dzisiaj wspomina, jakie było pyszne! – mówiła, gestykulując gorączkowo i odruchowo polerując do błysku już wytarte blaty.

– Ale ona żyje. I Tomasz żyje, i Julek ma się znakomicie! – powiedziałam zdumiona.

– Bo oni wszyscy mają nabytą odporność i nie jest im w stanie zaszkodzić największe świństwo świata – skwitował Piotr. – A jeżeli koniecznie chcesz zjeść z nimi kolację, zaproś ich do nas. Możesz przygotować cokolwiek. Nawet to co dzisiaj, bo było super.

– Tak, super! – potwierdziła Zosia, odwracając się do mnie i patrząc wymownie.

Zmiana frontu była zaskakująca.

– Coś się stało, Zosiu?

– Już czas.

– Na co?

– Na wywiadówkę.

– Tak, oczywiście, pamiętam! – skłamałam z miną niewiniątka. Ot takie małe kłamstewko, które nikomu nie szkodzi, a przeciwnie – potrafi uszczęśliwić. Nie nadużywam, ale stosuję od czasu do czasu, na przykład wmawiając chorej koleżance, że dobrze wygląda. Wprawdzie mijam się z prawdą, jednak poprawa nastroju jest bezcenna i uwalnia mnie od wyrzutów sumienia...

– To proszę się już szykować.

– Szykować? – Zdziwiona zerknęłam na zegarek. Czas był dobry, a raczej bardzo dobry. Dopiero szesnasta dziesięć. – Wywiadówka rozpoczyna się o siedemnastej. Jak wyjadę dziesięć minut przed, będzie akurat.

– Normalnie tak. Ale przy wielkim wyjściu trzeba wcześniej popracować nad wyglądem...

– To może zostawimy dziewczyny w spokoju. Nic tu po nas – powiedział Piotr, wstając i gestem zachęcając Tadeusza, żeby zrobił to samo. – Chodź, poćwiczymy tymczasem twój angielski. Przyniosłem fajny artykuł. Poczytamy, a potem o nim pogadamy. Tylko godzinkę, bo muszę skończyć konspekt wykładu.

– No nie! – Chłopiec wstał z ociąganiem.

– Chodź, chodź, kiedyś będziesz ojcu wdzięczny. A przynajmniej powinieneś.

Pozostałam na miejscu. Zosia dyskretnie taksowała mnie wzrokiem, zarumieniona jak ta z *Pana Tadeusza* i równie urocza. Wyglądało na to, że coś chce mi powiedzieć, ale nie wie jak. Postanowiłam jej pomóc.

– Coś ze mną jest nie tak?

– Nie... Tak... To znaczy, wszystko w porządku. No... prawie wszystko.

– Proszę, mów prosto z mostu. Mam tłuste włosy, zajady, opryszczkę lub coś w tym rodzaju? Domyślam się, że chodzi o wygląd.

– Bo chciałabym zrobić pani włosy! – wypaliła.

– Masz na myśli farbowanie albo podcięcie? – zapytałam zdziwiona, bo oba zabiegi przeszłam przed ślubem. Dopiero co.

– Nie – roześmiała się. – Chciałabym je wyprostować. Tak robi mama Magdy i zawsze wygląda pięknie.

– Wiesz co? Zdaję się na twój gust. Rób, co chcesz! – odparłam rozbawiona. – Nie będę ci niczego radziła.

– Mam już rozgrzaną prostownicę i wyciętą z gazety fryzurkę!

Rozradowana Zosia pobiegła do swojego pokoju, a ja przesunęłam krzesło na środek kuchni, żeby miała łatwy dostęp ze wszystkich stron. Wróciła w okamgnieniu, położyła na stole jakąś stronę z czasopisma i zerkając na nią co chwila, pasmo po paśmie wkładała włosy pomiędzy gorące płytki. Fachowo jak fryzjerka chroniła moje uszy przed oparzeniem lekko spoconymi dłońmi. Dotyk minimalizował dystans między nami. Mój mózg odbierający bodźce z receptorów czuciowych interpretował je jako już nie całkiem obce. Zosia naprawdę się starała; w skupieniu wysunęła końcówkę języka. Po co to wszystko? – zastanowiłam się przez chwilę, ale odpowiedź nie była trudna: zależy jej na moim wyglądzie na pierwszym spotkaniu rodziców. Podobno to pierwsze sekundy decydują o wrażeniu i zakwalifikowaniu rozmówcy do danej kategorii. W przypadku wywiadówki wariantów może być wiele. Mama flejtuch, mama dama, mama zadbana, mama źle umalowana, mama zdenerwowana, mama wypacykowana, wymyślałam i nawet zaczęło mi się to podobać. Wyszło do rymu.

A może wśród tych powiedzonek jest i to, że moja macocha świadczy o mnie?

Zosia na chwilę zniknęła w swoim pokoju, ale wróciła niemal natychmiast. Przyniosła jakieś spraye.

– Co to za akcesoria? – wolałam się upewnić, że nie chce na mnie wypróbować środka owadobójczego albo neutralizatora przykrych zapachów.

– Odżywka wygładzająca, lakier do włosów i brokat! – Wszystko starannie ustawiła na stole i kontynuowała zabiegi. – Szkoda, że mamy tak mało czasu…

– Mamy go przecież mnóstwo. Jeszcze dobre pół godziny – studziłam emocje.

– Tylko tak się wydaje. A jeszcze paznokcie, ubranie, perfumy, makijaż i ogólne dopikobelowanie!

– Ale ja nie idę na bal, tylko na spotkanie rodziców.

– Pani Bożena też chodziła na nasze wywiadówki, a rezerwowała sobie na przygotowania pół dnia. Zawsze powtarzała: „Jak cię widzą, tak cię piszą". Też jej pomagałam w dopikobelowaniu.

– Możesz mi wyjaśnić, co to znaczy? Jak żyję, nie słyszałam takiego określenia.

– To pochodzi chyba z włoskiego *pico bello*. Takie doprowadzenie czegoś do stanu perfekt, takiego na tip-top, po prostu superowego – tłumacząc, spryskiwała mi włosy jakimś specyfikiem o zapachu kokosu, jednocześnie zgrzaną dłonią chroniła moje oczy.

– Działasz jak profesjonalistka! – Zosia zasłużyła na pochwałę. Czułam się jak klientka ekskluzywnego salonu.

– Może kawy? Jak ma być profesjonalnie, to na całego! – wczuwała się w rolę.

– Kawy? Nie, dziękuję. Wystarczy trochę kompotu malinowego. W filiżance. I będziemy udawały, że to neska.

– Okej. – Doskonale zorientowana w topografii kuchni błyskawicznie postawiła przede mną filiżankę z kompotem z obiadu. – Praktycznie gotowe. Teraz kwestia ubrania. Też jestem przygotowana. Musi być najpierw ubranie, potem dobierzemy lakier do paznokci i cień do powiek.

– Skąd ty to wszystko wiesz? – dopytywałam zaciekawiona. Zaimponowała mi.

– Od koleżanek, z gazet, z netu. Pani Bożena dużo wiedziała, ale ja byłam jej osobistą doradczynią. A teraz proszę nie szukać żadnego lustra, tylko chwilę zaczekać. I najlepiej zamknąć oczy – poradziła Zosia.

Przymknęłam powieki i z błogością pogrążyłam się w nicnierobieniu. Uwielbiam wizyty u kosmetyczki czy fryzjera. Oddaję się w czyjeś ręce i mam pięć minut dla siebie. Wyjątkiem jest dentysta.

– Proszę otworzyć oczy! – usłyszałam radosny okrzyk.

Postąpiłam zgodnie z życzeniem mojej wizażystki i osłupiałam. Stała przede mną i w rozpostartych, wysoko uniesionych dłoniach trzymała wieszaki z dwoma zestawami ubrań wyciągniętych z nierozpakowanych kartonów. Pod moją nieobecność Zosia grzebała w moich rzeczach! Zastanawiałam się gorączkowo, czy ją zganić.

W końcu jej nie upoważniłam, a taki czyn stanowił naruszenie mojej prywatności i świadczył o wścibstwie. Mała powinna ponieść konsekwencje. Z drugiej strony byłyśmy rodziną, od tygodnia tą najbliższą... Znów przypomniał mi się mój rodzinny dom. Gdy zostawałyśmy z Agą same, wymyślałyśmy najróżniejsze zabawy, a jedną z ulubionych było buszowanie w ciuchach mamy i przymierzanie fatałaszków, przede wszystkim kreacji sylwestrowych. Niewprawnymi rękami robiłyśmy sobie ostre, groteskowe makijaże i snułyśmy się w za długich sukniach po mieszkaniu, udając, że jesteśmy na bankiecie. Zwracałyśmy się do siebie per hrabino albo baronowo. Sadowiłyśmy się przy stole i zajadałyśmy cząstkami jabłek, nazywając je „jajami przepiórczymi w maladze". Nie wiedziałyśmy, czy takie danie istnieje naprawdę, ale nazwa była dla nas synonimem wielkiego świata. Pewnego wieczoru, gdy Agę poprosił do tańca niewidzialny magnat, moja siostra zerwała się z krzesła, zaczepiając o nie trenem. Najbardziej efektowny szczegół maminej toalety kompletnie się złachmanił... Próbowałyśmy później, bezskutecznie zresztą, doprowadzić wszystko do stanu poprzedniego, ale nieprzyjemnych następstw nie było.

Spojrzałam na Zosię. Stała dumna z siebie i patrzyła wyczekująco. Cóż, dała z siebie wszystko. Precyzyjnie zaplanowała i zaaranżowała szczegóły. Kosztowało ją to wiele wysiłku i czasu. I zrobiła to dla mnie.

– Masz gust! – stwierdziłam. Komplety naprawdę zostały zestawione ze smakiem. Nie ma to jak świeżość spojrzenia.

– No to… Ence pence, który wieszak?

– Oba są urocze. Ale ten po mojej lewej to zestaw raczej wizytowy. Wykorzystam go na inną okazję…

Rzeczywiście, czarna, prosta sukienka do kolan, z dekoltem w łódkę, fajnie komponowała się ze srebrzystym bolerkiem, srebrną biżuterią i szarymi, klasycznymi czółenkami. Nic dodać, nic ująć. Perfekcja.

– Wezmę ten drugi.

– No to się przebieramy!

Zosia zaczęła ściągać z wieszaka ciuchy w kolorze granatu i oberżyny, czyli dawno zapomnianą dwubarwną spódniczkę o długości do pół łydki, grafitową dopasowaną marynarkę, biały top z ciemnofioletową lamówką i granatową torebkę-kuferek. Dwie ostatnie rzeczy widziałam pierwszy raz w życiu. Pośrodku kuchni rozebrałam się do bielizny i pochwyciłam niby dyskretne, ale lustrujące spojrzenie. Zauważyłam lekki grymas.

– Coś nie tak? – Wystraszyłam się.

– No… Niby wszystko dobrze, ale… ale…

– Ale co?

– Nie ma pani innego biustonosza?

– A co z nim jest nie tak? Jest w miarę nowy, nierozciągnięty, markowy, ładny.

– Widzę, ale tu chodzi o fason. Przydałby się push-up, taki ze specjalnymi wkładkami, które ładnie podniosą biust i optycznie… no… go powiększą.

– Nie mam nic takiego. Szczerze mówiąc, zawsze mi się wydawało, że mój biust jest odpowiedniej wielkości

– powiedziałam niepewnie i nagle poczułam się wyjątkowo nieseksownie, jak przysłowiowa deska albo posiadaczka piersi, które siła ciążenia doprowadziła do kolan. Dwa przeciwieństwa, równie, pożal się Boże, atrakcyjne.

– Proszę sobie koniecznie taki kupić, a na razie zrobimy coś na szybko!

Stanęła za mną i zaczęła skracać długość ramiączek. Sytuacja zaczęła być wkurzająca, moja samoocena leciała na łeb, na szyję. Zosia, najwidoczniej niezadowolona z efektu, rozpięła mi biustonosz i zapięła ponownie, przy okazji na maksa minimalizując obwód pod biustem. Poczułam się jak w pancerzu, ale dostrzegłam pozytywny aspekt sytuacji. Dotyk małej robił się znajomy, domowy. Dotykające mojego ciała lekko spocone rączki były pełne ciepłych emocji.

– Już w porządku?

– Tak, znacznie lepiej!

– A skąd top i torebka?

– Są moje. Top jest ze streczu, więc wejdzie pani bez problemu. A torebka, wiadomo, ma rozmiar uniwersalny.

– Dobra, spróbujemy…

Zaczęłam wbijać się w kolejne części garderoby, łącznie z przygotowanymi kryjącymi, grafitowymi rajstopami. Z topem też dałam radę; rzeczywiście okazał się bardzo rozciągliwy. Przez cały czas ani razu nie spojrzałam w lustro, bo w kuchni takowego nie było. Gdy zapinałam żakiet, Zosia już stała przede mną ze zmywaczem do paznokci i zestawem do francuskiego manicure. W duchu podziękowałam Bogu, że nie wzięła pod uwagę fioletu czy granatu... Usiadłam na krześle i położyłam dłonie na stole, a Zosia zmyła stary lakier, opiłowała płytki i pomalowała paznokcie. Znów poczułam się jak w salonie, choć w głębi duszy gryzły mnie wyrzuty sumienia. Mieszkanie w rozsypce, wszędzie kartony, ciągle ktoś czegoś szuka i nie znajduje, nie można utrzymać porządku, bo rzeczy nie mają przypisanego miejsca...

Mimo że przed kupnem przeszło generalny remont, w każdym kącie widziałam niedociągnięcia i usterki. W kontakcie w przedpokoju nie było na przykład prądu i przy odkurzaniu trzeba było przeciągać kabel z sypialni albo z kuchni, zawiasy w drzwiach wejściowych skrzypiały, a listwa przypodłogowa w sypialni odchodziła od ściany. Nie mogłam liczyć na Piotra, bo po pierwsze notorycznie nie miał czasu, a po wtóre zawsze znajdował uzasadnienie dla nicnierobienia. Najczęściej przytaczał argument o uroku mieszkania w starej kamienicy, polegającym na takich właśnie mankamentach, z którymi naprawdę daje się żyć. A jeśli aż „tak bardzo mi zależy", on „kiedyś to zrobi".

– Proszę przymknąć oczy i na razie nie ruszać rękami. Lakier musi wyschnąć. Makijaż tylko poprawię bo jest całkiem dobry. – Poczułam pociągnięcia pędzla do sypkiego pudru, konturówki i błyszczyku do ust. Zaraz potem zamarłam, bo Zosia pochyliła się, jakby chciała mnie pocałować. Nieoczekiwany, ulotny

moment intymności... Głęboko wciągnęła powietrze.
– Już wiem, co to za perfumy! Muszą być te same!
– Błyskawicznie pobiegła do łazienki i wróciła z flakonikiem perfum, których użyłam rano. Spryskała mnie delikatnie za uszami i na nadgarstkach. – Gotowe!

Wstałam, a ona psiknęła jeszcze na rąbek spódnicy.

– A to co? – Oniemiałam.

– Dzięki temu zapach będzie szedł za panią. Jak za gwiazdą filmową! A teraz do taty i Tadeusza – zakomenderowała, wzięła mnie za rękę i poprowadziła pod pokój Piotra. Z impetem otworzyła drzwi. – Uwaga! Oto gwiazda wieczoru! – Wepchnęła mnie do środka.
– Pani Iza idzie na wywiadówkę! Jak wygląda? – Zosia z zapartym tchem wpatrywała się w ojca, który patrzył na mnie jak cielę na malowane wrota.

– Izunia, prezentujesz się... Po prostu nieziemsko!
– Pokręcił głową z uznaniem.

– Tu jest płaszcz i kluczyki. I proszę się śpieszyć!
– ponaglała Zosia.

Płaszcz wkładałam już na schodach, w biegu, bo czasu miałam niewiele.

Dotarło do mnie, że nie spojrzałam w lustro. Nie miałam zielonego pojęcia, jak naprawdę wyglądam...

Do szkoły weszłam za trzy siedemnasta. Na korytarzu tłoczyli się rodzice, śpieszący do znanych sobie klas. Oczywiście, nie wiedziałam, gdzie iść. Drżącymi rękami wyciągnęłam z kuferka komórkę, by zadzwonić do domu, i zobaczyłam, że nie odebrałam esemesa. Nacisnęłam na klawiaturze „otwórz".

„Klasa 341, drugie piętro, pozdrawiam, Zosia", przeczytałam.

Wchodząc po schodach, myślałam o małej. Jakaż ona jest poukładana i zorganizowana. Perfekcyjnie reżyseruje wszystko krok po kroku. Po kimś musi to mieć. Na pewno trochę po Piotrze, który też trzyma rękę na pulsie, ale nie aż do tego stopnia. Może taka była Ewa, a perfekcjonizm Zosi to wynik mieszania genów? Ciekawe, jaki byłby jej charakter, gdybym to ja zajmowała się nią od urodzenia? Czy przejęłaby moje cechy i szła od czasu do czasu na tak zwany żywioł? Jakkolwiek by było, na pewno nie upodobniłaby się do mnie fizycznie. Ma nos identycznego kształtu jak Piotr, usta dokładnie jak u Ewy i mnóstwo cech świadczących, że to dziecko tych, a nie innych rodziców. I nigdy nie będzie miała mojego koloru oczu; zbieżność może być wyłącznie przypadkowa, bo w Zosi nie płynie ani jedna kropla mojej krwi. Macochy i pasierbicy nie łączą wspólne geny...

Kto w takiej sytuacji jest matką? Ta, która rodzi, czy ta, która wychowuje? Jeżeli ta pierwsza, pozostanie nią Ewa. A jeśli druga... Najpierw Ewa, później Bożena, teraz ja. Paranoja! Trzy matki. Takie matkowanie można by nawet określić ułamkiem, proporcjonalnie do czasu zajmowania się dziećmi. A jeśli nasz związek z Piotrem zakończy się fiaskiem? Może pojawić się jeszcze czwarta, piąta i następne! Nie, to zbyt skomplikowane!

Rodzona matka i dziecko – sprawa jasna. Są sobie bliscy od momentu poczęcia. Ale Zosia została na mnie skazana, bo zadurzył się we mnie jej ojciec i pojął mnie za żonę; zero natury, prosty zbieg okoliczności. I oby nam się udało, bo obie jesteśmy w nieciekawej sytuacji i musimy się nauczyć z nią żyć.

Zdyszana weszłam na drugie piętro i poszukałam sali 341. Do środka wkroczyłam jako jedna z ostatnich i usiadłam obok niskiego, kędzierzawego faceta. Pierwsza wywiadówka w moim życiu! Nie miałam pojęcia, jak się zachować, a na dodatek dotarło do mnie, że dałam plamę na całej linii, bo powinnam umówić się z wychowawczynią kilka minut wcześniej i się przedstawić. Dopadły mnie wyrzuty sumienia. Mam wstać zaraz po rozpoczęciu spotkania i wyjaśnić wszystkim, kim jestem? Czy mam wyjść na środek? Jak na spotkaniach AA? Ciekawe, co na ten temat mówi savoir-vivre? Nerwowo bawiłam się sprzączką przy kuferku. Owszem, w domu wpajano nam kindersztubę, ale wówczas słowem nie wspominano o poprawnym zachowaniu się macochy na wywiadówce. Jasny gwint! Jakich słów powinnam użyć? „Jestem Izabela, macocha Zosi"? Brr! Aż mną wstrząsnęło, a „macocha" wywołała odruch wymiotny. Nigdy, przenigdy nie wyobrażałam sobie siebie w takiej roli!

W myślach zaczęłam tworzyć charakterystykę tego indywiduum. Po pierwsze: moralne zero, złośnica, prześladowczyni sierotek pozbawionych matki mających wyłącznie ojca. Ale za to jakiego! Nieudacznika, który boi się brzydkiej i bezzębnej żony, siedzi pod jej pantoflem i nawet nie próbuje ich bronić. Na dodatek adoruje ją, jakby była ósmym cudem świata. Oczy mu bielmem zarosły czy co? A tymczasem okrutna macocha rujnuje biednym sierotkom życie. Sierotki są dobre, pracowite i bardzo piękne…

Poczułam, że napinają mi się wszystkie mięśnie, a pięści zaciskają mimowolnie. Chyba nigdy nie wyduszę z siebie tych dwóch słów: „Jestem macochą".

Oczyma wyobraźni zobaczyłam siebie pod tablicą, jak stojąc obok wychowawczyni, wypowiadam swoją kwestię i płonę ze wstydu. Widziałam, jak wszyscy się we mnie wpatrują, a ja doznaję metamorfozy: moja twarz pokrywa się bruzdami i ropiejącym liszajem, paznokcie zamieniają się w szpony, nos przeistacza w metalowy, potężny hak, a ubranie w różową, szyfonową, groteskowo kiczowatą balową suknię. I sterczę tak na środku w wykoślawionych złotych butach z posrebrzanymi klamrami, a wszystkie rodzone matki i ojcowie patrzą z satysfakcją na przewodniczącego rady rodziców, który piętnuje moje czoło rozżarzonym pogrzebaczem. „Macocha". Widownia klaszcze z radości, że dostałam za swoje, bo znamię będę już nosiła do końca życia. Będę cierpieć katusze przez całą dobę, siedem dni w tygodniu, po kres moich dni. Każdy, kto spojrzy, będzie wiedział, że ma uciekać gdzie pieprz rośnie przed tym ucieleśnieniem zła…

Zbuntowałam się znienacka. Przecież codziennie powstają dziesiątki nowych słów, więc dlaczego nikt dotychczas nie wymyślił na kogoś takiego jak ja pozytywnie brzmiącego określenia? Żeby podobne mi dziewczyny, którym nie w głowie czyjakolwiek krzywda, nie miały na wywiadówkach i w innych okolicznościach dylematów! Nie ma co ukrywać, na pewno bywają złe macochy, ale bywają również matki, które porzucają dopiero co narodzone dzieci w reklamówce na śmietnikach albo sfrustrowane katują je, bo skomplikowały im życie. Macochy wszystkich krajów łączcie się i napiszcie w tej sprawie petycję! Tylko do kogo?

Uspokój się, napomniałam się w duchu, takie nakręcanie się do niczego dobrego nie prowadzi. Skoro nie „macocha", to kto? „Żona ojca"? Już lepiej, ale jakoś tak bez emocji i pokrętnie. Jakby się chciało zamaskować prawdziwy status w nadziei, że ktoś pomyśli: „żona ojca", czyli matka. Nie, czułabym się jak wilk w owczej skórze. Ale jednocześnie nie mogę powiedzieć: „Izabela, matka Zosi", bez narażania się na reakcję wychowawczyni: „Nie ze mną te numery, i tak wiem, kim jesteś!". Na dobitkę, czy mogę nazywać się matką, skoro dzieci zwracają się do mnie per pani? Jasny gwint! Wszystko jest takie zagmatwane! Dość już tych przemyśleń, najwyższy czas skupić się na tym, co dzieje się wokół!

Wychowawczyni, na oko późna czterdziestka albo wczesna pięćdziesiątka, wystroiła się odświętnie w biel i granat, jakby za chwilę miała przystępować do matury. Publiczny, bądź co bądź, występ wyraźnie ją stresował, choć starała się to ukryć. Głos się jej łamał, ale w miarę upływu czasu było coraz lepiej. Z ulgą odhaczała na małej karteczce omówione sprawy. Rodzice bazgrali coś w notatnikach i zeszytach. No tak, skąd niby taka nowicjuszka miała wiedzieć, że trzeba będzie notować? Otworzyłam pożyczoną od Zosi torebkę, do której w biegu wrzuciłam tylko chusteczkę higieniczną, portfel z dokumentami i komórkę, i rozpoczęłam poszukiwania. Niestety, z pustego nawet Salomon nie naleje, pomyślałam, będę musiała zdać się na swoją pamięć. I wtedy dostrzegłam, że wychowawczyni dyskretnie wybiera ze zgromadzonych na biurku akcesoriów kartkę i długopis, i przechadzając się pomiędzy ławkami, niezauważalnie dla innych, kładzie je przede mną. Zanotowałam więc informacje o funduszach komitetu rodzicielskiego, planowancj klasowej majówce, zajęciach wyrównawczych z matematyki, organizowanych konkursach, funkcjonowaniu sklepiku szkolnego i akcji picia mleka na dużej przerwie.

Nauczycielka przedstawiła również ranking najlepszych uczniów klasy; na czele pierwszej trójki znalazła się Zosia, która awansowała z długo zajmowanej drugiej pozycji. Byłam zaskoczona. Wierzyłam Piotrowi, zapewniającemu mnie o bystrości dzieci, ale nie sądziłam, że z Zosi taka prymuska. Poczułam dumę, ganiąc się jednocześnie w duchu, że nie mam prawa do tego uczucia, ponieważ nie przyłożyłam ręki do osiągnięć małej. Nie dałam jej ani genów znakomitości, ani talentu. Przez te kilka dni bycia razem nie wytłumaczyłam żadnego mniej czy bardziej skomplikowanego zagadnienia. A nawet gdyby, nic by to nie znaczyło, bo na swoją pozycję Zosia harowała dłużej. Nie jeden, lecz wiele tygodni. Zdałam sobie sprawę z tego, że jestem dla niej nikim. Kompletnym zerem w jej życiu, a przynajmniej na tym jego etapie. Aktualnie pełnię wyłącznie rolę łaty wszytej w miejsce dziury powstałej po pani Bożenie, nie wspominając już o Ewie. Piękny, ale rozerwany koc, nieudolnie zacerowany niewprawną ręką, nikogo nie zachwyci wyglądem. Jasny gwint! To boli! Przecież Piotr i dzieci są dla mnie od tygodnia wszystkim! Całym moim życiem!

Spotkanie dobiegało końca. Wychowawczyni dziękowała za przybycie i zapraszała na spotkania indywidualne, po wcześniejszym umówieniu się przez telefon. Oczywiście wtedy, gdy wystąpią jakieś problemy lub rodzic będzie chciał po prostu pogadać. Klasa pustoszała dość szybko.

Wstałam i podeszłam do biurka. Nauczycielka porządkowała notatki, zestawienia i tabele.

– Bardzo, ale to naprawdę bardzo dziękuję. – Położyłam przed nią długopis.

– Nie ma za co. Jeżeli ma pani czas i ochotę, proszę usiąść. – Wskazała mi najbliższe krzesło.

– Jakieś kłopoty? – Wystraszyłam się, że wzięła mnie za kogoś innego. Na pewno pomyliła z matką dziecka, które w nauce ledwo przędzie, i chciała ze mną ustalić plan naprawczy. Albo z rodzicem klasowego żywego srebra, codziennie serwującego ciału pedagogicznemu przyklejoną do krzesła gumę do żucia, zamknięcie go w ubikacji albo zdalne wyłączenie wszystkich komputerów na lekcjach informatyki. Na pewno nie chodzi o Zosię. Chyba jednak brak prezentacji okazał się gafą, pomyślałam. Przynajmniej uniknęłabym nieporozumień. Postanowiłam to naprawić. – Nazywam się Izabela…

– Wiem, kim pani jest – przerwała mi, a ja, wybawiona z kłopotu, poczułam ulgę. – Proszę! – Ponownie wskazała mi krzesło. Usiadłam zakłopotana, nie wiedząc, co się święci. – Zosia uprzedziła mnie, że pani przyjdzie. Powiedziała: „Przyjdzie moja nowa mama. Zobaczy pani, mój tata ma dobry gust".

– Naprawdę? – Poczułam, że płoną mi policzki. Stąd te wysiłki w kwestii image'u!

– Tak, tak – potwierdziła wychowawczyni, przyjaznym uśmiechem dodając mi otuchy. – Znam sytuację domową Zosi i bardzo się cieszę ze skompletowania rodziny. Przy okazji chcę pani życzyć wszystkiego dobrego. A zwłaszcza żeby doceniono pani wysiłek. A przynajmniej dostrzeżono. – Popatrzyłam zdziwiona. – Wiem, o czym mówię – kontynuowała. – Sama wychowywałam syna męża z pierwszego małżeństwa. Chłopak usamodzielnił się dopiero niedawno. Poświęciłam mu siedemnaście lat życia.

– Nie patrzę na to jak na poświęcenie – wtrąciłam, bo rzeczywiście nie uważałam się za bohaterkę wyrzekającą się własnego ja na ołtarzu innych. – Przyjęłam, że tak jest. Tak musi być. I tyle.

– Wierzę. Na razie nie patrzy pani na to z perspektywy lat… To przykre, ale tak naprawdę ludzie widzą to, co chcą zobaczyć. I oceniają, bo taka ich natura. Będzie się pani starała zrobić coś jak najlepiej, a być może i tak dostanie pani marną notę. Bo nie jest pani rodzoną matką. Prosty przykład: matka daje dziecku do szkoły na drugie śniadanie tylko jabłko. Nauczyciele, wie pani, obracam się w tym środowisku od lat, komentują: troszczy się o dziecko ze skłonnością do nadwagi. Jeżeli to samo robi macocha, interpretacja jest zgoła odmienna: ale suka, tego można się było spodziewać, rodzona matka przygotowałaby coś pożywnego.

– Ale ja nie chcę nikogo skrzywdzić. Wyszłam za mąż z miłości i nie wyobrażam sobie, bym mogła mieć jakiekolwiek złe intencje w stosunku do dzieci ukochanego mężczyzny. Teraz tworzymy rodzinę i z całego serca życzyłabym sobie, żebyśmy byli szczęśliwi... – tłumaczyłam, myśląc jednocześnie, co w jej życiu poszło nie tak. Nie postarała się, coś zaniedbała, a teraz ma pretensje do całego świata? Może wyszła za mąż ze strachu przed samotnością? Albo dla pieniędzy? To chyba nie powinny być powody do zamążpójścia... Zapewne stąd ta gorycz w jej głosie. Moja babcia od dzieciństwa wpajała mi zasadę: jeżeli coś z siebie dasz, to co najmniej tyle samo dostaniesz. A bezinteresowne dobro, którym obdarujesz innych, zwróci się tysiąckrotnie.

– Tak... Ja też wyszłam za mąż z miłości i nie przestałam kochać męża... – Zamyśliła się, zapatrzona w czarne oczodoły okien. – Opowiem pani swoją historię, by nic podobnego nie zaskoczyło pani w przyszłości. Ogólnie mówiąc, czuję się, jakbym dostała policzek od życia.

Bo byłam pewna, że nic takiego mi się nie przydarzy. Dałabym sobie za to uciąć obie ręce. – Westchnęła i spojrzała na mnie. – Pierwsza żona męża opuściła go, gdy ich syn miał cztery lata. Nagle poczuła zmęczenie rodzicielstwem i prozą codziennego dnia. Odnalazła w sobie duszę artystki, konkretnie piosenkarki. I doszła do wniosku, że lata lecą, a jej może zabraknąć czasu na pokazanie światu talentu. Ktoś załatwił jej zaproszenie do Stanów. Mężowi niczego nie powiedziała, przypuszczalnie spodziewała się oporu, a chciała mieć komfort psychiczny. Pewnego dnia, gdy on jak zwykle wyszedł do pracy, powiedziała sąsiadce, że źle się czuje i musi iść do lekarza. Zostawiła syna pod jej opieką, a sama pojechała na lotnisko. Do dzisiaj zastanawia mnie, jak mogła to zrobić? – Nauczycielka sposępniała. – Tak po prostu zostawiła dziecko i nie pękło jej serce? Przed samym wylotem zadzwoniła jeszcze do domu i nagrała wiadomość na automatycznej sekretarce. Że ma wszystkiego dość, że życie rodzinne nie jest jej marzeniem i że nie realizuje się w roli matki. Mąż miał nadzieję, że to krótkotrwały wybryk, a ona zatęskni, jeżeli nie do niego, to chociażby do dziecka. Ale mijały dni, tygodnie, miesiące bez znaku życia. Nie zadzwoniła ani w święta, ani w piąte urodziny syna. Wreszcie mąż wynajął detektywa i rozpoczął poszukiwania. Okazało się, że jego żona podśpiewuje do kotleta w małej polskiej knajpce w Chicago. Pertraktowali przez prawnika, bo on wciąż ją kochał i pragnął jej powrotu. Ona nie. Cztery lata czekał, aż się opamięta!

W końcu się odezwała. W liście żądała rozwodu, bo poznała w Stanach bratnią duszę. Postępowanie przeprowadzono na odległość. Jest to procedura trudna, ale jednak możliwa. Interesuje panią ciąg dalszy?

– Tak, oczywiście! – Słuchałam z rosnącym zaciekawieniem. Opowieść nadawała się na scenariusz całkiem niezłego filmu.

– Mąż jakoś zdołał się z tego otrząsnąć. Po roku poznał mnie. Wzięliśmy ślub. Dałam z siebie wszystko. Nie wyobrażam sobie, że mogłabym wykrzesać więcej. Nie chcę używać słowa „poświęcenie", pani go przecież nie lubi, prawda? Przez siedemnaście ostatnich lat nie miałam czasu dla siebie. Żyłam wyłącznie dla nich. I stworzyłam, jak mi się wydawało, szczęśliwą, rodzinę z odzysku. Jako germanistka uczyłam syna niemieckiego, jeździłam z nim do ortodonty, gotowałam i podstawiałam mu pod nos ulubione potrawy, pilnowałam, żeby brał tran i witaminy, prałam, prasowałam, przytulałam, pocieszałam, dogadzałam, odkurzałam i sprzątałam. Niejedna rodzona matka miałaby w nosie większość tych czynności. Ja się starałam, a moja koleżanka mówiła do rodzonego syna: „Masz ręce, to sobie zrób!", oddając się relaksowi. Ona jest z gatunku tych wiecznie zmęczonych... Zawsze wierzyłam, że człowiek jest tyle wart, ile daje innym. Byłam szczęśliwa. Syn poszedł na germanistykę. „Po mamusi", uzasadniał wybór, a ja puszyłam się jak paw. Podczas studiów mieszkał w domu. Przeżywałam z nim pierwsze miłości, dodawałam mu otuchy po nieudanych związkach, trzymałam kciuki przed każdą sesją, przekonywałam, że zawsze może na mnie liczyć. Myślę, że chłopcy to tacy niby-twardziele, ale naprawdę potrzebują matki... Syn miał ze mną lepszy kontakt niż z ojcem. Studia skończył jako prymus, dostał prestiżową pracę w międzynarodowej firmie; odpowiada za kontakty z oddziałami w Niemczech. Wreszcie postanowił się ożenić. Polubiłam jego przyszłą żonę, cieszyłam się razem z młodymi. Zorganizowaliśmy im ślub i wesele. Wszyscy mieliśmy żyć długo i szczęśliwie. W kościele płakałam ze wzruszenia i żalu, że nie będę już miała syna na co dzień. Czułam, że odchodzi jakaś cząstka mnie, jednak musiałam się z tym pogodzić, jak z każdym, choć trudnym do zaakceptowania, etapem życia. W kościele mąż był niespokojny i zmieszany, raz po raz odwracał głowę, jakby kogoś obserwował, w końcu wyszeptał, że w ostatnim rzędzie siedzi jego była żona. Sparaliżowana stresem, zastanawiałam się, co będzie. Miałam nadzieję, że ona opuści kościół przed końcem mszy. Do dzisiaj nie wiem, jak dowiedziała się o ślubie... Przez dwadzieścia jeden lat nie interesowała się swoim jedynym dzieckiem. Nieprawdopodobne, ale prawdziwe. Ceremonia się zakończyła, a ja na ugiętych z emocji nogach wyszłam przed kościół. W kręgu utworzonym wokół młodej pary nastąpił moment, którego nie zapomnę do końca życia, powracający do mnie jako największy życiowy koszmar. Syn rozejrzał się dokoła i wzruszony ledwie wydusił słowo „mama". Odruchowo zrobiłam krok do przodu, chcąc go przytulić i złożyć życzenia jako pierwsza. Byłam przeświadczona, że idzie w moją stronę. Ale on mnie ominął. Tak jak mija się kosz ze śmieciami, do którego nie ma się zamiaru niczego wrzucić. Obojętnie i beznamiętnie. – Oczy kobiety zwilgotniały, a ja pomyślałam, że za moment wybuchnie płaczem. Szczerze jej współczułam; jej opowieść była jedną z najokrutniejszych historii, jakie kiedykolwiek słyszałam. Ze zdenerwowania zaczęłam zębami skubać skórki przy paznokciach. – „Mama" odnosiła się do jego rodzonej matki, która stała bezpośrednio za mną, o czym zresztą nie wiedziałam. Na widok czułego powitania ledwie zdołałam się opanować... Od tej chwili zeszłam na dalszy plan. Najdalszy. Okazało się, że matkę mojego syna znudziło robienie kariery; notabene, nie odniosła sukcesu. Rozstała się z amerykańskim partnerem i wróciła, przywożąc trochę dolarów, i zamieszkała z młodymi, którzy za kilka tygodni zostaną rodzicami. W ramach rehabilitacji chce opiekować się wnukiem. Oczywiście, za moje starania nie podziękowało mi żadne z nich, ani syn, ani matka. Zachowują się tak, jakby im się to wszystko należało. Syn odwiedza nas sporadycznie i chyba wyłącznie dlatego, że tak wypada. Nie mówi już do mnie „mamo", zwraca się bezosobowo. Jakby tego było mało, w ubiegłym tygodniu wpadł wieczorem, wykrzykując, że zrozumiał pewne sprawy. Że ich oddaleniu winna jestem ja, że zależało mi wyłącznie na zaspokojeniu instynktów. Bo gdybym tylko chciała, starałabym się z całych sił, by został nawiązany kontakt pomiędzy nim a matką. Wtedy dowiodłabym, że go kocham, a tak okazałam się „pospolitą egoistką".

Wychowawczyni Zosi mówiła z coraz większym trudem, bezwiednie otwierając i zamykając dziennik.

– A pani dzieci? – zapytałam, przekonana, że to pytanie ją rozchmurzy. Starałam się jej nie osądzać, choć w głębi ducha czułam, że musiała gdzieś popełnić błąd. Życie nie bywa aż tak niesprawiedliwe!

– Nie mam własnych dzieci. Dokonałam wyboru. Postanowiłam zaangażować się wyłącznie w opiekę nad synem. Chciałam, by czuł się komfortowo, nigdy nie miał wrażenia, że jest traktowany marginalnie... Nie potrafię tego nie żałować, ale czasu się nie cofnie, a jest już za późno. Wprawdzie nowoczesne terapie hormonalne potrafią czynić cuda, jednak moje pięć minut minęło. Mąż ma sześćdziesiątkę, ja czterdzieści osiem lat, więc decyzja o zajściu w ciążę byłaby samolubna... Teraz jest czas na wnuki, a nie na rodzenie. – Popatrzyła na mnie uważnie i uśmiechnęła się przez łzy. – Pani Izabelo, chyba ta opowieść była niepotrzebna. Naprawdę chciałam dodać pani otuchy, a nie podłamywać. To, co przydarzyło się jednym, drugim nie musi – pocieszała mnie bez przekonania.

A ja byłam zdruzgotana. Nie mieściło mi się w głowie, jak odruchowe, niewymuszone dobro może tak skomplikować życie i doprowadzić do cierpienia.

Wniosek był jeden: im bardziej się starasz, tym gorzej na tym wychodzisz.

– Pani Izo, głowa do góry! – usłyszałam. – Przepraszam za te wynurzenia, ale chyba potrzebowałam…

– Przykro mi z powodu tego, co panią spotkało – przerwałam. – Naprawdę, szczerze pani współczuję. Może czas wszystko odmieni, a syn zrozumie, że więzy biologiczne, owszem, są ważne, ale to pani go wychowała i otaczała opieką. Okres fascynacji rodzoną matką minie, gdy chłopak przekona się, jaka jest naprawdę.

– Może kiedyś, a może nigdy… Przecież nie będę toczyła wojny z rodzoną matką. Można tylko gdybać. W każdym razie: proszę się cieszyć tym, co pani ma. Nie znam ojca Zosi, nigdy nie przyszedł do szkoły, ale słyszałam o nim dużo dobrego. A Zosia jest stworzona na liderkę. Rozpiera ją ambicja, w szkole cecha bardzo pożądana. Jeszcze raz życzę pani wszystkiego dobrego. A teraz pozwólmy sprzątaczce wejść do klasy i posprzątać. Niemal słyszę, jak przebiera nogami, żeby ją wpuścić!

Rzeczywiście, z korytarza dochodził pogłos podnoszonego i opuszczanego wiadra i jakieś szurania tuż za drzwiami. Roześmiałyśmy się i opuściłyśmy szkolny gabinet zwierzeń. Było pusto, rodzice już dawno się rozeszli. Na parterze jedną ze ścian pokrywała lustrzana tafla. Podeszłam bliżej, aby ocenić efekty Zosinej pracy. Serce zabiło mi mocniej. Wyglądałam inaczej. Trochę nie w moim stylu, ale w sumie bardzo dobrze. Uśmiechnęłam się. Mam osobistą doradczynię w sprawach mody!

– No i co? – Zosia wychylona przez poręcz schodów czekała na górze, gdy wchodziłam na klatkę schodową. Musiała siedzieć w oknie, jak podjeżdżałam pod dom. W jej głosie słyszałam napięcie.

– Uważaj, bo wypadniesz! – Przyśpieszyłam kroku. W botkach na obcasie pokonywałam po dwa schodki naraz. Drzwi do mieszkania były otwarte na oścież. Zosia już w piżamie niecierpliwie podskakiwała w przedpokoju.

– Była na wywiadówce pani Dobosz? Mama Marty?

– N...nie mam pojęcia – zająknęłam się. Wszyscy rodzice byli dla mnie jednolitą kolorową plamą. Poza kędzierzawym facetem siedzącym tuż obok.

– Taka szczupła... – Zosia zerknęła na moje biodra. – Bardzo wysoka blondynka. Kiedyś była modelką, a teraz prowadzi castingi – wierciła mi dziurę w brzuchu, a ja naprawdę nie miałam pojęcia. Byłam skupiona na notowaniu uwag wychowawczyni i pseudofilozoficznych rozważaniach dotyczących prawidłowego, zgodnego z przyjętymi zasadami sposobu przedstawiania się macoch. – Powinna być... Marta mówiła, że jej mama specjalnie na wywiadówkę kupiła jakieś spodnium w jednym z tych potwornie drogich butików w pasażu.

– Naprawdę, nie mam pojęcia.

– Dowiem się jutro w szkole!

– Na pewno! Ale mam inną, wspaniałą wiadomość. Zajmujesz pierwszą pozycję w klasowym rankingu ocen! Gratuluję! Muszę to zaraz powiedzieć tacie i Tadeuszowi.

– Oni już wiedzą!

– Skąd?

– Wczoraj pani na lekcji wychowawczej ogłosiła listę, więc natychmiast wysłałam do nich esemesy! – trajkotała rozpromieniona.

– A masz numer mojej komórki?

– Mam!

– Chciałam się tylko upewnić... Tak na wszelki wypadek, gdybyś w przyszłości chciała zadzwonić albo wysłać mi wiadomość.

Nie potrafiłam ukryć przykrości. Oto znalazłam się poza rodzinnym nawiasem. Spojrzałam na Zosię znacząco, w nadziei że usłyszy moje myśli i odczyta pozawerbalny przekaz: „Jest mi smutno i nieprzyjemnie, ponieważ nie zaliczasz mnie do osób bliskich. Czuję się z tym źle. Na pewno mnie rozumiesz i taka sytuacja się nie powtórzy", jednak wyraz jej twarzy nie wskazywał na sygnał: „Okej". Czy podtekst był za słaby, czy mimo wszystko wystarczający, ale Zosia nie wzięła go pod uwagę.

– No dobrze. Zaraz zrobię kolację – powiedziałam, idąc w stronę kuchni.

– Już zrobiłam! – usłyszałam za plecami. – Kanapki z kremem czekoladowym i mleko!

– Super! – Odwróciłam się z uśmiechem. – Nie sądziłam, że mam taką pomocnicę!

– Dla tatusia sześć, dla mnie i dla Tadeusza po cztery. I dla każdego po kubku mleka! Rodzina nakarmiona! Brudne naczynia włożyłam do zmywarki – tłumaczyła z miną radosną jak szczypiorek na wiosnę. – Idę do siebie. Muszę jeszcze napisać referat i poduczyć się niemieckich słówek. – Odwróciła się i zniknęła w swoim pokoju.

Sięgnęłam do kontaktu z nadzieją, że Zosia pomyślała i o mnie. Zawiodłam się. Stół i blaty szafek zostały uprzątnięte, jak zwykle wieczorem, gdy kończy się już kuchenne urzędowanie i nikt nie wchodzi tu do rana. Jeszcze przed chwilą, w samochodzie, głodna planowałam, co przygotuję. Oczywiście dla wszystkich, nie tylko dla siebie. Teraz straciłam apetyt. No tak, pozycja domowego odmieńca jest najlepszą dietą... Może warto opracować taki slogan: „Jeśli chcesz szybko zgubić zbędne kilogramy, zostań macochą! Schudniesz bez efektu jo-jo!". Jakoś mnie ta idea nie rozśmieszyła, choć jeszcze przed tygodniem bankowo bym się śmiała. Stwierdziłam, że muszę z Zosią porozmawiać i powiedzieć jej, co czuję. W moim rodzinnym domu rozmowa była remedium na wszystko. No cóż, zrobię sobie przynajmniej herbatę i przy okazji sprawdzę, czy rzeczywiście, jak mówią Chińczycy, odpędza smutki i regeneruje dręczony niepokojem mózg... Na przekór modzie, która nakazuje pić zieloną, białą lub czerwoną, sięgnęłam po tę czarną, najzwyklejszą. Słyszałam, że działa jak lekarstwo na obniżenie kortyzolu, diabelnie niebezpiecznego hormonu stresu, i zmniejsza ryzyko zawału serca. Wyciągnęłam imbryk z zamiarem naśladowania krok po kroku Japończyka, którego widziałam w telewizji. Przekonywał, że nigdy nie wypiłby takiej niby-herbaty, przygotowanej z udziałem odpadków zamkniętych w papierowej bibułce, namoczonych w szklance z gorącą wodą. Uzasadniał znaczenie rytuału dla harmonii wewnętrznej.

– Jest pani! Już nie mogłem się doczekać! – Obok stanął Tadeusz. Zajęta myślami, nawet nie usłyszałam, że wchodzi. – Ma pani czas?

– No prawie. Zaraz będę miała, tylko zrobię herbatę. Coś się stało? Jesteś głodny?

– Coś bym jeszcze zjadł, ale to nieważne. Potrzebuję pani pomocy!

– W czym? – Odwróciłam się i zobaczyłam, jak niecierpliwie przestępuje z nogi na nogę, jakby stał na rozżarzonych węglach.

– O, woda się zagotowała!

Błyskawicznie wyciągnął z szafki szklankę, nalał do niej wrzątku i zanurzył w nim torebkę ekspresowej mięty.

– Finito! – Odsunął z blatu wszystkie akcesoria, które miały być pomocne w oczyszczającym mózg rytualnym parzeniu herbaty, położył zeszyt, kartkę i długopis. – Mam takie hardkorowe zadanie z chemii. Ani ja, ani moi koledzy nie dajemy rady. Rozwiąże pani? – Patrzył z ufnością.

– Jasne! Ale chodź, mistrzu, razem się nad nim zastanowimy. – Wzięłam szklankę. – Pokaż, co tam masz, i siadaj. Zaraz nastanie jasność, bo zrozumiesz.

– Ale… Ja chciałbym, żeby pani mi je po prostu zrobiła! – wypalił. – Bo ja im obiecałem… – plątał się, nie wiedząc, jak wybrnąć z sytuacji. – No, powiedziałem, żeby sobie tym głowy nie zawracali, bo mam w domu kogoś, kto to zrobi na bank.

– Okej – roześmiałam się. – Ale fajniej będzie, gdy im powiesz, że rozwiązałeś je sam, przy niewielkiej pomocy „tego kogoś".

Dostrzegłam grymas zawodu. Cóż, nie zawsze wszystko idzie zgodnie z planem… Mogłabym, oczywiście, postąpić zgodnie z oczekiwaniami Tadeusza i później zająć się swoimi sprawami, ale to nie byłoby w porządku. Jeśli on nie umie tego rozwiązać, to znaczy, że nie rozumie; więc nie ma sensu, żeby dalej brnął w bagno, z którego coraz trudniej będzie się wydostać. Udałam, że nie dostrzegłam rozczarowania i ostentacyjnego westchnienia. Usiadł obok, zrezygnowany rozłożył zeszyt i zaczął czytać:

– „Oblicz, jaką objętość zajmuje wodór wytwarzany w reakcji…".

Zadanie było banalne. Dla mnie. Bo dla niego nie. Tadeusz miał braki. Ale skoro żaden z kolegów nie potrafił zrobić zadania – braki mieli również oni. Chyba powinnam coś z tym zrobić. Może pójść do szkoły? Albo chociaż zadzwonić? Okazało się, że chemiczka jest na urlopie macierzyńskim, a klasa ma zastępstwa z tym, kto się akurat trafi. Na szczęście kobieta wraca za miesiąc. Kamień spadł mi z serca. Odpadła konieczność interwencji. Nie uzdrowię naszego szkolnictwa, ale do czasu powrotu nauczycielki przypilnuję Tadzia, żeby był na bieżąco.

Nigdy nie udzielałam korepetycji, więc musiałam się zmobilizować. Ucznia również. Przez prawie dwie godziny, poza przekazywaniem czystej teorii od podstaw, starałam się najróżniejszymi przykładami dotrzeć do wyobraźni Tadeusza, usiłując trzymać nerwy na wodzy i nie okazać zniecierpliwienia. I przekonałam się, że przypisywane Chińczykom przekleństwo: „Obyś cudze dzieci uczył" ma w sobie coś, czego nie rozumiałam dotychczas...

Rozwiązywaliśmy przykłady, począwszy od tych najbardziej prostych. Tadeusz z wypiekami na twarzy ćwiczył coraz chętniej. Zajrzał do nas Piotr, ale zaraz się wycofał; jeszcze w Grecji, gdy dowiedział się, kim jestem z zawodu, spojrzał i stwierdził, że dla niego „chemik" i „specjalista od czarnej magii" to synonimy. Jego syn tymczasem samodzielnie rozwiązał również hardkorowe zadanie i kilka innych, trudniejszych. Oboje byliśmy wykończeni.

– Dzięki! – Dziecko przetarło zmęczone oczy i sprzątnęło ze stołu kartki z nabazgranymi przeze mnie pomocniczymi ilustracjami i ćwiczeniami. Padało na nos, ale było uśmiechnięte.

– Nie ma za co. I co? Już jasne? – Chciałam mieć pewność, że na jutrzejszą lekcję pójdzie bez stresu.

– Tak! Na bank! Nie wiedziałam, że chemia może być taka… No, po prostu fascynująca! Jeszcze raz dzięki! – I już go nie było.

Uśmiechnęłam się. A jednak uczenie daje satysfakcję, a Chińczyk od porzekadła miał chyba pomieszane w głowie. Niewykluczone, że od tego ich narodowego procentowego specjału o zapachu perfumowanego mydła toaletowego, którym częstują w restauracjach. Upił się i palnął głupotę, bezmyślnie przekazywaną z pokolenie na pokolenie.

Najchętniej, posiłkując się olejkiem lawendowym, zrelaksowałabym się w domowym spa, czyli w łazience, a potem spokojnie udałabym się na spoczynek, ale pozostała jeszcze sprawa Zosi. Trudna rozmowa wcale mi się nie uśmiechała, lecz z ciężkim sercem zdecydowałam, że nie ma sensu chować głowy w piasek. Trzeba dziecku wytłumaczyć znaczenie słów „czteroosobowa rodzina" i zacząć przyzwyczajać je do nowego stanu rzeczy. Jeżeli robię coś z myślą o rodzinie, robię to dla wszystkich. Nie tylko dla siebie. Taka zasada. A Zosia postąpiła egoistycznie, a na dodatek nie zawracała sobie głowy wyrzutami sumienia. Rozumiem, że biorąc pod uwagę więzy krwi, jesteśmy dla siebie nikim. Prawnie również. Nie wpiszę jej w żadnym kwestionariuszu w rubryce „dzieci", a ona w okienku „imię matki" napisze „Ewa", a nie „Izabela". Ale dostałam rolę do odegrania w tej połatanej rodzinie, więc mam pełne prawo brać udział w tworzeniu obowiązujących zasad!

Przed ślubem cała trójka miała ustalone reguły, każdy znał swoje powinności i katalog czynów zakazanych. Moja osoba zaburzyła jednak tę rutynę, wszystko się skomplikowało. Trzeba się dostosować. Zosia i Tadeusz bezsprzecznie woleliby na moim miejscu Ewę, ale sytuacja była jasna: nie rozbiłam małżeństwa, nie spotykałam się potajemnie z Piotrem za życia jego żony. Nie wyszłam za mąż z zamiarem zrobienia im krzywdy. Piotr nie ukrywał faktu posiadania dzieci, a ja ten stan zaakceptowałam bez zastrzeżeń. Całym sercem staram się być dla nich życzliwa, ale nie mogę być traktowana wyłącznie jak wystawiany na wywiadówkach eksponat, zaraz po zakończeniu bez żalu wyrzucany do śmieci. Musimy się wzajemnie szanować, dbać o siebie. I ustalić priorytety. Zamknęłam oczy. Policzyłam w myślach od dziesięciu w dół. Poczułam, że zapanowałam nieco nad swoim systemem nerwowym, i ociągając się, poszłam do pokoju Zosi.

– Możemy pogadać?

– Jasne! – Zosia w pogodnym nastroju leżała w łóżku z książką, nakryta kołdrą. Przesunęła się i zrobiła miejsce, bym usiadła. – Czytam *Zemstę*. Chociaż lektura, to kapitalna! Prawda?

–Tak. – Przycupnęłam, starając się nie dostrzegać wbitego we mnie wzroku Ewy ze zdjęcia na nocnej szafce. Zajmij się swoimi sprawami, poradziłam jej w duchu. To jest rozmowa w cztery oczy. Przestań mnie w końcu kontrolować! Odwróciłam się ostentacyjnie plecami do zdjęcia i spojrzałam na Zosię. – Znam ją prawie na pamięć – dodałam. – Wystawialiśmy ją w szkolnym teatrze. Byłam Klarą.

– Ekstra!

Podekscytowana Zosia zmieniła pozycję na siedzącą. A może dać sobie spokój i po prostu pogadać o starych, dobrych, szkolnych czasach? Kiedy jak najszybciej chciałam stać się dorosła, naiwnie wierząc, że człowiek w sile wieku jest najszczęśliwszy. Nie musi zakuwać, więc nie ma zmartwień. Infantylne przekonanie wieku cielęcego...

– Wiesz, że Klara kochała Wacława? – Chętnie podjęłam wątek. – Uważała, że miłość to nie tylko mówienie ślicznych słówek ukochanej osobie. Że to sprawa bardziej skomplikowana. Za słowami powinny iść czyny. Czy tak?

– Uhm – potwierdziła Zosia. Patrzyła zdziwiona, nie wiedząc, do czego zmierzam.

– Ja też kocham waszego ojca, ale niekoniecznie ciągle wyznaję mu miłość. – Nagle dostrzegłam starannie złożoną w kostkę piżamę Piotra. – A to co tu robi? – zapytałam z nadzieją, że mam omamy. Poczułam ukłucie w sercu.

– Ach, piżama? Tatuś będzie dzisiaj ze mną spać. Już to mamy ustalone! Ostatniej nocy miałam złe sny. Ledwie dowlokłam się do szkoły, więc poprosiłam tatusia, żeby wyjątkowo...

– Tak, tak – przerwałam to godne pożałowania tłumaczenie. Udawałam, że perspektywa kolejnej samotnej nocy nie robi na mnie żadnego wrażenia. Szansa na zwycięstwo istnieje wyłącznie, gdy Zosia przekona się, że jej akcje nie przyniosą oczekiwanego rezultatu, czyli doprowadzenia mnie do granic wytrzymałości psychicznej. Gdybym teraz została podłączona do wariografu, urządzenie czarno na białym wykazałoby symulowany spokój. – A wracając do miłości i świadczących o niej czynów... – kontynuowałam. – Chciałabym, abyś dostrzegła moje starania o stworzenie nam prawdziwego domu, do którego każdy chętnie wraca. I w którym każdy dla każdego się stara. Bez wyjątku.

– Ale ja się staram! – bąknęła.

– O wszystkich? – Spojrzałam znacząco.

– No...

– Chcę, żebyś wiedziała, że sprawiłaś mi przykrość, pomijając mnie przy przygotowaniu kolacji. Poczułam się jak czarna owca. Jak ktoś obcy. A przecież teraz ty, Tadeusz i wasz ojciec jesteście dla mnie najważniejsi. Więc mówiąc „najbliższa rodzina", powinniśmy mieć na uwadze całą naszą czwórkę.

– Ale ja nie wiedziałam, czy pani lubi kanapki z kremem czekoladowym.

– Lubię!

– A skąd miałam wiedzieć?

– Nie musiałaś. Wystarczyło się przekonać.

– A gdyby pani nie smakowały, tobyśmy je wyrzucili? – Głos Zosi stawał się coraz bardziej donośny; uderzyła w wysokie tony. Zanosiło się na pyskówkę, ale postanowiłam utrzymać nerwy na wodzy. Zauważyłam w oczach małej łzy. Patrzyła bezradnie gdzieś za moje plecy, w kierunku drzwi. Odwróciłam się. W progu stał Piotr.

– Co się dzieje? Jakaś kłótnia?

Zmarszczone czoło wskazywało na irytację. Co chwila nerwowo poprawiał okulary.

– Prowadzimy rozmowę w cztery oczy. Tłumaczę Zosi, jak mi przykro, że zapomniała o mnie, robiąc kolację.

Na szczęście Piotr zna córkę od urodzenia, więc łatwiej niż ja wytknie jej niewłaściwość postępowania, odetchnęłam z ulgą. Poza tym, mąż to przecież opoka, na dobre i na złe. Ja wspieram jego, on mnie. A wychowanie dzieci wymaga trzymania wspólnego frontu. Odtworzyłam w myślach własne dzieciństwo. Ojciec stał za mamą murem i odwrotnie, nawet gdy jedno z nich nie wiedziało, o co chodzi. Później najwyżej zamykali się w łazience i dyskutowali. Nie raz i nie dwa docierały do nas odgłosy kłótni, ale zaraz potem następowało porozumienie i powrót, jakby nic się nie stało. Tak, w takich sprawach nie można ze sobą rywalizować ani wysyłać sprzecznych sygnałów. Patrzyłam z nadzieją, słysząc za sobą pochlipywanie Zosi.

– Bo pani Iza się mnie czepia. Prawda, nie przygotowałam dla niej kanapek, ale tatusiu, gdybym je zrobiła, byłyby całe namoknięte. Przecież sama może je zrobić, to tylko chwila... – Pociągnęła nosem. Szloch niebezpiecznie zbliżał się do lamentu.

– Iza, powiedz, o co ci właściwie chodzi? – Piotr zdawał się nie rozumieć. Wstałam.

– Wyjaśniałam Zosi, że przygotowanie kolacji…

– Naprawdę chodzi ci o głupie kanapki? Nie wierzę własnym uszom! Czy to jest sprawa życia i śmierci? – Piotr nakręcał się z każdym zdaniem, a ja skuliłam się w sobie. Oto nadchodzi wojna domowa, a ja nie jestem przygotowana na taką okoliczność. Rodzinne zadymy znam wyłącznie z filmów, książek i opowieści koleżanek. Poza tym reakcja mojego męża była jak grom z jasnego nieba. Czy to naprawdę mój Piotr, którego imię oznacza skałę? W jednej sekundzie uświadomiłam sobie własną naiwność. Owszem, jest opoką, tyle że nie moją. – Doprawdy, Iza, nie spodziewałem się po tobie takiej małostkowości! – kontynuował rozdrażniony. – Co będzie dalej, skoro już teraz przywiązujesz wagę do takich drobiazgów! – Wyminął mnie, podszedł do łóżka i usiadł na jego skraju. Zosia oplotła go ciasno ramionami, jak miś koala pień drzewa.

– Ale… – próbowałam dojść do głosu.

– Iza, kategorycznie mówię: nie ma żadnego ale! Już dobrze, córeczko. Nie płacz. Już dobrze… – uspokajał. Gdy wycofywałam się z pokoju, Zosia otworzyła oczy i spojrzała na mnie zza jego pleców. W jej wzroku była nie tylko miłość do ojca, ale i cień tryumfu ze zwycięstwa. A może tylko mi się wydawało?

Nie zmyłam nawet makijażu. Poszłam prosto do sypialni i z ulgą zrzuciłam z siebie ciuchy w barwach bakłażana i granatu. Przebrałam się w piżamę, opadłam na łóżko i przykryłam kołdrą po same uszy. Oczywiście, o śnie nie było mowy.

Sytuacja nie mieściła mi się w głowie. Jasny gwint! Czy naprawdę zasługuję na opinię macochy, której priorytetem jest gnębienie pasierbicy i doprowadzanie jej do łez? Czy jestem dla niej tylko złem koniecznym? Nie tak wyobrażałam sobie nasze życie. Nie chciałam takich problemów. A miało być miło. I przecież staram się z całych sił. W końcu ktoś to powinien docenić! A tymczasem jestem dyskryminowana. Jasne, najlepiej mnie zlinczować i święty spokój! Moje oczekiwania bardzo, ale to bardzo rozminęły się z rzeczywistością. Mieliśmy się dogadywać, a wychodzi na to, że muszę ustąpić! Nie mam prawa do dyskusji ani do własnego zdania. Mam ograniczone kompetencje. Jednak geny górą. Jak sama, bez ich pomocy, mam zbudować szczęśliwą rodzinę? Może Aga mi coś poradzi? Tylko co? Mamy dać sobie czas? Ile? Dziesięć lat? Czy do śmierci?

Wierciłam się w łóżku, za wszelką cenę próbując znaleźć dogodną pozycję i zasnąć mimo natłoku myśli. Klamka przy drzwiach poruszyła się delikatnie. Zamarłam. Starałam się oddychać rytmicznie.

– Iza… – Obok łóżka przykucnął Piotr. Poczułam jego zapach i oddech. – Iza, śpisz? – zapytał szeptem. Nie miałam ochoty na konwersację. Nie po tym, co się wydarzyło przed chwilą. Potrzebowałam czasu na przemyślenie i uporządkowanie emocji. – Iza, kochanie, zdenerwowałaś się. Ale spróbuj mnie zrozumieć. Zosia wychowuje się bez matki. Ma za sobą bardzo traumatyczne przeżycia. Wiem, że udajesz. Słyszysz mnie? Ona potrzebuje wsparcia i pomocy. Chyba nigdy nie pogodzi się ze stratą. I ty, i ja musimy się postarać, by nie dostarczać jej kolejnych stresów. – Piotr usiadł na skraju łóżka i pogładził moje włosy. Jak maluchowi, któremu trzeba wytłumaczyć, że pokazywanie języka jest niegrzeczne. – Musimy ją kochać i chronić. Chcę, żeby była normalną, uśmiechniętą, pełną życia dziewczynką. Zosia i ty jesteście kobietami mojego życia. – Nachylił się i pocałował mnie w usta. – Proszę cię, nie zachowuj się jak rozkapryszone dziecko, mamy ich w domu dwoje... Ustąp i nie czepiaj się bzdetów.

– To nie był bzdet! – nie wytrzymałam. – Doskonale wszystko rozumiem. Wiem, jak to jest stracić matkę i co się wtedy czuje. Ale sam fakt, że ona znalazła się w takiej sytuacji, nie upoważnia Zosi do idiotycznej wyliczanki: temu zrobię kolację, a temu nie!

– Jeżeli jesteś głodna, przyniosę ci jabłko albo jogurt.

– Niczego nie zrozumiałeś! – Poziom adrenaliny w moim organizmie wzrastał błyskawicznie. – Chodzi o podstawową rodzinną zasadę: wszyscy o sobie myślimy i nawzajem dbamy o siebie!

– Ale to jest szczegół!

– Ze szczegółów składa się życie!

– Nie bądź taka drobiazgowa. To do niczego nie prowadzi!

– Czyli mam ustępować i nie egzekwować niczego? – zadałam pytanie kończące. – A nie! Byłabym zapomniała! – Podniosłam zaciśniętą pięść i znacząco puknęłam się w czoło. – Mogę jeszcze dzieciątko przytulić, pochwalić i pogładzić po główce!

– Iza.

– Co?

– Przeginasz! Przeginasz i to zdrowo! Słuchaj, ustalmy coś: nie życzę sobie więcej takich scen. Nie mam do nich ani nerwów, ani siły, ani zdrowia, ani czasu! Musicie się dogadać same. Ja chcę spokoju.

– Po pierwsze, ustalenie jest twoje, nie nasze – powiedziałam głośno i wyraźnie. – Po drugie: zrozum, nie chcę jej krzywdzić. Z całego serca pragnę jej szczęścia. A nam wszystkim życzę powodzenia w tworzeniu szczęśliwej rodziny.

– To czemu się czepiasz głupich kanapek?

– Mówiłam, nie chodzi o...

– Wiem, co mówiłaś – przerwał mi tonem cierpiętnika. – Wczuj się w moje położenie. Nie jest mi łatwo. Jak między młotem a kowadłem. I muszę wybierać stronę, po której stanę!

– Nie musisz.

– Nie rozumiem...

– Nie musisz. Zawsze stajesz po jej stronie.

– Nieprawda!

– To czemu nie stanąłeś po mojej?

– Iza, przestań. Nie spodziewałem się, że z ciebie taka awanturnica. Ale taka słodka... – Pocałował mnie przymilnie. – Ach, te kobiety! Co ja z wami mam! – próbował załagodzić sytuację. – Muszę już iść do Zosi, bo beze mnie nie zaśnie. – Wstał i zrobił krok w stronę drzwi, ale zawrócił i przysiadł. – Jeszcze jedno. Na jutro na osiemnastą jesteśmy zaproszeni do włoskiej restauracji na imprezę z okazji obrony pracy doktorskiej. Pójdziemy, prawda?

– Uhm – potwierdziłam z ulgą, że to „jeszcze jedno" nie było związane z dalszym uświadamianiem mi, jak bardzo parszywy mam charakter.

– To dobrze. Rozerwiemy się, zatańczymy zorbę...

– Przecież zorba to nie włoski taniec, tylko grecki – roześmiałam się wreszcie.

– A kto nam zabroni tańczyć zorbę we włoskiej restauracji? Kocham cię. Miłych snów! – Pocałował mnie na dobranoc i już go nie było.

Zrobiło mi się lżej na duszy. Może jednak będzie dobrze? Ale nadal miałam kłopot ze snem. Mogłam liczyć barany, na przemian czarne i białe, tyle że nie miałam ochoty na rachunki. Przypomniał mi się inny, doskonały i pyszny sposób łagodzenia stresu.

Cichaczem wyszłam z sypialni i przemknąwszy przez przedpokój, dotarłam do kuchni. Otworzyłam jedną z szafek i spojrzałam na specjalnie przeznaczoną na nie półkę. Słodycze! Załadowałam do kieszeni piżamy: garść galaretki w czekoladzie (mniam!), kilka pralinek z tym sztucznym, wspaniałym, różowym nadzieniem (uwielbiam!) i jeden batonik z musli (dla zdrowia!). Wróciłam do łóżka, rozkoszując się chwilą. Czemu moja przyjaciółka Renia zawsze powtarza: „minutę w buzi, a całe życie w biodrach"? Co ona tam wie! Może i minuta, ale za to jaka...! Skończyłam nieprzyzwoicie przesłodzona i natychmiast zaczęłam uspokajać wyrzuty sumienia: przecież to nie całkiem puste kalorie, to również bogate źródło magnezu, żelaza i wapnia. Najważniejszy, oczywiście, magnez. Bez niego na pewno dostałabym drżenia łydek, a później bolesnych skurczów. Nie mówiąc już o zaburzonym rytmie serca. Patrząc na papierki po słodyczach rzucone na szafkę nocną, pomyślałam, że w sloganie „Chcesz schudnąć, zostań macochą" jest jednak sporo niekonsekwencji. Z nawiązką nadrobiłam niezjedzoną kolację. Jasny gwint! A może to początki zaburzeń łaknienia? Zaczęłam się śmiać. Jestem łakomczuchem i tyle!

– Iza, kochanie, naprawdę podobają ci się te obrazki? – Piotr wziął do ręki dwie akwarele w antyramach, które zabrałam z jego mieszkania wiedziona intuicją, że to dzieła Ewy.

– No tak! Nawet bardzo! – Pomodliłam się w duchu, aby zachwyt wypadł naturalnie, bo prawdę mówiąc, nie gustuję w takim malarstwie. Nie chciałam urazić ani uczuć Piotra, ani pamięci jego zmarłej żony.

– I chcesz je powiesić?

– Rzecz jasna. Oczywiście! – Na szczęście stałam akurat nad prasowaniem, więc odwróciłam głowę. Coś mi mówiło, że Piotr mnie testuje.

– A gdzie, jeśli mogę wiedzieć?

– A gdzie chciałbyś? Może w salonie?

– Dlaczego mówisz, że chciałbym? – dopytywał jak zwykle. Wszystko musiało być jasne. – Wiesz, moim zdaniem, w salonie powinno wisieć coś ładnego. Tam mamy przyjemnie spędzać czas, przyjmować gości i tak dalej. Martwi mnie odmienność naszych gustów...

– I nic innego się nie liczy? – Przerwałam prasowanie i spojrzałam na niego. Skąd w Piotrze taka bezduszność? Jestem w stanie zrozumieć brak sentymentów do poprzedniego mieszkania, to w końcu tylko ściany. Ale do mojej poprzedniczki, którą przecież kochał? Jasny gwint! To nie mieści się w głowie! – A gdybym to ja je namalowała, nie zyskałyby w twoich oczach?

– Jeżeliby mi się nie podobały... Dlaczego miałbym kłamać?

– Posłuchaj! – Wkurzyłam się na dobre. Piotr patrzył i jak każdy facet nie rozumiał, że większość zdań wypowiadanych przez kobiety składa się z tak zwanych podtekstów. – Nie można tak patrzeć na życie. Choćby ze względu na Ewę, która przez wiele lat była twoją żoną i urodziła ci dwójkę zdrowych i inteligentnych dzieci – tłumaczyłam kłótliwie. – Te obrazy powinny być wyeksponowane! Rozumiesz znaczenie tego słowa?

Oto stałam się adwokatem przebywającej w zaświatach Ewy! Jeśli ona patrzy z tamtego wymiaru, musi czuć się nieźle zdołowana...

– Iza, są momenty, kiedy naprawdę cię nie rozumiem!

– Nie sądziłam, że możesz być taki ciemny! Jakim cudem z tak marnym potencjałem mózgowym możesz robić karierę naukową?

– Iza! Przeginasz! – Roześmiał się, choć mnie wcale nie było do śmiechu.

– Dobra. – Zrezygnowana opadłam na krzesło. – Wytłumaczę ci to łopatologicznie. Może wtedy to pojmiesz. Ewa starała się, obserwowała te widoki i kwiaty, i Bóg wie co jeszcze robiła, aby namalować te obrazki. A ty, tak po prostu, wyrzucasz efekty jej pracy do kosza?

– Iza, co ja z tobą mam! – Podszedł bliżej i usiadł na podłodze naprzeciwko. Ku mojemu przerażeniu zaczął się głośno śmiać. Reakcja była niewspółmierna do sytuacji, więc popatrzyłam zdumiona. Czy naprawdę Piotr, zamiast uczuć, ma w sercu lód?

– To wcale nie jest zabawne!

– A właśnie, że jest! – Ponowna kaskada rechotu. – Bo Ewa nie namalowała ani tego, ani niczego innego! Kupiłem to na festynie w przedszkolu, gdy dzieciaki były jeszcze małe! Ot, taki sposób pozyskania funduszy na zakup krzesełek czy podobnych sprzętów. To oprawione prace przedszkolaków! Iza, z tobą, jak pragnę zdrowia, nie można się nudzić!

Oniemiałam, ale po chwili już śmiałam się do łez. Ze swoich pokojów przybiegły zaniepokojone dzieciaki i popatrzyły na nas zdziwione.

– Co się stało? – zapytała Zosia.

– Iza... – Piotr starał się opanować niepowstrzymaną wesołość. – Urządziła wcale niezły kabaret.

– Prosimy o powtórkę! – Tadeusz sadowił się na dywanie.

– Niestety, rzecz jest nie do powtórzenia. Ale zrekompensujemy sobie jej brak budyniem. Będziemy mieli miły podwieczorek!

Chichotałam jeszcze, gotując mleko, choć było mi trochę wstyd z powodu mojej niedoskonałej intuicji. A może nie potrafię odczytywać wysyłanych przez Ewę znaków? Tak czy inaczej, uśmialiśmy się z Piotrem do łez!

– Naprawdę nie mam co na siebie włożyć! – zawołałam w nadziei, że golący się w łazience Piotr mnie usłyszy i przybędzie na pomoc. Na przemian gmerałam bezradnie to w ubraniach, które miały już szczęście wylądować w szafie, to w zawartości dwóch foliowych worów w rozmiarze XXL, przed chwilą wyrzuconej przeze mnie na środek sypialni. – Kompletne zero! – wydzierałam się, aż w końcu przyszedł i stanął nad ciuchami z namydloną twarzą. Impreza z okazji obronionego przez kogoś tam doktoratu rozpoczynała się za godzinę.

– Iza, mówisz jak uosobienie kobiecości! – roześmiał się.

– Jak jesteś taki mądry, to coś wybierz!

– A to czerwone? To, co leży obok twojej prawej nogi? Myślę, że jest ekstra…

– Tak, kochanie! Po prostu strzał w dziesiątkę! – powiedziałam z przekąsem.. – Zaraz się w to odzieję. Jeśli będę wyglądała wystarczająco szałowo, problem z głowy. Hura! – wykrzyknęłam zirytowana, zrzucając dżinsy i koszulkę. Na bieliźnie oplotłam błyskawicznie wybrane przez Piotra pareo, czyli dużą chustę plażową: dwa jej końce zawiązałam na jednym ramieniu, a resztę udrapowałam swobodnie wokół bioder. Uwielbiam pareo i zawsze zabieram je na plażę. Chroni mnie przed nadmiernym słońcem i pozwala uniknąć bąbli i schodzącej płatami skóry. – I jak? – zapytałam, okręciwszy się wokół własnej osi.

– A reszta?

– Jaka reszta? To kompletna kreacja. A! Zapomniałabym! Mogę jeszcze pod spód założyć bikini... Co, nie? Nieodpowiednia kiecka na lutową imprezę? – Spojrzałam na skołowanego Piotra i wybuchnęłam śmiechem. – A ty mógłbyś założyć plażowe bokserki w delfinki. Tworzylibyśmy całkiem zgraną parę!

– Iza, nie znam się na babskich fatałaszkach, ale mam pomysł! Wiem, w czym zabłyśniesz! Załóż suknię, w której brałaś ślub.

– Żartujesz, prawda?

– Wcale! – przerwał. – Wyglądałaś w niej olśniewająco i bardzo oryginalnie.

– Ale ślubnej kiecki nie zakłada się ponownie, a poza tym... – Ugryzłam się w język, żeby nie dodać, że już ją oddałam do wypożyczalni. – Poza tym wyglądałabym niestosownie.

– Aha, tym razem ja cię nabrałem! Przecież nie mówiłem poważnie! – W jego głosie brzmiała nuta satysfakcji.

– No, no... Robisz postępy! – pochwaliłam nieszczerze. – Dobra, jakoś sobie poradzę, a ty skończ się golić. – Pęcherzyki białej piany znikły, policzki Piotra zdążyły wyschnąć. – Mam tylko prośbę: nie siedźmy tam zbyt długo. Nie cierpię towarzystwa zadufanego w sobie, wolę się bawić, a nie na siłę przebywać z kimś, kto ma wygórowane mniemanie o sobie. Myślę o tym waszym dyrektorze instytutu, profesorze Droździe, o którym mi opowiadałeś. I jakoś nie wydaje mi się, żeby reszta była lepsza...

– Iza, po pierwsze on się nie nazywa Drozd, tylko Dudek, a po drugie nie będzie tak źle. A po trzecie, moje szczęście, zbieraj się, bo się spóźnimy! – dodał rozbawiony, wychodząc z sypialni.

Gdy już zostałam sama, zrugałam się w myślach, że o sobie zawsze myślę na końcu. Całe popołudnie zajmowała mi proza rodzinnego życia, czyli usuwanie gumy do żucia z bluzy Tadeusza, uodpornianie wszystkich (oprócz mnie) na grypę i infekcje, czyli przygotowanie świeżego soku z marchewki, następnie mycie sokowirówki, czyszczenie kuchni i nakłanianie towarzystwa do wypicia specjału. W biegu przerobiłam z Tadeuszem kilka zadań z chemii organicznej, nałożyłam Zosi maseczkę łagodzącą objawy trądziku (w ramach testowania produktów naszego laboratorium) i wyprasowałam Piotrowi koszulę. Tymczasem sama pozostawałam w totalnej rozsypce i nie miałam najmniejszej ochoty na wyjście. Prawdę mówiąc, chciało mi się poleniuchować. Przecież to nie moje towarzystwo, zbuntowałam się, czeka mnie niezła męczarnia. Choć jeszcze nie opuściłam domu, już marzyłam o powrocie. Z drugiej strony, powinnam pomyśleć o wszystkim wcześniej. Jasny gwint! Co na siebie włożyć? Nie mogę wyglądać jak uboga krewna, ale nie wypada wystroić się jak stróż na Boże Ciało!

Na szczęście w ostatniej chwili przypomniały mi się zestawy przygotowane przez Zosię na wywiadówkę. Tak, ten drugi! Koktajlowa, prosta sukienka do kolan, z dekoltem w łódkę, bolerko, srebrna biżuteria i klasyczne czółenka były idealne. Kamień spadł mi z serca. Ubierałam się, jednocześnie przesuwając nogą pod ścianę stertę ciuchów i obiecując sobie zająć się nimi w najbliższej wolnej chwili. Ubrania Piotra, Zosi i Tadeusza zdążyły już trafić na swoje miejsca, ale moje, oczywiście, leżały rzucone byle gdzie. Dobra, dość użalania się nad sobą! Wyciągnęłam z szafki szkatułkę ze srebrną biżuterią i wybrałam skromny komplet z cyrkoniami – kolczyki i zawieszkę na łańcuszku. Podniosłam dłonie do prawego ucha, żeby po omacku założyć pierwszy kolczyk.

– Gotowa? – usłyszałam za sobą głos Zosi.

– Prawie! – Odwróciłam się, próbując trafić cienkim haczykiem w dziurkę. – Korzystam z tego, w czym nie poszłam na wywiadówkę. Dzięki za gotowca!

– Proszę to odłożyć! Tylko nie to! – Zosia patrzyła przestraszona w kierunku mojego prawego ucha, jakbym wbijała dzidę w głowę, a przez ranę wypływał mi mózg.

– Co znowu? – Zrezygnowana opuściłam ręce.

– To nie jest biżuteria dla pani. Naprawdę. Nawet taki ignorant jak Tadeusz by to potwierdził. Takie coś noszą kilkulatki, a nie... – Zawahała się, wzięła głębszy oddech i dokończyła nieco zażenowana: – ...starsze panie.

– Starsze panie?! – Ledwie powstrzymałam wybuch śmiechu. – Wiem, wiem... W twoim wieku każdego po maturze uważałam za starego pryka! – Starałam się załagodzić, bo na policzki Zosi wypełzł rumieniec wstydu.

– Nie chciałam pani obrazić...

– Wiem. Przywilej wieku i tyle. Nic się nie stało. Chodź, pomożesz mi wybrać coś innego. – Odłożyłam biżuterię na nocną szafkę i wzięłam się za przeglądanie zawartości szkatułki.

– Iza! Jestem gotowy! – Z głębi korytarza dobiegł nas tryumfalny okrzyk Piotra.

– Jeszcze chwilkę, tatusiu! – odkrzyknęła Zosia.

– Co ty robisz w sypialni? Znowu jakieś babskie sprawy?

– Dokładnie!

– Naprawdę moment! – wtrąciłam się. – Tymczasem idź do kuchni i wypij resztkę soku. To dobrze działa na karnację!

– Proszę chwilkę zaczekać – szepnęła Zosia. – I poprawić makijaż, bo nos trochę za bardzo błyszczy – dodała, wychodząc.

Przejrzałam się w lustrze. No, całkiem, całkiem, chociaż może powinnam trochę bardziej popracować nad włosami... Nie było czasu, więc tylko przejechałam po nich szczotką. Przypudrowałam nos i czoło, poprawiłam konturówkę na ustach i psiknęłam perfumami za uszy i na nadgarstki.

– To będzie dobre. Stosowne. Proszę założyć. – Zosia zdążyła wrócić. Na rozpostartej dłoni leżał śliczny komplet ze srebra, masy perłowej i onyksu. – Tylko szybko, bo tatuś jest już zły jak głodny lew! – Z niepokojem odwróciła się w stronę drzwi.

– A co? Wydaje ryki? Jakoś nie słyszę! – roześmiałam się.

– Nie. Siedzi w kuchni i nerwowo postukuje palcami o szklankę! – Zręcznie owinęła mi wokół dłoni bransoletkę i zapięła szybciutko. – Proszę nieco unieść włosy, założę naszyjnik. Tak, dobrze. Jeszcze tylko pierścionek... Gotowe! Proszę się przejrzeć w lustrze!

– To naprawdę wyjątkowa rzecz. Miałaś rację, tamten komplet nie pasował. Dzięki! – Odwróciłam się i niepewnie zrobiłam pół kroku. Nie zamierzałam zaprzątać sobie głowy, czym spowodowana jest Zosina troska, zapragnęłam przytulić małą. W naszych oczach była nieznana dotąd czułość... Uśmiechnęłam się, położyłam jej dłoń na ramieniu, delikatnie przyciągając do siebie. Najpierw poczułam napięcie, później bezwładność szmacianej lalki. Przytuliłam mocniej i w tej samej chwili odrętwiałe ciało ożyło. Zosia przywarła do mnie, a ja zrozumiałam, że to jeszcze dziecko, które potrzebuje poczucia bezpieczeństwa w ramionach dorosłego.

– Iza! Taksówkarz się wkurza. Zadzwonił i powiedział, że jeżeli zaraz nie zejdziemy, to odjeżdża. Ja zakładam buty! – Chwilę intymności zburzyło pokrzykiwanie Piotra.

– Muszę już iść! – Pocałowałam Zosię w policzek. – Uważajcie na siebie i dzwońcie w razie czego – dodałam ciepło.

– Przyjemnej zabawy. A ten komplet, który teraz ma pani na sobie, mamusia dostała od babci na urodziny – wyszeptała.

W taksówce zamyślona obracałam powoli na palcu pierścionek należący kiedyś do pierwszej żony Piotra. Był jej cząstką, podobnie jak pozostałe części zestawu, czyli bransoletka i naszyjnik. Słyszałam opowieści o kumulowanych w biżuterii emocjach i przeżyciach osoby, która ją nosi, nie zawsze pozytywnych. Dotyczy to ponoć zwłaszcza pierścionków, zamkniętych kręgów, konstrukcji, która sprzyja gromadzeniu energii. Podobno ta swoista pamięć błyskotek oddziałuje na kolejnego użytkownika, przekazując mu i łzy, i miłość, i zazdrość, i zło, i odwagę, i dobroć. Może mu zapewnić nietykalność i ochronić go przed wszelkim złem (jak słynny pierścień Atlantów), przynieść mu szczęście, fortunę, zdrowie, albo – wręcz przeciwnie – niefart, zrujnowane zdrowie i łzy. Ot, taki łańcuszek szczęścia albo nieszczęścia...

Jak by to było, gdybyśmy pozostali w mieszkaniu należącym kiedyś do Piotra i Ewy? Podobno ściany też mają pamięć i gromadzą w sobie cząstkę energii poprzednich lokatorów… Czy Piotr, który tak bardzo kochał moją poprzedniczkę, darzyłby mnie równie silnym uczuciem? Albo przeciwnie, nie mógłby na mnie patrzeć? Coś w tym musi być, skoro nalegał na zmianę mieszkania i postawił na swoim. Dziwne.

Ciekawe, co nagromadził w sobie pierścionek Ewy. Dotykałam go uważnie, próbując wyczuć jakąkolwiek wibrację. Pasował idealnie. Nie był ani za ciasny, ani za szeroki. A przede wszystkim – ja go dostałam. A raczej pożyczyła mi go Zosia, która nie przestaje być dla mnie tajemnicą. Co ona naprawdę myśli? Nie, nie posądzałam jej o złośliwość, o chęć zepsucia mi wieczoru informacją o właścicielce biżuterii, wolałam interpretować to jako gest dobrej woli. Mam wrażenie, że mała nabiera do mnie zaufania i sympatii. Pomimo różnych sytuacji odczuwam zacieśniające się pomiędzy nami więzy.

– Jesteś zdenerwowana? – Z zamyślenia wyrwał mnie głos Piotra.

– Nie. Dlaczego tak sądzisz? – Popatrzyłam na niego nieprzytomnie.

– Bawisz się pierścionkiem, myślami jesteś daleko. – Nakrył dłonią moją dłoń. – Rozumiem, że peszy cię perspektywa przebywania w nieznanym towarzystwie, więc jeżeli nie zechcesz, nie będziemy długo. Oczywiście, nie wypada ulotnić się wcześniej od profesora, ale o to się nie martw. Zawsze przychodzi z żoną i tylko na symboliczną kawę. Siedzą zaledwie chwilę i ku uciesze wszystkich znikają. Atmosfera się oczyszcza i zaczyna być normalnie. Mnie osobiście on ani jego żona nie przeszkadzają. Jestem przyzwyczajony, ale dla większości ich obecność jest krępująca.

– A wyjdą przed dziesiątą? – przerwałam w nadziei na spędzenie późnego wieczoru w domu, na całkowitym obijaniu się, a nie wysiadywaniu wśród sztywniaków.

– Szczerze ci powiem, że nie wiem, czy jeszcze będzie. Jesteśmy spóźnieni, więc może zdążył już pójść. Żartuję oczywiście. – Uśmiechnął się szeroko. – Ale za godzinę albo półtorej nie będzie po nim śladu. Podoba mi się natomiast, że zawsze towarzyszy mu żona i bardzo, ale to bardzo chciałbym, by i u nas stało się to regułą. – Podniósł moją dłoń, tę z pierścionkiem Ewy, do ust i pocałował. Położył ją na swoim kolanie i czule oplótł palcami.

– Piotr, a możemy się umówić, że o dziesiątej powiesz, że boli mnie głowa i wychodzimy? – zapytałam już w całkiem dobrym nastroju, bo sprawy zaczynały się układać.

– Dobrze – uspokoił mnie machinalnie.

– Obiecujesz?

– Oczywiście, Ewuniu. Skoro tak chcesz...

Gwałtownie odwróciłam się w stronę Piotra, oczekując sprostowania. Nawet nie zauważył, że nazwał mnie imieniem pierwszej żony. Czyżby zadziałała wibracja energii skumulowanej w pierścionku? Czy rzeczywiście połączyła ich na nowo niewidzialna nić? Nie miałam pojęcia. A może to tylko przypadek? Podświadoma tęsknota do jej dotyku, zapachu, głosu i gestów? Przeżył z nią w końcu tyle czasu, przez lata, miesiące, tygodnie, godziny i minuty wypowiadając to imię tysiące razy... Moje imię i moja obecność są dla niego czymś nowym, do czego musi dopiero przywyknąć. Nie mam pretensji, ale powinien się dowiedzieć, co powiedział.

– Piotr...

– Dobrze Izuniu, już się umówiliśmy. O dziesiątej zaboli cię głowa i w nogi. Wprawdzie to prozaiczna wymówka, ale niech będzie.

Dałam sobie spokój. Chyba zaczynam się przyzwyczajać do ciągłego natykania się na ślady obecności Ewy...

– Byliśmy pani bardzo ciekawi – powiedział konspiracyjnie profesor Dudek.

Posadzono mnie pomiędzy profesorostwem. Spodziewałam się pary staruszków, a tymczasem na moje oko on nie skończył jeszcze sześćdziesiątki, zaś ona była co najmniej o kilka lat młodsza. Piotrowi przypadło miejsce tak odległe, że nawet nie miałam go w zasięgu wzroku. Musiałam sobie jakoś radzić.

– I vice versa – odpowiedziałam z uśmiechem, zastanawiając się, jak długo będę zmuszona do prowadzenia tej bezsensownej konwersacji, niechybnie zmierzającej do omawiania warunków pogodowych. Jeszcze w szatni, zdejmując płaszcz, zapytałam o godziny działania lokalu, mając nadzieję, że fortel z bolącą głową nie będzie potrzebny, ale rozczarowałam się srodze. „Teoretycznie do drugiej, ale praktycznie do ostatniego gościa", usłyszałam.

– Postanowiliśmy z żoną – kontynuował profesor – że dzisiaj zaszalejemy i posiedzimy dłużej niż zwykle. Lata uciekają i trzeba korzystać z czasu, który nam pozostał. Dzieci już poszły na swoje, nie absorbują nas tak bardzo, więc wypada sobie osłodzić dojrzałość.

– I słusznie – skomentowałam uprzejmie, stwierdzając w myślach, że mam wyjątkowego pecha. Primo: siedzę na najgorszym miejscu, zgodnie z zasadą „kto późno przychodzi, sam sobie szkodzi", secundo: przede mną jeszcze ponad trzy godziny tej męczarni. Rozejrzałam się dokoła. Wszyscy siedzieli z minami skazańców, gmerając widelcami w talerzach, jakby to był ich ostatni posiłek przed egzekucją. Niby powinien smakować, a staje w gardle, bo okoliczności nie takie... Ponoć wchłanialność jest wówczas niskoprocentowa, ale po co delikwentowi kalorie na tamtym świecie?

Chciało mi się zawołać w kierunku Piotra o pomoc. Nie miałam pojęcia, o czym konwersować z profesorem. O jego najnowszych publikacjach czy co? Gdybym siedziała przy stole w gronie moich współpracowników, moglibyśmy na przykład zastanowić się nad składem testowanej maseczki przeciwtrądzikowej, aby nie powodowała pieczenia twarzy (jak dzisiaj u Zosi). Wprawdzie Piotr przy obiedzie wspominał, że profesor ma hopla na punkcie przemian religijnych na terenie północnego Kaukazu, ale nie miałam o tym zielonego pojęcia. Może powinnam poczytać coś wcześniej na ten temat, by nie wyjść na kompletną ignorantkę, ale czy on przygotował się do rozmowy na temat możliwości usunięcia zmarszczek bez zastrzyków i skalpela albo sensu stosowania kremu ujędrniającego biust?

Kelner w średnim wieku obchodził stół, trzymając karafkę z białym winem w jednej ręce, a z czerwonym w drugiej. Jego profil przypominał faceta, który pomagał mi wyrzucać śmieci pod blokiem Piotra. No tak, w sumie w dalszym ciągu nie wiedziałam, kim naprawdę jest tamten gość. Oszołomem? Złodziejem? Zboczeńcem? Podglądaczem? Gdyby ten tutaj założył zieloną puchową kurtkę i urósł o jakieś dziesięć centymetrów, byłby całkiem podobny. Mimo woli spojrzałam na niego z nadzieją, że dostrzegę choć iskrę słynnej włoskiej witalności i uszczknę z niej nieco. Zawiodłam się. Mężczyzna był niemrawy i najwyraźniej znudzony. Całości dopełniał strój: czarne spodnie w kant, czarna kamizelka i biała koszula ze stójką. Bardziej przypominał wypalonego zawodowo i nisko opłacanego pracownika zakładu pogrzebowego... Na domiar złego z głośników sączyła się melancholijna muzyka poważna z dominującą partią skrzypiec.

Z nostalgią powróciłam myślami do organizowanych przeze mnie i Agę imprez tematycznych typu „hawajskie swawole", gdy w środku zimy, w tekturowych kapelusikach przyozdobionych kolczastymi liśćmi ananasa i skórkami bananów, odziani w stosowne na upał kolorowe koszule i sukienki w kwiatki, przy gorących rytmach polinezyjskiej muzyki bawiliśmy się do białego rana. Podobno tańczyliśmy słynny taniec hula, którego, oczywiście, nie znał nikt. Zresztą nie miało to znaczenia. Wystarczała wyobraźnia i drinki z wódki wymieszanej z sokiem bananowym czy ananasowym...

Wspomnienia kusiły, by ból głowy udać natychmiast, ale obsztorcowałam się w duchu za wprawdzie wygodne dla mnie, za to dla Piotra mało komfortowe rozwiązanie. Postanowiłam wytrwać, podobnie jak przed laty wycierpieć aż pięć dni na diecie bez węglowodanów. Zostałam skazana wyłącznie na profesora Dudka, ponieważ jego żonę zajęła rozmową sąsiadka po lewej. Ze strzępków zdań wnioskowałam, że panie spierały się, czy w lutym lepiej używać w kuchni warzyw przechowywanych od jesieni w magazynach, czy korzystać z mrożonek. Dyskutowały tak zapalczywie, jakby zależało od tego ich życie. Nie zamierzałam się przyłączać, chociaż jako chemik potrafiłabym uzasadnić pogląd o wyższości mrożonek nad magazynowaną zieleniną, pozbawiając tym samym jedną stronę argumentów.

– Wino białe czy czerwone? – Kelner stanął za profesorem i czekał bez entuzjazmu na decyzję.

– Zdaję się na pani gust – zwrócił się do mnie z uśmiechem Dudek. – Ja się dostosuję.

– No cóż... Może czerwone. Albo lepiej białe... – zastanawiałam się. Kolor wina nie powinien być głównym kryterium selekcji, ważniejsze, do czego jest podawane. Wybór białe czy czerwone jest dobry

na pierwszorocznej studenckiej imprezie integracyjnej. Nie jestem koneserem, ale kindersztuba zrobiła swoje.
– Proszę nam podać jedno i drugie – zadysponowałam zrezygnowana. – Spróbujemy, to przynajmniej dowiemy się, które nam bardziej smakuje.

– I to mi się podoba. Za nasze spotkanie! – Profesor stuknął lekko kieliszkiem z czerwonym trunkiem w mój.

– Za spotkanie i za świeżo upieczoną panią doktor Gabrysię. Oby zawsze miała takich fajnych gości jak dziś! Pijemy, bo się odzwyczaimy! – Podniosłam kieliszek do ust.

Wino zalatywało wonią zapalanej zapałki, ledwie wyczuwalną, ale nos chemika niełatwo oszukać. Producent przegiął i dodał za dużo dwutlenku siarki. Cóż jednak robić? Pociągnęłam spory łyk.

– Dobre! Pijemy, bo się odzwyczaimy! – powtórzył za mną Dudek, ożywiony, jakby ktoś prosto w serce zaaplikował mu potężną dawkę adrenaliny. – Naprawdę świetne! Jeszcze tego nie słyszałem! – Wstał, poprawił garnitur, wziął łyżeczkę i znacząco postukał w na wpół opróżniony kieliszek, skupiając na sobie uwagę gości. Wszyscy patrzyli wyczekująco; po minach widać było, że spodziewają się długiej i nudnej przemowy, bo usadowili się wygodniej. Niektórzy nawet zaopatrzyli dłonie w serwetki, byle tylko zająć je czymkolwiek podczas wywodu. Jednak profesor tylko popatrzył rozbawiony.
– Proszę państwa! Pijemy, bo się odzwyczaimy! – Uniósł kieliszek, opróżnił błyskawicznie i rozluźniony opadł

na krzesło, wprawiając gości w osłupienie. Nastała chwila ciszy. Konsternacja. Wszyscy oczekiwali dalszego ciągu.

– Proszę jeszcze coś powiedzieć! – Trąciłam go dyskretnie.

– Proszę państwa! – Dudek wstał ponownie, tym razem wznosząc kieliszek z białym winem. – Życzmy pani doktor Gabrysi, wielkiemu autorytetowi w kwestii odchodzących w zapomnienie obrzędów barbórkowych, żeby zawsze miała takich fajnych gości! Zatem raz jeszcze: fantastycznej zabawy! – Jednym haustem wypił zawartość kieliszka. Obecni odetchnęli z ulgą i zareagowali chichotem. Duszna atmosfera odeszła w zapomnienie. Jakimś cudem udało mi się nawiązać kontakt wzrokowy z kelnerem, więc dałam mu znać, żeby dolał Dudkowi wina. – A pani się, widzę, oszczędza. – Profesor trącił na nowo napełnionym kieliszkiem w mój z czerwonym winem. Ten z białym stał wciąż nienaruszony. – Nieładnie, oj, nieładnie!

– Nic podobnego. Napijmy się razem. Człowiek nie kaktus, musi pić!

Powiedzonko z brodą ponownie wywołało wesołość.

– Nie tak sobie panią wyobrażałem! – wypalił Dudek, rozluźniając krawat.

– A jak? – zapytałam zaczepnie.

– Inaczej.

– Czyli?

– Jako damę wyniosłą, majestatyczną. No, tak stereotypowo…

– Stereotypowo... – powtórzyłam. W moim mózgu zapaliło się czerwone światełko. – Który stereotyp ma pan na myśli?

– No... Drugiej żony, która... no, opiekuje się, po części matkuje... – zawahał się i zaczerwienił, najwyraźniej zastanawiając się, jak wybrnąć z niezręcznej sytuacji.

– Czyli po prostu macochy? – zareagowałam błyskawicznie.

– Nie chciałem użyć tego określenia...

– Dlaczego?

– Jeśli mam być szczery, całkowicie prawdomówny, a taki jestem, to niestety potwierdzam: stereotyp macochy ma wydźwięk pejoratywny, czyli inaczej mówiąc ujemny. Mówimy „macocha"... – Spojrzał mi głęboko w oczy. – Ale proszę absolutnie nie brać tego do siebie, a mamy na myśli kogoś złego, okrutnego, złośliwego, podłego, tandetnego, rozwścieklonego. Po prostu nagannego. Kogoś, kto potrafi bez wyrzutów sumienia zmienić życie przybranych dzieci w koszmar. Zaryzykowałbym twierdzenie, że to powszechny wizerunek. Nie ma się zresztą co dziwić, jeśli nawet rodzona matka straszyła mnie, że jak nie przestanę rozrabiać, to ona umrze, ojciec ożeni się ponownie, a macocha odda mnie Cyganom. Bo nie będę wtedy synem, tylko gębą do wykarmienia. Albo taka rosyjska baśń z dzieciństwa o Nastce poniewieranej przez macochę bez miłosierdzia. Nieakceptowanej, z premedytacją wysłanej do Zimowego Lasu na śmierć. Na szczęście Nastka znalazła tam wybawiciela w postaci

Czarodzieja Mroza i wszystko dobrze się skończyło. Dla niej, ale nie dla wszystkich macoch świata, za którymi wlecze się naganny moralnie stereotyp. A jego siła jest olbrzymia. I nie ma się co dziwić. – Spojrzał na mnie ciepło. – Spodziewałem się po prostu kogoś bardziej odpowiadającego obiegowej opinii, bo jak świat światem, stereotypy wywierają silny wpływ na to, jak widzimy i oceniamy innych. Najczęściej zniekształcają prawdziwy obraz, są źródłem niechęci i uprzedzeń.

Z zapartym tchem słuchałam wywodu, który pomagał mi zrozumieć okrutną prawdę. Pamięć przywołała obrazy ze szczenięcych lat: zobaczyłam siebie i Agę przed snem, w jej albo w moim łóżku, i mamę czytającą nam bajkę. Miałyśmy ich wiele, ale ulubioną była oczywiście ta o Kopciuszku. Znałyśmy ją na pamięć, a i tak za każdym razem słuchałyśmy z wypiekami na twarzy. A potem bez przerwy dopytywałyśmy się, czy mama aby na pewno dobrze się czuje, a w każdym jej kichnięciu widziałyśmy symptomy śmiertelnej choroby. Przy mamie czułyśmy się bezpieczne i panicznie bałyśmy się utraty naszego dziecięcego raju... Później, już każda we własnym łóżku, wyobrażałyśmy sobie najczarniejszą z opcji – rolę pasierbicy dręczonej przez potworną macochę. Po rozgrzanych z emocji policzkach ciekły nam łzy, a mnie kurczył się żołądek. Dostawałyśmy dreszczy i zachodziłyśmy w głowę, czy w życiu dobra wróżka pojawia się naprawdę...

– Pani Izabelo, czy pani mnie słyszy? Zamyśliła się pani. Przepraszam, że podniosłem ten temat. – Profesor wpatrywał się we mnie intensywnie.

– Proszę nie żałować. Przez chwilę znów byłam dzieckiem. Wtedy wszystko było proste. Każdą postać z bajki dawało się włożyć do odpowiedniej szufladki: macochę do tej z napisem „ludzie zezwierzęceni", ojca do „bezwolnych nieudaczników", przybrane siostry do „szkaradnych tumanów", a nieżyjącą mamę i dobrą wróżkę do tej z napisem „samo dobro". Jestem przekonana, że pierwsza żona Piotra była wcieloną szlachetnością. Ale czy ja robię coś złego? Tydzień temu, podczas ślubu, nawet mi w głowie nie zaświtało, że do końca swoich dni będę chodzić z piętnem szumowiny. Niezależnie od intencji i tego, co robię! – Czułam, że moje serce gwałtownie przyśpiesza, a gdzieś wewnątrz rodzi się zwykły, ludzki bunt. Przecież tak być nie może. Jasny gwint! Nie jestem taka!

– Spokojnie, bo jeszcze goście pomyślą, że się kłócimy. Napijmy się! – Trącił kieliszkiem mój. – Przykro to mówić, ale ze stereotypami trudno walczyć. Wbijają się w nasze umysły jak zadry, które może próbować usunąć światowej klasy mikrochirurg, ale nawet on ma marne szanse. Gdy coś pójdzie nie tak, da o sobie znać nawet najmniejsza blizna. Bo szufladki w naszych umysłach są po prostu wygodne.

– Zastanawiam się... – zaczęłam i nagle ogarnęła mnie niepohamowana wesołość.

– Czy powiedziałem coś głupiego? – Profesor patrzył zaskoczony.

– Nie, nie! – Doszłam do jakiej takiej równowagi. – Tylko się zastanawiam... Czy gdyby Zosia i Tadeusz mieli po kilka lat, czytałabym im do poduszki *Kopciuszka*?

– Dobre! Macocha opowiada przed snem pasierbom historię Kopciuszka! – Wybuchnął śmiechem. – Pani Izabelo, pani jest naprawdę wyjątkowa!

– Dajmy sobie spokój z tą panią. Proszę mi mówić Iza! – Alkohol rozgrzewał mnie przyjemnie. Już nie śledziłam zawartości konserwantów w winie.

– Przyjaciele, a więc i ty, mówią do mnie Waldek. Zgoda?

– Zgoda!

– Iza, kochanie... Czy wszystko w porządku? – Poczułam na ramieniu rękę Piotra. Odwróciłam się z uśmiechem. Wpatrywał się we mnie świrującym wzrokiem.

– Kochanie, jak najbardziej. Zostaw nas, proszę, jeszcze przez chwilę samych – uspokajałam go, siedząc jak na szpilkach i czekając, by sobie poszedł. Właśnie wpadło mi do głowy coś, czym natychmiast chciałam podzielić się z Waldkiem.

– Naturalnie – powiedział bez przekonania i odszedł, patrząc na mnie z niepokojem. Przesłałam mu całusa.

– Waldek, a znasz stereotyp profesora?

– Nie zastanawiałem się...

– I nie musisz. Wiesz, że nie miałam ochoty wyjść z domu? Spodziewałam się nudziarza, z którym można pogadać wyłącznie o jego publikacjach i który nie potrafi się bawić!

– Dobijasz mnie! – Tym razem rozpiął guzik przy koszuli. Emocje i promile sprawiły, że jego szyja poczerwieniała.

– Przestań, nie miałam takiego zamiaru. Ale popatrz tylko na innych. Siedzą, jakby ich krzesła parzyły. Wciąż tkwią nad pierwszym kieliszkiem wina i tylko czekają, żeby się zmyć!

– Coś sugerujesz? Że niby to ja jestem winowajcą?

– A kto? Ja? – dopytywałam konspiracyjnym szeptem, rozglądając się równocześnie po sali i uśmiechając przyjaźnie do każdego, z kim udało mi się nawiązać kontakt wzrokowy. – Mogę rozruszać to towarzystwo, ale teraz jest twoje pięć minut. Pokaż, że jesteś najzwyklejszym facetem pod słońcem.

– Ale jak?

– Normalnie. Po pierwsze, z miną, jakby to była wyłącznie twoja inicjatywa, idź do baru i powiedz, żeby zmienili tę muzykę na jakiś włoski pop, bo się czujemy jak na stypie. Po drugie, każ im zrobić pośrodku miejsce, a po trzecie poproś żonę do tańca. Bo jeszcze pomyśli, że na ciebie lecę. Umiesz tańczyć?

– Jasne. Zwłaszcza tańce kaukaskie. Jesteśmy z żoną ich fanami. Nasz ulubiony to lezginka, czyli tradycyjny taniec ludu, który...

– Dobra, opowiesz mi innym razem. Nikt wam nie zabroni tańczyć jej w rytm włoskich kawałków, tak samo jak nam z Piotrem zorby. No, idźże wreszcie!

Zadowolona patrzyłam, jak Dudek podąża w stronę baru...

– *Lasciatemi cantare!* – śpiewaliśmy chórem, podrygując każdy po swojemu w rytm starego przeboju Toto Cotugno. Wreszcie spotkanie zaczęło przypominać imprezy, na których ongiś bywałam.

– Dzięki, że mnie tu zabrałeś! – wrzeszczałam Piotrowi do ucha, podczas gdy on i Waldek próbowali tańczyć coś, co przypominało kazaczoka. Co sprawniejsi fizycznie przyłączali się i ze skrzyżowanymi przed sobą rękami robili półprzysiad, wysuwając do przodu raz jedną, raz drugą nogę i nieudolnie naśladując rosyjskich baletmistrzów. Cóż, w zabawie liczą się przede wszystkim chęci. Ściągnęłam z nóg szpilki. Chciałam się przyłączyć, ale potrzebowałam towarzystwa. Oczywiście damskiego.

– Pani Heleno, szalejemy? – Tym razem krzyczałam w ucho żonie Waldka.

– Jestem Hela, a nie żadna pani! – odkrzyknęła i lekko się zataczając, zaczęła pozbywać się obuwia.

W komórce Piotra, głosem trąby jerychońskiej, odezwał się budzik. Spojrzałam na zegarek. Była dziesiąta.

– Proszę państwa! – Piotr usiłował przekrzyczeć muzykę i całe towarzystwo. – Moją żonę głowa boli!

– Chyba ciebie! – odkrzyknęłam. – Bo mnie nie! Bawimy się dalej!

O drugiej zapewnienia o lokalu czynnym do ostatniego gościa okazały się czczą przechwałką. Oszukano nas! Obsługa się zakończyła, przyciemniono światło i zaczęło się ostentacyjne sprzątanie. Najwyraźniej nie spodziewano się tak udanej hulanki. Nieukontentowani okrutnie skróconą zabawą zaczęliśmy zamawiać taksówki i umawiać się na spotkanie w tym samym gronie, w nieokreślonej bliżej przyszłości. I powtórkę harców. Koniecznie! Włoskie restauracje, nawet te, w których podają kupione w hipermarkecie tortellini i w których jedynym kryterium wyboru wina jest jego kolor, też przecież mają swój urok. Zwłaszcza w doborowym towarzystwie!

W taksówce marudziłam, że impreza trwała tak krótko, a we mnie jeszcze tyle siły! To niesprawiedliwe! – poskarżyłam się Piotrowi. Chciało mi się płakać. Przecież jeszcze nie świta! Mimo ironii w spojrzeniu taksówkarza poprosiłam go o podkręcenie muzyki i zaśpiewałam razem z jakimś góralskim zespołem. Najlepiej wychodził mi refren: „Hej ho, hej ha!". Za spełnienie zachcianki dałam kierowcy napiwek w wysokości coś około trzystu procent wskazania taksometru. A co!

Piotr długo próbował trafić kluczem w zamek, więc żeby nie zamarznąć, tańczyłam po ulicy krakowiaka. Zdarzyło mi się kilka potknięć, malutkich, naprawdę, ale w końcu udało mi się powtórzyć sekwencję kroków. Piotr włączył światło na klatce. Spojrzałam w górę schodów.

– Nie dam rady! – Usiadłam na pierwszym i wskazałam palcem w górę. – To jak zdobycie ośmiotysięcznika w Himalajach! W twoim dawnym bloku wjechalibyśmy windą. A tak? Klops!

– Nie wspominaj o moim mieszkaniu. Prosiłem cię tyle razy! – czknął. – Wspólnie damy radę. Zawsze, Izuniu. Jeżeli jest ci ciężko, zaniosę cię na rękach. – Pomógł mi wstać, choć daleko mu było do stabilności.

Popychając i dopingując się wzajemnie na schodach, wreszcie dotarliśmy do mieszkania. Piotr wyciągnął skądś butelkę greckiego wina. Zamknęliśmy się w sypialni, żeby nie zbudzić dzieci, włączyliśmy zorbę i zatańczyliśmy...

Nad ranem zbudziłam się mokra od potu. Szeroko otworzyłam oczy. No tak, młyn w głowie nie wpływa dobrze na samopoczucie... Znam siebie, po imprezach potrafię spać do południa. Rozejrzałam się, ale dostrzegłam zaledwie niewyraźne kontury mebli i śpiącego Piotra. I wtedy przypomniałam sobie sen. Szłam nocą, samotnie i boso, w strugach deszczu do dawnego mieszkania Piotra, niosąc pod pachą zwinięte w rolkę foliowe worki. Po drodze nie spotkałam nikogo. Ani żywej duszy. Drzwi wejściowe do bloku ustąpiły z głośnym jękiem; weszłam na klatkę i nacisnęłam włącznik. Nie działał. Podeszłam do windy. Nie ruszyła. Nie było prądu. Wiedziałam, że przyszłam po wyhaftowany przez Ewę najpiękniejszy obrus. Po omacku, chwytając się lodowatej metalowej poręczy, wspinałam się na trzecie piętro. Wreszcie, zdyszana, dotarłam. Sięgnęłam do kieszeni i wysupłałam klucz w kształcie sopla. Już miałam go użyć, gdy nagle drzwi otworzyły się z hukiem i oślepiło mnie ostre światło, podobne do reflektorów zbliżającego się tira. Zmrużyłam oczy.

W progu, nieruchomo jak posąg, stał facet w zielonej kurtce. Przyjrzałam się dokładniej. To nie była żywa postać, lecz woskowa figura, wpatrująca się we mnie nienaturalnie zielonymi oczami. Mimo że ze strachu nogi miałam jak z waty, chciałam zrobić w tył zwrot i uciec w ciemność, lecz wtedy w głębi mieszkania coś się poruszyło. Ubrana w zieloną garsonkę Ewa podchodziła do mnie z uśmiechem i gestem zachęcała do wejścia.

Jasny gwint! Otarłam spocone czoło rękawem piżamy. Czy muszę mieć takie sny? Spojrzałam na Piotra: spał na wznak, z rękami założonymi za głowę. Oddychał głęboko i miarowo. Usiadłam i masując obolałe skronie, z wysiłkiem wpatrywałam się w jego twarz ukrytą w półmroku zimowego świtu. Jaki sekret taisz przede mną? – pytałam bezgłośnie, próbując wyczytać odpowiedź. Dlaczego nie chcesz tam chodzić? Kim jest ten facet? – próbowałam go zahipnotyzować i wreszcie wydobyć te informacje. W odpowiedzi chrapnął przeciągle i przewrócił się na brzuch.

Opadłam na poduszki.

– O czym rozmawiałaś z Dudkiem? – Piotr siedział przy stole w kuchni, bym „nie czuła się samotnie przy gotowaniu". Pisał coś na laptopie. A ja, odwrócona plecami, zawijałam farsz w naleśniki, mające stać się wkrótce krokietami. Obok na kuchence dogotowywał się barszcz. Zupa w normalnych warunkach, czyli bez resztek ohydnego wina w moim organizmie, wydawałaby zapewne fantastyczny aromat, ale w aktualnych cuchnęła jak rynsztok. Po co ja pod koniec imprezy wpadłam na ten paranoidalny pomysł zwiększenia asortymentu win o trzecią pozycję? Knajpa dysponowała zaledwie dwoma: białym i czerwonym, ale od czego inwencja? Różowe powstałe jako miks serwowanych. Na nieszczęście ten winny koktajl okazał się smaczny. Pasował wszystkim.

– O tym i o owym… – odparłam, nie odwracając się i udając zaabsorbowaną nakładaniem nadzienia.

– Coś kręcisz, kochanie. Wyglądaliście, jakby świat was nie obchodził…

– Naprawdę o różnych rzeczach. Na przykład o meblach.

– O jakich znowu meblach?

– No wiesz, takich z praktycznymi i pojemnymi szufladami. Takich, w których można wszystko upchnąć. A zresztą, czy to takie ważne? – Z uśmiechem odwróciłam na chwilę głowę. – Masz ochotę na barszczyk? Zaraz będzie gotowy! – Próbowałam skierować rozmowę na inne tory.

– Dudek dzwonił do mnie dziś rano…

– I co? Pozdrowiłeś go ode mnie? – powiedziałam lekko, starając się ukryć wyraźne symptomy podnoszącego się niebezpiecznie ciśnienia krwi.

– Nie.

– To nieładnie. – Formowałam ostatni krokiet i w popłochu zastanawiałam się, co nastąpi. Miałam do wyboru: albo się w końcu odwrócić i wysłuchać Piotra (co zakończy się najprawdopodobniej gęstym tłumaczeniem), albo rozwinąć naleśniki i zacząć procedurę od nowa.

– Porozmawiasz ze mną? – Piotr nieoczekiwanie wstał z krzesła i stanął tuż za moimi plecami. Tej opcji nie przewidziałam. No tak, zapewne Dudek ma do mnie pretensje za odstawienie błazenady i wypicie zbyt dużej ilości wina, co poskutkowało w jego przypadku polegiwaniem w pozycji horyzontalnej z zimnym kompresem na czole, podczas gdy mógłby w tym czasie bez rozsadzającego czaszkę bólu przygotowywać jakiś referat na konferencję. Ale czy ja mu na siłę wlewałam te trzy kolory prosto do gardła? Trzeba spojrzeć prawdzie w oczy. Odwróciłam się.

– I co tam u Waldka?

– Powiedział... – Piotr spojrzał na mnie świdrującym wzrokiem. – Powiedział... – Nieoczekiwanie objął mnie i przytulił. – Że mam wspaniałą żonę – wyszeptał mi do ucha. – Że dawno tak dobrze się nie bawił i że pomogłaś mu zrozumieć pewne rzeczy. Czemu jesteś taka spięta? – Zaniepokoił się.

– Spięta? Wydaje ci się.

– Cześć! – W progu kuchni stanął Tadeusz z książką w jednej i zeszytem w drugiej dłoni. – O, przepraszam! – Chciał się wycofać, zawstydzony.

– Cześć. Wchodź! – Odsunęłam się od Piotra, zadowolona, że to nie Zosia, bo znowu byłby cyrk. – O, widzę pomoce naukowe...

– Chciałem tylko o coś zapytać. W zasadzie o opcję...

– Jaką znów opcję?

– Czy jest taka opcja, że ktoś mi rozwiąże zadanie z matmy bez tłumaczenia. Trochę szkoda mi czasu, bo w nocy napadało tyle śniegu, że szkoda go zmarnować.

– Jeżeli chodzi o matmę, to ja pass. Nie wchodzę w to. A tak na marginesie, czy ty wiesz, co mówisz? Nie zapominasz się przypadkiem? – Piotr udawał oburzonego. – Jak możesz myśleć o zabawie przed obowiązkami?

– A Szymkowi w matmie pomaga tata. Maćkowi też! – W głosie Tadeusza pojawiła się nutka drwiny.

– Dobra. Czy to zadanie o dwóch pociągach, które ruszają z różnych miast z różną prędkością? – wtrąciłam się, wiedząc, że Piotr jest matematycznym analfabetą. Przyłapałam go nawet na używaniu kalkulatora przy sumowaniu punktów uzyskanych przez studentów na testach. Łącznie pięciu pozycji, każdej jednocyfrowej.

– Nie. – Tadeusz otworzył podręcznik i zaczął czytać: – „Szesnastu uczniów wybrało się na czterodniową wycieczkę z trzema noclegami, które zarezerwowali w schronisku studenckim. Cena jednego noclegu wynosiła…".

– Dobra – przerwałam, bo rozśmieszyła mnie mina mojego męża. Piotr wywracał oczami, jakby zobaczył przechodzącą nad naszym domem trąbę powietrzną. Jak, nie przymierzając, opętana bohaterka *Egzorcysty*. – Zaraz skończę gotowanie i przyjdę do ciebie. Spróbujemy. Chodzi o całkowite koszty wycieczki?

– Ale…

– Wiem, wiem, chcesz wyjść i poszaleć. Jak się skupisz, to migiem zrozumiesz, i będziesz wolny. Opcja jest taka: zrozumiesz i rozwiążesz.

– Dobra, niech tam, chociaż nie mogę powiedzieć, że sprawy poszły po mojej myśli – ociągał się Tadeusz. Szantażował mnie emocjonalnie, mając nadzieję, że skruszy niewdzięczne serce macochy. W drzwiach minął się z siostrą.

– Chcę tylko o coś zapytać – zaszczebiotała Zosia od progu. – A mianowicie o to, czy na dzisiejsze popołudnie mogę zaprosić Hanię, moją klasową przyjaciółkę? – Patrzyła to na mnie, to na Piotra. Milczałam, wiedząc, że woli załatwiać sprawy z ojcem.

– Jasne, że tak! – Piotr uśmiechnął się ciepło. – Może, prawda? – zwrócił się do mnie.

– Oczywiście!

– To dobrze, bo już ją zaprosiłam. Idę wszystko przygotować. Naprawdę cudnie. Hania to moja bratnia dusza! – Ucieszona popędziła do swojego pokoju.

– Chcę ci coś powiedzieć o Dudku. – Piotr nawiązał do przerwanego wątku. – Nie przypuszczałem, że gość tak potrafi się bawić. Wprawił wszystkich w osłupienie. Przyznam się, nawet nie chciało mi się tam iść. Obawiałem się dusznej atmosfery i miałem wyrzuty sumienia, ciągnąc tam ciebie. Ale wypadało.

– Życie jest pełne niespodzianek – podsumowałam i poszłam do pokoju Tadeusza, niespecjalnie zainteresowana drążeniem tematu.

– Mama Hani nie pozwoliła jej do mnie przyjść!

Zosia siedziała w swoim pokoju na dywanie i łkała. Z kolanami podciągniętymi pod brodę, w bezruchu, patrząc pustym wzrokiem na hebanową figurkę słonia, obgryzała paznokcie. Przeraziłam się, bo przypominała dziecko z reportażu o sierocińcu w Rumunii. Uspokój wyobraźnię! – zganiłam się natychmiast. To przecież tylko sposób rozładowania napięcia, a nie, broń Boże, podstawowy objaw choroby sierocej. Rozejrzałam się. Tak, Zosia przygotowała się do wizyty. Wszystko zostało dopięte na ostatni guzik, jak to u perfekcjonistki. Pokój posprzątany idealnie, o artystycznym nieładzie nie było mowy. Już raczej o muzeum, gdzie każda rzecz, starannie odkurzona i zakonserwowana, ma swoje miejsce. Na stoliku serwetki, filiżanki, dzbanek z kompotem, ciasteczka i mandarynki, obok jakieś gry planszowe.

– Jest mi przykro i nic nie rozumiem! – Ocknęła się w końcu z letargu i podniosła na mnie oczy, w których wyczytałam prośbę o wsparcie. A jednocześnie cień skrępowania własną bezbronnością i niemożliwością poradzenia sobie samej. – Nigdy nie było takiej sytuacji. Ona jest moją przyjaciółką. Najlepszą na świecie!

– Ale co się stało? – Podeszłam i przykucnęłam naprzeciwko. – Może jest chora, może ją boli brzuch albo ma gorączkę? – próbowałam znaleźć jakiś powód. – Jak myślisz? – Pogładziłam Zosię po głowie i wytarłam dłonią spływające po policzkach łzy. No tak, podwyższona temperatura, przeszły mnie ciarki na myśl o powtórce z rozrywki i ponownym wysłuchiwaniu w przychodni o stresie i konieczności otoczenia jej serdecznością. Bo na przykład nie czuje się wystarczająco kochana, akceptowana i wychwalana pod niebiosa. Zrobiło mi się małej najzwyczajniej żal. Bo płacz to po prostu wołanie o pomoc. Bezbronnemu spojrzeniu Zosi towarzyszył sondujący wzrok Ewy na zdjęciu.

– Właśnie nie wiem, co myśleć. Kiedyś nawet nocowałyśmy u siebie, zwłaszcza w wakacje. A teraz koniec, kropka?! – Płacz zamienił się w szloch.

– Wyluzuj, nie becz. Wszystkiemu można zaradzić. – Odgarnęłam przyklejone do buzi kosmyki włosów. – Zaraz coś wymyślimy...

– Co? Zamówimy brygadę antyterrorystyczną i ściągniemy ją siłą?

– Co się dzieje? – W drzwiach stanął zaniepokojony Piotr. Patrzył na mnie podejrzliwie.

– Zosia płacze, bo mama Hani zabroniła córce przyjść do nas – wyjaśniłam z nadzieją na wsparcie.

– Oj, Zosia, przestań! – Odetchnął z ulgą, szczęśliwy, że niosącego się po kamienicy lamentu nie wygenerowało maltretowanie jego córki, a całkiem prozaiczny powód. – Przestań, jeszcze sąsiedzi pomyślą, że cię obdzieramy ze skóry! To nie koniec świata. Nie przyjdzie, bo widocznie nie może. Odwiedzi cię innym razem! – Odwrócił się i wyszedł. A my zostałyśmy same.

– Wiesz co? A może zadzwonię do jej mamy i wszystko wyjaśnię? Co o tym myślisz? – wyszłam z inicjatywą, zdając sobie sprawę, że w wieku kilkunastu lat takie rzeczy jak nieprzyjście koleżanki równają się apokalipsie. Zwłaszcza w przypadku Zosi. Ja przynajmniej miałam Agę. Wprawdzie moja starsza siostra mądrzyła się i wywyższała, ale zawsze mogłam jej powierzyć sekrety. O ile chciałam. A poza tym zaświtało mi w głowie, że być może powodem podjętej przez mamę Hani decyzji jest moja skromna osoba. Kobieta mnie nie zna, więc może się obawia o bezpieczeństwo córki. Jasny gwint! Chyba mam obsesję! – Daj mi numer telefonu – poprosiłam. – Pójdę do sypialni i spokojnie z nią pogadam.

– To nie jest moja decyzja, tylko Hani. Ona nie potrafi odmówić Zosi wprost, jest na to zbyt delikatna. – Głos po drugiej stronie był stanowczy, jak przywódcy strajku w fabryce, w której łamane są podstawowe prawa i od miesięcy niewypłacane i tak głodowe pensje. – Hania nie życzy sobie żadnych kontaktów z Zosią.

– Ale to przecież przyjaciółki! – wtrąciłam zdezorientowana, wykorzystując chwilę przeznaczoną na westchnienie.

– Proszę pani – roześmiała się cierpko. – To stwierdzenie należy do przeszłości. Odeszło w siną dal. Zostało pogrzebane. Jak dinozaury i inne prehistoryczne zwierzęta.

– Nie rozumiem…

– Czego? Że coś minęło i nie powróci? Zosia sama jest sobie winna. Niech sobie zatem popłacze, ale nad sobą i własną niegodziwością – syczała z satysfakcją.

– Proszę tak nie mówić! To jakaś pomyłka. Na pewno zaszło nieporozumienie! – Wkurzona, czułam, że lada moment wybuchnę. Co ta baba wymyśliła! Coś jej się pomieszało pod kopułą. – Nie wolno pani obrażać Zosi! – Gwałtownie wstałam z łóżka, choć jeszcze przed chwilą rozparłam się na nim wygodnie, spodziewając się miłej pogawędki. Gotowa do walki, instynktownie przyjęłam pozycję do odparcia ataku.

– Pani nic nie wie, więc niech pani nie fika! – Ton głosu pojechał w górę, jak przy kłótni rozsierdzonych bab.

Mówią, że kto mądrzejszy, ten ustępuje, więc przywołałam nerwy do porządku. Dobrze znana zasada: wygra ten, kto zachowa zimną krew.

– Skoro już pani pozwoliła sobie odnaleźć w Zosi cechę charakteru, której ja absolutnie nie dostrzegam, proszę to uzasadnić. Jak dotychczas pani zdanie nie zostało poparte żadnymi argumentami. – W myśli pochwaliłam się za wypowiedzenie tej kwestii bez zająknięcia. „Fikanie" postanowiłam, przynajmniej na razie, puścić mimo uszu. Absolutnie zasłużyłam na oklaski.

– Pani jej nie zna i tyle. Więc nie powinna pani stawać za nią murem – stwierdziła matka Hani pewnym głosem. – Zresztą dobra, powiem wszystko, choćby ze względu na przeszłość. Dziewczynki naprawdę były przyjaciółkami. Do czasu, gdy w Zosi obudziła się chora ambicja. W klasie Hania zawsze była pierwsza, a Zosia druga. Moja córka z powodów zdrowotnych przez ostatnie dwa miesiące chodziła do szkoły w kratkę. Przewlekłe zapalenie oskrzeli. Wydawało się, że jest już wyleczona, przez kilka dni była obecna, ale choroba nawracała. Wtedy Zosia zwykle przychodziła po zajęciach, żeby jej wszystko przekazać. To znaczy, zostawić zeszyty, powiedzieć o zapowiedzianych sprawdzianach i lekturach, jakie trzeba przeczytać. Hania jej bezgranicznie ufała, jak to przyjaciółce. Jednak gdy wróciła na dobre, okazało się, że dostaje gorsze oceny. Bo na przykład Zosia zapomniała ją zawiadomić o kartkówce z angielskich słówek albo o wypracowaniu z polskiego. Kto jak kto, ale Zosia? Ona jest zbyt skrupulatna, by o czymś takim zapominać. Ona zrobiła to świadomie. A teraz święci tryumfy. Słucha mnie pani?

– Taaak, oczywiście... – Ponownie usiadłam na łóżku, po bojowej postawie nie pozostał ślad. Opadły mi ręce, jak komuś, kto akurat usłyszał od lekarza o zdiagnozowaniu nieuleczalnej odmiany raka. Ta kobieta ma rację. Mogli zapomnieć wszyscy, ale nie Zosia. Na pewno. Zabrakło mi argumentów. Postanowiłam siedzieć cicho.

– I teraz jest najlepsza w klasie – kontynuowała matka Hani, choć już innym tonem. Wyczuła, że nie chcę się kłócić. Zdobyła się nawet na nutkę współczucia. – Widziałam panią na wywiadówce. Jest pani jeszcze bardzo młoda. Nie wiem, jak sobie pani poradzi z lekceważeniem przez Zosię tej sytuacji. Naprawdę jestem pani życzliwa i nie chcę być złym prorokiem, ale wzięła sobie pani na głowę obowiązki i olbrzymią odpowiedzialność. W każdym razie: życzę pani jak najlepiej. A Zosi pozbycia się chorej ambicji...

– Dziękuję – wymamrotałam. – Przepraszam za ten telefon...

– Proszę za nic nie przepraszać. To nie pani wina. Być może, byłam zbyt obcesowa, ale ma pani prawo wiedzieć.

Nie miałam siły się ruszyć. Szczerość w głosie mojej rozmówczyni sprawiła, że nie mogłam mieć pretensji. Prawdę, nawet najokrutniejszą, należy przyjąć, a nie chować głowę w piasek. Owszem, tak jest wygodniej, ale nie rozwiązuje problemu. Nie miałam pojęcia, co robić. Najchętniej weszłabym pod kołdrę, naciągnęła ją na czubek głowy i odcięła się od świata. Jasny gwint! Weźże się w garść, kobieto! – napomniałam się surowo. Z tarapatów też można się wygrzebać. A od czego jest wszechwiedząca siostra? Sięgnęłam po komórkę.

– Aga? Przeszkadzam?

– Nie, jeżeli tobie z kolei nie przeszkadza, że jestem w sklepie i wybieram nową mikrofalówkę. Czekaj, przejdę gdzieś na bok i pogadamy. Jestem zła, że w niedzielę poszłam na zakupy, ale bez mikrofalówki nie wyobrażam sobie dnia. Siła przyzwyczajenia.

– Zepsuła się?

– Sama? Nie, przyłożył do tego rękę mój kochany mąż – mówiła przygaszona. – Dzisiaj rano nie pozwolił mi wyjść z łóżka i sam poszedł przygotować śniadanie dla całej rodziny. I wiesz co, Iza? Jestem głąbem do entej potęgi. Zgodziłam się! I dostałam nauczkę. Nie zliczę, który to już raz – sapnęła. – Czekaj, mam fajne miejsce do pogaduszek. Przysiądę sobie w dziale ogrodniczym na plastikowym fotelu. Całkiem wygodny, wiesz? Przydałoby się jeszcze piwko i rybka z grilla. No, możemy gadać. W ogóle fajnie, że dzwonisz. Miło usłyszeć siostrzany głos. A wracając do dzisiejszego śniadanka, Andrzej poszedł do kuchni, a ja wzięłam gazetę i poczułam się jak gwiazda filmowa, której za chwilę służba poda do łóżka szampana i truskawki. Byłam w nastroju żyć, nie umierać. Więc przeglądałam sobie gazetę, a tu słyszę serię dwunastu dobiegających z kuchni wybuchów. Jednym słowem, początek trzeciej wojny światowej! – Aga roześmiała się serdecznie, jak zwykle koloryzując opowieść, jak tylko ona potrafi. Dodaje dramaturgii zwykłym niefortunnym wydarzeniom, sprawiając, że słuchacz (z oczami jak ćwierćdolarówki) niecierpliwe oczekuje na ciąg dalszy.

– Pewnie Andrzej w kuchennych szafkach przechowywał granaty... – podkręciłam ją jeszcze.

– Nie, nie, nie! Posłuchaj! Wyskoczyłam z łóżka jak szalona, bo pomyślałam, że to co najmniej wybuch gazu! Widziałam już siebie jako wdowę na pogrzebie Andrzeja z honorami wojskowymi. Wbiegam do kuchni z galopującym tętnem, a tymczasem on...

– Co on? – Wobec stanu zdrowia szwagra moje kłopoty z Zosią zeszły na dalszy plan.

– A on stoi najspokojniej na świecie przed mikrofalówką i gapi się w nią jak wół w malowane wrota. Podeszłam, otworzyłam drzwiczki i odrzucił mnie straszliwy smród przypalonych jajek. Całe wnętrze było, za przeproszeniem, zafajdane czymś brązowym i białym. Jak się okazało, Andrzej chciał ugotować je dla wszystkich, po trzy na łebka, czyli razem dwanaście sztuk, nie przewidział tylko następstw wytworzonego pod szczelną skorupką ciśnienia. Są oczywiście takie gadżety do gotowania jaj w mikrofalówce, ale ja ich nie posiadam, bo łatwiej mi zrobić to w garnku z wodą. Pięć minut i już. A na marginesie, w armii mówi się o rychłym awansie mojego męża... – Zachichotała, a ja jej zawtórowałam. – A co u ciebie, siostrzyczko? Jak sobie radzisz?

– Aga, nie będę owijała w bawełnę. Dzwonię po wsparcie. – Spoważniałam natychmiast.

– Zawsze możesz, przecież wiesz – wtrąciła pokrzepiająco. – No to w czym rzecz?

– Nie wiem, co zrobić. Nikt mnie nie uczył rozwiązywania problemów wychowawczych z nastolatkami. Mam problem z Zosią...

Przedstawiłam Adze całą sytuację i najwierniej jak potrafiłam, powtórzyłam jej rozmowę z mamą Hani. Nie omieszkałam nawet wspomnieć o swojej bojowej postawie i chęci bronienia Zosi do upadłego. Aga, jak przystało na dobrą terapeutkę, po prostu słuchała w milczeniu (co wcale mi nie przeszkadzało, choć u kogokolwiek innego ciszę zinterpretowałabym jako wyłączenie zmysłu słuchu w celu skupienia uwagi na studiowania sklepowej gazetki z aktualnymi promocjami). Od siostry oczekiwałam kompetentnej porady, nie tylko ze względu na stosowne wykształcenie, dyplomy i certyfikaty, ale przede wszystkim z powodu starszeństwa. W końcu zna mnie od kołyski i zawsze chce dla mnie jak najlepiej. No i jest mamą. Mówiłam i mówiłam, i nagle uświadomiłam sobie, że nie byłam przygotowana na jakiekolwiek kłopoty związane z dziećmi. Nie myślałam o nich ani ich nie przewidywałam.

– I co ja teraz mam zrobić?

– Po pierwsze, pragnę cię pocieszyć. Wielu rodziców chciałoby mieć w domu taką właśnie nastolatkę, zamiast bujającej się całymi dniami po galeriach handlowych pannicy, która ćpa, opuszcza lekcje, spędza noce poza domem, wszczyna bójki, znęca się nad zwierzętami i organizuje czarne msze. Po drugie, istnieje prawdopodobieństwo, że matka Hani chociaż trochę przesadziła. Taką mam nadzieję. To tylko na pocieszenie, bo problem jest. Mniejszy albo większy i należy się nim zająć. Fajnie, że Zosia jest ambitna i poukładana, bo nastolatki, zresztą dorośli również, często wybierają drogę łatwiejszą, czyli nieróbstwo i pasywność. I wolą od nauki imprezę z kolegami albo jakiś film do bólu ogłupiający i ociekający farbą udającą krew. A Zosia do czegoś dąży i wysoko podnosi poprzeczkę. Tyle że w życiu łatwo wpaść z jednej skrajności w drugą, a chora ambicja może zniszczyć ważne rzeczy. Na przykład godność, własną i innych, równowagę wewnętrzną i spokój sumienia. I o tym trzeba, moja kochana siostrzyczko, porozmawiać z pasierbicą. I podyskutować z nią na temat znaczenia słowa „przyjaźń". Spokojnie, jest jeszcze w wieku, w którym da się popracować nad jej charakterem. Trzeba pogadać z nią w taki sposób, żeby sama sobie uświadomiła, że postąpiła źle i powinna postarać się naprawić to, co zniszczyła.

– Przyznam, Aga, że nie mam pojęcia, jak zacząć taką rozmowę. Przecież my dopiero się poznałyśmy...

– A dlaczego ty? Dlaczego ty masz z nią rozmawiać na ten temat?

– A kto?

– Iza, przecież dziecko ma ojca. Chyba się nie mylę?

– Ale Piotr nie ma czasu...

– Dla własnego dziecka? – zapytała oburzona. – Nawet kwadransa? Nie przesadzaj, nic mu się nie stanie. Naprawdę.

– Wiesz, powiem szczerze – ściszyłam głos. – Piotr jest pracoholikiem. Całymi dniami i przez większość nocy pisze raporty z badań, projekty naukowe, artykuły i czyta zagraniczną prasę.

– Oj, siostra, musisz być konsekwentna. Za wychowanie dzieci powinien być odpowiedzialny przede wszystkim on. Boję się o ciebie.

– A czemu? – zapytałam, nieco rozbawiona jej obawami, bo moja wyobraźnia nie podsuwała mi obrazu pijanego i wymachującego siekierą męża, który lada moment jednym ciosem zrobi z mojej czaszki dwie półkule. Nastała długa chwila milczenia. – Aga, słyszysz mnie? – Pomyślałam, że w telefonie rozładowała się bateria.

– Boję się – odezwała się w końcu tym swoim znajomym, ciepłym, siostrzanym głosem. – Bo za bardzo się angażujesz, za dużo dajesz z siebie. I będziesz cierpieć, jeżeli coś pójdzie źle, nawet nie z twojej winy. Postaraj się wyważyć proporcje.

– Ale podobno im więcej z siebie dajesz, tym więcej dostajesz – próbowałam bronić się nieudolnie.

– Przykro mi to mówić... Tak powinno być, ale rzadko kiedy tak bywa. – Wyczułam, że starannie dobiera słowa. – Nie chcę cię zniechęcać, ale bywa różnie. Ponadto, skoro już tak szczerze pogadujemy... Chociaż za chwilę będę musiała kończyć, bo wokół mnie już krąży facet z obsługi i patrzy, delikatnie mówiąc, mało uprzejmie. Jeszcze coś mi wpadło do głowy. Tylko się nie denerwuj. Obiecujesz?

– Jasne!

– Może Zosia chciała ci zaimponować najlepszą lokatą? Prawdopodobnie mamy tu do czynienia z chęcią udowodnienia ci czegoś nawet kosztem najcenniejszych wartości. Ale to tylko hipoteza. W każdym razie: trzeba z nią pogadać. Muszę kończyć, bo temu facetowi gula chodzi na szyi. Jakby miał w grdyce małą windę. Pa siostrzyczko! W razie czego zawsze dzwoń, pa!

Piotr siedział u siebie, zapatrzony w ekran komputera i całkowicie oderwany od rzeczywistości. Nawet nie zauważył mojego wejścia. Stanęłam za nim i spojrzałam na monitor: młody Murzyn, odziany w białe, zwiewne szaty, lewą ręką przytrzymywał skrępowanego, białego, wychudłego koguta, a w prawej trzymał nóż. Czekał na dogodny moment, w którym ciało zbuntowanego ptaka na moment się uspokoi, żeby móc poderżnąć mu gardło. Chwyciłam za oparcie fotela na kółkach i odsunęłam go do tyłu, a Piotr odwrócił się gwałtownie i popatrzył osłupiały. Skorzystałam z okazji i usiadłam przed nim na biurku, zasłaniając ekran. Z głośników dochodziły odgłosy szamotaniny i pokrzykiwania młodzieńca w okresie mutacji.

– Musimy porozmawiać! – powiedziałam tak stanowczo, by nie było miejsca na sprzeciw.

– Pali się? Ktoś umarł? – Już na mnie nie patrzył, tylko manewrował fotelem, aby się przekonać, czy biały kogut zakończył życie, czy nadal wije się w konwulsjach.

– Nic z tych rzeczy. Chodzi o Zosię. – Przesunęłam się w głąb biurka, pozbawiając go szansy na obserwowanie spektaklu. Nie poddawał się. Sięgnął ręką za moje plecy i próbował obrócić ekran, ale chwyciłam jego dłonie i przytrzymałam w swoich. W końcu spojrzał mi w oczy.

– No dobra. Jest chora? Znowu gorączka?

– Nie.

– Czyli wszystko w normie. Nie ma powodu do zmartwień. – Próbował uwolnić dłonie. – A skoro tak, to proszę, zostaw mnie na chwilę. Chcę popracować.

– Po pierwsze to nie będzie chwila, a po drugie chcę porozmawiać na temat Zosi. Twoje dziecko powinno być dla ciebie ważniejsze od jakiegoś wynędzniałego koguta.

– Ale przecież nic się nie dzieje... A poza tym, chcę ci uświadomić znaczenie tego koguta w rytuale...

– Zostawmy go na potem! – Byłam coraz bardziej wkurzona. Pochyliłam się i wyciągnęłam wtyczkę z gniazdka; zawodzenie czarnego młodzieńca ustało natychmiast. Piotr, zaskoczony przebiegiem wypadków, wpatrywał się we mnie oniemiały, dwa kroki od furii. Zacisnął szczęki i zmarszczył czoło. – Jeszcze chwila, a zdemoluję ten komputer albo zgłoszę cię na odwyk dla pracoholików, albo zaskoczę cię jeszcze czymś innym! – brnęłam konsekwentnie. Byłam naprawdę rozsierdzona, a on spięty, choć starał się trzymać nerwy na wodzy. Przez głowę przeszła mi myśl, że być może jednak przegięłam. Nie. Jasny gwint! Przecież tu chodzi o jego dziecko!

– Już dobrze – roześmiał się w końcu. – Ty moja domowa awanturnico! Wiesz, kogo mi przypominasz? Rozjuszoną lamparcicę, pożerającą w obronie małych każdego, kto staje jej na drodze. Jest taka afrykańska legenda...

– Dość! Masz szczęście, że nie przypominam ci małpy albo hipopotama! Wróć choć na trochę do Polski, do domu! Jasny gwint! Częściej przebywasz w szamańskiej chacie niż z własną rodziną!

– Dobrze, już dobrze – próbował mnie udobruchać. – Więc, kochanie, o co chodzi?

– Rozmawiałam z mamą Hani. I usłyszałam, że Hania nie chce mieć nic wspólnego z Zosią, bo Zosia świadomie i z premedytacją nie powiedziała jej, z czego się przygotować do szkoły. Hania chorowała, chodziła do szkoły w kratkę i święcie wierzyła w lojalność Zosi, ale się przeliczyła, bo Zosia zagrała nie fair i tym sposobem jest najlepsza w klasie!

– To świetnie. Bardzo mnie cieszy to pierwsze miejsce. Chyba powinniśmy być z Zosi dumni, czyż nie?

– Czy ty mnie w ogóle słuchałeś, czy może jednak siedziałeś pod baobabem?

– Iza, powiedz wreszcie, o co chodzi? Masz pretensje do niej o tę pierwszą lokatę? – Piotr patrzył, jakbym postradała zmysły.

– Mam pretensje o pójście po trupach. Tak to się chyba mówi? Zrobiła świństwo przyjaciółce!

– Och, Iza, przestań! – Dobry jeszcze przed chwilą humor Piotra błyskawicznie się ulotnił. – To są głupie babskie sprawy! Hania i jej mama coś kręcą i przejaskrawiają, a ty atakujesz mnie jakimiś bzdetami! Dziewczyny raz się kłócą, raz się godzą, a ty jak zwykle burzysz mój spokój i chcesz mnie wmanewrować w rozgrywki między nimi! Daj spokój! Krótko: czego ode mnie oczekujesz?

– Chcę, żebyś spokojnie porozmawiał z Zosią i uświadomił jej, jak skandalicznie postąpiła. Zniszczyła przyjaźń. Trzeba jej zwrócić uwagę.

– Powiem ci coś. – Spojrzał na mnie uważnie i zacisnął szczęki. – Czepiasz się Zosi. To mnie martwi.

– Coś ty powiedział? Ja się czepiam? Chyba mózg ci wyparował! Chcę wyłącznie jej dobra! – mówiłam ze łzami w oczach. Z trudem łapałam powietrze. – Mogłabym to, za przeproszeniem, olać, gdybym nie czuła się odpowiedzialna za nią i za jej wychowanie!

– Więc olej. I przestań być zazdrosna o sukcesy mojej córki! To dobre i ambitne dziecko. Taka prawda!

– Nie zaprzeczam, jest dobra i ambitna, ale trzeba popracować nad jej charakterem! – Głos mi się załamał. – Porozmawiaj z nią, proszę.

– Nie mam czasu. Jeśli tak bardzo chcesz, pogadaj z nią sama. Tylko delikatnie. Sama wiesz, jak kruchą ma konstrukcję psychiczną. I przestań się mazać, bo mnie dekoncentrujesz. Potrzebuję spokoju.

– Ale ty lepiej się do tego nadajesz. Przecież to twoje dziecko… – przekonywałam, połykając łzy.

– Tak, moje. A ja widzę całą sytuację zupełnie inaczej niż ty. Jeśli ci zależy, masz pole do popisu. Zresztą afera wynikła po twoim telefonie. A teraz zostaw mnie w spokoju. Chcę popracować! – Bez trudu uwolnił dłonie z mojego uścisku. Pochylił się i włożył wtyczkę do kontaktu. Jakby mnie tu nie było.

Wstałam i wyszłam bez słowa, starannie zamykając za sobą drzwi. Chyłkiem przemknęłam do łazienki; nie chciałam, by dzieci zobaczyły mnie zapłakaną. Odkręciłam zimną wodę i pozwoliłam jej lecieć dopóty, dopóki nie była niemal lodowata, zamoczyłam ręcznik i kilka razy przyłożyłam do płonących policzków. Po makijażu pozostały zaledwie sińce wokół oczu, z niezmytego do końca tuszu do rzęs, więc usunęłam je mleczkiem. Muszę się uspokoić. Stanęłam przed lustrem. Czy ja się uporam z tym wszystkim? Czy nasze małżeństwo i moja nowa rodzina przetrwają? A może dla własnego spokoju nie powinnam się wtrącać i pozostawić sprawę jej biegowi? Pozwolić na niszczenie ideałów? Jestem przecież tylko macochą, dzieciaki mówią do mnie per pani. A Zosia ma ojca. Tylko co zrobić, gdy ojciec umywa ręce? Przemądre rady mojej siostry psycholożki mogę sobie włożyć w buty. Życie pisze inne scenariusze. Muszę pogadać z Zosią, bo tak nakazuje mi serce. Serce macochy.

Gdy weszłam, Zosia akurat poprawiała serwetki na stoliku. Odwróciła się do mnie z nadzieją, być może nawet z pewnością, że wszystko idzie po jej myśli. Wyczekiwała dobrych wiadomości. Jasne, ja też wolałabym mieć spokojne popołudnie. Poczułam się jak kruk, herold złych wieści.

– Hania już jedzie? – Rozpromieniony uśmiech przygasł nieco; z wyrazu mojej twarzy łatwo było wyczytać, że coś jest nie tak. Jednak nadzieja pozostała.

– Nie. I nie spodziewaj się jej. Chodź, porozmawiamy. – Usiadłam przy stoliku i gestem dłoni wskazałam jej miejsce naprzeciwko. – Filiżankę kompotu proszę! – Chciałam choć trochę rozładować gęstniejącą atmosferę. Wydawało mi się, że pod sufitem zawisły czarne chmury. I powróciło wrażenie, że Ewa mnie obserwuje.

Jasny gwint! Miałam ochotę wstać i schować zdjęcie do szuflady. Tylko mnie nie kontroluj! – pomyślałam. To ty powinnaś być na moim miejscu. Łatwo krytykować, gdy stoi się z boku, zbuntowałam się. Efekt był natychmiastowy. Ewa odwróciła wzrok.

– Dlaczego? Dlaczego Hani nie będzie? – W oczach Zosi zalśniły łzy, które jakoś nie zrobiły na mnie wrażenia. Sama jest sobie winna i musi to zrozumieć. Histeria nic tu nie pomoże, pomyślałam.

– Zgodnie z obietnicą porozmawiałam z mamą Hani i zaraz ci wszystko przekażę. Wcześniej jednak chciałabym ustalić zasady dotyczące naszych rozmów. Czy możemy być wobec siebie absolutnie szczere? Tak do bólu? Bo widzisz, uważam szczerość za lepszą od krętactwa, mijania się z prawdą czy owijania wszystkiego w bawełnę. Nieszczera rozmowa to strata czasu. Przekręcanie i naginanie faktów jest po prostu nie fair. Oczywiście, mamy prawo do własnych poglądów i tajemnic, o których nie musimy mówić. Jeżeli jednak pojawia się problem, proponuję go przedyskutować i zastanowić się nad sposobem rozwiązania. Na świecie nie ma osób nieomylnych, każdy popełnia błędy. Ja też. Tak już w życiu jest, że spotykają nas wpadki i porażki. Zgadzasz się ze mną?

– Tak. Możemy mówić szczerze – wybąkała, nie patrząc mi w oczy.

– Cieszę się. I chcę, żebyś wiedziała, że pragnę wyłącznie twojego dobra i szczęścia. Teraz i w przyszłości. I żebyś zawsze postępowała godnie. Rozumiesz?

– Tak.

– Czy jesteś najlepsza w klasie, bo nie informowałaś Hani o wszystkim, z czego miała się przygotować?

– Ale o większości mówiłam! – Podniosła na mnie spłoszony wzrok.

– Precyzyjnie ujęte. O większości, ale nie o wszystkim – skwitowałam. Rozmowa stawała się coraz bardziej nieprzyjemna. Nie mogłam się pozbyć wrażenia, że męczę małą jak gestapowiec, ale nie miałam lepszego pomysłu.

– Nie powiedziałam jej tylko o klasówce z jamochłonów i o...

– Czyli zataiłaś przed nią ważne informacje. A ona ich oczekiwała, ponieważ miała do ciebie zaufanie.

– To nie moja wina, że chorowała!

– Nie twoja. To prawda. Ale nie to jest istotne. Czy pomyślałaś, jak ty byś się czuła w takiej sytuacji? Liczysz na kogoś, a ten ktoś nawala?

– Ja nigdy nie znalazłabym się w takiej sytuacji. Ja bym zadzwoniła do innej koleżanki i upewniła się, czy wszystko pod kontrolą. – Popatrzyła na mnie tryumfalnie. Nabierała niebezpiecznej pewności siebie. – To Hani wina, że kontaktowała się tylko ze mną.

– Wydaje mi się, że nie powinnyśmy teraz gdybać, a podyskutować o twoich poczynaniach. Odnoszę wrażenie, że nie do końca rozumiesz, co to znaczy przyjaźń. Moim zdaniem jest to zaufanie, szczerość...

– ...i serdeczność – wtrąciła. – Ale ja przecież jestem dla Hani serdeczna. Przygotowałam wszystko na jej wizytę...

– Mylisz pojęcia. Nie chodzi o gościnność, a o serdeczność, czyli życzenie drugiej osobie z całego serca wszystkiego dobrego. Również bardzo dobrych ocen. I na dodatek pomaganie jej z całych sił. A ty, zatajając informacje, zachowałaś się jak przyjaciółka na niby, bo prawdziwa tak nie robi. To nie jest przyjaźń, tylko atrapa. To tak samo jak z kupnem podrobionych dżinsów z metką słynnej firmy; zadowolą tych, którzy chcą z próżności zaimponować innym. A obrażą inteligencję tych, o których myślałaś, że się nie poznają na tandecie. Nie chodzi o to, aby się pysznić. Autentyczna przyjaźń jest jak oryginalne dżinsy. A może uważasz inaczej?

– Nie zrobiłam nic złego. Przecież zawsze mogę powiedzieć, że zapomniałam!

– Komu? Mnie? Przecież przed chwilą przyznałaś się do zatuszowania tego i owego!

– Hani! Niczego nie będzie w stanie mi udowodnić! Sprawa zakończona! – odpysknęła hardo.

– Sprawiłaś mi przykrość, Zosiu. Przecież to zwykłe, pospolite kłamstwo. A do kogoś, kto kłamie, nie można mieć zaufania. Danego słowa trzeba dotrzymać. Gdyby Hania ci nie ufała, zwróciłaby się do innej koleżanki. Ale obdarzyła zaufaniem ciebie, a ty ją zawiodłaś. Przyjaźń jest skarbem, trzeba ją pielęgnować codziennie. Najmniejsza wpadka może ją zniszczyć na zawsze. Tak się nie traktuje nikogo, ani znajomych, ani przyjaciół. Więc spróbuj zrozumieć. Hania zawiodła się na tobie. Wyobrażasz sobie, jak cierpi?

– Ale ja chciałam być chociaż raz najlepsza... – rozpaczliwie próbowała szukać argumentów.

– To dobrze, że jesteś ambitna. Ale w życiu, podobnie jak w sporcie, jest zasada: niech wygra najlepszy. I trzeba wygrywać z klasą, a nie na dopingu. Jeżeli wykryje się go na badaniach, następuje dyskwalifikacja. Podobnie w przyjaźni: jeśli na jaw wychodzi kłamstwo, przyjaźń się kończy. A nawet jak nie wyjdzie, pozostaje jeszcze sumienie, które potrafi gryźć jak szkodniki w sadzie dojrzewające jabłka. Naprawdę zależy mi, żebyś to zrozumiała, bo rozmawiamy właśnie o jednej z najważniejszych spraw w życiu.

Starałam się mówić serdecznym tonem, bo całym sercem było mi żal Zosi. Łzy, które pojawiły się na początku rozmowy, wyschły już dawno. Zosia była zła, ale analizowała moje słowa. Po rozmowie zagramy w scrabble, postanowiłam, to dziewczyna się odstresuje. A może zaprosimy jeszcze Tadeusza? O Piotrze nawet nie pomyślałam, zresztą zalazł mi za skórę i nie miałam ochoty go oglądać. Uff, jakoś dałam radę. Aga byłaby ze mnie dumna. Patrzyłam na Zosię, mnącą pasek przy bluzeczce zadrukowanej w małe, uśmiechnięte, zjeżdżające na sankach Mikołajki. Wprawdzie dziś był ostatni dzień mojego dwutygodniowego urlopu i powinnam zejść z nieba na ziemię, by przygotować się do pracy... A przynajmniej przejrzeć mejle. Widziałam raporty z poczynań konkurencji i najwyższy czas powalczyć nie tyle o jej wyprzedzenie, ile chociaż o dotrzymanie kroku. Ale czego się nie robi dla dziecka, dla którego własny ojciec nie ma czasu? I dla dobrej atmosfery w domu? Spojrzałam na zdjęcie Ewy. Wydawało mi się, że nasze spojrzenia się spotkały; w oczach wyczytałam aprobatę i poczułam się znacznie lepiej. Zosia milczała, więc podeszłam do niej i przytuliłam, ale poczułam opór. Cóż, wszystko wymaga czasu.

– Chciałabym cię ochronić przed całym złem tego świata – wyszeptałam jej do ucha. – Ale pragnę również, byś nauczyła się czynić tylko i wyłącznie dobro. Możesz liczyć na moją pomoc. Zawsze będę starała się zrozumieć. W porządku?

Zosia zesztywniała jeszcze bardziej, a ja poczułam się tak, jakbym przytulała marmurowy posąg. Odepchnęła mnie gwałtownie i patrząc mi prosto w oczy, wysyczała:

– Nigdy się nie dogadamy. Nie ma szans!

Opadły mi ręce. Poczułam się sponiewierana, jak śmieć niesiony wiatrem z jednego końca podwórka na drugi, z którym nikt się nie liczy, każdy chce tylko, żeby zniknął z oczu. Cóż, nic tu po mnie, i tak zrobiłam wszystko, co mogłam. Odwróciłam się na pięcie i wyszłam do łazienki. Zmęczona, ponownie przyłożyłam do policzków ręcznik zmoczony w bardzo zimnej wodzie i spojrzałam w lustro. Ujrzałam upokorzoną kobietę, bez makijażu, z przylepionymi do czaszki mokrymi włosami. Na oko przybyło mi z dziesięć lat. Nie, nie dam rady! Lepiej się wycofam na początku, po co ciągnąć to w nieskończoność? Jestem do bani! – desperowałam. Całkiem inna od słynnych aktorek, również macoch, które opowiadają w babskich magazynach o swoich superrelacjach z pasierbicami. O tym, że się pokochały od pierwszego wejrzenia, świetnie im się układa, są kumpelkami, dogadują się bez słów i wręcz nie wyobrażają sobie życia bez siebie. Kochają się i akceptują bezwarunkowo. A ja? Dzieciaki mnie nie lubią i nie umiem z nimi postępować. Nie mam wsparcia w Piotrze, który co najwyżej w wolnej chwili przypatruje się z boku. I sprawdza mnie przy byle okazji, czy nie robię dzieciom krzywdy.

Sytuacja mnie przerosła. Jeszcze trochę, a zawiozą mnie do wariatkowa. Najchętniej trzasnęłabym za sobą drzwiami. Na dodatek trafiły mi się duże dzieci, a z takimi często nie radzą sobie nawet biologiczni rodzice! I na dobitkę te głupie uwagi znajomych, którzy dowiedzieli się, że wychodzę za wdowca z kilkunastoletnim przychówkiem: „Ale ci fajnie, aż za dobrze, od razu odchowane". Jasny gwint, co oni wiedzą? Wolałabym maluchy, mogłabym nimi chociaż pokierować po swojemu! Nawet za cenę mycia brudnych pup i nocnego wstawania! Wszyscy ode mnie oczekują nie wiadomo czego, a ja tymczasem nie mam żadnych praw ani władzy. Nie mogę decydować o ważnych sprawach, na przykład o wyborze szkoły czy przychodni. I wszystko, co dla nich robię, wynika wyłącznie z mojej dobrej woli. Nie muszę niczego. Wiem, bo przed ślubem pytałam o to firmową prawniczkę! Na pytanie: „Kim dla nich będę?", usłyszałam prostą odpowiedź: „Nikim". Po raz enty przyłożyłam mokry ręcznik do twarzy i rozpłakałam się rozpaczliwie; gruba tkanina tłumiła wszelkie odgłosy. Wypłaczę się na maksa i dojdę do siebie. Ciekawe, jak zareagowałyby teraz na mój widok dzieci? Tadeusz? Nie mam pojęcia. Zosia? Może tryumfalnym spojrzeniem. Wygląda na to, że mała prowadzi ze mną wojnę na nerwy. Jasny gwint! Po pierwsze muszę zapanować nad oddechem. Starając się rozluźnić, zaczęłam powolutku, głęboko wciągać i wypuszczać powietrze nosem. Odrzuciłam negatywne emocje. Nie było łatwo, bo powracały jak bumerang. W mojej głowie wciąż huczało: „Nigdy się nie dogadamy", jakbym miała tam miniaturową katarynkę. Dzięki Bogu, że jako nastolatka opanowałam sztukę świadomego, relaksacyjnego oddechu, tak pomocną przed egzaminami, kolokwiami i ważnymi rozmowami! Zamykałam oczy i oddychanie wspomagałam wizualizacją. Wyobrażałam sobie na przykład, jak stoję przed komisją z uśmiechem, bo po pierwsze dostałam pytania, które mi leżały, a po drugie piątkę w indeksie. Albo siebie przed rozmową z tatą, podczas której mam go przekonać, żeby po śmierci mamy nie sprzedawał mieszkania. Oczami duszy widziałam, jak dożywa w nim szczęśliwej starości, a my z Agą znajdujemy spokój i pociechę wśród znajomych mebli, kubków i łyżeczek... Pomagało, choć prawdę mówiąc, zawsze starałam się być przygotowana. Może nie za każdym razem moje osiągnięcia były spektakularne, zdarzały się czwórki, ale żadnego egzaminu nie oblałam.

Tylko co teraz sobie wyobrazić? Najlepiej, że nam się udało i jesteśmy szczęśliwą rodziną. Zamknęłam oczy, wsparłam dłonie na szafce z umywalką, rozluźniłam niemiłosiernie spięte mięśnie szyi i przywołałam w głowie rozmowę z Zosią. Tym razem od początku do końca potoczyła się ona inaczej. Była znacznie krótsza, bo nie musiałam się wysilać na nielotne przykłady o dżinsach czy dopingu. Teraz Zosia błyskawicznie pojęła swój błąd, postanowiła natychmiast przeprosić Hanię i przyrzekła nie popełniać podobnych w przyszłości. Na koniec, gdy ją przytulałam, odwzajemniła uścisk, po czym spędziliśmy, wszyscy, łącznie z Piotrem, popołudnie na grze w scrabble. I oczywiście nie padło zdanie: „Nigdy się nie dogadamy". Otworzyłam oczy. Tak, znacznie lepiej. Niemal uwierzyłam, że pierwsza rozmowa wcale nie miała miejsca. Obowiązująca i realna jest druga wersja! Tak jak ustawa, która dopiero weszła w życie, usuwając poprzednie regulacje. Co za ulga! Muszę zmienić podejście, pomyślałam i przyjrzałam się swemu odbiciu w lustrze. Już nie było tragicznie; nawet włosy podeschły i na powrót stały się puszyste. Sięgnęłam po puder. Czerwony nos, błyszczące policzki i czoło po kilku pociągnięciach pędzlem nabrały normalnego, zdrowego, codziennego kolorytu. Dodatkowo odrobina różu, błyszczyka i tuszu do rzęs uczyniła cuda. Teraz wyglądałam jak człowiek. Muszę jeszcze spróbować afirmacji, jak mój kolega z pracy, szef działu handlowego. Gdy rosną zapasy kosmetyków w magazynie, on kilka razy dziennie powtarza swojemu odbiciu w lustrze: „Jestem taki świetny w marketingu, że magazyny robią się puste". I naprawdę, zdarzały się przypadki, że trzeba było uruchamiać nocną zmianę! Choć dziwnym trafem takie sytuacje zdarzają się zazwyczaj przed świętami, walentynkami, Dniem Kobiet i Dniem Matki. Roześmiałam się. Nigdy nie stosowałam tej techniki, ale zawsze kiedyś musi być pierwszy raz. Zbliżyłam twarz do lustra.

– Jestem w tej rodzinie akceptowana, potrafię dogadać się z dziećmi i Piotrem, moje wysiłki kończą się wyłącznie sukcesami, tworzymy kochającą się... – zaczęłam niepewnie.

– Iza, mówisz do siebie?

Byłam tak skupiona na wymyślaniu dalszych sekwencji, że nie zauważyłam wejścia Piotra. Patrzył na mnie zbaraniały.

– Podśpiewuję sobie, po prostu. – Za nic w świecie nie przyznałabym się do tego, co przez ostatnie pół godziny robiłam w łazience w celu złapania względnej równowagi psychicznej.

– Jakoś nie usłyszałem melodii... – Nie przestawał wpatrywać się we mnie jak w stary eksponat z własnych zbiorów, który ogląda się codziennie i w końcu dostrzega coś, czego nie zauważało się przez lata.

– Jest jeszcze melorecytacja...

– Coś kręcisz.

– A ty wiercisz mi dziurę w brzuchu. Śpiewałam i już! – Byłam zła, bo przerwał mi kreowanie lepszej rzeczywistości. Mantrę, która miała uzdrowić naszą rodzinę. I jeszcze na dodatek wszedł sobie do łazienki jakby nigdy nic. Jakby nie doprowadził mnie do łez lekceważącym stosunkiem do problemów swego rodzonego dziecka. – Zostaw mnie. Łazienka jest pomieszczeniem, w którym można złapać trochę intymności, tak? – Odwróciłam się do lustra i wzięłam do ręki błyszczyk, w nadziei że Piotr wyjdzie, a ja będę mogła kontynuować czary. Nic z tego, ani drgnął. Zza moich pleców obserwował, jak przymuszona sytuacją po raz kolejny w ciągu zaledwie kilku minut pokrywam usta smarowidłem o smaku lemoniady. Niewzruszona, oddawałam się temu zajęciu z pasją. Kątem oka widziałam, jak mój mąż poprawia okulary. Poza domem używa szkieł kontaktowych, w domu nosi oprawki, jak kapcie, dżinsy, dres czy piżamę. Poprawia je zawsze, gdy bywa zakłopotany.

– Ładnie wyglądasz.

– Jeszcze tu jesteś? Miałeś wyjść! – rzuciłam przez ramię, udając zaskoczoną.

– Naprawdę ładnie wyglądasz.

– Nie podlizuj się! – Moje usta pokrywała gruba warstwa błyszczyku. Zapach lemoniady zaczynał mnie mdlić. Wzięłam do ręki tusz do rzęs.

– Wychodzisz gdzieś? Po co taki staranny makijaż?

– Może.

– Iza, przestań!

Mocno chwycił mnie w talii i odwrócił gwałtownie. Staliśmy teraz naprzeciwko, twarzą w twarz. Oboje wściekli. Piotr rozejrzał się wokół jak tonący, który szuka koła ratunkowego. Lewą ręką unieruchomił mnie, drugą sięgnął po ręcznik. Uścisk wcale nie był przyjemny, był wręcz bolesny. Piotr zaczął się we mnie wpatrywać. Wziął gruby ręcznik i zbliżył go do mojej głowy. Zaraz zatka mi nos i udusi! – pomyślałam przerażona. Jak w oglądanym niedawno thrillerze. Tam również scena odbywała się w łazience, tyle że gość dusił żonę poduszką, bo przegrała w bingo jego nową wypasioną beemwicę. Szamotałam się, próbując uwolnić, ale Piotr przyciągnął mnie jeszcze mocniej, przycisnął ręcznik do mojej twarzy i... wytarł mi usta. Odrzucił go, lecz mnie trzymał nadal. Wolną ręką odgarniał do tyłu kosmyki włosów, które opadły mi na policzki.

– Nie gniewaj się – powiedział. – Wiem, że chcesz jak najlepiej, ale nie oczekuj ode mnie prostowania zakręconych przez ciebie spraw. Pewne rzeczy są po prostu trywialne i lepiej zostawić je ich biegowi. Jest niedziela. Odłóżmy te dyskusje na inny dzień, a teraz cieszmy się sobą. – Objął mnie mocno i zaczął całować. – No, teraz lepiej, i to znacznie. Gdybym nie starł tego świństwa, pozostalibyśmy sklejeni ustami aż po grób, jak po tym szybkoschnącym kleju dla majsterkowiczów. Gdy siostrzeniec Mariana sklejał model szybowca i dotknął palcami biurka, trzeba było wzywać pogotowie. A swoją drogą, czemu smarujesz usta klejem?

– To nie klej, wariacie, tylko błyszczyk! – Udawałam wściekłość, ale lód w moim sercu zaczynał topnieć. Jasny gwint! Dlaczego nie potrafię być konsekwentna?

– Błyszczyk? A po kiego grzyba?

– Żeby mieć ponętne usta! Dla ciebie.

– Teraz są bardziej ponętne niż przedtem. Jestem przekonany, ale wolę to sprawdzić jeszcze raz! – Znów zaczął mnie całować. – Co więcej, muszę się przyznać, że ubawiła mnie ta twoja dzisiejsza furia. Myślałem, że pokażesz mi zęby i zaczniesz drapać pazurami jak lamparcica. Pomimo to nie chciałbym, by powtarzały się podobne sceny.

– Sam do tego doprowadziłeś, bimbając sobie z ważnych dla twojego rodzonego dziecka problemów. Na dobitkę... – W oczach znów stanęły mi łzy. – Jakby tego było mało, Zosia godzinę temu powiedziała: „Nigdy się nie dogadamy”! – Naprawdę bardzo nie chciałam, ale zaczęłam pociągać nosem.

– Kto z kim? – spytał Piotr, tuląc mnie mocniej.

– Ja z nią! – Byłam już na etapie chlipania. – Kiedy tłumaczyłam jej, że postąpiła wbrew podstawowym zasadom przyjaźni. Wydawało się, że wszystko rozumie, a ona mi na koniec palnęła coś takiego. To było jak cios w serce!

– Dogadacie się, bez obaw. Zosia ma swoje za uszami, ale w gruncie rzeczy to dobra dziewczynka, przekonasz się jeszcze. Powiedz mi, czy naprawdę najważniejsze dla mnie kobiety nie potrafią dojść do porozumienia? Niemożliwe! – pocieszał.

Nie mogłam się pozbyć wrażenia, że chce tylko powierzchownie załagodzić konflikt.

– Proszę, porozmawiaj z Zosią.

– Już ci mówiłem... – Zjeżył się od nowa. – Nie będę się wtrącał do spraw pomiędzy wami. Pomyśl, gdybyś nie zaczęła w tym grzebać, mielibyśmy spokój...

– To lepsze nicnierobienie niż dobro dziecka? – Pociągnęłam nosem.

– Zakończmy wreszcie ten temat. Przynajmniej na dzisiaj! – powiedział tonem nieznoszącym sprzeciwu. – Wiesz co? – Przytulił mnie ponownie. – Mam dobrą wiadomość! – Mówił jak do dziecka, które chce się przekupić obietnicą lizaka. – Skończyłem projekt. Chodźmy na spacer albo na lodowisko.

– Przydałaby mi się chwila relaksu, ale nie mogę. Jutro idę do pracy. Muszę się przygotować. Weź dzieci i idźcie sami.

– Sami? – Piotr był zawiedziony. – Może jednak dasz się skusić?

– Nie. Nie dzisiaj. Po tak długim urlopie czeka mnie w pracy katorga.

– Nie będzie ci smutno?

– Nie, przysięgam! – odparłam ucieszona perspektywą dwóch albo i trzech godzin samotności i przetrawienia w spokoju ostatnich wydarzeń.

– Ale, ale, jak już jesteśmy przy temacie twojej pracy… Była u mnie przed chwilą Zosia i powiedziała, że po powrocie ze szkoły mają sobie sami podgrzać zupę.

– Zgadza się. Ustaliłam z nimi pewne rzeczy. Wstają rano i jedzą płatki, jak zwykle. Mleko podgrzeją sami, bo ja już będę w drodze do pracy. Śniadania do szkoły będą przygotowane na stole w kuchni, oczywiście przeze mnie. Wystarczy, że je włożą do plecaków. Nie martw się, nie będziesz miał pustego brzucha, bo dla ciebie też coś zrobię. Potem dzieciaki wracają ze szkoły, zazwyczaj pomiędzy czternastą a piętnastą, i podgrzewają sobie zupę. Drugie danie zjemy wspólnie po moim i twoim, mam nadzieję, powrocie, bo zdarza ci się wracać o dość zwariowanych godzinach. Będę w domu przed szesnastą, dokończę drugie danie przygotowane dzień wcześniej i wszyscy zasiądziemy do rodzinnego posiłku. Chyba dobrze wymyśliłam?

– Wiesz, przedtem Bożena podawała im obiad...

– Ale ja jestem Izabela! I w tym tkwi różnica! Masz coś przeciwko?

– Zależałoby mi, żebyś była przed powrotem dzieci...

– To nie są maluchy! Zresztą to zaledwie kwestia godziny, najwyżej półtorej! Nie przesadzaj! Głodne nie będą. A zupę chyba są w stanie postawić na gazie? Nikt od nich nie wymaga gotowania! Rozumiesz? – Po raz kolejny miałam wrażenie, że w temacie dzieci nadajemy na różnych falach.

– Ale one nie są przyzwyczajone!

– To się przyzwyczają. Zrobią mały kroczek ku dorosłości. Wyobraź sobie tylko te wszystkie dzieci, które wychodzą z domu bez śniadania, nie mają w plecaku drugiego, a gdy wracają do domu, zastają pustą lodówkę? Bo nie tylko nie mają Bożeny, ale ich rodzice pracują na zmiany i wracają przed północą, a z pensji ledwie wystarcza na opłaty! Albo jeszcze gorzej: poszli na melinę, mają dzieci gdzieś, a czynszu i tak nie płacą. I jeszcze się cieszą, bo komornik nie ma czego zabrać!

– Wiem, że są takie dzieci, i bardzo boleję nad ich losem. – Zakłopotany Piotr ponownie poprawił oprawki. – Ale wpadłem na pewien pomysł, który nawet uzgodniłem z Zosią.

– Nie musisz mówić, niech zgadnę. Chodzi o szkolną stołówkę? O to, żeby zjadły tak zwany wczesny obiad w szkole, a drugi, późniejszy, w domu? Nie mam nic przeciwko temu. Mogłabym wtedy nawet dłużej posiedzieć w pracy, gdyby zaszła taka potrzeba. Fajnie to wymyśliliście! I wygodnie dla nas wszystkich. – Naprawdę byłam zadowolona, choć żałowałam, że nie ja na to wpadłam. – Nie będę musiała gnać do domu na złamanie karku. A wspólny obiad będzie późną kolacją. Ekstra! – Pocałowałam Piotra. No, mój mężczyzna to ma głowę! W końcu nie bez przyczyny jest cenionym naukowcem! Pocałowałam go powtórnie, choć wyczuwałam, że nie podziela mojej radości. I znów poprawił oprawki. Był jakiś nieswój. Co jest? – zmarszczyłam czoło. Co mogli wymyślić lepszego?

– Nie to chciałem powiedzieć…

– No bo jeśli nie stołówka, bo tam różnie gotują, to może abonament w restauracji. Nie mam nic przeciwko. Trzeba tylko poszukać niedrogiej i porządnej… – Przerwałam, bo najwyraźniej nie trafiłam i tym razem. Skonfundowany Piotr zmienił rękę przy poprawianiu okularów. – Może jednak mnie oświecisz?

– Pomyśl. Byłoby lepiej dla dzieci, dla mnie i dla ciebie, gdybyś po prostu rzuciła pracę. Choćby od jutra. Przecież nie musisz pracować. Nie będziesz musiała wstawać o piątej rano z kogutami, pośpisz sobie, potem nas wszystkich wyprawisz…

– Długo nad tym myślałeś? – Nie mogłam tego słuchać. – Bo jeżeli długo i jest to przemyślana decyzja, to proponuję, żebyś natychmiast, z własnej i nieprzymuszonej woli, udał się do szpitala psychiatrycznego na zamknięte leczenie. Nie znam się na chorobach psychicznych, ale z całą odpowiedzialnością twierdzę, że jesteś pomylony! – Odsunęłam się. – Skończ z tak niedorzecznymi pomysłami, bo się pokłócimy!

– Ale finansowo damy radę. Będę po prostu więcej pracować!

– Wybij to sobie z głowy!

– Ale…

– Nie ma żadnego ale! – Odwróciłam się, otworzyłam z impetem drzwi i pomaszerowałam do kuchni.

– Jeszcze do tego wrócimy! Ja przecież chcę dla nas jak najlepiej! – usłyszałam, ale puściłam to mimo uszu.

Gdy wyszli, objuczeni łyżwami, nie myślałam już o żadnych afirmacjach. Robiąc w kuchni herbatę, zachodziłam w głowę, jak mogli decydować o tak ważnej dla mnie sprawie bez mojego udziału? Wzięli pod uwagę wyłącznie swój interes, ignorując fakt, że w pracy się wyżywam, że pasjonuje mnie komponowanie receptur, testowanie ich i nieustanne udoskonalanie. Moje życie ma dwie integralne składowe: pracę i dom. I nie wyobrażam sobie innej opcji.

W panieńskim mieszkaniu miałam niepracującą sąsiadkę Kingę, która często wpadała do mnie ze łzami w oczach, żeby się wyżalić i wypłakać. Jej mąż był dyrektorem finansowym w dużej korporacji i zarabiał krocie; mieli zero problemów finansowych. A ściślej mówiąc: on ich nie miał, bo ona owszem. Zanim się pobrali, był jej przełożonym, tym najwyższym, bo Kinga, panna zaledwie po maturze, miała nad sobą jeszcze kierownika sekcji i jego zastępcę. Po ślubie uzgodnili, że ona rzuci pracę, bo jej pensja wystarczała najwyżej na rajstopy. Miał być miód, cud i malina. Kinga poświęciła się więc tak zwanemu pielęgnowaniu domowego ogniska, dogadzaniu mężowi i synowi. Więcej dzieci nie planowali, mąż ledwie zgodził się na jedno. Słynął z powiedzenia: „Z dzieci jest więcej szkody niż pożytku", a na pierworodnego wyraził zgodę, by „moja żona nie zanudziła się w domu na śmierć, bo jeśli baba nie ma nic do roboty, w głowie jej tylko głupoty". Nie sądzę, by była to prawdziwa miłość... Kingą powodowała najpewniej chęć społecznego awansu i zaimponowania koleżankom. Czuła się wyróżniona. Z jej opowieści wywnioskowałam, że nie zgadzali się na żadnej płaszczyźnie. Codziennie, gdy on wracał z pracy, ona musiała zdawać szczegółową relację z tego, co i o której robiła. Wydzielał jej budżet na prowadzenie domu, a gdy chciała kupić nowe buty, wystosowywała do męża coś w rodzaju petycji z uzasadnieniem. Wyglądało to następująco: Kinga pokazywała mu stare obuwie, a pan i władca oceniał, czy na pewno są tak zrąbane, że zachodzi absolutna konieczność kupna nowego. Zdarzały się przypadki, że odchodziła z kwitkiem, bo zakwalifikował buty jako całkiem dobre, co najwyżej zezwalając na zmianę fleków.

Wciąż miałam ją przed oczami, jak zapłakana, z rozpływającym się tuszem do rzęs (innych kosmetyków nie używała, jako że zdaniem męża były zbyteczne, bo „i tak się ludziom na oczy nie pokazujesz, a dla dozorcy nie warto"), wyjawia mi jedyne marzenie: samodzielną decyzję w kwestii kupna nowych butów. Chciała po prostu iść do sklepu, naprzymierzać się do woli, wybrać, a potem wyciągnąć portfel i zapłacić własnymi pieniędzmi, a nie tymi zarabianymi przez męża. Starałam się ją pocieszać, ale możliwości miałam ograniczone. Najczęściej przywoływałam obraz samotnych matek z kilkorgiem dzieci, które pracują w fabryce na trzy zmiany i zanim kupią nowe buty, dziesięć razy oglądają stare. A nawet jeżeli zachodzi absolutna konieczność nabycia nowych, i tak tego nie robią, bo priorytetem są sandałki dla potomstwa. Na krótko nawet pomagało... Kiedyś poradziłam Kindze, by podjęła zaoczne studia w weekendy, zdobyła nowe umiejętności i podwyższyła sobie samoocenę, a potem znalazła pracę, choćby na pół etatu. Ale ona wybuchnęła płaczem i stwierdziła tylko, że nie ma takiej możliwości. Byłby to koniec ich małżeństwa, bo „mój mąż się nigdy na to nie zgodzi, a ja ślubowałam mu przed Bogiem". Było mi żal tej o kilka lat zaledwie starszej ode mnie kobiety, przed którą było całe życie, a która zgodziła się trwać w beznadziejnej stagnacji na absolutnej łasce męża. Przychodziła do mnie dość często, ale jej wizyty stawały się coraz bardziej męczące. Ciągle to samo, w koło Macieju. Kinga na własne życzenie znalazła się w sytuacji patowej. Młoda, znerwicowana, zahukana kobieta, z brakiem planów na przyszłość, wyzwań, marzeń i rywalizacji dającej zastrzyk adrenaliny.

Nie liczyłam łyżeczek cukru bezmyślnie wsypanych do herbaty. Zamieszałam i pociągnęłam łyk: ulepek. Co tam, podobno cukier krzepi. Bzdura kompletna z punktu widzenia nauki, ale przecież podobno wszystko można zracjonalizować. Czegóż to Piotr i Zosia oczekują ode mnie? Aha, rezygnacji z połowy mojego życia! W imię czego? Chyba wyłącznie w imię podanej dzieciom pod nos ciepłej zupy i zwolnienia ich z samodzielnego poruszania chochelką w garnku. I moim jedynym twórczym wyzwaniem ma od zaraz być wymyślanie i ulepszanie nowych receptur nadzienia do pierogów albo naleśników? Chcą zrobić ze mnie kurę domową w swetrach z lumpeksu i pocerowanych skarpetach? Niedoczekanie! Gros kobiet łączy pracę zawodową z domem i jakoś wszystko dobrze funkcjonuje. Oczekiwanie, żebym porzuciła pracę, to bezczelność! Jak on to powiedział? Że nie będę musiała wstawać z kogutami i sobie pośpię? No... Choć szczerze mówiąc, ten aspekt nie byłby wcale taki zły.

Trzeba jednak przyznać, że istnieją kobiety marzące o bezczynności zawodowej. Na przykład Ola, moja fryzjerka. Podczas każdej wizyty, manewrując grzebieniem i nożyczkami nad moją głową, stęka, jak bardzo jej źle. Strzyka ją w kręgosłupie, jest wypalona zawodowo, znudzona klientami, którzy sami nie wiedzą, czego chcą, i jeszcze dzisiaj, w dwudziestym pierwszym wieku, musi udawać, że nie widzi spacerujących po głowie wszy! Ludzie przychodzą do niej z tak tłustymi włosami, że tym smalcem można chleb smarować! I jeszcze musi się sztucznie uśmiechać, aż do szczękościsku. Była nawet z tą dolegliwością u lekarza, ale on tylko zdiagnozował nerwicę i przepisał jej krople uspokajające. Ola zazdrości tym wszystkim odpicowanym, niepracującym babkom, które przychodzą do niej przedpołudniami, żeby jakoś zabić czas, bo ich mężowie są akurat w delegacji albo na zagranicznym kontrakcie. Podczas gdy ona skacze wokół nich z udawanym entuzjazmem, damulki rozmawiają przez telefony komórkowe, umawiając się z koleżankami na kawusię i ploteczki. Albo dyskutują, co jest trendy. Ola marzy o „rzuceniu tego wszystkiego w cholerę", oddaniu nożyczek na złom, wykrzyczeniu tym niechlujom, co o nich sądzi, pójściu do domu, doprowadzeniu wszystkiego do porządku, zrobieniu sobie w spokoju maseczki z miodu i jogurtu i upieczeniu ciasta drożdżowego ze śliwkami. I zrobiłaby to wszystko natychmiast, gdyby tylko jej mąż nieudacznik był w stanie utrzymać rodzinę. A on nie potrafi. Mało co potrafi, więc w żadnej pracy miejsca nie zagrzeje, a mimo to ma o sobie wygórowane mniemanie. A to ona, Ola, jej pensja i napiwki otrzymywane kosztem szczękościsku, zapewniają im wszystkim byt. Gdyby nie ta praca, koczowaliby całą rodziną w namiocie pod ośrodkiem pomocy społecznej, błagając o litość i parę groszy na przeceniony, bo czerstwy, chleb.

Wykład mniej więcej w ten deseń słyszę przy każdej wizycie w zakładzie fryzjerskim. Ale Oli nie zmieniam na inną, bo jest w swoim fachu powalająco dobra.

I co? Lepiej pracować czy nie? Wszędzie dobrze, gdzie nas nie ma. Syty nie zrozumie głodnego. Wszystko ma swoje za i przeciw… W każdym razie myślę, że gdy praca jest pasją i wyzwaniem, nie należy jej porzucać. To podstawowa zasada. A Piotr z Zosią nie wymuszą na mnie tej decyzji, nawet gdyby ich duet zamienił się w trio, z przekabaconym Tadeuszem. Owszem, moja mama nie pracowała na etacie, ale wspomagała domowy budżet, dając korepetycje z fizyki. Wspominałam o tym Piotrowi, ale teraz nie zamierzam do tego wracać, bo jeszcze przyjdzie mu do głowy męczyć mnie o udzielanie korków z chemii. Ani mru-mru! Zresztą nie ma co się zastanawiać, bo pracy i tak nie rzucę! – zdecydowałam. Przecież muszę w końcu opracować przebojowy i naprawdę skuteczny krem na opadające powieki. Gdy spojrzenie milionów kobiet odzyska przygaszony upływem lat blask, odzyskają dobre samopoczucie!

A tak na marginesie, ciekawe, co u taty? Rozsiadłam się wygodnie przy kuchennym stole i wykręciłam jego numer. Biedny tata, taki samotny, wymagający opieki i troski. Mejle z firmy mogą chwilę poczekać. On był moim facetem numer jeden przez całe dwadzieścia osiem lat.

– Cześć sławo polskiej fizyki! – zawołałam radośnie, bo odebrał po pierwszym sygnale, natychmiast pozbawiając mnie obaw, że leży martwy lub zemdlony.

– Witaj malutka! Miło cię słyszeć! – zaświergotał jak szczygieł. – Chociaż ostatnio dzwonisz nie w porę, ale nic to. Mam jeszcze chwilkę.

– A co, w telewizji będzie relacja ze skoczni?

Tata jest fanem narciarstwa. Oczywiście biernym, chociaż kilka lat temu, wiedziony impulsem, zakupił sprzęt do narciarstwa zjazdowego, który według mojej najlepszej wiedzy nigdy nie został użyty i leży zakurzony gdzieś w piwnicy. Skończyło się na dobrych chęciach.

– Nie.

– Jakiś film?

– Nic z tego. Nie oglądam ostatnio filmów. Skalkulowałem, to kompletna strata czasu. Wiesz, że przeciętny trwa dwie godziny, a fabuły są coraz gorsze. Scenarzystom brakuje pomysłów. Ciągle to samo: agenci, mściciele, terroryści, wampiry, ćpuny, kelnerki, zemsty i morderstwa. Ogólnie komercja i jeszcze raz komercja. Zachodzę w głowę, jak mogłem kiedyś tracić na to życie? Policz Iza, siedem dni w tygodniu, po dwie godziny. Czternaście godzin! A pomnóż to przez miesiące i lata! Można się załamać. Tłumaczę to tym młokosom, z którymi prowadzę zajęcia, i sugeruję, żeby nie powielali moich błędów i spożytkowali ten czas rozsądniej dla zdrowia i umysłu. Przez rok można się nauczyć perfekt języka, nie mówiąc już o kształtowaniu sylwetki!

– A jak tam twoje ćwiczenia? – wtrąciłam, chociaż z góry znałam odpowiedź. Tato był konsekwentny w każdej dziedzinie życia oprócz sportu. „Zacznę od przyszłego roku, a dopóki dopisuje kondycja, wolę oglądać zawody, niż się męczyć", mawiał.

– No, no, słoneczko, słyszę powątpiewanie w twoim głosie. Nieładnie! Oj, nieładnie! Wiedz, że trzymam się ściśle planu ćwiczeń i z dnia na dzień jest coraz lepiej. Po każdym treningu mierzę poszczególne partie ciała. Dzisiaj byłem zszokowany przyrostem w obrębie mięśni ramion, no wiesz, bicepsy, tricepsy i tak dalej. Musisz to polecić Piotrowi. Facet ma obowiązek być wysportowany. Taki jest wymóg społeczny.

– No, tato, zaimponowałeś mi. – Na moment odebrało mi mowę. Niby głos ten sam, ale poglądy diametralnie inne. Jak nie mój rodzony ojciec! – To w końcu gdzie się śpieszysz?

– Jak by ci to powiedzieć… Już wiem: mam wychodne!

– Idziesz do kolegi na partyjkę szachów?

– Po co? Nic z tych rzeczy. Zresztą pogadamy kiedy indziej. Masz jeszcze coś ważnego, bo czas nagli? Przepraszam, ale taka jest prawda. Streszczaj się, kochanie, a najlepiej przedstawiaj sprawy w punktach. No, zaczynaj!

– Po pierwsze…

– Ładnie, słuchasz tatusia – zaaprobował początek wypowiedzi. – Co po pierwsze?

– Jechałam samochodem i usłyszałam ogłoszenie…

– Nie sprzedaję mieszkania! – przerwał.

– Tato, twierdzisz, że nie masz czasu, a się wtrącasz! Pozwól mi mówić! Ogłaszali, że panowie w twoim wieku mogą poddać się w ramach jakiegoś programu bezpłatnym badaniom prostaty. Zapisałam numer, pod którym można się rejestrować.

– To, co mówisz, przechodzi ludzkie pojęcie!

– Gruczoł krokowy jest bardzo ważny.

– Iza, czy ktoś ci coś mówił!? Co ty wiesz o mojej prostacie!? – rozeźlony podniósł głos.

– Nikt mi nic nie mówił, ale chciałam…

– Dobra. Możemy odfajkować punkt pierwszy jako załatwiony. Moja prostata ma się dobrze.

– Tato, to dla twojego dobra. Ja wiem, że nie jest to przyjemne, gdy lekarz wkłada palec tu i ówdzie… – spróbowałam ponownie. Zwłaszcza że w samochodzie narażałam życie, notując numer. Musiałam go najpierw zapisać w głowie, potem, prowadząc jedną ręką, szukałam w czeluściach torebki długopisu, w końcu zapisałam cyfry na wewnętrznej stronie dłoni, trzymając kierownicę pomiędzy łokciami. W godzinach szczytu i na dodatek w centrum!

– Dość! Nie irytuj mnie. Co jeszcze?

– Jutro mój pierwszy dzień w pracy po urlopie, a stamtąd do ciebie blisko. – Odłożyłam sprawę na później. – Może podrzucę ci jakieś domowe jedzenie? Sernik, zupę gulaszową...

– Nie trzeba – przerwał mi ciepło. – Wiem, córcia, że masz dobre serduszko, ale niczego mi nie przywoź.

– Chyba smakuje ci moja kuchnia?

– Tak, kochanie, gotujesz w dechę, ale nie. Nie fatyguj się.

– To żadna fatyga, tato.

– Naprawdę nie. Gdybyś wiedziała, jakie dzisiaj pychoty konsumowałem...!

– Cieszę się, że poprawiło się w tym barze. Zawsze biadoliłeś.

– Porozmawiamy o tym innym razem. Jaki jest punkt trzeci?

– Ogólnie: co u ciebie?

– Prosto i jednoznacznie: świetnie! Punkt czwarty?

– Nie ma punktu czwartego. Możemy kończyć. Życzę ci miłego wieczoru.

– Wzajemnie. Iza, a u ciebie wszystko w porządku? – W głosie taty zabrzmiała troska.

– Tak.

– Mówisz to jakoś bez przekonania.

– Tato, nie martw się. Gdybyś czegoś potrzebował...

– Wiem, Izuniu. Wszystkiego dobrego i do zobaczenia lub usłyszenia. Pa!

Odłożyłam słuchawkę i pomyślałam, że nie kobieta, a mężczyzna zmiennym jest. A przynajmniej mój ojciec.

Dobrze chociaż, że ta odmiana okazała się pozytywna. Zniknęło gdzieś zgorzknienie po śmierci mamy. Tato jest jakiś inny. Można nawet powiedzieć: szczęśliwy.

Dostałam esemesa. „Skarbeńku! Wzięliśmy łyżwy na dwie godziny. Już tęsknię!".

Zabrałam się do przeglądania mejli z raportami z ostatnich poczynań konkurencji i roześmiałam się w głos. Sprzedają za krocie to, co u nas można kupić za jedną czwartą ceny. Tylko dlatego, że mają długą tradycję, znaną markę i ciężką kasę na opłacanie gwiazd ekranu za przekonywanie niezorientowanych klientek, że ich znakomity wygląd to zasługa firmowych kosmetyków. Notabene widziałam kiedyś jedną z takich gwiazd na żywo i doceniłam możliwości retuszu komputerowego... Zerknęłam w raport, rozweselona. Proszę, do nazw dodano słowo „lux". Kompletne nieporozumienie, przecież ono działa nie na twarz, a na psychikę klientek! Czy naprawdę wydanie majątku zagwarantuje „usunięcie głębokich bruzd wokół ust"? Bzdura! Jedna z firm pod nazwą serum dopisała „nowość", zmieniła opakowanie i podniosła cenę. Oszuści! Przecież zmniejszyli zawartość drogiego naturalnego kolagenu, a proporcjonalnie dodali wody! No cóż, nie każda klientka zada sobie trud porównania składu na etykietkach kremów...

Skończyłam nadspodziewanie szybko i spojrzałam na zegarek: do powrotu Piotra i dzieci zostało jeszcze półtorej godziny. Wezmę się za robotę, postanowiłam, wciąż jeszcze nie wszystkie rzeczy trafiły na swoje miejsce. Popatrzyłam na cały worek z płytami DVD, które zabrałam z mieszkania Piotra. Najwyższa pora. Zaparzyłam kolejną herbatę i usiadłam przy stole w kuchni, przy wciąż włączonym laptopie. Znaczna część płyt miała oryginalne etykiety albo opisy flamastrem. Zaczęłam od wszechobecnych dodatków do gazet. Na stole zaczęły się piętrzyć stosy: „do wyrzucenia", „dla Zosi i Tadeusza", „dla taty". Stare programy do rozliczania podatków, grę *Bunt Wampirów*, *Krewetki na słodko na sto sposobów*, *Poradnik strzyżenia trawnika i przycinania żywopłotu*, *Ogrodzenia betonowe – styl i elegancja*, *Kosztorysowanie instalacji kanalizacyjnych*, *Zarządzanie należnościami* i wiele innych uznałam za kompletnie nieprzydatne, więc przeznaczyłam na śmietnik. *Multimedialny kurs koreańskiego*, *Multimedialny kurs indonezyjskiego*, *Joga zdrowia doda*, *Warsztaty początkującego szermierza*, *Jak radzić sobie ze sztywniejącym kręgosłupem w wieku starczym* odłożyłam jako prawdziwe perełki dla taty (gdyby nie dwie ostatnie rozmowy z ojcem, zapewne podzieliłyby los poprzedniczek). *Tajemnice Kosmosu* część pierwszą, szóstą, siódmą i ósmą (pozostałych brak), *Wielkie bitwy Napoleona*, *Tajemnice szynszyli* – dla Zosi i Tadeusza. Sprawa dorosłych dodatków załatwiona, ale pozostały jeszcze te dołączane do prasy dla maluchów. Znajdowały się, co można było wyczytać z kolorowego nadruku, w opakowaniu po drewnianych klockach edukacyjnych dla dzieci powyżej lat trzech. Zrobiłam w myśli listę znajomych, którym ewentualnie mogłyby się przydać. Pierwsza wpadła mi do głowy Lila z Julkiem. *Magiczne kolory*, *Słonik Alex*, *Maniery w przedszkolu*, *Calineczka*, *Kopciuszek*... Ale rarytas! I akurat na czasie! A co tam, zrobię sobie mały seansik!

Włożyłam płytę do napędu. „Za siedmioma górami, za pięcioma lasami, za dwoma morzami żyła...". Darowałam sobie wstęp. Na chybił trafił przesunęłam akcję do przodu i zatrzymałam na epizodzie w kuchni. Tytułowa bohaterka, jasnowłosa, o ślicznych rysach twarzy, z talią osy, odziana w szarobure łachmany stała przy balii i prała w pocie czoła. W tle przebierały w sukniach balowych dwie grube przybrane siostry, przymierzając je po kolei, a raczej próbując się w nie wcisnąć, bowiem dziwnym trafem ich talie podobne były bardziej do opon. Obie z tępym wyrazem twarzy, krogulczymi nosami, grubaśnymi paluchami, tłustymi szyjami i krótkimi nogami... W wyborze pomagała im mamusia przypominająca raczej czarownicę: oburącz trzymała duże lustro w złoconych ramach, aby córeczki mogły się przejrzeć. A biedny, wykluczony z życia rodzinnego Kopciuszek nie przestawał prać. „Nieszczęśnica całymi dniami od świtu do późnej nocy pracowała ponad siły na marny okruszek chleba, podczas gdy jej głupie, brzydkie i złośliwe przybrane siostry i bezlitosna przybrana matka spały, próżnowały, objadały się frykasami i stroiły. Okrutna macocha wykpiwała Kopciuszka, codziennie brudziła dziewczynie twarz, szturchała pasierbicę i biła ją, wrzeszczała i wydawała coraz to nowe rozkazy...", brzmiał monotonny komentarz narratora.

Dość! Wyciągnęłam bajkę ze stacji i gwałtownie otworzyłam szufladę ze sztućcami. Wybrałam najdłuższy nóż, ten z czubkiem i ponownie usiadłam na krześle. Położyłam przed sobą płytkę, odsunąwszy inne rzeczy; byłyśmy tylko we dwie: ona i ja. Nachyliłam się jak chirurg, który chwilę przed wycięciem guza mózgu zastanawia się, z której strony podejść ze skalpelem, i ugodziłam ją końcówką noża. Wściekła wydrapywałam esy-floresy. Jasny gwint! Nie mogłam się opanować. Nie pozwolę nikomu obejrzeć tego chłamu! – odreagowywałam łzy z ostatnich dwóch tygodni.

– Ty... – zaczęłam przemowę, tym razem dziobiąc płytę z impetem, jakby chcąc zagłuszyć jej ostatnie tchnienie. – To ty jesteś winna niepowodzeniom i porażkom kobiet, które stały się macochami. Ty jesteś sprawczynią dyskryminacji wszystkich macoch świata, która przybrała rozmiary plagi! To przez ciebie wszyscy, zawsze i wszędzie, będą we mnie widzieli bezzębną babę, która uważa się za bóstwo, i bezmózgowca, który krzywdzi biedne sierotki! Jasny gwint! – dyszałam. – To stąd ten cholerny stereotyp!

Zmachana ryciem i kłuciem odłożyłam nóż na bok, rozparłam się na krześle i odrzuciłam głowę do tyłu. Usiłowałam odzyskać rytm oddechu. Oto wyżyłam się na rzeczy martwej. W zasadzie: co w tym złego? Przynajmniej trochę mi ulżyło. Po co wymyślono te wszystkie bajki o złych macochach? Te gawędziarskie buble? Nie można było o dobrych? Albo, żeby chociaż było sprawiedliwie, pół na pół? Tymczasem od kołyski wbija się do małych główek, jak gwoździe w deskę, taki a nie inny sposób postrzegania drugiej żony ojca. Przecież takie brednie kształtują dziecięcy ogląd świata! I uczą wchodzić w rolę Kopciuszka, jeśli już przydarzy im się zło konieczne w postaci macochy! Tego Kopciuszka, wiecznie niedocenianego i dyskryminowanego, któremu dzieje się źle. Nawet gdy człowiek chce dać mu wszystko!

Wstałam. Tym razem zrobiłam sobie kawę i ukroiłam potężny kawał domowego sernika. Mhm, dobry na chandrę, szkoda, że nie można stosować tego sposobu zbyt często… A co tam! Niecodziennie toczy się bitwę z Kopciuszkiem! Jak już, to już! Wsypałam do kubka dwie łyżeczki cukru i dolałam kremowej, słodkiej śmietanki po same brzegi. Upiłam nieco, żeby nie rozlać. Bajecznie przepyszna bomba kaloryczna!

Usiadłam ponownie i popatrzyłam na zdewastowaną płytkę. Wciąż czułam niedosyt. Wprawdzie nikt jej już nie odtworzy, ale mnie było mało. Wyciągnęłam drewnianą deskę do krojenia i tasak do mięsa. Położyłam DVD na desce i zaczęłam rąbać. Uff, co za ulga!

Uspokojona, przejrzałam pozostałe dodatki do gazet dla maluchów. *Urodziny Mikołajka*, *Kogut Antoś* i *Kacza rodzina* powiększyły stosik przeznaczony dla

Julka, a *Królewna Śnieżka, Jaś i Małgosia* i *Sierotka Marysia* powędrowały pod tasak. Taki niewinny domowy samosąd i tajna egzekucja... Właściwie powinno się powołać specjalną policję, która przeszukiwałaby dom po domu, przeglądała szafy biblioteczne i zbiory nośników, unicestwiając podobne bajdy...

Czy gdyby Zosia i Tadeusz byli jeszcze przedszkolakami, czytałabym im te bajki? Czy nie zakrawałoby na ironię, że starająca się ukoić i wyciszyć przed snem przybrane dzieci macocha snuje im takie opowieści? Tymczasem dzieciaki, trzęsąc się jak galareta, naciągają kołdry po same uszy i zadają sobie pytanie, czy nie zostaną wysłane do lasu na wieczną poniewierkę... Co im wtedy powiedzieć? „Nie bójcie się, to jest bajka o złej macosze, a ja jestem ta dobra"?

Nawiasem mówiąc, ciekawi mnie, jakie dzieciństwo mieli bracia Grimm, skoro popełnili większość tych bajkowych dreszczowców? Muszę kiedyś przeczytać ich biografie.

Sprzątając nóż, tasak, deskę do krojenia i wszystko, co zostało po rozprawie ze stereotypem, miałam poczucie, że oto dokonałam zbrodni doskonałej. W moim domu nie ma i nie będzie miejsca na takie brednie! Darłam w strzępy tekturowe opakowania po płytkach, wyrzucałam na makulaturę i robiło mi się lżej na sercu. Negatywne emocje wyparowały. Roześmiałam się. Muszę znaleźć inne sposoby kojenia nerwów niż gadanie do siebie i wyżywanie się na kawałkach plastiku! Gdyby nagrać mnie ukrytą kamerą, oglądający mieliby niezły ubaw.

Ukroiłam sobie kolejny kawałek ciasta, tym razem mniejszy, i zerknęłam do worka. Zostało jeszcze kilka nieopisanych krążków. Wkładałam je jeden po drugim do napędu w laptopie. Nagrania z afrykańskich wypraw Piotra. Całkiem surowe, wciąż nieobrobione, bez skrótów i montażu. Zostawię je, postanowiłam, choć zapewne już dawno powstały z nich filmy.

Włożyłam do stacji ostatnią płytkę i jak poprzednio popchnęłam akcję nieco do przodu. Widać było niewiele; obraz przesłaniał ktoś ubrany na turkusowo. Usłyszałam pokrzykiwania i śmiechy. No tak, zapewne znów dokumentacja jakichś afrykańskich obrzędów. Zdecydowanie wolałam oglądać dopięte przez Piotra na ostatni guzik filmy ilustrujące jego wykłady, z komentarzem w tle. Przynajmniej wiedziałam, o co chodzi. Już miałam kliknąć na krzyżyk i odłożyć krążek na stosik „dla Piotra", kiedy zawalidroga odsunęła się sprzed obiektywu i niespodziewanie ujrzałam całkiem swojski widok.

Wnętrze jakiejś restauracji albo podobnego lokalu. Najwyraźniej kamerzysta postanowił upamiętnić siedzące wokół dużego stołu osoby. Każda była obecna na ekranie przez kilka, a nawet kilkanaście sekund, co wprawiało ją w zakłopotanie: ludzie poprawiali fryzury, składali serwetki, patrzyli w bok albo w talerze. Anonimowe twarze, nuda. Znów najechałam myszką na krzyżyk, lecz w tym momencie ktoś krzyknął: „Uwaga! Toast wygłosi świadek pana młodego!". Kamerzysta (najwyraźniej amator) gwałtownie skierował obiektyw w prawo i skupił się na młodym mężczyźnie w eleganckim grafitowym garniturze. Obiekt stał, zażenowany, sprawiając wrażenie, że wolałby teraz kopać piłkę na podwórku, niż odgrywać wyraźnie mu nieleżącą kostiumową rolę. Mężczyzna kogoś mi przypominał. Aktor? Zapadła cisza. Mówca odchrząknął i wreszcie wydobył z siebie głos, który nieoczekiwanie zabrzmiał pewnie, płynnie, całkowicie naturalnie. I dziwnie znajomo.

– Moja kochana przyjaciółko, mój drogi przyjacielu. Połączyła was wielka miłość i wola boża, a tym dwóm mocom nikt z zebranych nie odważy się stawić czoła. Możemy im się tylko poddać i pić, pić, pić! – Rozległy się chichoty i przytakiwania. – Już dawno dało się zauważyć, że gdy przechodzicie obok siebie, ba! nawet gdy o sobie myślicie, lecą iskry, większe nawet niż z wydechu mojego stareńkiego opla, nadającego się do kasacji od wieków! – Śmiechy przybrały na sile. – Powiem wam w tajemnicy, że bacznie obserwowałem was dzisiaj przed ołtarzem. Byłem przerażony, bo przy składaniu przysięgi małżeńskiej… – Nastąpiła teatralna chwila ciszy, zwiększająca ekspresję wypowiedzi. – …wydawało mi się, że welon panny młodej zaraz się zapali od żaru bijącego z serca pana młodego, a jemu krawat od żądzy panny młodej! – Goście zaczęli klaskać. – Nie chcę przynudzać, więc będę się streszczać. Bądźcie szczęśliwi, w tym i wszystkich następnych wcieleniach, bo wszystkie znaki na niebie i ziemi wskazują na to, że jesteście dla siebie stworzeni! Wiwat Piotr i Ewa, niech Amor zawsze im śpiewa!

Zanim dotarł do mnie sens ostatnich słów, kamera błyskawicznie przeskoczyła od mówcy, przesunęła się po kilku twarzach, znowu w prawo, i zatrzymała na młodej parze z rozbawieniem demonstrującej obrączki. Gest został nagrodzony oklaskami, słychać było huk otwieranych szampanów i pokrzykiwania: „Gorzko! Wiwat! Gorzko! Niech żyją nam!".

Zatrzymałam obraz. Mój puls na pewno przekroczył setkę i bałam się, że serce lada moment odmówi posłuszeństwa. W skroniach poczułam ból.

Wstałam i nerwowo zaczęłam krążyć po kuchni. Odkroiłam monstrualnej wielkości kawał sernika i zjadłam go bezpośrednio z blaszki. Powyciągałam czyste naczynia ze zmywarki i powkładałam do szafek. Wzięłam butelkę po wodzie mineralnej, nalałam do niej kranówki, zrobiłam rundę po mieszkaniu i podlałam wszystkie kwiatki. Wymieniłam ręczniki w łazience, włączyłam pralkę. Machinalnie wykonywane czynności pozwoliły mi dojść do siebie. Ponownie usiadłam przed monitorem. Nie będę tego oglądać! – postanowiłam. To nie moja bajka. Jeszcze tylko zobaczę, jak prezentowali się w dniu ślubu...

Skonfundowana wpatrywałam się w ekran. Młodzi sprawiali wrażenie onieśmielonych. Ewa miała włosy zaczesane w wysoki kok, przybrany malutkimi serduszkami. Welon, upięty nisko pod kokiem, sięgał ramion. Wyglądała świeżo i subtelnie. Na zdjęciu w pokoju Zosi jest niewiele starsza, jakby zatrzymał się dla niej czas... Piotrowi przyjrzałam się bliżej. Czy to na pewno on? Czupryna jakby bujniejsza, włos dłuższy, ani śladu szpakowatych skroni. Ale oczy i usta te same. Tak, to na pewno on. Na filmie wyglądają na szczęśliwych ludzi, dla których przyszłość jest jeszcze wielką niewiadomą, połączonych uczuciem tak silnym, że pokona wszystkie przeszkody. Na pewno mieli plany. Z czego będą żyć. Ile będą mieli dzieci. Jakie wybiorą dla nich imiona. Gdzie będą mieszkać. Gdzie będą spędzać wakacje. Jakie łóżko kupią do sypialni. I tak dalej, i tak dalej. Na stop-klatce Piotr nachylał się ku Ewie, a ona odwracała twarz w jego kierunku. Za chwilę mieli się przecież pocałować... I tak miało pozostać już na zawsze. Ewa zapewne myślała o dzieciach, przekonana, że będzie im błogosławić w dniu ślubu, córce być może upinała w wyobraźni welon, poprawiała tren sukni, a synowi pomagała wybierać obrączki i krawat... Miała nadzieję na dożycie w zdrowiu późnej starości i doczekanie gromadki wnuków. A może nawet prawnuków, jeśli dopisze szczęście? Mieszkanie, które przyszło mi sprzątać, miało być zapewne ich szczęśliwą przystanią. Czy Ewa tak bardzo była przywiązana do tego miejsca, że trudno jej było odejść gdzieś hen, tam, gdzie wszyscy i tak się w końcu spotkamy? Może się zbuntowała i pozostała w nim na stałe, utrudniając Piotrowi pracę znakami, że przebywa w pobliżu jego i dzieci? Kto wie?

Gonitwę myśli przerwał sygnał esemesa.

„Kochanie! Właśnie zdejmujemy łyżwy. I jesteśmy baaardzo głodni. Za pół godziny w domu! Całujemy!".

Błyskawicznie wstałam. Wrzuciłam do rondla mielone mięso; niech się poddusi, będzie bazą sosu.

Na drugim palniku postawiłam duży garnek z wodą, na spaghetti. Wyciągnęłam weselny krążek z napędu i zastanowiłam się, gdzie go zakwalifikować. Na stosik dla dzieci czy dla Piotra? Zdecydowałam się na to drugie; jeśli zechce, zawsze może ją przegrać. Na patelni podsmażyłam dwie cebule i kilka ząbków czosnku i dorzuciłam do mięsa. Otworzyłam dwie puszki pomidorów bez skórki i również umieściłam w rondlu. W międzyczasie wrzuciłam do wrzątku makaron. Sos przyprawiłam suszonymi ziołami, solą, pieprzem i kieliszkiem czerwonego wina. Dochodził, lekko bulgocząc. Gdy układałam na stole talerze i widelce, usłyszałam dzwonek. Wracają! Rozejrzałam się wokół. Ale ekspres! Może rozważę karierę w gastronomii i założę bar szybkiej obsługi? „Szybkiej" to mało powiedziane. Raczej „błyskawicznej".

Podbiegłam do drzwi, bo dźwięk dzwonka nie ustawał. Brzmiał, jakby się paliło. Otworzyłam. Uśmiechnęłam się. Fajnie wyglądali. Tacy zaróżowieni i radośni.

– A my wiemy, co będzie na kolację! – zawołał Piotr tonem teleturniejowego gracza.

– A skąd? Pachnie na klatce?

– Nie, powiedziała mi sąsiadka z dołu! Właśnie wychodziła z psem i sprzedała nam informację.

Zamarłam. Czyżby, o ironio, sąsiadka była właścicielką ukrytej kamery?

– Czyli co? – zapytałam, żeby coś w ogóle powiedzieć. Rzadko mi się to zdarza, ale teraz po prostu mnie zatkało.

– Schabowe!

– A nie. Spaghetti.

– Jeszcze lepiej! – ucieszył się Tadeusz.

– Dziwne, bo ona powiedziała mniej więcej coś takiego: „Pana żona chyba robi schabowe. Po tak wiekowej kamienicy niosą się wszystkie dźwięki”.

– Z tego, co wiem, ona niedosłyszy. – Miałam nadzieję, że w półmroku przedpokoju nie widać, jak się czerwienię.

– Miała aparat słuchowy. Widziałam! W lewym uchu – wtrąciła Zosia.

– Czy to istotne? – zapytałam. – Grunt, że mamy pyszną kolację!

– Jasne! Ja i tak wolę kluchy niż mięcho! Ekstra! – entuzjazmował się Tadeusz.

– Jasne, że ekstra! – dodał Piotr.

Zosia milczała, omijając mnie wzrokiem.

Przed zaśnięciem kadr po kadrze analizowałam te kilka minut nagrania z pierwszego ślubu Piotra. Piękni nowożeńcy, toast świadka... A właśnie, kogo on mi przypomina? Wysiliłam pamięć. Zdążyłam już poznać dwóch jedynych kuzynów Piotra i jego najważniejszych przyjaciół. Wierciłam się niespokojnie, nie mogąc zmrużyć oka.

– Iza, co znowu? – zapytał Piotr, mamrocząc na granicy jawy i snu. – Przejmujesz się jutrzejszym dniem? Przecież wcale nie musisz iść do pracy. – Ożywił się nieco. – Już ci mówiłem...

– Piotr – przerwałam zdecydowanie. – Już to przerabialiśmy! Lepiej mi powiedz... – Przełknęłam nerwowo ślinę. – Kto był świadkiem na twoim pierwszym ślubie?

Oczekiwałam w napięciu, ale on milczał. Pomyślałam, że zasnął.

– Iza, ale zadajesz mi pytania! – odezwał się jednak. – Nie pamiętam. Piszesz kronikę rodzinną czy co?

– Nie pamiętasz? – zapytałam ironicznie.

– Przysięgam – odparł, ziewając głośno.

– A kto był twoim świadkiem na twoim drugim ślubie? – nie dawałam za wygraną. Chciałam go rozbudzić i zmusić do myślenia.

– Kto był świadkiem na moim drugim ślubie... – zastanawiał się na głos.

– Piotr, to było raptem dwa tygodnie temu! Przecież Marian! – odpowiedziałam i postukałam palcem w jego czoło.

– Właśnie! Już sobie przypomniałem. Ty kroiłaś tort, mówiliśmy o totemistycznych rytuałach Pigmejów z odłamu Bambuti, zamieszkujących lasy równikowe ...

Jego głos stawał się coraz bardziej odległy. Działał jak superkołysanka.

Nazajutrz wstałam o piątej, przygotowałam drugie śniadania, w biegu wypiłam kawę i wyszykowałam się do pracy. Kilka minut po szóstej, cichutko, żeby nie zbudzić Piotra i dzieci, zamknęłam za sobą drzwi. Wsiadłam do samochodu. Poprzedni dzień był słoneczny, temperatura na niewielkim plusie, ale w nocy złapał dziesięciostopniowy mróz i wszystko, co się roztopiło, zamarzło. Warunki na drodze były fatalne. Czułam się jak na lodowisku i musiałam uważać, żeby nie wylądować w rowie. Powtarzałam sobie bez przerwy: „Żadnych gwałtownych ruchów, żadnego dodawania gazu na zakręcie, żadnego ostrego hamowania".

Podczas jazdy robiłam bilans ostatnich dwóch tygodni. Ogólnie mówiąc: moje życie zostało wywrócone do góry nogami. Zmieniłam miejsce zamieszkania i teraz miałam do pokonania prawie trzydzieści kilometrów w jedną i tyle samo w drugą stronę. W zasadzie, jeżeli chodzi o przeprowadzkę, Piotr z dziećmi niemal jej nie odczuli. Dla nich była to kwestia zaledwie dwóch ulic... Nie, nie powinnam marudzić. Ich jest troje, a ja jedna.

Jeżeli zaś chodzi o małżeństwo i dzieci, nie spodziewałam się, że przyjdzie mi się zmagać z aż tak poważnymi problemami. Owszem, przed ślubem trochę o tym myślałam, ale mój hurraoptymizm, jak zawsze, wziął górę. Byłam przekonana, że wszystko jakoś się ułoży i kropka. Ale jak? Nie wiem, myślałam, że po prostu. Przedtem, gdy po pracy nie chciało mi się czegoś zrobić, odkładałam rzecz na później. Mogłam zmieniać plany spędzenia wieczoru, ile razy chciałam, często spotykałam się z koleżankami, szlifowałam angielski, dużo czytałam. Teraz, z obrączką na palcu, zeszłam z nieba na ziemię.

Zdecydowałam się na związek nietypowy, z już ukształtowaną rodziną, z jej własnym, wypracowanym latami (bez mojego udziału) stylem życia. Zupełnie jakbym weszła do cudzego, jeszcze ciepłego łóżka. Gdy trzeba szybko decydować, czy w nim pozostać, zaakceptować nieznany zapach, dziwną fakturę poszwy, zmiętą przez kogoś innego poduszkę i się wyspać, czy lepiej uciec gdzie pieprz rośnie i poszukać sobie innego posłania...

Nie miałam wyboru. Musiałam (i wciąż muszę) przyzwyczaić się nie tylko do Piotra. Z tym zresztą nie mam większego problemu, jako że wydaje mi się, że znam go od zawsze. Przede wszystkim chodzi o dzieci. Gdyby ich nie było... Gdyby ich nie było, bylibyśmy właśnie w standardowym pierwszym stadium małżeństwa i mieli czas wyłącznie dla siebie. Gdyby ich nie było... próbowałam fantazjować, lecz w głowie miałam kompletną pustkę. Czarną dziurę. Nie, nawet w mojej wyobraźni nie ma takiej opcji. Dzieci są i już.

No i wszędzie obecna jest Ewa. Jakby chciała mi coś powiedzieć. Jak mam ją przekonać, że może spokojnie odejść, że nie zmuszę Piotra, by wywlókł je do lasu i przyniósł ich serca na dowód zrobienia tak zwanego porządku na zawsze? Chociaż... Podobno życie to teatr, w którym jesteśmy aktorami. Wydaje mi się, że Zosia zbyt angażuje się w odgrywanie roli Kopciuszka. Obym tylko ja nie zaangażowała się zanadto w kreację macochy... Co za bzdury!

Roześmiałam się zadowolona, bo właśnie cała i zdrowa wjechałam na firmowy parking.

– Mama potwierdziła, że przyjedzie jutro koło południa i pozostanie do nocy. – Piotr stanął za mną w piątkowy wieczór, kiedy upychałam w pralce pościel z sypialni. Była prawie dwudziesta druga. Po zakupach, posprzątaniu łazienki i zmianie bielizny w sypialni miałam dość, zwłaszcza że wciąż pamiętałam skwaszone miny dzieci. Przed chwilą zostały poinformowane o konieczności posprzątania nazajutrz w swoich pokojach, a potem pomocy w doprowadzeniu mieszkania do względnego ładu. Długo milczały, gdy tłumaczyłam, że musimy podzielić się obowiązkami, że naprawdę nie wymagam od nich zbyt wiele i że to nasz dom, nasza rodzina, czyli nasze małpy i nasz cyrk. Cały czas kładłam nacisk na poczucie wspólnoty, jednak czułam, że to im nie pasuje. „Wszystko może być nasze, tylko nie sprzątanie!" – miały wypisane na twarzach. Trudno. Zaraz potem, gdy już szorowałam piekarnik, widziałam, jak chyłkiem przemykają w kierunku pokoju Piotra. No tak, poszły się poskarżyć.

– O kim mówisz? – Wydawało mi się, że źle zrozumiałam.

– O mojej mamie.

– Powiedziałeś „potwierdziła", a ja nawet nie wiedziałam, że miała taki zamiar. – Nie podnosząc się z kucek, odwróciłam głowę. Zbity z pantałyku Piotr poprawiał oprawki okularów. – Zaczekaj chwilę, zaraz porozmawiamy.

Wyciągnęłam z wnętrza pralki z kolorowymi rzeczami biały podkoszulek Piotra, żeby nie stał się na przykład różowy. Na przykład, bo pośród wielobarwnej zawartości mógł dziś dominować jakiś inny kolor. Byłam mistrzynią niezamierzonego farbowania białych elementów garderoby podczas prania. Sukcesy odnosiłam zwłaszcza podczas programu „białe z gotowaniem". I co z tego, że setki razy przeglądałam wkładane do pralki rzeczy, zawsze zawieruszyło się wśród nich jakieś coś. Najczęściej mała kolorowa skarpetka Zosi. Wsypałam proszek, nastawiłam pralkę. Wstałam.

– Cieszę się, że wreszcie poznam twoją mamę.

– Obyś po jej wyjeździe powiedziała to samo, tyle że w czasie przeszłym – powiedział Piotr z dziwnym uśmiechem. – Nie pobędzie długo. Nie informowałem cię wcześniej, bo zapowiadała się już kilka razy, ale nic z tego nie wychodziło. Może dasz już sobie spokój na dzisiaj z tą robotą? Lepiej zbieraj siły na wizytę teściowej. Jeszcze jedna sprawa... Dzieciaki powiedziały, że jutro mają posprzątać swoje pokoje i pomóc ci w porządkach w mieszkaniu?

– Zgadza się.

– Ale... Ale one mają weekend.

– Oczywiście. – Opanowałam się, choć argument Piotra wyprowadził mnie z równowagi. – Tak samo jak ja. Dokładnie tak samo. Przecież poprosiłam je o pomoc, a nie zagoniłam do roboty, prawda? Mam nadzieję, że to zrozumiesz. W tym czasie nie będę siedziała u kosmetyczki ani na plotkach u koleżanki, ani nawet nie będę leżała na...

– Iza! – przerwał. – Proszę, przestań! Dzieci mają weekend, więc...

– ...więc zrobią coś dla ludzkości, a potem odpoczną.

Sama nie wiedziałam, skąd we mnie tyle opanowania. Nie podnosiłam głosu. Tłumaczyłam miarowo i spokojnie, jak stary, wypalony zawodowo i znudzony nauczyciel, po raz kolejny klarujący tępakowi zasady skróconego mnożenia.

– Aleś ty uparta! Może jednak zwolnisz się z pracy albo weźmiemy kogoś do pomocy. Przemyśl ten wariant.

– Może jednak weźmiesz śrubokręt i dokręcisz tę półkę, bo jeszcze spadnie twojej mamie na głowę? Jeśli, oczywiście, wiesz, co to znaczy śrubokręt, gdzie leży i jak się posługiwać tym skomplikowanym urządzeniem. Jeżeli nie, poszukaj w Internecie instrukcji obsługi!

Chciałam go wyminąć i wyjść z łazienki, ale Piotr chwycił mnie oburącz, przyciągnął do siebie i wbił we mnie znany mi już doskonale wzrok czujnego obserwatora, któremu nic nie umknie i który wręcz słyszy cudze myśli.

– Wiesz co? Powinienem się z tobą ożenić w pakiecie z instrukcją obsługi! Z taką broszurką, gdzie na stronie tytułowej dużym drukiem byłby umieszczony podtytuł: *Uwaga! Produkt niebezpieczny! Grozi wybuchem!* – Zaśmiał się i mnie pocałował. – Daj już sobie na dzisiaj spokój. Jutro trudny dzień. Powiedz mi tylko, kochanie, gdzie jest ten śrubokręt.

O rodzicach Piotra wiedziałam niewiele. Ojciec zmarł pewnego niedzielnego ranka, na krótko przed maturą syna, na udar. Nigdy się na nic nie leczył i nigdy nie narzekał. Kochał Tatry, uprawiał wspinaczkę górską. Na zewnątrz okaz zdrowia. Piotr, idąc na egzamin, wypierał ze świadomości traumatyczne wydarzenia ostatnich dni. Wmawiał sobie, że to pomyłka, a pochowane na cmentarzu ciało należało do kogoś innego... Ojciec Piotra był architektem, w mieszkaniu prowadził jednoosobową pracownię specjalizującą się w projektowaniu obiektów sportowych. Jak mawiał mój mąż, „ojciec był w porządku, choć nie miał łatwego życia". Kiedy wierciłam mu dziurę w brzuchu o szczegóły, mówił coś o nietolerancji dla kłamstwa i pokrętnych interpretacji zdarzeń, prostolinijnej naturze i, między wierszami, o zbyt małej ilości poświęcanego jedynakowi czasu...

Matka po zwyczajowym roku żałoby powtórnie wyszła za mąż, jednak Piotr był już wówczas w domu gościem. Mieszkał w akademiku, wakacje spędzał na warsztatach i praktykach etnograficznych, a w wolnym czasie dorabiał. Potem się ożenił. Drugie małżeństwo matki przetrwało niecałe dwa lata, bo podobno, jak sama mówiła, zrobiła życiowy błąd, wiążąc się ze starym kawalerem, mrukiem, który gadał wyłącznie o sobie i którego priorytetem był stan konta bankowego. Piotr podkreślał, że to wersja matki, a jak było naprawdę, tego nikt nie wiedział.

Teściowa żyła potem przez kilka lat w nieformalnym związku z muzykiem z kapeli przygrywającej na weselach, sylwestrach, andrzejkach, pięćdziesiątkach i innych. Niezadowolona, bo najczęściej zdarzało się to wówczas, gdy był jej najbardziej potrzebny. Samotne weekendy i sylwestry przestały jej odpowiadać na dobre, gdy poznała Hansa, niemieckiego pilota; wyszła za niego za mąż po kilkutygodniowej znajomości i wyjechała z Polski. Wreszcie jest zadowolona, chociaż – zdaniem Piotra – Hans bardziej niż żonę kocha swoją pracę. On również bywa gościem w domu, ale matka Piotra nie narzeka. Lubi swobodę finansową, niemieckie bratwursty, golonki i piwo. Odkąd jej syn został wdowcem, była w Polsce, pomimo gratisowych przelotów, zaledwie dwukrotnie. Pierwszy raz na pogrzebie Ewy, a drugi – żeby pozałatwiać swoje prywatne sprawy.

To było wszystko, co zdołałam z Piotra wydusić na temat jego rodziców. Kiedy zapytałam, dlaczego teściowa nie przyjechała na nasz ślub, tylko wzruszył ramionami.

– No, syneńku, najpierw pokaż mi swoją nową żonę! – zawołała od progu właśnie przytransportowana z lotniska matka Piotra.

Spodziewałam się, że amatorka niemieckiego tłustego jedzenia i pustych piwnych kalorii będzie przypominała opasły baleronik, tymczasem figurę miała całkiem, całkiem. Jakie to życie niesprawiedliwe! Ja odchudzam się od trzynastego roku życia, na okrągło jakieś dietki, a ona jest szczuplejsza ode mnie! – pomyślałam i w tym momencie przypomniałam sobie, jak przed kwadransem wykładałam na biszkopt masę na bazie kremowej śmietanki. Zrobiłam jej zbyt dużo, Zosia z Tadeuszem nie reflektowali na nic słodkiego przed obiadem, ale ja owszem. Szybko przegoniłam wspomnienie, nie było sensu się dołować. Podczas gdy Piotr pomagał mamie przy zdejmowaniu płaszcza, ja przyglądałam się dyskretnie. Moja teściowa emanowała czymś, co jeden z moich kolegów z pracy, który już dawno powinien przejść na emeryturę, określał jako „sam seks". Może to przez te botki na wysokich obcasach, kremowe spodnie i obcisły kaszmirowy golfik w kolorze czekolady? Bo twarz bardzo przeciętna, nie licząc tych brązowych, dużych oczu i przenikliwego spojrzenia. Przynajmniej wiem, po kim ma je mój mąż.

– Och, córeczko! – Przylgnęła do mnie i cmoknęła miejsce w powietrzu, tuż za moim uchem. Na przekór porze roku pachniała wiosennie, słodkim aromatem liliowego bzu. Tak mocno przycisnęła się do mojej szyi, że nie mogłam wydobyć z siebie głosu. Gdy w końcu zakończyła powitanie, głęboko zaczerpnęłam powietrza. – Ach! Moje wnuczęta! – Zosia i Tadeusz, którzy stali obok, patrzyli na babcię bez emocji. – Och, jacy wy duzi! Moje śliczne wnuczęta! – Przygarnęła ich oburącz i zaczęła obcałowywać. Bez entuzjazmu, ale grzecznie poddawali się tym przejawom czułości. – Słowo daję! Babcia by was na ulicy nie poznała!

– Jakoś wcale mnie to nie dziwi – skomentował Piotr, wywracając oczami. Przypominał widza, który cierpliwie czeka na koniec nudnego przedstawienia w prowincjonalnym teatrze. – Mamo, zapraszamy do stołu.

Poprowadził teściową do salonu. Usiadła na jego miejscu, ale nie zaprotestował. Przeczesała palcami perfekcyjnie ufarbowane na karmelowy brąz włosy. Zachowywała się jak aktorka przed odegraniem monodramu, kiedy widownia w napięciu oczekuje pierwszego słowa. Założyła nogę na nogę, przy okazji demonstrując botki na przypominających sztylety obcasach. No cóż, mój ponadstuletni parkiet jest dla ludzi, a nie odwrotnie, próbowałam myśleć pozytywnie, ale oczyma wyobraźni już widziałam w nim dziury jak po ataku artyleryjskim.

– Podobają ci się? – Zwróciła się do mnie, podciągając nogawkę. Ujrzałam lewy botek w całej okazałości.

– Tak. Zwłaszcza obcasy – przytaknęłam, starając się ukryć kąśliwość.

– Wiem, są super. Kupiłam je w Mediolanie. Jaki masz numer? – zapytała, z zaciekawieniem wpatrując się w moje góralskie kapcie z wyhaftowanymi po bokach owieczkami.

– Trzydzieści osiem.

– Świetnie! – Klasnęła w dłonie, rozentuzjazmowana. – Tak samo jak ja. Oddam ci je, gdy już mi się znudzą. Oczywiście w prezencie – dodała z miną, jakby właśnie obiecała mi kufer z rodową biżuterią. – I całą masę ubrań, z którymi nie wiadomo, co zrobić. Szkoda wyrzucić, kiedy ktoś może je donosić! Tylko... – Bez

żenady, nieśpiesznie otaksowała mnie od kapci po szyję.
– Hm... – Zastanowiła się. – Już wiem! Jakieś spódnice na gumce albo bluzki ze streczem. Nie martw się, dziecko! Gdybyś jednak chociaż trochę... – Zerknęła na moją talię. – No cóż – westchnęła współczująco. – Nie każdy może być idealny. Moje szafy się nie domykają, na pewno coś się w nich dla ciebie znajdzie.

Poczułam ukłucie w sercu. Moja teściowa trafiła w najbardziej czuły punkt. Perfekcja. Od jutra się odchudzam, postanowiłam.

Na szczęście w tej samej chwili rozległ się wystrzał z szampana i wszystkie oczy zwróciły się w stronę Piotra. Przygryzłam wargi. To tylko kilka godzin, powtarzałam sobie. Wytrzymam.

– Mamo! – Piotr podał matce kieliszek. – Wypijmy za spotkanie!

– A co to jest? Wino musujące? – Popatrzyła z niesmakiem na zawartość.

– Skąd! To jest oryginalny francuski szampan! Taki prosto z Szampanii. Zero sztucznego dwutlenku węgla. – Popatrzył na mnie, jakby szukając potwierdzenia, że jako humanista nie pomylił nazwy substancji chemicznej. Potakująco skinęłam głową. – Został po naszym przyjęciu weselnym, a te bąbelki to sama natura...

– Masz piwo? – przerwała mu bezceremonialnie.

– Nie. Piwo pijam wyłącznie latem. Ale mamo, ten szampan...

– A drinka mi zrobisz? – Ponownie weszła mu w słowo. – Takiego zwykłego, z wódką. A to możecie wypić sami! – Wzdrygnęła się, jakby powstrzymywała odruch wymiotny, i wskazała palcem na butelkę. Złoty pierścionek w kształcie jaszczurki, z osadzonymi na całej długości brylantami, błysnął milionami ogników. Niemożliwe, uspokajałam się w myślach. To, że nosi taki pierścionek, nie oznacza jeszcze, że jest ludzkim wcieleniem jadowitego, wysysającego dobrą energię gada!

Jednak na wszelki wypadek szybko odwróciłam wzrok i spojrzałam na moją obrączkę.

– Dobrze, mamo. Z czym ma być ta wódka?

– Obojętnie. Z sokiem, oranżadą, tonikiem. I nie guzdraj się, bo bąbelki znikają!

– Dobrze, już dobrze! – Piotr wstał posłusznie, wyciągnął z barku butelkę wódki, wlał trochę do szklanki i dopełnił sokiem pomarańczowym z drobinkami miąższu. Mikstura przypominała mętną, brunatną wodę z przerdzewiałego wodociągu.

– No to dzieci! Za pomyślność i miłość w rodzinie! – Teściowa podniosła szklankę i pociągnęła z niej ze smakiem. – A jak tam, Piotrusiu, twój doktorat? Kiedy obrona?

– Mój doktorat? – Piotr zakrztusił się szampanem, jednak zaraz doszedł do siebie. – Niech policzę... Ile to już czasu minęło? Dziewięć lat? Chyba tak. O tyle jest spóźnione mamy pytanie!

– Chyba żartujesz! Czemu ja nic o tym nie wiedziałam? – Oburzona odstawiła szklankę na stół.

– Dzwoniłem przecież i mamę informowałem, jednak mama powiedziała, że nie może przyjechać, bo ma umówiony pobyt w klinice i mamy twarz nie będzie nadawała się do oglądania, bo będzie cała obandażowana...

– O czym ty mówisz? Coś zmyślasz!

– Nie, pamiętam doskonale. Ściągali mamie skórę z twarzy i...

– Już dobrze! – przerwała. – Wiem, byłam umówiona po znajomości w klinice u doktora Fischera na głęboki peeling. Nie miałam sumienia przełożyć terminu, bo cudem dostałam to miejsce. A nawiasem mówiąc, taki zabieg to żadna przyjemność. Owszem, efekt jest ekstra, czego jestem ewidentnym dowodem. – Teściowa wysunęła szyję do przodu i najpierw z lewej, a potem z prawej strony zademonstrowała twarz, oczekując na pochwałę. – Ale ile się nacierpiałam!

Milczałam, nie dając się sprowokować. Dostałaś za swoje! – pomyślałam. Nie usłyszysz ode mnie komplementu.

– Mamo, a tak w ogóle, po co to mamie?

– Czy ty dziecko w ogóle myślisz? Zapomniałeś, że mój mąż ma dziesięć lat mniej ode mnie? Hans przed miesiącem skończył pięćdziesiąt jeden lat, a jego koledzy mają żony młodsze nawet o lat kilkanaście! Chciałbyś, żebym wyglądała jak ich mamusia? – Wstała, oparła dłonie o stół i patrzyła na syna zbulwersowana jak kibic na meczu, gdy sędzia dyktuje niesprawiedliwy rzut karny. – Poza tym... Ech, dziecko, co ty wiesz o życiu! – Opadła na krzesło i lekceważąco machnęła ręką w kierunku Piotra. Na jej przegubie zadźwięczały tysiącami euro trzy złote, grawerowane bransolety. – Zresztą ten twój doktorat nie był chyba problemem? – westchnęła. – To dla ciebie tyle, ile dla innych świadectwo z podstawówki. Jesteś bystry, moja krew, daleko zajdziesz. – Poklepała go z uznaniem po ramieniu. – Przyjadę, jak zostaniesz profesorem, nawet kosztem rezygnacji z zaplanowanego liftingu w Paryżu. Obiecuję.

– A propos peelingu. Nasza firma produkuje peeling enzymatyczny na bazie naturalnych składników, głównie wyciągu z ananasa, miodu i otrąb pszennych. Łagodny i rewelacyjny! Mam nawet jedno opakowanie, wprawdzie napoczęte, ale... – Podniosłam się, by przynieść go z łazienki.

Teściowa przytrzymała mnie za rękę.

– Rewelacyjny? – Upewniła się.

– Naprawdę! Po pierwsze nie uczula, po drugie jest tani, po trzecie ma doskonałą konsystencję. – Nakręcałam się, bo był to jeden z najlepszych naszych produktów, o czym świadczyły listy od zadowolonych klientek. – Wreszcie po czwarte...

– Ty też go używasz, córeczko? – przerwała. Szkoda, bo miał jeszcze wiele zalet.

– Oczywiście – zapewniłam. – Używam wyłącznie naszych produktów, mam do nich zaufanie. W końcu biorę udział w opracowywaniu ich receptur. – Uśmiechnęłam się, zadowolona, że mogę się pochwalić.

– Tak? – Matka Piotra nachyliła się do mnie i uważnie przyjrzała się najpierw policzkom, następnie czołu i brodzie, jakby miała w oczach dermatologiczne urządzenie do badania stanu skóry. Zarumieniłam się, zakłopotana, że mojej cerze daleko do perfekcji. Ostatni peeling robiłam na tydzień przed ślubem, później nie znalazłam na to czasu. – Wiesz, córeczko, jednak powierzę swoją urodę profesjonalistom… – Popatrzyła z politowaniem, a ja ponownie poczułam ukłucie w sercu. Kolejny cios, tym razem w mój profesjonalizm. Dyskretnie zerknęłam na zegar ścienny. Jasny gwint! Dlaczego w takich sytuacjach wskazówki tak się wloką? Spoko, dasz radę, wieczorem będzie po wszystkim, pocieszałam się, jak potrafiłam.

– Proszę się częstować, rosół stygnie – zachęcałam, siląc się na swobodę i starając się nie myśleć, co by było, gdybyśmy mieszkały ze sobą na stałe.

– Pyszny rosół! – pochwaliła, a ja wreszcie poczułam się dowartościowana. Wprawdzie wyłącznie kulinarnie, ale zawsze. Naprawdę starałam się, żeby rosół wyszedł jak należy, czyli kawałek wołowego mostku, udko z kaczki Barbarie, odrobina cielęciny… – Sama często robię rosół – kontynuowała. – To żaden problem. No nie?

– No… – Byłam skołowana.

– Wrzucasz kostki rosołowe do wrzątku i to cały sekret!

Skrzydła, które urosły mi przed chwilą, złożyły się z wielkim hukiem. Zostałam sprowadzona do parteru.

– Babciu, ale to nie jest rosół z kostki. Pani Iza gotowała go na świeżym mięsie, dodała dużo warzyw, a nawet suszonego lubczyku! – wtrąciła Zosia.

– Żartujesz? Szkoda, że nie pomyślałam i nie przywiozłam w prezencie bulionowego koncentratu, skoro u was go nie ma. – Pokręciła głową z dezaprobatą.

– Jest, babciu! Jest! Ale to najprawdziwszy świąteczny rosół! Pyszny, prawda? – pytała rozemocjonowana Zosia.

– Prawda. Nie ustępuje temu z kostek. Naprawdę pyszny.

– Babciu! – Do rozmowy włączył się Tadeusz. – Makaron też jest domowy. Zrobiliśmy go rano. Pani Iza przygotowała ciasto, Zosia wałkowała, a ja pokroiłem. – Wnuk starał się uświadomić babci zabiegi wokół przygotowania naszej zupy, z nadzieją na uznanie.

– Aha, rozumiem, oszczędzacie, więc nie stać was na kupno makaronu w sklepie. Przyślę wam kilka opakowań. Nie będziecie się już musieli męczyć. Przecież zawsze możecie na mnie liczyć. Pomagam wam, jak potrafię.

– Akurat! Jakiś przykład? – Piotr spojrzał na nią jak prokurator na seryjnego mordercę, lecz jego matka potraktowała go jak powietrze, najspokojniej w świecie podając mi pusty talerz po rosole. – Mama potrafi tylko obiecywać. A pamięta mama, jak na pogrzebie Ewy mama płakała i zapewniała mnie i dzieci, że nas nie opuści w potrzebie? I będzie się wnukami, jedynymi zresztą, opiekować? Tak mama lamentowała, że ludzie na cmentarzu składali mamie kondolencje. Nie mnie!

– Oj, dziecko, Bóg mi świadkiem, że chciałam. Ale gdzie się miałam wprowadzić? Do tych małych pokoików w starym mieszkaniu? Sam chciałeś się stamtąd wyprowadzić. Miałam nadzieję, że zamienisz mieszkanie na większe i wtedy…

– Ech! – Piotr machnął ręką. – Zostawmy to! Ale jak mamie była potrzebna pomoc, to mama doskonale wiedziała, gdzie zadzwonić!

– A to fascynujące! O cóż ci to, syneńku, chodzi? – Teściowa odsunęła za ucho opadający na twarz kosmyk włosów i zmrużyła oczy.

– Na przykład o to, jak się mama pokłóciła z Hansem i wyprowadziła. Gdzie? Oczywiście, do hotelu Concord, jakby nie było tańszego! A Hans odciął mamie kranik z kasą, bo zablokował wszystkie karty kredytowe! A kto zapłacił horrendalny rachunek za całe osiem dni? – Głos Piotra stawał się coraz donośniejszy. – Ja, przez Internet! Wtedy mama wiedziała, gdzie zadzwonić! To była moja prawie czteromiesięczna pensja!

– Po pierwsze, uspokój się, a po drugie, ciesz się, że tylko za osiem dni, bo tyle czasu Hans potrzebował, żeby pójść po rozum do głowy i przyjechać do hotelu z bukietem tulipanów. Machnął ręką na auto i błagał o powrót. A po trzecie, akurat w tym hotelu mam zniżkę, pięć procent dla stałego klienta. To chyba niemało? – Matka Piotra starannie polewała sosem kawałek pieczeni cielęcej. Cała ta sprawa najwyraźniej obchodziła ją tyle, co aktualna pogoda w Hondurasie.

– Co to jest pięć procent? – Twarz Piotra poczerwieniała z wściekłości.

– Przestań. Pięć procent od dużego rachunku to przecież niemało. Pięć procent ze stu euro to zaledwie pięć, ale z tysiąca...

– Zostawmy te wyliczanki. A na marginesie, niezły numer wtedy mama wycięła!

– Zosiu, podaj mi surówkę, proszę. Dziękuję. – Teściowa pogładziła wnuczkę po ręce. – Synu, co ty wiesz? – Opędzała się jak od natrętnej muchy.

– A wiem! Zadzwoniłem wtedy do Hansa, żeby się dowiedzieć, czy jest jakaś szansa na zawieszenie broni, czy też mam wyprzedawać wszystko po kolei, by zapłacić kolejny rachunek z hotelu. Otóż Hans poskarżył mi się, że mama wzięła jego nowiutkiego mercedesa, takiego jeszcze pachnącego lakierem, i wyjeżdżając z garażu, otarła go o słupek, a potem zamalowała rysę lakierem do paznokci w podobnym kolorze. Jakby nie mogła pojechać do koleżanki własnym autem!

– Nie bądź śmieszny, to w końcu tylko samochód. Wzięłam go, bo chciałam sobie trochę pośmigać po autostradzie. Jestem w tym dobra. – Nałożyła sobie na talerz kolejną porcję ziemniaczanego purée z odrobiną gałki muszkatołowej. – Zresztą kto jak kto, ale ja potrafię być wdzięczna. Właśnie! Byłabym zapomniała! – Odłożyła sztućce i klasnęła w dłonie. – Uwaga, moje kochane wnuczęta! – Klasnęła ponownie. – Babcia ma dla was prezenty! – Popatrzyła rozradowana i sięgnęła po torebkę. – Coś pięknego! – zapowiedziała z tajemniczą miną i wyciągnęła dwa małe, przezroczyste foliowe woreczki. Podała po jednym Zosi i Tadeuszowi.

W tym dla małej zauważyłam ozdoby do włosów: kolorowe gumki z drewnianymi biedronkami, spinki z różyczkami, sztywną opaskę z tiulowym motylem z przodu i jeszcze coś, co przypominało mi wczesne dziecięce lata. Nagle mnie olśniło. Bransoletka! Nawleczone na gumce kolorowe plastikowe kulki, z zegarkiem na niby, czyli kawałkiem plastiku w kształcie talarka, z namalowanymi cyframi i strzałkami wskazującymi godzinę. Kupowałyśmy coś takiego z Agą na odpustowych straganach. W woreczku Tadeusza znajdowała się mała fajansowa skarbonka w kształcie piłki nożnej, pomalowana w białe i czarne sześciokąty. Dzieci podziękowały uprzejmie i położyły prezenty na kolanach. Zosia przesunęła się nieco w stronę brata i kopnęła go pod stołem. Matka Piotra pogrzebała w torebce.

– To jeszcze nie wszystko! – wykrzyknęła. – Mam jeszcze coś! O! Proszę bardzo! – Wyciągnęła dwie złożone na pół koperty. – Proszę!

– Babciu, nie trzeba – wymamrotała Zosia.

– Tak nie można, babciu, nie przyjmiemy żadnej kasy – przytaknął Tadeusz, chociaż widziałam, że aż go ręka świerzbi, by schować kopertę do kieszeni.

– Dlaczego mama daje im pieniądze? – zapytał rozeźlony Piotr.

– Bez gadania! Niech sobie kupią, co chcą. Dyskusja skończona!

Twarze dzieciaków pojaśniały, zarówno Zosia, jak i Tadeusz starały się ukryć radość. Wertowali marzenia, kombinując, na co zamienić zawartość kopert. Zosia wyciągnęła z torebki wszystkie ozdoby, rozłożyła przed sobą i uśmiechnięta oglądała jedną po drugiej z udawanym zainteresowaniem. Tadeusz obracał w dłoniach piłkę-skarbonkę. Myślami byli już na zakupach.

– A tak w ogóle, to fajnie tu u was. I znowu mam córeczkę. Bo Ewę traktowałam jak rodzone dziecko. – Popatrzyła na mnie szklistymi ze wzruszenia oczami.

– Akurat! – bąknął Piotr, ale teściowa udała, że nie słyszy.

– W zasadzie przyjechałam porozmawiać i załatwić jedną sprawę... – Uśmiechała się ciepło.

– Tego się można było spodziewać. A już myślałem, że się mamie odmieniło. – Piotr westchnął z dezaprobatą. A ona w dalszym ciągu traktowała go jak powietrze.

– Mam problemy, których nie życzę nikomu... – Zawiesiła głos.

– Zdrowotne? – Głos Piotra błyskawicznie złagodniał, w oczach pojawił się niepokój.

– Nie.

– Na szczęście – odetchnął uspokojony.

– Johanna, pierwsza żona Hansa... Ma jakiegoś fagasa i latem bierze ślub.

– I co? Jest mama zazdrosna? – Piotr zaśmiał się ironicznie.

– Masz chyba coś niedobrze z głową, skoro mnie podejrzewasz o takie rzeczy. – Spojrzała rozgniewana. – I mnie, i Hansowi jest to na rękę. Johanna nigdy nie pracowała, więc Hans podczas rozwodu został zobowiązany do płacenia alimentów na pokrycie kosztów jej utrzymania do czasu ewentualnego powtórnego wyjścia za mąż. Tak czy inaczej, na jej ślubie tylko zyskamy.

– To dlaczego mama doszukuje się dziury w całym?

– Bo Jessica, córka Hansa, która mieszka z matką, przyjechała do nas w ubiegłym tygodniu, rozhisteryzowana, że nie lubi przyszłego ojczyma. Ustalili więc oboje z Hansem, że jeżeli Johanna naprawdę weźmie ślub, to Jessica przeprowadzi się do nas! – Teściowa uderzyła w płaczliwe tony.

– Przecież macie duży dom. Komfortowo może w nim mieszkać z dziesięć osób. A Jessica to duża dziewczynka i nie trzeba jej chyba prowadzać za rączkę do przedszkola? – Piotr ziewnął. – To mama histeryzuje.

– Ale ty nie wiesz, jaka ona jest! Nie wyobrażam sobie przebywania z nią na stałe pod jednym dachem! Ma dwadzieścia cztery lata. W przyszłym roku kończy studia, a zachowuje się skandalicznie. Jej copiątkowe odwiedziny doprowadzają mnie do szału. Wiesz, co ona potrafi? Na przykład całkowicie mnie ignoruje albo odwraca się plecami i rzuca przez ramię: „Bądź cicho, nikt cię nie prosił o zdanie".

– A co na to Hans? – Piotr w ułamku sekundy odzyskał zainteresowanie rozmową.

– Nie reaguje. Tak mu wygodniej. Mówi, że to babskie gierki i nie będzie się w nie mieszać.

– To mama się nie liczy?

– Owszem, liczę się, ale zaraz po córeczce. No, chyba że jesteśmy sami. Jessica bywa wobec mnie skrajnie bezczelna. W ubiegłym tygodniu na przykład weszła do mojej garderoby i przejrzała metki na ubraniach. „*Oh mein Gott!* Jak ona szasta pieniędzmi papy. Moja mama nie kupowała w takich drogich sklepach", skomentowała. Poszłam więc do Hansa na skargę, co robi jego córka, a on mi odpowiedział, że Jessica może robić, co chce, bo to również jej dom i mam mu nie suszyć głowy, tylko podać jeszcze jeden kawałek strudla z jabłkami. Wyobrażacie sobie?

– To dlaczego mama nie zwróci jej uwagi?

– Ja? – Teściowa zaśmiała się gorzko. – Ja nie mam do tego prawa. To on jej powinien przemówić do rozumu, ale się boi z nią zadzierać. Nigdy nie stanie po mojej stronie. Nie jest taki jak ty, synu. Od maleńkości uczyłam cię, że musisz na wszystko patrzeć obiektywnie. Prawda? – Czułym matczynym gestem ujęła dłoń Piotra i popatrzyła mu w oczy. Przytaknął odruchowo, a ja przełknęłam ślinę. Z całej siły powstrzymywałam się, żeby nie krzyknąć: „Nieprawda! On jest dokładnie taki sam jak Hans!". – To ci pomogło zostać naukowcem – kontynuowała. – Cóż, Hans jest tak zauroczony córeczką, że nawet gdybym miała tysiąc procent racji, on mnie nie wysłucha!

– Nie spodziewałem się tego po nim! – Piotr aż spurpurowiał z wściekłości. – Przecież mama jest jego żoną, a on powinien Jessice jasno wyznaczyć granice. Byłem przekonany, że mama może na niego liczyć.

– Mogę, mogę, ale nie w tym przypadku. Próbowałam się z nią dogadać na wszelkie możliwe sposoby. Kiedyś przyszła wcześniej, Hansa jeszcze nie było. Rozświergotana, że och i ach, i w ogóle. Nawet ucałowała mnie na powitanie, chociaż nigdy tego nie robi. Super, pomyślałam, mamy trochę czasu tylko dla siebie. Usiadłyśmy i spokojnie zaczęłam jej tłumaczyć bezsens walki pomiędzy nami. Ja jestem żoną, a ona córką. I obie jesteśmy ważne dla Hansa, tyle że inaczej. Ona nie zastąpi mnie w roli żony ani ja jej w roli córki. To przecież proste. Prawda? – Popatrzyła na Piotra pytająco, a on przytaknął skwapliwie. – Nie może przecież oczekiwać, że usunę się z jego życia – kontynuowała. – Chyba nie chciałaby, by ojciec został sam i wyczekiwał jej odwiedzin z nosem przyklejonym do szyby. Hans kocha nas obie, więc powinnyśmy żyć w zgodzie. Jessica nie może mieć do mnie pretensji, nie ja rozbiłam małżeństwo jej rodziców. Z Hansem poznaliśmy się cztery lata po ich rozwodzie. I klarowałam, że jestem z nim przecież na co dzień. Podsuwam mu pod nos sznapsa, wybieram mu krawaty i kupuję dezodorant do stóp. A ona niech zrozumie, że dzięki mnie ma go po prostu z głowy. Najpierw panienka siedziała jak trusia, ale po chwili zerwała się gwałtownie, zatkała uszy i zaczęła wykrzykiwać mi prosto w twarz: „Nieprawda, to ty się papy uczepiłaś, i gdyby nie ty, to papa by wrócił do mamy! I byliby szczęśliwi, ale ty patrzysz tylko swego nosa, zależy ci tylko na majątku! I sponsorujesz Petera, bo on zarabia tylko na kartofle!”.

– Moment, chyba źle zrozumiałem… – Piotr wszedł matce w słowo. – Czy ta smarkula mówiła coś o mnie, czy tylko się przesłyszałem?

– Słyszałeś całkiem dobrze.

– Nie wytrzymam i zrobię z nią porządek! – Piotr zacisnął palce na nóżce kieliszka, aż pobielały mu kostki.

– Ech, daj spokój. Nie masz szans. – Zrezygnowana teściowa machnęła ręką. – Hans i tak stanie po jej stronie, a ona, jeżeli coś idzie nie po jej myśli, zachowuje się, jakby miała klapki na uszach i sparaliżowane komórki mózgowe. Dla niej jestem wszystkiemu winna i szlus! – Wyciągnęła chusteczkę i otarła kilka łez, uważając, żeby nie rozmazać konturówki.

– Czyli jest mama takim kozłem ofiarnym... – zinterpretował jej żale Piotr.

– Tato, babcia kozłem? – roześmiał się Tadeusz.

– Właśnie tak. – Grdyka Piotra uwypukliła się i nerwowo poruszała w pionie. – Opowiem wam o tym innym razem. W każdym razie, Jessica nie chce obwiniać ani mamy, ani taty za rozpad ich małżeństwa, bo woli widzieć w nich ideały. Wbrew logice zwala więc winę na kogoś z zewnątrz, a ściślej mówiąc na waszą babcię.

– Tak, dziecko, święta prawda. Przemyślałam to wszystko i w ubiegłym tygodniu postawiłam Hansowi warunek: albo ja, albo ona! A on odparł bez zastanowienia: „Ona na pewno, a ty? Wybór należy do ciebie!". – Teściowa mocno zacisnęła powieki, powstrzymując łzy. Siedzieliśmy jak trusie, w milczeniu. – I dlatego postanowiłam... Otworzyła oczy. – Że jeżeli Jessica się do nas wprowadzi, wracam do Polski i zamieszkam z wami. – Zesztywniałam. Poczułam bolesne napięcie wszystkich mięśni, odruchowo szykujących się do odparcia ataku. W ustach utkwił mi kawałek pieczeni, którego nie byłam w stanie przełknąć. Dyskretnie wypłułam go w serwetkę i sięgnęłam po kompot. – Teraz macie duże, porządne mieszkanie, a nie jakieś marne izdebki, więc i dla mnie znajdzie się miejsce. Czy w razie czego mogę na was liczyć? – Zwróciła się wyłącznie do Piotra, jakbym nie istniała. W oczekiwaniu na odpowiedź wstrzymałam oddech.

– Jak mama w ogóle może pytać? – Popatrzył na nią z wyrzutem. – Oczywiście, że tak. Syn to syn, a Iza... To moje kochanie, prawdziwy skarb. Przecież gotuje, pierze i prasuje dla czterech osób, więc nawet nie zauważy piątej – zapewniał ciepło mamusię, ignorując mnie kompletnie.

Zakręciło mi się w głowie. Przysiadłam na dłoniach, żeby ukryć ich drżenie. Złota jaszczurka w mojej wyobraźni przeistaczała się w wygłodzonego krokodyla, który tylko czyha w ukryciu, by zaatakować.

– Świetnie! – Uradowana teściowa klasnęła w dłonie. Po łzach nie pozostało śladu. Mogłaby zbić majątek jako klakier, pomyślałam. – Musimy to oblać! Poproszę jeszcze drinka! – Piotr natychmiast poderwał się z krzesła. – Nie gwarantuję jednak, że zostanę u was na stałe. Może tylko do czasu, aż Hans zmądrzeje.

Spięte ciało odpuściło nieco. Poczułam ulgę.

Gdy Piotr pojechał z matką na lotnisko, ja i dzieciaki wzięliśmy się za porządki po przyjęciu. Czułam się psychicznie wypompowana, drżały mi ręce. Stłukłam kolekcjonerski kieliszek do szampana, a cukiernicę włożyłam do zamrażarki. Starałam się nie myśleć, co będzie, jeżeli matka Piotra rzeczywiście się do nas wprowadzi. Tadeusz raz po raz pokasływał cichutko i chrząkał. Czy to początek jakiejś choroby? Alergii na babcię? Nie bądź nienormalna! – napomniałam samą siebie, starając się ustawić do pionu. Dochodziła dwudziesta druga. Niedługo zamkną mały sklepik w kamienicy naprzeciwko, w którym można kupić między innymi lekarstwa. W biegu założyłam płaszcz i buty, zbiegłam po schodach i pomknęłam przez ulicę. W świetle latarni ujrzałam postać w zielonej kurtce; dla pewności jeszcze odwróciłam głowę. To on, na pewno, dawny sąsiad Piotra z któregoś piętra wyżej i mój pomocnik od śmieci! Stał nieruchomo jak posąg, czułam na sobie jego palący wzrok. Do drzwi sklepiku zbliżała się ekspedientka z pękiem kluczy w dłoni. Przyśpieszyłam i wpadłam do środka w ostatniej chwili, kupiłam tabletki eukaliptusowe na gardło i rumianek w torebkach, i jeszcze szybciej wyszłam na ulicę. Zza pleców dobiegł mnie chrobot klucza w zamku i dźwięk opuszczanych żaluzji antywłamaniowych. Witryna, jeszcze przed chwilą cała w jaskrawym, jarzeniowym świetle, stała się ciemną ścianą.

Mimo że nagle zrobiło się pusto i nieprzyjemnie, bo zerwał się gwałtowny wiatr niosący z niesamowitą mocą tumany drobinek zmrożonego śniegu, postanowiłam zaczepić faceta w zielonej kurtce i zapytać, kogo wyczekuje o tak późnej porze pod oknami mojego mieszkania. Teraz albo nigdy! Szybkim krokiem podeszłam do latarni, obok której stał jeszcze przed chwilą, wytężyłam wzrok, ale nie dostrzegłam nikogo. Stanęłam jak wryta. Ani żywej duszy. Kilka razy obróciłam się wokół własnej osi. A może... Serce mi zamarło, ale zaraz zaczęło łomotać jak oszalałe. Może to zabójca albo gwałciciel i podczas mojej wizyty w sklepie zdążył wtargnąć do naszego mieszkania? Jasny gwint! Przecież dzieci są same, Piotr wróci dopiero około północy! Jak szalona przebiegłam przez ulicę, nie zważając na klakson zbliżającego się samochodu i pokonując po trzy schodki naraz, z impetem wpadłam do mieszkania. Zosia i Tadeusz w kuchni najspokojniej w świecie wkładali sztućce do szuflady. Ach, ta moja wyobraźnia!

Poczułam naglącą potrzebę oderwania się od rzeczywistości. Przypomniało mi się, co w takim wypadku robiła mama, i postanowiłam pójść w jej ślady. Zaparzyłam dzbanek świeżej herbaty, pokroiłam resztę ciasta biszkoptowego, tego z masą na bazie kremowej śmietanki, zawołałam dzieci. Rozsiedliśmy się w fotelach.

– Uwaga, uwaga! Zapraszam państwa na domowy seans filmowy – zapowiedziałam, prawie profesjonalnie. – Dzięki niemu poznacie odpowiedź na hasło: „W Paryżu najlepsze kasztany są na placu Pigalle". Tyle że jeszcze nie dzisiaj, bo nie zdążymy obejrzeć naraz jedenastu odcinków *Stawki większej niż życie*. Za chwilę jednak imiennik męża babci, czyli Hans Kloss, ucieknie z niemieckiego więzienia... Ale nie uprzedzajmy faktów! Błagam tylko, abyście na lekcjach historii nie popisywali się znajomością wyczynów kapitana Klossa, ponieważ, niestety, jest to postać fikcyjna.

Włożyłam do odtwarzacza płytę z pierwszym odcinkiem i gdy tylko zabrzmiała doskonale mi znana czołówka, zapomniałam o całym świecie.

Niedzielny obiad gotowałam razem z dziećmi. Musiałam powalczyć o wprowadzenie w domu pewnych zasad, a jedną z nich była pomoc w przygotowywaniu weekendowych posiłków. Na początku skwaszone miny i wydęte wargi sprawiały mi przykrość, ale udawałam, że ich nie dostrzegam, podobnie jak pełnych dezaprobaty, wymownych spojrzeń Piotra. Niechętny kuchennym zajęciom był zwłaszcza Tadeusz, który przebąkiwał pod nosem, że to nie miejsce dla faceta. Przekonywałam go, że w najlepszych restauracjach świata szefami kuchni są właśnie mężczyźni, tak samo jak większość gwiazd kucharzenia na ekranie. To oni lubią w kuchni eksperymentować, a ja nie mam nic przeciwko temu, żeby i Tadeusz zmieniał coś po swojemu. A przebywanie w tym pomieszczeniu absolutnie nie uwłacza jego godności. Przecież mówi się „tajemnica szefa kuchni", a nie szefowej, czyli musi to mieć głębszy sens. Jak zrobi setną sałatkę, tłumaczyłam, posiądzie własne kulinarne sekrety. A ponieważ w tygodniu nie wymagam właściwie niczego poza podgrzaniem zupy (wieczorem sama przygotowuję obiad na następny dzień), niech wspólne weekendowe gotowanie stanie się naszym rytuałem. Z pomocy Piotra zrezygnowałam, bo po kilku próbach okazało się, że więcej z tego szkody niż pożytku. Diagnoza: osobnik niereformowalny. W kuchni.

Przygotowywaliśmy kurczaka nadziewanego masą z mielonego mięsa, wątróbek, jajek i zielonej pietruszki. Zosia z Tadeuszem robili pod moim okiem surówkę z kapusty pekińskiej, poznając przy okazji podstawy, bo to zawsze im się w życiu przyda. Wszystko szło sprawnie, przy pogaduszkach, do których wprawdzie musiałam się nieco zmusić, ale jednak. Zasadniczym tematem okazała się wczorajsza wizyta babci. Zosia raz po raz wybiegała do swojego pokoju i po chwili wracała przebrana w inny zestaw nowej, plastikowej biżuterii. Za każdym razem parskaliśmy z Tadeuszem śmiechem.

– Co was tak bawi? Też chcę się pośmiać! – Piotr, przyodziany w dres, wszedł do kuchni. Patrzył na nas jak na małpy w zoo.

– Nic takiego. Śmiejemy się z ozdób – odpowiedziałam, myjąc kurczaka.

– Jestem na wybiegu dla gwiazd! – Zosia stanęła przed ojcem w założonej na głowę plastikowej, żółtej opasce, z przyczepionym na przodzie olbrzymim, tiulowym, różowym motylem. Owada zdobiły przyklejone

niebieskie fluorescencyjne koraliki. Przebranie w sam raz na bal przedszkolaków à la Alicja w Krainie Czarów.
– Tatusiu, czy to nie cudowne? – Zwróciła się do Piotra. – Popatrz! Czas się zatrzymał! Jest dwudziesta pierwsza sześć! – Uniosła rękę i zwróciła w jego stronę tarczę niby-zegarka.

– Nie wiem, o co ci chodzi. – Spojrzał na córkę zdziwiony. – To takie kolorowe, co masz na głowie, jest bardzo gustowne. A jakby trochę zmienić kolorystykę, przypominałoby dzioborożca abisyńskiego, pięknego ptaka występującego w Afryce Środkowej. Widziałem jego pióra w obrzędowych maskach. I nawet ci w tym do twarzy. – Odpowiedzią była kaskada śmiechu. – Z czego się śmiejecie? Chyba coś przede mną ukrywacie... – Patrzył podejrzliwie.

– Tatusiu, takie rzeczy rajcowały mnie wieki temu! Teraz nastolatki nie noszą odpustowej biżuterii. To jest obciach!

– Czyli śmiejecie się z babci? – Głos Piotra zabrzmiał nieoczekiwanie ostro.

– Nie, w żadnym wypadku – wtrąciłam się, wyczuwając niebezpieczeństwo. – Tylko z jej prezentów. Zosia już dawno wyrosła z takich ozdób.

– A to na opasce to nie jakiś tam dzioborożec, tylko motyl. Gwoli ścisłości! – dodała Zosia.

– A ja dostałem skarbonkę – włączył się Tadeusz.

Po raz pierwszy poczułam coś w rodzaju solidarności z dzieciakami. Mieliśmy w kwestii prezentów podobne zdanie i chcieliśmy, by podzielił je również

Piotr, choć z jego miny wynikało, że nie ma takiego zamiaru. Tadeusz gorączkowo przeszukiwał kieszenie dżinsów i wreszcie, zadowolony z siebie, wyciągnął zwinięty w rulonik banknot. Rozprostował go na dłoni i zademonstrował jak magik wyciągniętego z cylindra króliczka. – Na dodatek dostaliśmy od babci każde po dwadzieścia euro. Ale poszalejemy! – pokrzykiwał.

– Słuchajcie. Robienie sobie z babci żartów jest nie w porządku. Słyszeliście, że ma problemy. Za nic nie chciałbym być na jej miejscu! Tak ją zaprząta ta sprawa, że biedactwo zapomniała, ile macie lat. Pytała mnie o to w drodze z lotniska, ale nie mogła uwierzyć, że aż tyle! Gdyby wiedziała dokładnie, kupiłaby coś innego.

– Piotr! Daj spokój! – zwróciłam się do niego tym samym tonem, bo nie miałam najmniejszej ochoty wysłuchiwać, jak bardzo pokrzywdzona jest jego matka. Prawda była taka, że po pogrzebie Ewy była w Polsce zaledwie raz i nawet nie widziała się z synem i wnukami, bo załatwiała odpis świadectwa pracy z kina „Aurora", gdzie pracowała jako bileterka. Kino było w likwidacji, a wszystkie akta w archiwum… Moja teściowa nie przejęła się wówczas ani własnym dzieckiem, ani jego potomkami. A i dziś przypomina sobie o jedynaku, tylko gdy ma kłopoty. Brr! Zastanawiałam się, jak by postąpiła w takiej sytuacji moja nieżyjąca rodzicielka, i daję głowę, że inaczej. Piotr zachowywał się wczorajszego wieczoru jak typowy maminsynek, łykający bez refleksji najbardziej ohydne lekarstwa.

– Wcale nie śmiejemy się z twojej mamy – kontynuowałam. – Tylko, podkreślam, rozbawiły nas te prezenty. Nie doszukuj się dziury w całym. Napijesz się kawy? – Próbowałam odwrócić jego uwagę, więc nalałam do kubka resztkę porannego naparu stojącego na ekspresie. – Wyjątkowo przed obiadem dostaniesz kawałek ciasta. Proszę bardzo! I przestań nas rozpraszać, bo jak widzisz, robota wre! Zaabsorbowani innymi sprawami później skończymy obiad, a powoli wszyscy stajemy się głodni! – Wcisnęłam mu w ręce kubek i talerzyk i wypchnęłam z kuchni, posyłając w powietrzu całusa.

Przed nafaszerowaniem kurczaka raz jeszcze spróbowałam nadzienia, a ponieważ wydało mi się jakieś bez wyrazu, dosoliłam, zamieszałam i spróbowałam ponownie. Poczułam w ustach duże, kilkumilimetrowe kryształki soli morskiej. Jasny gwint! Pomyliłam pojemniki i zamiast tej drobnej wsypałam tę, którą powinnam rozdrobnić w młynku. Tadeusz doprawiał sos do surówki, Zosia, komentując, stała obok. Wiedziałam, że sól się nie rozpuści i albo trzeba zrobić kurczaka bez farszu, albo kryształki usunąć ręcznie. A ponieważ musiałam jeszcze obrać ziemniaki, zaproponowałam Zosi, żeby powyciągała tę nieszczęsną sól. Mała usiadła na krześle, miseczkę postawiła przed sobą na blacie i nisko pochylona, z wysuniętym lekko językiem, w skupieniu wybierała drobinki, układając je na papierowym ręczniku. Cierpliwie i systematycznie: mieszała, znajdowała kryształek soli, wyciągała, mieszała, znowu znajdowała. Coś mi to przypominało.

Déjà vu? Skąd... Nagle olśnienie! Skoczyłam w kierunku Zosi jak oparzona i gwałtownie odsunęłam miseczkę.

– Nie rób tego! Zostaw!

– Dlaczego? Co zrobiłam źle? – Popatrzyła na mnie zaskoczona.

– Wszystko robiłaś super, ale zostaw. Ja to zrobię!

– Czemu? To jest nawet fajne.

– Nie, nie! – Usiadłam i zaczęłam gmerać w farszu. – Wiesz co? Muszę ćwiczyć wzrok, to się w moim wieku przydaje. Przebiorę ten farsz sama, a ty ustaw na stole świece. Zrobimy sobie nastrojowy, rodzinny obiadek.

– Dobrze. – Powiedziała z ociąganiem, obserwując mnie nad miseczką. Nie wiem, co myślała, ja w każdym razie poczerwieniałam z zażenowania. Bo już sobie przypomniałam. Niemal identycznie wyglądała ilustracja w jednej z moich ulubionych bajek. Kopciuszek, na zlecenie macochy, siedząc na kuchennym zydlu, z pochyloną głową oddzielał ziarnka grochu od soczewicy. A może to był groch z makiem albo mak z piaskiem albo muł i miał? A macocha? Pojechała na bal z rodzonymi córkami. Jasny gwint! Wykończę się psychicznie! Chyba mam jakąś fobię na punkcie przeznaczonej mi roli. Czy potrafię ją kontrolować? Co za absurd! Przecież gdy Zosia wybierała kryształki, wcale nie byłam na balu, tylko wykonywałam prozaiczną czynność obierania kartofli. Jestem przewrażliwiona i tyle, ale jak tak dalej pójdzie, zostanę strzępkiem nerwów. Ech, ta moja wyobraźnia!

Na szczęście w mojej torebce, leżącej jak zwykle na komodzie w przedpokoju, rozdzwoniła się komórka. Spojrzałam na wyświetlacz i zamarło mi serce. „Ma Ha”, czyli mama Hani! Jeszcze tego brakowało! Znów zepsute niedzielne popołudnie. Zastanowiłam się przez moment, czy nie przekazać telefonu Piotrowi. Tylko po co? „Zaczęłaś, to kontynuuj”, usłyszę. Trzeba przełknąć tę żabę. Może moje kiepskie niedziele to standard?

Odebrałam z ciężkim sercem.

– Dzień dobry. Mówi…

– Dzień dobry. Wiem, kto mówi, bo mam pani numer zapisany w kontaktach – przerwałam. Nie miałam ochoty bawić się w konwenanse.

– Przeszkadzam? – Głos mamy Hani brzmiał miło. Zapewne chce uśpić moją czujność, a potem uderzyć ze zdwojoną siłą, pomyślałam. Słodka żmija.

– Jesteśmy w trakcie gotowania…

– Och, gorąco przepraszam! To ja tylko króciutko…

– Bardzo proszę. O co chodzi?

– Chciałam zaprosić Zosię na dzisiejsze popołudnie. Hani bardzo brakuje tych spotkań.

– Ale przecież jeszcze tydzień temu nie życzyła sobie pani żadnych pozaszkolnych kontaktów – powiedziałam zdezorientowana. Raz kobieta mówi tak, drugi – zmienia zdanie o sto osiemdziesiąt stopni. Może cierpi na rozdwojenie jaźni?

– To pani nic nie wie? Dziewczynki się pogodziły! Zosia porozmawiała szczerze z Hanią, przyznała się do wszystkiego i przeprosiła moją córkę. Znowu są przyjaciółkami! Takie przyznanie się do błędu świadczy o wartości człowieka. Zosia nie próbowała chować głowy w piasek i nie liczyła na to, że sprawy rozwiążą się same z siebie. Bardzo się z Hanią ucieszyłyśmy, że wszystko przemyślała. I w związku z tym, w imieniu swoim i córki, która stoi przy mnie z wypiekami na twarzy, serdecznie zapraszamy Zosię na popołudnie. Czy zgodzi się pani? – zaświergotała. A mnie spadł kamień z serca.

– Zaraz zapytam, czy ma jakieś plany…

– Nie trzeba pytać. Hania zaprosiła ją już wczoraj, a Zosia powiedziała, że chętnie, jeśli tylko mama się zgodzi. Więc jak?

– Oczywiście, że tak. Podwiozę ją zaraz po obiedzie. – Mimowolnie rozświergotałam się również. Efekt uboczny niespodziewanej euforii. – Za jakieś półtorej godziny. Może być?

– Naturalnie! Czekamy!

Zwycięstwo! A jednak moje tłumaczenia i opowieść o sensie przyjaźni nie okazały się wyłącznie zrzędzeniem. Zasiały w mózgu Zosi ziarenko przemyśleń i doprowadziły do przyznania się do błędu. Wprawdzie wysiłek został okupiony łzami, kłótnią z Piotrem i nerwami, ale było warto. Z miną Klossa, który po raz kolejny nabrał Brunnera, natychmiast popędziłam do gabinetu Piotra. Zastałam go, jak zwykle, przy komputerze. Usiadłam na biurku, zasłaniając monitor. Chyba nie robił niczego ważnego, bo nie okazał cienia złości. Mało tego: na widok mojej miny zareagował uśmiechem ulgi, zsunął mnie z biurka i posadził na swoich kolanach.

– Ładnie wyglądasz. Jesteś taka promienna! Przypominasz mi tę dawną Izę, tę z Grecji! – Ściągnął gumkę podtrzymującą moje włosy, które na czas gotowania upięłam wysoko. Opadły na ramiona.

– Wciąż jestem taka. Może w Grecji byłam bardziej opalona, no i może ciut, ale to naprawdę ciut szczuplejsza, ale od jutra mogę zacząć to zrzucać. – Wskazałam na swoje biodra. – Jeszcze nie dzisiaj, bo mamy pyszny...

– Nie o to chodzi. Mnie to nie przeszkadza, zresztą chyba nie przytyłaś. Po prostu masz w oczach takie same iskierki i optymizm jak wtedy, gdy cię poznałem. I to coś, co mnie w tobie tak urzekło. Ostatnio jednak zdarzało ci się gderać, jakby wszystko było źle, i borykać się z wydumanymi problemami. Nijak nie przystawałaś do dawnej Izy. To było ponad moje siły. – Otoczył mnie ramieniem, przytulił i pogładził po włosach. – Nie poznawałem cię. Twoje pretensje i miny zwalały mnie z nóg. Przyznam się do czegoś: gdy mnie wkurzasz, oglądam po kryjomu w komputerze nasze zdjęcia z Grecji i myślę, że tamta Iza i ta to dwie różne osoby. Dziś jednak widzę, że tamta Iza powróciła. Ta sama, którą pokochałem i z którą się ożeniłem, a nie grymaśna baba, która, jestem przekonany, odeszła bezpowrotnie. Zatrzasnęła za sobą drzwi i nie wróci, bo nie ma do nich klucza, a dobijanie się nic nie da, bo nikt jej nie otworzy. Kocham cię taką i taką pozostań... – Pocałował mnie, choć nie za bardzo miałam na to ochotę. Czynność ta, jakkolwiek bardzo przyjemna, uniemożliwia rozmowę. Oderwałam się z trudem.

– Piotr, posłuchaj. Nie jest mi łatwo...

– Nie cieszysz się, że cię kocham? – Przerwał. – To jest najważniejsze. I nie psuj tego, bo mam przeczucie, że przygotowałaś sobie w głowie całą litanię usprawiedliwień i wymówek. Daj spokój. – Pogładził mnie po włosach. – A swoją drogą, przyszłaś tutaj pełna pozytywnych emocji. Chciałaś mi coś powiedzieć?

– Owszem, chciałam! – Wpatrywałam się w niego z miną zwycięzcy. Do pełni szczęścia brakowało tylko Mazurka Dąbrowskiego.

– Powiesz mi, czy mam umierać z ciekawości? – Śmiał się, patrząc mi głęboko w oczy.

– No więc...

– Więc bęc, więc bęc! – przedrzeźniał mnie, nie przestając się śmiać.

– Otóż odniosłam sukces wychowawczy!

– Czyli?

– Czyli moja dyskusja o sensie przyjaźni i o tym, do czego zobowiązuje taka relacja, przyniosła nieoczekiwanie pozytywny skutek. A już traciłam nadzieję! Zosia przeprosiła Hanię i dzisiaj się spotykają – tłumaczyłam pośpiesznie, pragnąc, by i on ucieszył się z wielkiego edukacyjnego zwycięstwa. – I co ty na to? – zakończyłam, podnosząc w górę ręce w tryumfalnym geście, jakbym stała na podium.

– Fajnie, ale przejdź do sedna. Czym się chciałaś pochwalić? – Nadal był rozweselony, ale czekał na ciąg dalszy, podczas gdy ja spodziewałam się oklasków.

– No właśnie tym. Piotr, czy nie pojmujesz wagi tego sukcesu? – Patrzyłam zdziwiona i zastanawiałam się, czy nie użyć jakichś innych słów. Niby mądry człowiek, profesura tuż, tuż, zjeździł kawał świata, chodzący autorytet w swojej dziedzinie, a jednak... – Rozumiesz w ogóle po polsku, czy w grę wchodzą już tylko tswana albo angielski?

– Och, Iza, przecież to było do przewidzenia, że się pogodzą. Zosia to mądra dziewczynka i sama by do tego doszła, a ty niepotrzebnie histeryzowałaś i wtrącałaś się do sprawy. Nie szkoda ci energii na takie bzdety? I po co były, ty moja domowa bekso, te łzy? Widzisz, wszystko dobrze się skończyło. – Przytulił mnie mocno.

A jednak podciął mi skrzydła. Nie, wbrew słowom Piotra, „ta" Iza ma jednak klucze do domu. Gmera nimi w zamku i wejdzie za chwilę. Zacisnęłam szczęki. Tak, znowu wyszło na to, że Zosia jest och i ach, i w ogóle, czyli błyskotliwa, a ja jestem be, czyli czepiająca się bzdetów. Chwilę trwałam w bezruchu, zastanawiając się, jak zareagować. Najchętniej zostawiłabym to wszystko i uciekła gdzie pieprz rośnie! Ale może... Może to Piotr ma rację, a ja jestem trucizną tej rodziny i rzeczywiście wszystko psuję? Może Zosia sama wyciągnęłaby konstruktywne wnioski? Jasny gwint! Mój mąż sprawił, że zaczynałam źle myśleć o sobie.

Akurat! W życiu by do tego nie doszła! No, może za sto lat. Wiem swoje i nie dam się zdołować!

– Obiad gotowy. – Wyswobodziłam się z uścisku Piotra. – Chodźmy! – Chciałam, by mój głos brzmiał jak zwykle. Wstałam i zrobiłam krok w stronę drzwi. Piotr chwycił mnie za rękę i przyciągnął.

– Co jest, Izuniu? Powiedziałem coś nie tak?

– Powiedziałeś to, co myślisz. Chodźmy, bo kurczak się przypali. A po obiedzie podwiozę Zosię do Hani. – Kurczak był oczywiście pretekstem do zakończenia rozmowy.

Poza tym, podczas gdy Zosia będzie u Hani, postanowiłam wpaść do Lili.

Zaparkowałam pod dawnym blokiem Piotra. Było ciężko. Jedyne wolne miejsce, a raczej szpara, znajdowało się pomiędzy samochodem dostawczym z napisem „Świeże jaja prosto z fermy" a dużym granatowym vanem. Chciałam zaparkować tyłem, żeby łatwiej było wyjechać, mimo że manewr stanowił moją prawdziwą piętę achillesową. Skręciłam zbyt płytko. Źle. Podjeżdżałam i wyjeżdżałam kilka razy, a perspektywa sukcesu stawała się coraz bardziej odległa. Jasny gwint! Muszę potrenować gdzieś, gdzie nie ma aut, pomyślałam. Po dziewiątej próbie dałam sobie spokój. Trzy razy do trzech razy sztuka. Wysiadłam z auta i obserwowałam, czy ktoś nie ma zamiaru zwolnić miejsca.

– Dzień dobry! Jak miło znów panią widzieć!

Odwróciłam się i zobaczyłam faceta, którego spotykałam przy doprowadzaniu mieszkania Piotra do stanu nadającego się do przekazania nabywcy i który w mojej wyobraźni raz był gwałcicielem, raz mordercą, innym razem podrywaczem, a jeszcze innym – po prostu wścibskim sąsiadem. Tym razem nie miał zielonej kurtki, a mniej puchatą, zwykłą, granatową. Taką przejściową. Uśmiechał się z wyraźną satysfakcją ze spotkania. Podszedł do mnie tak blisko, że poczułam aromat zmysłowej wody kolońskiej z dominującymi nutami kardamonu, mchu i dębu. Przyjrzałam mu się dokładnie i doznałam nagłego olśnienia. To przecież świadek Piotra z pierwszego ślubu! Ten sam co na nagraniu, ten od pięknego toastu! Więc to dlatego wydał mi się znajomy! Uśmiechnęłam się, bo zrozumiałam, dlaczego pomagał mi przy wyrzucaniu śmieci i proponował pomoc. Już otwierałam usta, by powiedzieć mu, skąd go znam, ale ugryzłam się w język. Nikomu nie zamierzam się przyznawać, że oglądałam to nagranie. W każdym razie mogłam sobie powiedzieć, że „przyjaciel mojego męża jest moim przyjacielem". A wcześniej wyobraźnia przypisywała mu złe, a nawet zabójcze, intencje!

– Dzień dobry! Szukam innego miejsca do zaparkowania, bo tu tak ciasno…

– Mogę prosić o kluczyki? – zapytał, patrząc to na moje usta, to na rozpalone z emocji policzki.

– Jasne! – Podałam mu je z uczuciem ulgi, jednocześnie dochodząc do wniosku, że na pewno źle rozprowadziłam róż i konturówkę. Mam za swoje! – pomyślałam. Wszystko robię w biegu i jak klaun w cyrku wystawiam się na pośmiewisko!

Mężczyzna wsiadł do auta, podjechał nieco do przodu, skręcił głębiej i zaparkował od pierwszego razu. Było mi trochę wstyd. No cóż, nie muszę być mistrzem w każdej dziedzinie...

Wysiadł i oddał kluczyki. I w tym momencie zadzwoniła moja komórka. Odebrałam. Lila, uprzedzona o wizycie, dopytywała, gdzie jestem. Obiecałam, że zjawię się za dwie minuty.

– Bardzo panu dziękuję! – Popatrzyłam z wdzięcznością, jednocześnie zła na siebie za wcześniejsze doszukiwanie się u człowieka morderczych instynktów. – Muszę już iść. Do widzenia!

– Proszę zaczekać... – Poszperał w wewnętrznej kieszeni kurtki. – Proszę, oto moja wizytówka. Tak na wszelki wypadek. Może kiedyś się przyda? A z tym samochodem to żaden problem. Jakby co, ma pani mój numer telefonu.

– Jasne! – roześmiałam się. – Za każdym razem przy parkowaniu będę wzywać pana na pomoc! – Wsunęłam wizytówkę do torebki. Trochę to było niegrzeczne, bo powinnam ją wcześniej przeczytać. – Do zobaczenia! – Pomachałam mu ręką na pożegnanie, bo naprawdę się śpieszyłam. Skoro ten gość to przyjaciel Piotra, niewykluczone, że spotkamy się w innych okolicznościach. Tylko dlaczego, przemknęło mi przez myśl, Piotr nie wspomniał o nim przy mnie ani razu i nie zaprosił go na nasz ślub? Pamiętam, jak ustalaliśmy listę gości. Wspólnie aż dwa razy przeglądaliśmy kontakty w jego komórce, a potem jeszcze wszystkich zapisanych w notesie, żeby nikogo nie przeoczyć. O przyjaciołach chyba się nie zapomina? Zwłaszcza że ten facet jest całkiem, całkiem... A jeszcze Piotr zawsze podkreślał, że w tym bloku nie znał nikogo poza Lilą i jej rodziną. Dziwne.

Gdy wysiadałam z windy, Lila już czekała na mnie na korytarzu, nerwowo przechadzając się w tę i we w tę, ubrana jak do wyjścia. Pod pachą trzymała torebkę. Drzwi oznaczone numerem osiemnaście były otwarte na oścież.

– Cześć! – przywitała mnie szeptem. – Spadłaś mi jak z nieba. Tomek, mój mąż i niespełniony biznesmen w jednej osobie, siedzi od rana w garażu i robi prototyp jakiegoś fotela na bazie lakierowanego na żółto aluminium. Siedziskiem ma być wypełniona sianem poducha. Taki fotel do aromaterapii. – Uśmiechnęła się i wywróciła oczami na znak, że ma dość poszukiwania przez męża niepowtarzalnego designu. – A ja prozaicznie. Muszę wyskoczyć po mleko, bo nie będę miała na czym Julkowi ugotować kaszki. Posiedź przy nim chwilę. Śpi, ale nie chcę go zostawiać samego. Zgoda?

– Pewnie! Nie musisz się śpieszyć. Kup spokojnie wszystko, czego potrzebujesz – uspokajałam ją. Mówiłam szczerze, zadowolona, że mogę spłacić choć część długu wdzięczności zaciągniętego u niej przez Piotra.

– Dam sobie radę! Idź i się nie przejmuj! – dodałam i wepchnęłam ją do windy.

Weszłam do mieszkania. Kompletna cisza. Podeszłam do łóżeczka Julka. Spał, lekko posapując. Super. Nie bardzo wiedziałam, jak mogłabym się nim zająć. Nie mam młodszego rodzeństwa ani nawet kuzynostwa, więc nie miałam okazji poznać podstawowych zasad obowiązujących przy małych dzieciach. Lepiej, jeśli Julek po prostu pośpi sobie pod moim okiem. Spojrzałam na fotele. Tym razem były to drewniane stelaże z siedziskiem z czegoś, co przypominało poprzeplatany sznurek. Nie wzbudziły mojego zaufania, więc przysiadłam na krześle w kuchni. Spokojnie i bezpiecznie. Wyciągnęłam komórkę, żeby zadzwonić do taty i w tej samej chwili zza ściany dobiegł głośny stukot. Ktoś walił młotkiem, coś przybijając albo rozbijając. Tylko kilka uderzeń, ale wystarczyło; wraz z ustaniem hałasu usłyszałam przeraźliwy płacz Julka. Wrzuciłam komórkę z powrotem do torebki, pobiegłam do pokoiku i nachyliłam się nad łóżeczkiem. Mały zobaczył mnie i wrzasnął jeszcze głośniej. Stałam bezradnie, niepewna, co robić. Może zadzwonić do Agi? Ona przynajmniej ma doświadczenie... Nie, głupi pomysł. Musiałabym wrzeszczeć jeszcze głośniej niż Julek.

– Cii. – Pochyliłam się bardziej. – Cichutko, nic ci nie zrobię. Przysięgam! – Starałam się, żeby mój głos brzmiał spokojnie, ale sama wyczuwałam w nim napięcie. – Cichutko... – powtórzyłam i pogładziłam dłonią mokry od łez policzek. – Spokojnie, skarbie, przecież nie zrobię ci krzywdy...

Zero rezultatu. Julek zaczął się wiercić, odwrócił się, przykucnął, chwycił za szczebelki, podciągnął, zmienił pozycję na pionową i podniósł nóżkę z zamiarem wyjścia, a raczej wypadnięcia z łóżeczka. Chwyciłam go w ostatniej chwili. Trzymając małego w wyprostowanych rękach, patrzyłam na niego jak na zdjętą z wieszaka kieckę o kroju tak wymyślnym, że założenie jej wymaga dłuższego namysłu. Tymczasem on darł się wniebogłosy, wierzgając nóżkami. W zapłakanych oczach widziałam zagubienie i strach. Jasny gwint! On się mnie boi! – pomyślałam i wiedziona impulsem przytuliłam Julka do siebie, starając się jakoś mu pomóc. Szamotał się wprawdzie, jednak intensywność jego ruchów była coraz mniejsza, a wrzask powoli zamieniał się w popłakiwanie, a po chwili ucichł zupełnie. Bicie dziecięcego serduszka stawało się coraz bardziej miarowe, oddech również, choć słychać było, że chłopczyk łapie powietrze ustami, bo ma zatkany nos. Obok łóżeczka, na szafce, zauważyłam papierowy ręcznik, więc oderwałam listek i otarłam zwisające, wciągane przy każdym westchnieniu gile. Łzy wyschły, buźka była zaledwie zaróżowiona. Dałam radę!

Usiadłam po turecku na dywanie, wciąż z Julkiem w ramionach, i zaczęłam go kołysać. A on wpatrywał się we mnie i bawił kosmykiem moich włosów. Po chwili zmrużył oczy i zasnął. Odczekałam kilka minut i wstałam ostrożnie, prostując zdrętwiałe w wymuszonej pozycji nogi. Podeszłam do łóżeczka, by ułożyć Julka z powrotem, lecz – ku własnemu zdziwieniu

– wcale tego nie zrobiłam. Przytrzymując go na jednym ramieniu, zaczęłam muskać malutkie paluszki i gładzić policzki. Istny cud natury. Bez udziału inżynierów, projektów, prototypów, modernizacji i całego procesu skomplikowanej produkcji. Perfekcyjny. Bez porównania bardziej spektakularny niż najpiękniejsze zakątki świata. Przytuliłam policzek do drobniutkiej buzi; zapachniało mieszaniną mleka, rumianku i metafizycznego ciepła. Chłonęłam ten całkowicie dla mnie nowy, baśniowy aromat. I nagle, jak grom z jasnego nieba, spadła na mnie chęć posiadania takiej małej istotki na własność. Rozsiewającej czarowne wonie, takiej, którą będę mogła przytulać do woli. Kruszynki stanowiącej mieszaninę genów moich i Piotra. Czy to osławiony instynkt macierzyński? Ależ niespodzianka! Na biologii uczono mnie, że budzi się tuż po porodzie, dzięki pojawiającym się wówczas hormonom... Znów ze mną coś nie tak! Przytuliłam obce dziecko i zapragnęłam własnego? Świat się wywrócił do góry nogami!

W zamku zazgrzytał klucz, co mogło oznaczać tylko jedno – powrót Lili albo Tomasza. Ostrożnie ułożyłam Julka w łóżeczku, w pozie, w jakiej go zastałam.

Do mieszkania weszła Lila.

Usiadłyśmy w kuchni przy kawie w kubkach i przyniesionym przeze mnie domowym cieście czekoladowym. Liliana koniecznie chciała mnie poczęstować bigosem bez kapusty, według własnej receptury, ale nauczona doświadczeniem, wymigałam się, mówiąc, że przez ostatni tydzień jedliśmy w domu wyłącznie bigos i mam go serdecznie dość. Julek spał, w domu było cicho, przytulnie i spokojnie. Liliana zwierzyła się, że puszczają jej nerwy, bo Tomasz całe pensje wydaje na meblowe prototypy i utrzymanie domu spoczywa na jej barkach. Często do późnej nocy robi korekty tekstów, żeby jakoś związać koniec z końcem, a on wciąż obiecuje gruszki na wierzbie... Lila opowiadała o swojej radości z macierzyństwa i o tym, jak bardzo cieszy ją obserwowanie rozwoju Julka, jak mały bawi się i próbuje stawiać pierwsze samodzielne kroki. Jest rekompensatą za wszystkie chwile spędzone bez Tomasza, podczas gdy on w osiedlowym garażu mozolnie wygina rurki stelaży, maluje je sprayem do rowerów i wymyśla nieszablonowe siedziska, na których nikt nie ma odwagi spocząć. I na dodatek twierdzi, że to design nie dla maluczkich, a dla wymagających.

– A jak ty sobie dajesz radę z wiecznie zapracowanym Piotrem? – zapytała w pewnym momencie.

– Już się przyzwyczaiłam. – Wzruszyłam ramionami. – Wiedziałam, że jest pracoholikiem, i przyjęłam to za standard. Poza tym najzwyczajniej w świecie nie mam czasu na roztrząsanie takich rzeczy. Sama jestem zajęta od świtu do nocy. I nie widzę w tym nic złego.

– To dobrze – skomentowała, przyglądając mi się uważnie.

– Co masz na myśli?

– To dobrze, że masz taki charakter. Może nie powinnam tego mówić, ale lepiej, żebyś wiedziała. Ostatnio wspomniałaś o wyhaftowanych przez Ewę obrusach...

Zapewne myślisz, że uwielbiała to robić i wyżywała się artystycznie. Jesteś w błędzie. Ona tego nie znosiła, ale robiła, by zająć czymś głowę i ręce i całkiem nie zwariować. Patrzyła na te wzory w książkach albo w gazetach i odtwarzała je krok po kroku. No wiesz – wbijała igłę, przeciągała nitkę, przekładała igłę, zmieniała kolor nici, zakładała naparstek, docinała materiał i tak dalej. Ona chciała mieć Piotra cały czas przy sobie. Marzyła o wspólnym obejrzeniu filmu, poleniuchowaniu na kanapie z lampką wina, posłuchaniu poezji śpiewanej, wspólnym kąpaniu dzieci, pochodzeniu bez pośpiechu po sklepach i wybraniu nowego abażura do lampki nocnej, celebrowaniu walentynkowego wieczoru przy świecach albo wspólnym smażeniu domowych konfitur. Na przykład. Była romantyczna. Rozumiesz? I tu zaczynały się schody, bo rozjeżdżały się ich priorytety. Dla Piotra liczyła się przede wszystkim praca, kolejne badania, wnioski, recenzje, publikacje. Rodzina też, oczywiście, ale inaczej. Nieraz obiecał Ewie wcześniejszy powrót z pracy i rodzinny spacer po parku, po czym dzwonił, informował, że wypadło mu coś ważnego i że wróci później. Przychodziła do mnie i płakała. Bywała w stanie uniemożliwiającym zajęcie się dziećmi. Twierdziła, że trzeba się do nich uśmiechać, a ona ma akurat „głęboką chandrę", jak to określała. Wtedy zabierałam Zosię i Tadeusza do siebie albo na plac zabaw, a ona wyciągała podręczniki do robótek i haftowała aż do powrotu Piotra. Nie była w stanie robić nic innego, nawet przygotować kolacji.

Zawsze u niej leżały sterty zeszytów i prac klasowych do sprawdzenia. I pokrywał je kurz, bo ona „nie miała do tego głowy". Gdy wracał Piotr, robiła mu wymówki, że nie liczy się z jej pragnieniami i uczuciami, i groziła odejściem. On był tym wszystkim zmęczony, więc często dochodziło między nimi do kryzysów. To była naprawdę dobra dziewczyna, ale trochę nieprzystosowana do realiów. Często mówiłam jej: „Ewa, zejdź na ziemię i zacznij myśleć, jak my wszystkie", a ona, zamiast na przykład ugotować Piotrowi normalny obiad, przez dwie godziny bawiła się przygotowaniem musu pomarańczowego z czekoladowym serduszkiem na wierzchu. Mówiłam: „Chłop musi jeść konkretnie", ale do niej to nie docierało. Gdybym tak karmiła Tomasza, nie miałby siły podnieść młotka. Dlatego staram się, żeby w posiłkach było jak najwięcej białka, i gotuję na przykład bigos bez kapusty. Ale Ewa była typem szlachcianki: piękna, romantyczna, z bardzo dobrymi manierami. Ale też ciągle bujająca w obłokach.

– A ja myślałam, że te obrusy to efekt znakomitej organizacji! A swoją drogą, są piękne! Perfekcyjne.

– Tak, przyznaję. Tyle że nie były robione z potrzeby serca. Ewa zmuszała się do haftowania, żeby nie ześwirować. Piotr o tym wiedział i na bieżąco kupował jej książki z nowymi wzorami. Kiedyś nawet zwierzył mi się, że obawia się chwili, gdy wyczerpie się ich kopalnia... Nie mówię ci tego, żeby obgadywać nieżyjącą przyjaciółkę, a po to, żebyś nie myślała o Ewie jak o ideale, bo i ona miała wady. Nie tylko zalety. Tak samo jak ja, ty i wszyscy wokół. Bo ideałów nie ma. Nie jesteś od niej ani lepsza, ani gorsza. Jesteście po prostu inne. I cieszy mnie, że nie cierpisz z powodu pracoholizmu Piotra.

Słuchałam jak zauroczona. Piotr rzadko mówił o Ewie, a ja nie dopytywałam, wiedząc, że temat jest bolesny. Wyszłam z założenia, że sam mi powie, jeśli zechce. Zawsze wyobrażałam ich sobie jako dobranych pod każdym względem. Myślałam, że Ewie, jako matce i żonie, niczego nie można zarzucić i nie mam się nawet co z nią równać, bo była lepsza, inteligentniejsza, ładniejsza. Słowa Lili ani mnie nie rozczarowały, ani nie pocieszyły. Spowodowały jednak, że w moich oczach piedestał, na którym stała Ewa, lekko się zachwiał. Liliana użyła dobrego określenia: „jesteście po prostu inne". I w taki sposób powinnam na to patrzeć. Ech, wolałabym być tą pierwszą żoną, ale nią nie jestem. Nie ma takiej możliwości. Chyba... Chyba że zmieniłabym męża. Nie, nie i jeszcze raz nie! Odpada!

Lila paplała o nowych sąsiadach, którzy kompletnie mnie nie interesowali, więc zastanawiałam się, czy Ewa, gdzieś tam, hen, w zaświatach, była zaskoczona i wściekła, gdy dowiedziała się o powtórnym ożenku Piotra? Może nie przyjęła do wiadomości, że nie byli małżeństwem do grobowej deski, a prawem wdowca jest nowy wybór? A może śmiała się, myśląc: „Jeszcze będziesz płakać, gdy on zadzwoni z wiadomością, że nie zdąży na podwieczorek! Zobaczysz, jak to jest! Czemu tobie ma być lepiej?". Otrząsnęłam się z tych rozważań i włączyłam do rozmowy. Dałam się nawet z grzeczności namówić na spróbowanie dania dnia, czyli bigosu bez kapusty, który okazał się mieszaniną rozgotowanego, tłustego mięsa z kawałkami kiełbasy, przyprawioną cukrem waniliowym i rozmarynem. Ucieszyłam się w duchu z pozostawionej w aucie wody mineralnej i aż ślinka mi ciekła na samą myśl o przyłożeniu ust do butelki, napiciu się do woli i zmyciu do czysta z kubków smakowych pozostałości tego specjału...

Fajnie się gadało, ale byłam umówiona z Zosią na siedemnastą, żeby zdążyła się jeszcze pouczyć, więc podziękowałam gospodyni za miłe popołudnie. Zbierałam się do wyjścia, gdy Lila zapytała mnie o dzieci.

– Wszystko w porządku – odparłam, zakładając płaszcz.

– Na pewno? – Przyglądała mi się jak na przesłuchaniu. Może jestem przewrażliwiona, ale nie opuszcza mnie wrażenie, że jestem postrzegana jako dręczycielka niewiniątek.

– Oczywiście! – zapewniłam żarliwie.

– Ewa! – Liliana zatkała usta w geście przerażenia. Pomyliła imiona, ale nie zrobiło to na mnie najmniejszego wrażenia. Zaczynałam się uodparniać. – Przepraszam cię bardzo, Iza. Po tylu latach wciąż działa siła przyzwyczajenia. Rozmawiało mi się z tobą tak samo miło jak z nią. Nie gniewaj się! – Chwyciła moją dłoń jakby w obawie, że ucieknę.

– Nic się nie stało. Naprawdę. Przysięgam, czy co tam jeszcze chcesz. Słowo.

– To dobrze. Ale proszę cię, Iza, powiedz prawdę, jak przyjaciółce. Nie wierzę w zero kłopotów. – Nie przestawała się gapić, ale w oczach widziałam akceptację i życzliwość.

– No... W sumie dobrze. Czasami Zosia bywa zazdrosna o Piotra, co bardzo mnie irytuje, bo czuję się wtedy jak powietrze i jest mi z tego powodu przykro. Ale mała jest oczkiem w głowie tatusia i oczywiście księżniczką bez wad, której nie trzeba niczego tłumaczyć, bo sama wie najlepiej i robi najlepiej, i ma jak najlepsze intencje...

– Dobrze, już dobrze. – Przerwała mi Lila, gdy załamał mi się głos. – Nie musisz kończyć. Ja to znam. To cała Zosia. Wiem, śpieszysz się, ale musisz wiedzieć, że tak samo było za życia Ewy. Zosia od maleńkości chciała być w domu numerem jeden. Pod każdym względem. Wieczorem po kąpieli maszerowała prosto do sypialni, przytulała się do Piotra. Czas mijał, a ona nie chciała wychodzić. Ewa brała ją na ręce, żeby przenieść do dziecięcego pokoju, a ta darła się wniebogłosy i cały czas coś wymyślała, żeby tylko zostać z ojcem na noc. Raz Ewa przyszła do mnie cała zapłakana, bo mała wykrzyczała jej, że pragnie jej śmierci, a wtedy ożeni się z tatą i będą sobie żyli długo i szczęśliwie. Tak, tak właśnie było – potwierdziła.

Stałam jak słup soli. Słowa Lili trafiły mnie prosto w serce. Ewy nie ma, a Zosi, która chce mieć Piotra na wyłączność, na nieszczęście napatoczyłam się ja. To jak realizacja najczarniejszego życiowego scenariusza. Motyw thrillera na przykład.

– Zostań jeszcze chwilę, to ci dokończę – zupełnie niepotrzebnie poprosiła Liliana, bo i tak nie miałam zamiaru się ruszyć. W końcu dowiaduję się rzeczy, o których nikt inny mi nie opowie... Nareszcie rozjaśnia się czarna dziura dotycząca Zosi z czasów sprzed naszego poznania! – Ewa była załamana! Ale mamy tu w bloku panią Jolę, przez wszystkich nazywaną darmowym pogotowiem psychologicznym. Jeżeli ktoś ma problem, to czyha, żeby niby przypadkiem spotkać ją i poprosić o radę. Ewa nie musiała się czaić, bo znały się dość blisko, więc pewnego dnia zostawiła dzieci u mnie i poszła do niej na kawę. Potem wszystko mi powtórzyła. Jola jest znana jako skrajna zwolenniczka Freuda, wiesz, tego austriackiego, osławionego i bardzo kontrowersyjnego psychoanalityka. Słyszałaś o nim?

– Niewiele. Piąte przez dziesiąte...

– Czyli jak większość z nas. W każdym razie uważa, podobnie jak Freud, że w naszym postępowaniu jest zero rozumu, a rządzą nami urojenia, fobie i inne podobne rzeczy, ukryte w nieświadomości. Drzemią głęboko i od czasu do czasu dają o sobie znać. Ewa opowiadała Joli o wybrykach Zosi, a ta podobno tylko kiwała głową i mruczała pod nosem, że znów wszystko się zgadza. I postawiła jednoznaczną diagnozę: kompleks Elektry. Freud uważał, ze dziewczynki od maleńkości podkochują się w ojcach, ale mają duży problem, bo tuż obok są mamy, które tatusiowie kochają. Więc kim staje się mamusia? Niestety, rywalką, z którą trzeba toczyć bitwy o względy tego samego faceta. Dziewczynki marzą: „A gdyby mamy po prostu nie było, ależ miałabym komfort!". Ale z drugiej strony wiedzą, że nie mogą się z tym afiszować, bo gdy mamusia się kapnie, to może je ukarać, a to się nie opłaca. Może na przykład nie kupić stroju wróżki na przedszkolny bal przebierańców. Więc córeczki kosztem zdrowia tłumią swe uczucia. Ale mimo wszystko się nie poddają, tylko wyciągają broń lżejszego kalibru: pozwalają sobie krytykować kolor lakieru do paznokci albo smak ugotowanej zupy. Niektóre z nich stosują jeszcze inny fortel: naśladują mamę, wychodząc z założenia, że jeżeli będą podobne, to trafią w gust taty i też będą przez niego kochane. Część dziewczynek z czasem odpuszcza, ale pozostałe nigdy nie ustępują pola. Mówię ci to, żebyś wiedziała, że Ewa również miała z Zosią problemy z powodu Piotra. Pocieszyłam cię choć troszeczkę? – Popatrzyła na mnie przyjaźnie.

– Dodałaś mi otuchy. Dziękuję – Spojrzałam na zegarek, obiecując sobie, że w wolnej chwili poczytam trochę o psychoanalizie. – Ojej, muszę lecieć! Do zobaczenia. Wpadnijcie do nas, zapraszam!

– Dobrze. – Lila odprowadziła mnie do windy. – I jeszcze jedno. – Przytrzymała drzwi, żeby się nie zamknęły. – Jeszcze tylko chwila. Wracając do Freuda, twierdził on, że kluczowe dla rozwoju osobowości są pierwsze lata życia, ponieważ właśnie wówczas kształtują się postawy, gusty, nawyki, cechy charakteru. Później można już tylko próbować tę osobowość rozwijać i korygować, ale podwaliny zostały położone na stałe. Wiesz, po co to mówię?

Lila patrzyła wyczekująco, ja jednak byłam zbyt rozkojarzona, by odpowiedzieć. Starałam się powrócić pamięcią do dzieciństwa i odnaleźć w swoim zachowaniu choć ślad kompleksu Elektry. Czarna dziura. A może przebieranie się w mamine sukienki i buty oraz naśladowanie jej ruchów i sposobu mówienia to było właśnie to? Co za bzdura! Nie można w zwykłych dziewczęcych zabawach upatrywać chęci pozbycia się mamy i zagarnięcia taty na własność! A Aga? Czy ją również powinnam wyeliminować ze swojego życia? To wszystko nadinterpretacja. Chociaż... Jasny gwint! W mojej głowie znienacka pojawił się wielki znak zapytania: czy kompleks Elektry może dotyczyć macochy i pasierbicy? Jeżeli tak, zadrżałam, mam przechlapane! Muszę się nad tym zastanowić i poczytać coś więcej. Ostatnio każdy dzień przekonuje mnie o tym, że w życiu ważne jest nie tylko to, co daje się zważyć i zmierzyć.

– Mówię ci to dlatego – kontynuowała Liliana, mimo że nie uzyskała odpowiedzi – żebyś wiedziała, że dzieci, zgodnie z poglądami Freuda, mają już podstawy osobowości, które zostały zbudowane bez twojego udziału. Bo nie ty im matkowałaś w pierwszych latach życia. Ty, kochana, możesz się tylko postarać, by te podstawy wymodelować. Może uda się coś więcej, ale na to bym nie liczyła. W każdym razie: serdecznie życzę ci powodzenia. I do zobaczenia!

Puściła drzwi, pozostawiając mnie z moimi myślami.

– Przecież masz dzieci! – Piotr popatrzył na mnie jak na kosmitkę, gdy wieczorem, kilka dni po pobycie u Lili, po własnych przemyśleniach, postanowiłam poinformować go, że dojrzałam do macierzyństwa. Starym zwyczajem usiadłam na jego biurku, skutecznie przesłaniając monitor. On rozparł się wygodnie w fotelu. Najwyraźniej miał ochotę na pogaduszki, jednak niekoniecznie na ten temat. – Zapomniałaś?

– Nie. Tyle że to są moje prawie dzieci. Przecież w aktach urodzenia, w rubryce „imię matki", mają wpisaną Ewę, a nie Izabelę. Zgadza się? – mówiłam trochę zbyt nerwowo, machając nogami.

– A to jest istotne? Kto patrzy w ich metryki?

– Nie rozumiesz. Chcę urodzić dziecko. Nie teraz, tylko za jakiś czas, gdy wszystko się unormuje. Bo chcę, żeby to dziecko miało twoje i moje geny. I żeby było owocem naszej miłości. Twierdzisz przecież, że mnie kochasz.

– Kocham cię bardzo, przecież wiesz!

– To dlaczego się migasz? Myślałam, że się ucieszysz!

– Przecież mamy już dwójkę. Niewiele małżeństw nas przebija. Zwykle pozostają przy jednym i to im wystarcza, a ty chcesz zaburzyć statystykę. Po co ci to?

– Bo również chcę zakosztować smaku macierzyństwa. Obudził się we mnie instynkt. Chcę urodzić dziecko i zajmować się nim od pierwszych chwil jego życia, i mieć wpływ na to, jakim będzie człowiekiem, gdy dorośnie.

– Nie rozumiem cię – przerwał. – Za ścianą śpi dwójka, wobec której możesz się realizować do woli. Możesz je wychowywać i mieć wpływ na ich życie. Daję ci wolną rękę.

– To nie to samo! – Stawałam się coraz bardziej nerwowa, on także. Zaczął manewrować przy oprawkach okularów. – Gwoli ścisłości: nie oczekuję, że będziesz się zajmować maluchem. Możesz patrzeć na sprawę wyłącznie z perspektywy przekazania materiału genetycznego. Jeżeli ci to odpowiada. Bo jeżeli nie, naprawdę ucieszę się, gdy będziesz czynnie uczestniczyć w spacerkach i kołysaniu naszego dziecka do snu. Tak czy inaczej, zrozumiałam, że dla mnie bycie matką jest bardzo ważne.

– Przecież nią jesteś!

– Nie. Jestem tylko pseudomatką. Sam wiesz, że dzieci mówią do mnie „pani"!

– Ach, o to ci chodzi! – Roześmiał się i rozluźnił, jakby kamień spadł mu z serca. – Zaraz to załatwimy! Po prostu chcesz, żeby dzieci nazywały cię mamą? Pójdę do nich. Minut pięć i załatwione. Zostaniesz prawdziwą mamusią! – Zadowolony z siebie zaczął się podnosić z fotela.

– Nie! – Obiema stopami przycisnęłam jego kolana. – Nie o to chodzi. Chcę być mamą prawdziwą, a nie pseudomamą!

– Izuniu! Przecież nie będą mówiły do ciebie „pseudomamusiu"...

– Piotr! – ucięłam. – To nie jest kwestia nomenklatury! Chcę urodzić własne dziecko i już!

– Popatrz na to z innej strony. – Znowu poprawił okulary. – Masz odchowane, zdrowe i mądre dzieciaki. A ty wszystko chcesz zaczynać od początku. Nocne wrzaski, biegunki, brak snu, kaszki, szczepienia, pieluchy i... No, wszystko, co wiąże się z noworodkiem. Już zapomniałem. Aha, jeszcze kąpanie w wanience i piski przy myciu głowy. Tego pragniesz?

– Dokładnie – odpowiedziałam, zakładając nogę na nogę.

– Iza, kochanie. Ewa już to zrobiła za ciebie. Możesz się tylko cieszyć macierzyństwem.

– Piotr... – Załamał mi się głos.

– Czy ty zamierzasz się śmiać, czy płakać? – Patrzył na mnie zdezorientowany.

– Piotr... – Rozryczałam się na dobre.

– Och, Iza! – Odrzucił głowę do tyłu i zapatrzył się w sufit. Postukiwał opuszkami palców w oparcie fotela. – Znowu płaczesz! Dlaczego?

– Dlatego, że mnie nie rozumiesz!

– Iza! To ty mnie nie rozumiesz! Nie chcę przez to wszystko przechodzić od nowa. Cieszmy się życiem, a nie zagrzebujmy w pieluchy!

– Jesteś bezdusznym egoistą, a nie żadnym księciem z marzeń, jak myślałam! Bajka się skończyła!

– Nie obrażaj mnie! Chcę dla ciebie jak najlepiej!

– Chyba dla siebie! Nie patrzysz na moje potrzeby! Jeżeli nie urodzę dziecka, moje życie będzie puste! Związałeś się ze zdrową, młodą kobietą i powinieneś brać pod uwagę, że natura da o sobie znać!

– Iza, uspokój się! Nie przyszło mi do głowy, że jesteś kwoką, która chce mieć wokół siebie stado kurcząteк. Która wysiaduje jaja i myśli o powiększeniu i tak już licznej rodziny. Nie uważasz, że to niemądre?

– Przestań, bo wyjdę z siebie! Nie obrażaj mnie! Nie spodziewałam się tego po tobie! Sprawiasz mi ból. Twoje słowa mnie ranią! Ewę kochałeś, więc miałeś z nią dzieci! – wykrzykiwałam. – Mnie nie, więc nie chcesz! Moja rola sprowadza się do roli niańki, pokojówki i służącej! – Po moich policzkach spływał potok łez nie do powstrzymania. – Jesteś skrajnym egocentrykiem! Ukrywałeś to skrzętnie, aż do dzisiaj! Wyszło szydło z worka! Aha, zapomniałabym! Liczysz się nie tylko ty, ale też Zosia i Tadeusz, a ja jestem poza nawiasem! I jeszcze twoja mamusia, która lada moment może się do nas wprowadzić!

Upokorzona, pożałowałam z całego serca, że nie przyszło mi do głowy, by porozmawiać o dzieciach przed ślubem. Wówczas, pomimo całego zauroczenia, był jeszcze czas, żeby porzucić takiego egoistę. A może jest to powód do unieważnienia ślubu kościelnego? – wpadło mi do głowy. Pójdę do parafii albo zasięgnę rady jakiegoś speca od prawa kanonicznego! I usunę całą trójkę z mojego życiorysu!

– Posłuchaj! – kontynuowałam. – Chcę, żebyś wiedział, że nie jestem ani garbata, ani szczerbata i potrafię sobie ułożyć życie bez ciebie! Nie byłeś ostatnią deską ratunku. Nie jesteś pępkiem świata! Owszem, jeszcze przed chwilą tak, ale to już nieaktualne! Słyszysz?

Nieaktualne! Czuję się oszukana. Wszystko, co było między nami, wygasło w jednej chwili. Okazałam się głupia i naiwna! Dość tego! Może na uniwersytecie jesteś kimś, ale dla mnie wyłącznie zwykłym, pospolitym arogantem!

Zsunęłam nogi z biurka, popchnęłam z impetem fotel, który wraz z moim mężem przesunął się aż pod kaloryfer, i wstałam.

Cicho przemknęłam do łazienki. Stanęłam pod strumieniem ciepłej wody i wylałam na siebie pół opakowania lawendowego mydła w płynie produkowanego przez naszą firmę, które, według współredagowanego przeze mnie opisu na opakowaniu, „oczyszcza umysł, relaksuje i koi zmysły". Oto okazja do wypróbowania, czy działa. Wyobraziłam sobie, że wszystkie nagromadzone przed chwilą w moim sercu negatywne emocje spływają wraz z wodą do kanalizacji. Próbowałam rytmicznie oddychać i zająć umysł innymi myślami. Na próżno. Wspomnienie rozmowy z Piotrem było silniejsze od nieudolnie stosowanych technik rozluźniających. Nie rozumiałam go. Przecież pobraliśmy się z miłości? A przynajmniej jeśli chodzi o mnie. A on? Może mnie oszukiwał i po prostu potrzebował kogoś na miejsce Bożeny? Trzeba przyznać, że lepiej na tym wyszedł, bo Bożenie musiał płacić, ja zaś dałam się wciągnąć w kierat jako wolontariuszka, która lada moment będzie obsługiwała jeszcze jego mamusię! A ja, kretynka, widziałam w nim chodzący ideał! Ale ze mnie idiotka! Przecież nie dość, że nie docenia tego, co robię, nie rozumie, że mam marzenia. I co? Stoję w obcej łazience, a na moją głowę leje się ukrop! Jeszcze chwila, a oblezę ze skóry. A mydło? Trzeba na opakowaniu umieścić ostrzeżenie: „Uwaga! Środek nieskuteczny na burzliwe małżeńskie kłótnie!”.

Wyszłam z kabiny. Łazienka była zaparowana i przesiąknięta zapachem lawendy, który jakoś dziwnie przestałam lubić. Będzie mi się źle kojarzył do końca życia. I nagle zatęskniłam za starym domem. Przystanią, w której nikt mnie nie obrażał, i azylem. Poczułam palącą potrzebę wyplątania się z sideł, w które wpadłam na własną prośbę. Podobno nie ma sytuacji bez wyjścia. Trudno, sprzedamy, co mamy, i kupimy dwa oddzielne mieszkania. Na pewno ze stratą, trudno. Nie ma sensu płakać nad rozlanym mlekiem. I męczyć się do końca życia.

Drżałam na całym ciele i oddychałam z trudem. Otworzyłam drzwi. Para z łazienki buchnęła do przedpokoju jak ze starej lokomotywy. Przez szparę pod drzwiami w gabinecie Piotra sączyło się światło. Nie poszedł spać? A niech sobie siedzi do rana i pisze o składaniu ofiar afrykańskim bogom albo innych nieprzyziemnych sprawach! Przestało mnie to obchodzić. Poszłam do kuchni i wlałam do kubka resztkę zimnej herbaty z dzbanka. Obrzydlistwo! Oto wskutek własnej głupoty znalazłam się w nieprzyjaznym miejscu, gdzie nikt mnie nie zrozumie i nie pocieszy.

– Idzie już pani spać? – usłyszałam za sobą cichy i niepewny głos Tadeusza.

– Najwyższa pora. Już… – Spojrzałam na zegar. – … prawie północ. Powinieneś już spać.

– Ale… Czy mogłaby pani…

– Co mogłabym? – Odwróciłam się do niego i zaraz tego pożałowałam. Nawet słabowidzący dostrzegłby opuchliznę i zaczerwienienie.

– Bo jeśli chce pani iść już spać, to proszę… Ale… – Unikał mego wzroku.

No tak, słyszał zapewne jakieś strzępki naszej kłótni i mój płacz. Stał teraz przede mną zakłopotany, pewnie czując się współodpowiedzialny za moje łzy. Zrobiło mi się go żal. Jasny gwint! Może on myśli, że Piotr się sprzeciwia, bo ma już ich dwójkę? W zasadzie dobrze myśli, tylko nie rozumie sedna sprawy. Chodzi o to, że ma być Tadeusz, Zosia i jeszcze jedno dziecko. Czy mam mu to teraz tłumaczyć? Choć nie robiłam tego nigdy wcześniej, podeszłam bliżej. Chwilę staliśmy w milczeniu, a później przytuliłam go z całych sił, jakby w obawie, że może uciec. Nie odwzajemnił uścisku, ale mu się poddał.

– Tadeusz – mówiłam szeptem, choć wydawało mi się, że słowa dudnią po kuchni. – Wiem, że słyszałeś co nieco, ale nie interpretuj tego opacznie. Cieszę się, że jesteście. I ty, i Zosia. I nie wyobrażam sobie, że może być inaczej. Ale chciałabym też urodzić dziecko. Pragnę wiedzieć, jak to jest. Bez tego będę niespełniona. A wasz tata… – Nie mogłam dokończyć.

– Wiem – powiedział płaczliwie. Tego się nie spodziewałam. Nie zdawałam sobie sprawy, że jest tak wrażliwy i delikatny. Sądziłam, że to taki niewyrośnięty twardziel, którego nie obchodzą cudze emocje.

– Czy... Czy pani nas zostawi? – wydusił z siebie, trafiając w sam środek mojego serca. Milczałam. To było jak grom z jasnego nieba.

– Tadeusz... Ja nigdy nie składam deklaracji bez pokrycia.

– Czyli nas pani zostawi!

– A chciałbyś, żebym została?

– Chciałbym! Teraz jest inaczej. Lepiej. Nie wiem, jak to powiedzieć.

– Tadeusz... – Miałam wrażenie, że łzy pod powiekami eksplodują. – Nie dogadaliśmy się z tatą, ale wszystko przed nami. Zostanę. Oczywiście, że tak – zapewniałam, choć przeraziłam się własnych słów. Przecież nikt mnie nie przypiekał na wolnym ogniu, a jednak padły. Nagle poczułam wewnętrzne ciepło, którego źródła nie potrafiłam zlokalizować. – Ale... – Zmieniłam ton na weselszy, żeby nie trwać w tej melodramatycznej scenie do rana. – Po coś jednak do mnie przyszedłeś. Chcesz, żebym ci w czymś pomogła? No to mów, o co chodzi, bo za kilka sekund będzie już jutro, a musisz być chociaż trochę wyspany.

– Jeśli nie wiadomo, o co chodzi, to w moim przypadku zawsze chodzi o zadanie domowe.

– Chemia?

– Gorzej.

– Matma?

– Niestety, polski. Jutro babka zbiera zeszyty. I bardzo skrupulatnie wszystko sprawdza. Jak jest za dużo błędów, stawia jedynkę.

– Dobra. Przynieś ten zeszyt. Zaparzę sobie kawę i sprawdzę. A ty do łóżka. Poprawię błędy i zostawię zeszyt na parapecie. Tylko nie zapomnij go zabrać!

– Dzięki.

– Nie ma za co. Miłych snów!

Skończyłam tuż przed trzecią, poszłam do sypialni i wsunęłam się pod kołdrę. Piotr leżał odwrócony plecami. Po raz pierwszy od ślubu zachowałam pomiędzy nami bezpieczną odległość; nie miałam ochoty nawet na przypadkowy dotyk. Śpiący Piotr zazwyczaj pochrapuje, lecz tym razem nie wydawał żadnych dźwięków. A więc udaje! Przewracałam się z boku na bok, sen nie przychodził. Przed trzema godzinami złożyłam Tadeuszowi deklarację, która zaważy na każdym moim dniu. Do końca życia. Myślałam o przyszłości, ale jakoś nie mogłam sobie jej wyobrazić. Nie widziałam siebie w tym układzie ani jutro, ani za tydzień. Nie mówiąc już o roku. Nie miałam żadnego planu, żadnych widoków, żadnej perspektywy. Jasny gwint! Chyba wyląduję w psychiatryku! Co zresztą wcale nie byłoby takie złe... Wyobraźnia ruszyła: z etykietką „chora psychicznie żona, macocha i upokorzona synowa" leżę w łóżku, otumaniona różnymi specyfikami, i nie odpowiadam za nic. Nikt niczego ode mnie nie oczekuje. Jestem zwolniona z przysiąg i odcięta od problemów, a jeżeli przypomni mi się coś złego, przyjdzie pielęgniarka z wielką strzykawką, zrobi „pik" i znów będzie dobrze. A świat nabierze kolorów...

Po krótkiej drzemce zerwałam się na pierwszy dźwięk budzika. Pomimo piasku pod powiekami i rozsadzającego głowę bólu, byłam zadowolona, że jestem na nogach. Błyskawicznie oprzytomniałam i odetchnęłam z ulgą: to był, na szczęście, tylko koszmar. Śniło mi się, że wprowadza się do nas teściowa. Piotr taszczy walizki, a ona z miną miss świata niesie w jednej ręce krwistoczerwoną spódnicę na gumce, wielkością przypominającą pokrowiec na fortepian, a w drugiej kilka kostek rosołowych. Z kostek cieknie krew, błyskawicznie zamieniając się na wypolerowanym parkiecie w gigantyczne jaszczurki. Brr!

Unikając patrzenia na Piotra, bezszelestnie wyszłam z sypialni i udałam się do łazienki. Spojrzałam w lustro i osłupiałam: wyglądałam jak po całonocnej hulance, suto zakrapianej alkoholem. A może wziąć dzień urlopu? – przyszło mi do głowy, ale zaraz zrezygnowałam z tego pomysłu. O nie, nie będę siedzieć w domu i przeżuwać na nowo każdego słowa Piotra z poprzedniego wieczoru. Poza tym w firmie czekało mnie zaplanowane opracowanie receptury balsamu łagodzącego skutki oparzeń słonecznych. Na chybił-trafił wyciągnęłam z zamrażalnika opakowanie mrożonych warzyw i przyłożyłam je do zaczerwienionych oczu i czarnych podkówek pod nimi. Zanim przeniknął mnie dreszcz, poczułam krótkotrwałą ulgę. Pod oczy nałożyłam korektor, na resztę twarzy chyba tonę podkładu, rzęsy pociągnęłam tuszem, policzki różem, a usta pomadką. Trochę pomogło.

Dojeżdżając do pracy, półprzytomna uświadomiłam sobie, że owszem, wszystkim, także Piotrowi, przygotowałam drugie śniadanie, lecz zapomniałam o sobie. To jakiś absurd. Dlaczego wciąż skupiam się na innych? A przecież katechetka uczyła nas na lekcjach religii: „Kochaj bliźniego swego jak siebie samego"... Zawróciłam i podjechałam do najbliższego osiedlowego sklepiku.

W drzwiach minęłam się z jakąś kobietą. Kogo mi ona przypomina? – zastanowiłam się przelotnie, ale nieco przymulonej głowie kojarzenie szło z trudem. Na wszelki wypadek powiedziałam grzecznościowe „dzień dobry", a ona odpowiedziała tym samym, przypatrując mi się spod oka. Kupiłam drożdżówkę i po raz pierwszy w życiu napój energetyzujący. W samochodzie wypiłam go duszkiem, rozglądając się nerwowo, czy na pewno nikt nie patrzy. Byłam jak narkoman ładujący działkę zaraz po zakupie u dilera. Cóż, kiedyś musi być ten pierwszy raz...

Dyskutowaliśmy właśnie z kolegami na temat udziału procentowego beta-karotenu w balsamie, kiedy usłyszałam sygnał esemesa. Wiadomość od Piotra! Do końca spotkania wierciłam się niecierpliwie. Mąż zmądrzał, świat pojaśniał, a optymistyczna strona mojej osobowości (dotychczas myślałam, że jedyna) podpowiadała słowa. Na przykład: „Izuniu! Przebacz! Weźmy urlop i bierzmy się do roboty! Kocham cię.". Albo: „Ależ byłem głupi! Dojrzałem do zostania tatą po raz trzeci! Przepraszam za wczoraj". Wymyśliłam jeszcze kilka wersji, z których każda dawała mi takiego kopa jak napój dzisiejszego ranka, po którym rzekomo lata się w chmurach. Umysł wszedł na obroty. Podrzuciłam temat zasadności użycia alantoiny i rozpętałam w zespole burzliwą debatę. Nowe koncepcje mnożyły się jak króliki. Wreszcie nastąpił koniec, a ja sięgnęłam w głąb torby, gorączkowo szukając komórki.

„Myszko!", przeczytałam i położyłam aparat na kolanach, zastanawiając się, czy czytać dalej, czy od razu usunąć wiadomość. Policzki mi zapłonęły, serce zamarło, lecz powróciło do pracy ze zdwojoną mocą. Z moją intuicją jest coraz gorzej, pomyślałam.

W ten sposób zwracał się do mnie wyłącznie Rafał. Kiedyś spotykałam się z nim dość często, dopóki nie odkryłam, że równolegle spotyka się z inną. Próbował mnie wprawdzie przekonywać, że tamta znajomość nic nie znaczy, ale jakoś nie mogłam uwierzyć. Cóż, Rafał był całkiem łakomym kąskiem i dziewczyny na niego leciały...

Jako zastępca naczelnego redakcji magazynu motoryzacyjnego jeździł po całym świecie, biorąc udział w branżowych targach i wystawach. Z wojaży za każdym razem przywoził mi jakiś gadżet. Miałam tego w mieszkaniu cały zbiór, między innymi odlaną z brązu miniaturkę Mannenkena Pisa, czyli siusiającego chłopca z Brukseli, top z podobizną Ronaldo (to z Madrytu), zegar z kukułką z Monachium, kubek z klonowym liściem prosto z Toronto czy haftowany kilim z Kijowa. Przeprowadzając się, wszystkie gadżety podarowałam sąsiadce. Zamknęłam tamten etap życia i już. Klamka zapadła. Wprawdzie Rafał jest przystojny, elokwentny, przedsiębiorczy, delikatny i tak dalej, ale ma zasadniczą wadę. Taką, której za żadne skarby nie potrafię zaakceptować. Dla niego posiadanie kogoś na boku to standard, dla mnie rzecz wykluczona.

Przyjaźniliśmy się i czułam do niego sympatię, ale nic więcej. Żadnego drgnienia serca jak przy Piotrze. Ech... Czyżby i w jego przypadku Amor strzelał zatrutymi strzałami?

„Mama podobno spotkała cię dzisiaj w sklepie, a ty wyglądałaś jak kwintesencja nieszczęścia – czytałam. – Nie mogła uwierzyć, że to ty. Zostaw to wszystko w cholerę i wróć do mnie. Jestem człowiekiem wolnym. Przysięgam! Podsumowałem ostatnio swoje życie i doszedłem do wniosku, że bez ciebie jest jałowe. Pomyśl. Możemy wszystko zorganizować od nowa. Nie zmieniłem mieszkania ani numeru komórki. Wiesz, gdzie mnie szukać. Rafał".

Siedziałam jak sparaliżowana. Kilka godzin temu nie widziałam żadnego światełka w tunelu, a teraz nieoczekiwanie świeciło z kierunku, z którego się go nie spodziewałam. A jednak nie ma sytuacji bez wyjścia! Jak w pogodzie: burza z piorunami nigdy nie trwa wiecznie. Przypomniałam sobie niektóre wydarzenia podczas związku z Rafałem. Jak dumna ze świeżego prawa jazdy wiozłam go swoim pierwszym autem, cinquecento 900. I jak on stwierdził, że mam natychmiast zawrócić, przesiąść się do jego porsche 911 i wyjechać poza miasto. To on nauczył mnie szybkiej, sportowej jazdy (choć o parkowaniu tyłem zapomniał). Od tamtej pory pożyczałam sobie jego samochód, gdy tylko był wolny. Na pytanie, czy się nie obawia, że go rozwalę, Rafał odpowiadał: „Myszko, oby tylko tobie się nic nie stało. Auto rzecz nabyta". Jedynym mankamentem sytuacji były przesiadki do cinquecento, kiedy zapominałam, że to jednak nie to samo co porsche. Nie raz i nie dwa musiałam weryfikować swoje zamiary wyprzedzenia fiacikiem kolumny samochodów…

Uśmiechnęłam się. Kiedyś, w środku nocy, zaraz po powrocie z Hanoweru, Rafał przyniósł mi naręcze świeżych, pięknych żonkili. Bezskutecznie szukał po mieście otwartej kwiaciarni, a że nie znalazł, więc zebrał wszystkie rosnące na skwerze przed komendą policji… Przysięgał na pamięć dziadka Zenka, że to prawda, i uśmiechał się szelmowsko od ucha do ucha. Żonkile nie zmieściły się do wszystkich posiadanych przeze mnie wazonów, więc dodatkowo użyłam wazy do zupy i emaliowanego garnka. Nie wytrzymałam, następnego dnia podjechałam pod komendę i zobaczyłam łysy trawnik! Zadzwoniłam do Rafała i poinformowałam go, że jest wariatem. „Z miłości do ciebie można naprawdę zwariować!", usłyszałam w komórce.

Do dziś pamiętam pewne walentynki. Rafał był wtedy w Padwie i nie spodziewałam się po nim niczego, może poza telefonem. To był szary, mroźny dzień, a w pracy wręcz feralny. Nic mi nie wychodziło. Myliły mi się probówki, stężenia, koncentraty. Wszystko było nie tak. Na porannym spotkaniu szef nas zrugał za spadek sprzedaży, naciskając jednocześnie na wprowadzenie nowości, żebyśmy nie pozostali w ogonie branży. Na nic się zdały wyjaśnienia marketingowca, że w lutym to norma, bo klienci mają zapasy z prezentów bożonarodzeniowych, a hossa powróci przed Dniem Kobiet i Wielkanocą. Jak rzadko, nie mogliśmy się doczekać piętnastej.

Około południa zadzwoniła portierka z wiadomością, że czeka na mnie przesyłka, więc poprosiłam o przechowanie jej do fajrantu. Kobieta jednak nalegała. Poczłapałam jak na ścięcie, spodziewając się gratisowych próbek komponentów do kosmetyków, i zdziwiłam się na widok dużego białego pudła trzymanego przez dwóch młodych posłańców. Wyglądało jak opakowanie od mebli. Jeden z gońców wręczył mi kopertę z walentynkową kartką w serduszka. „Kocham cię bardziej niż wszystkie sportowe bryki świata. Słodkich walentynek. Rafał". Pudło zostało rozpakowane na stole w sali konferencyjnej; na widok piętrowego, olbrzymiego tortu z samych serc, oblanego słodziutkim, czerwonym lukrem i ozdobionego tym samym napisem co na kartce, zamarło mi serce. Zawołałam wszystkich, łącznie z szefem, który stwierdził, że jednak coś nam się od życia należy i do końca dnia robimy firmową imprezę. Pstrykały komórki, bo wszystkie koleżanki chciały pokazać partnerom, jak powinna wyglądać prawdziwa miłość. Objadaliśmy się tortem aż do mdłości; resztki zostawiliśmy do kawy na następny dzień. A nastrój, jak za dotknięciem czarodziejskiej różdżki, zmienił się na szampański.

Cały Rafał. Szalony, szarmancki, zawsze działający z rozmachem. Znajomi wróżyli długotrwały związek, twierdząc, że nie grozi nam nuda. Może nawet przepowiednia by się sprawdziła, gdyby nie pośpiesznie usuwane przez niego esemesy i milczenie po drugiej stronie, gdy zdarzało mi się odbierać telefony w jego mieszkaniu... Teraz jest sam i podobno wszystko przemyślał. Może rzeczywiście dojrzał do prawdziwego związku? Przecież ludzie się zmieniają. A co tam, dam mu szansę!

Z wypiekami na twarzy nacisnęłam przycisk „odpisz" i przez dłuższą chwilę wpatrywałam się w wyświetlacz. Hipnotyzował mnie, zapraszał... Wcisnęłam „anuluj". Nie. Co nagle, to po diable. Muszę się z tym przespać, jak zwykle mawia tata, gdy chce się nad czymś zastanowić.

Weszłam do mieszkania zmęczona, ale już z innym spojrzeniem na sprawę. Teraz istniał plan B, a wybór zależał wyłącznie ode mnie. To nic, że przy Rafale nie mam motyli w brzuchu; podobno uczucie przychodzi z czasem, a miłość od pierwszego wejrzenia to tylko wyświechtany frazes. Na początek dobra i sympatia. Takim Hinduskom na przykład męża wybiera rodzina, a mężczyznę, z którym spędzą dalsze życie, widzą po raz pierwszy na ceremonii ślubnej. Wszystko jeszcze przede mną!

W płaszczu i butach weszłam prosto do kuchni i zobaczyłam stół odświętnie nakryty do obiadu. Na trzy osoby. Serwetki, zapalone świeczki i dwa rodzaje surówek. Świetnie! Sytuacja się wyklarowała, więc nawet nie muszę się rozbierać! Zostałam wycięta z rodzinnego zdjęcia, więc jest powód do celebrowania radości. A niech nawet urządzą festyn osiedlowy i ogłoszą tę wiadomość w regionalnym radiu! Może lada moment znów będą nakrywać na cztery osoby, gdy wprowadzi się matka Piotra, ale mnie to, na szczęście, już nie obchodzi. Zabieram najpotrzebniejsze rzeczy i się zmywam. Pozostanę wspomnieniem, z czasem coraz bardziej mglistym. Spojrzałam na kuchnię po raz ostatni. Podniosłam pokrywkę garnka: no tak, nawet ziemniaki już ugotowane. W rondlu znajdowały się podgrzane kotleciki z jajek w sosie koperkowym, moje autorskie danie z wczorajszego dnia. Smacznego!

Mimo wszystko obok wściekłości czułam żal, że tak szybko i tak fatalnie wszystko się skończyło. A mogło być inaczej… Widać to nie reguła, że miłość zwycięża; tak bywa wyłącznie w filmach i tanich romansidłach.

Odwróciłam się z impetem i wpadłam prosto na wchodzącą do kuchni Zosię.

– Och, nie słyszałam, że pani weszła. Bo ja… – Popatrzyła na garnki na kuchence. – Ja nie wiedziałam… – plątała się, nie patrząc mi w oczy.

– Rozumiem. Zjedzcie spokojnie. Nie będę wam przeszkadzać. Nie krępujcie się. – Wyminęłam ją i otworzyłam szafę w przedpokoju, żeby wyciągnąć torbę na rzeczy.

– To nie zje pani z nami? – usłyszałam za plecami zawiedziony głos.

– Przecież nie ma dla mnie nakrycia – odpowiedziałam lekko, lustrując jednocześnie zawartość szafy.

– Jest!

– Nie ma. Chodź. – Mimo postanowienia, że już nigdy nie wejdę do kuchni, wróciłam i stanęłam przed zastawionym stołem. – Policzmy: jeden, dwa. – Kolejno wskazywałam talerze. – I trzy. A gdzie czwarty?

– To pani nic nie wie?

– A co mam wiedzieć? – Popatrzyłam podejrzliwie, zastanawiając się, jak Zosia zamierza wybrnąć z sytuacji. Nerwowo wykręcała palce. Wciąż unikała mojego spojrzenia.

– Dobrze policzyłam. Są talerze dla pani, dla Tadeusza i dla mnie.

– A tata?

– Tata wyjechał ze studentami na warsztaty. Wpadł jakąś godzinę temu, powrzucał ubrania do plecaka, wziął przybory do golenia, laptopa i już go nie było.

Śpieszył się, bo na dole czekał na niego samochód. Nawet obiadu nie zdążył zjeść. Nie dzwonił do pani? Powiedział, że tego nie planował, ale musi jechać z grupą studentów na opisywanie przygotowań do obrzędów wielkanocnych. Do jakiejś wioski niedaleko Terespola.

– Na długo? – Z marnym skutkiem starałam się ukryć zdenerwowanie. Czułam, że drżę.

– Chyba jak zwykle, czyli na dziesięć dni. A może nawet na dwa tygodnie.

– Cześć! Jemy w końcu? Jestem głodny jak piwniczny kot! – Do kuchni wszedł Tadeusz i spojrzał łakomie w kierunku garnków. – Chyba dzisiaj będzie coś z koperkiem. Mam rację?

Spojrzałam na dzieciaki i najnormalniej w świecie zrobiło mi się wstyd. Oboje obserwowali mnie w skupieniu. W oczach Tadeusza widziałam bezgraniczne zaufanie i szczerość małego dziecka. Zadrżałam. Powróciło wspomnienie ostatniej nocy i złożonej obietnicy. Raz jeszcze zerknęłam na odświętnie nakryty stół. Więc to specjalnie dla mnie… Tadeusz musiał powiedzieć siostrze, co usłyszał, i zapewne przedyskutowali sprawę. Wyciągnęli swoje wnioski i starają się teraz zrekompensować mi łzy. Jakby czuli się za nie współodpowiedzialni… A ja jeszcze przed chwilą chciałam po prostu zamknąć za sobą drzwi. To byłoby proste. Wyrzuty sumienia gryzłyby mnie do końca życia.

– Owszem. Kotleciki jajeczne w sosie koperkowym. Zaraz się rozbiorę i siadamy!

– Dla pani najpierw zupa. Myśmy już zjedli. – Zosia chochlą nalewała mi pomidorową z ryżem.

– Na początku mówiłaś, że czegoś nie wiedziałaś. O co chodziło?

– Nie wiedziałam, ile soli dać do ziemniaków, więc dałam szczyptę. Chyba za mało, bo wyszły mdłe.

– Nie szkodzi. Dosolimy. Są ważniejsze rzeczy od ziemniaków.

W przedpokoju zdjęłam płaszcz i zamarłam. Buty Tadeusza. Zniszczone, popękane, ze zdartymi podeszwami. Obraz nędzy i rozpaczy.

– Zjemy i jedziemy na zakupy. Tadeusz, czemu mi nie powiedziałeś, że potrzebne ci nowe buty? – zawołałam.

– A są? Nie znoszę sklepów!

– Jedziemy! Ja za ciebie butów nie przymierzę!

– A dla mnie jakaś kurtka na wiosnę? – wtrąciła Zosia.

– Dobra. Przy obiedzie zrobimy spis rzeczy niezbędnych, a potem bawimy się w rodzinę zakupoholików. Jest piątek, jutro wolne. Nie musimy się śpieszyć.

Jechaliśmy do centrum handlowego. Małe sklepy są zamykane o osiemnastej, więc odwiedziny nielubianej przeze mnie galerii były ostatnią deską ratunku. Zosia trzymała na kolanach kartkę, do której dopisywała kolejne pozycje *last minute*. Tadeuszowi, który próbował wykręcić się z zakupów i jeszcze w domu przekonywał nas, żeby wszystko załatwić zaocznie, obiecałyśmy, że najpierw załatwimy sprawunki dla niego, a potem damy mu wolną rękę. Będzie mógł chodzić po sklepach sportowych, księgarniach i gdzie tylko chce do woli, więc natychmiast odzyskał humor.

– Dla mnie jeszcze majtki. Mogę dopisać? – upewniała się Zosia.

– Jasne! – potwierdziłam.

– I biustonosz. Zgoda?

– Jasne!

– Wiesz, co to znaczy „biustonosz"? – zapytał Tadeusz. – Jak sama nazwa wskazuje, jest to coś do podtrzymywania biustu. A jeżeli się takowego nie ma, ten element garderoby staje się nieprzydatny. A że twój biust w porywach można porównać do truskawek, więc może truskawkonosz...

– A dla Tadeusza slipki. – Zosia puściła złośliwość brata mimo uszu. – A zresztą, wolisz slipki czy bokserki?

– Bokserki.

– Masz rację. Hania mówi, że mężczyźni w bokserkach są bardziej seksowni. Zwłaszcza gdy majtki mają wstawki z siateczki albo doszytego z przodu słonika. Koniecznie z długą trąbą.

– Wariatki! Obie z Hanią. Tylko jedno wam w głowie! – śmiał się Tadeusz z udanym oburzeniem.

Odezwała się Zosina komórka.

– Cześć tatusiu!

– ...

– W porządku. Dostałam szóstkę z angielskiego, bo użyłam w wypracowaniu idiomów i słówek spoza programu. A teraz jedziemy z panią Izą na zakupy. Mamy cały spis rzeczy.

– ...

– Pa! – westchnęła.

Za kilka sekund zadzwoniła komórka Tadeusza. Nie musiałam się domyślać, kto jest po drugiej stronie, bo zamiast dzwonków czy melodyjki zabrzmiało nagranie: „Tadeusz odbierz, ojczulek dzwoni". Piotr powtórzył to kilka razy, zanim aparat został wydobyty z wewnętrznej kieszeni kurtki.

– Hej!

– ...

– Okej! Jest dobrze. Zosia już mówiła, że jedziemy na zakupy.

– ...

– No to cześć!

Rozmowy były krótkie. W grę wchodziły dwa uzasadnienia: albo dzieciaki się mnie krępują, albo nie mają ochoty na dłuższe rozmowy z ojcem. Przecież one, w końcu wcale niemałe, też myślą, czują, przetwarzają informacje, dochodzą do wniosków. To my z Piotrem się poróżniliśmy. A on, jakkolwiek by na to patrzeć, niejako na własną prośbę bierze udział w warsztatach, na które wcale nie planował jechać. Tak naprawdę bez uzgodnienia zostawił dzieci na mojej łasce. Jakby go nie obchodziły. W aucie zapanowała cisza. Ściszyłam radio. Nikt z nas nie powiedział tego głośno, ale wszyscy wyczekiwaliśmy sygnału mojej komórki. Mijały sekundy, potem minuty, wreszcie cała wieczność. Czas działał na niekorzyść Piotra. Pierwsza odezwała się Zosia.

– Ma pani włączoną komórkę?

– Zawsze – odparłam z udawaną obojętnością.

– Na pewno?

– Sprawdź.

Zosia sięgnęła do mojej torebki. Poszukiwanie w niej aparatu zazwyczaj bywa wyzwaniem nawet dla mnie, a co dopiero dla dziecka. Pomodliłam się w duchu, żeby jakimś cudem komórka była niewłączona.

– Nie ma szans! – powiedziała zrezygnowana. – Już wiem! Łatwiej będzie, gdy do pani zadzwonię.

Gdy Zosia, przesuwając listę kontaktów, szukała mojego numeru, wszyscy wstrzymaliśmy oddech. Bywają w życiu chwile, które ciągną się w nieskończoność. I taka chwila właśnie nastała. Wyłączyłam nawet radio. Jechaliśmy w milczeniu, udając, że nic się nie stało, a jedynie Zosia od niechcenia zapragnęła sprawdzić, czy z moim telefonem jest wszystko w porządku. Cisza ciążyła, ale nikt nie miał koncepcji, jak ją przerwać. Każde z nas było pogrążone w swoich myślach.

– Pooglądamy sobie dzisiaj dalsze odcinki *Stawki większej niż życie*? – zapytał w końcu Tadeusz z pozorną nonszalancją, choć wiedziałam, że próbuje dodać mi otuchy.

– No pewnie! Super! – zbyt głośno i entuzjastycznie potaknęła Zosia. – Jedenaście już za nami. Tadeusz, posłuchaj: „W Paryżu najlepsze kasztany są na placu Pigalle".

– I co? Masz nadzieję, że zapomniałem? Chciałabyś! Nie ma! Musisz wiedzieć, że… – Zrobił dramatyczną pauzę. – „Zuzanna lubi je tylko jesienią. Przesyła ci świeżą partię". Zatkało?

– Och, popisujesz się. Ten odzew zna każdy głupi. A co będzie w następnym odcinku? – Zosia zwróciła się do mnie.

– Sami zobaczycie. W każdym razie mnie najbardziej podoba się ten, w którym J-23 podkłada w mieszkaniu konfidentki gestapo bombę i w ostatniej chwili ucieka po piorunochronie.

– Dzięki za info. – Zosia wybuchnęła śmiechem. – Przynajmniej nie będę musiała gryźć paznokci i martwić się, czy Kloss przeżyje. Wprawdzie tatuś mówi, że zamiast gapić się na takie głupoty, powinniśmy obejrzeć dokumentalne nagrania jego zespołu, na przykład te o technikach malowania pisanek, ale ja tam wolę Klossa. Nie tylko nauka jest ważna, prawda? – Nachyliła się do mnie, a ja poczułam na ramieniu jej oddech. Błyskawicznie odczytałam pozawerbalną wiadomość: „Nie zawsze podzielam zdanie ojca".

– Tak jest! Wysiadamy! – powiedziałam, gramoląc się z auta i zastanawiając, skąd we mnie jeszcze siła na zakupy. Jednak granice ludzkiej wytrzymałości trudno określić…

Objuczeni jak wielbłądy kolejno pokonywaliśmy schody, marząc o dotarciu na nasze piętro. Najlżejsze torby niosła Zosia, która znacznie nas wyprzedziła, bo przeskakiwała po dwa stopnie naraz.

– Babcia! Co za niespodzianka! – usłyszałam z góry jej entuzjastyczny głos i zamarło mi serce.

Super! Świetnie! A więc i tym razem święci od spraw trudnych i beznadziejnych odrzucili moje podanie. Najwyraźniej Johanna wzięła ślub wcześniej, Jessica wprowadziła się do domu ojca, a od dzisiaj mieszka z nami teściowa! Przed moimi oczami pojawiły się mroczki. Przystanęłam. Jasny gwint! Chwyciłam za poręcz i zaczerpnęłam kilka regenerujących oddechów, pozbierałam rozdygotane myśli i kontynuowałam wspinaczkę. Tylko tego mi brakowało do szczęścia! Mimo wszystko poprzednie mieszkanie Piotra, to, w którym mogliśmy jeszcze pomieszkać, miało bezsprzecznie jeden atut. Było niewielkie! Dodatkowy lokator nie zmieściłby się w nim na pewno! A ja, kretynka, uległam mającemu mnie w nosie mężusiowi i przeprowadziliśmy się do większego! Jasny gwint! Najwyższy czas na kurs asertywności!

Ale, ale... Skąd w głosie Zosi taka euforia? Co jest grane? Przyśpieszyłam i zdumiona ujrzałam Zosię uczepioną szyi całkowicie nieznajomej kobiety.

– Babcia Danusia! – Tadeusz pokonał schody jak antylopa i przytulił się do niej z drugiej strony. Opletli ją jak bluszcz parkowe drzewo, a ja już wiedziałam, że oto czeka mnie kolejna życiowa lekcja. Miałam przed sobą matkę Ewy. Na oko około sześćdziesiątki, wyglądała zwyczajnie, jakby dopiero co wróciła z miasta, gdzie załatwiała mało istotne sprawy, więc przed wyjściem nie spędziła godziny przed lustrem. Półdługie włosy w kolorze jasny blond (niekoniecznie naturalnym, o czym świadczyły siwe odrosty) upięła w luźny koczek, z którego wymykały się nieposłuszne kosmyki. Nosiła wygodne buty na półpłaskim obcasie i spodnie ze sportowym żakiecikiem w kolorze zielonej oliwki.

– Dobry wieczór. – Zdezorientowana, z bijącym sercem przystanęłam z boku.

– Właśnie... Babciu! – Zosia odwróciła się do mnie z niespotykaną radością w oczach. – Babciu! To jest pani Iza!

– Dobry wieczór – powtórzyłam, bo zabrakło mi konceptu.

– Dobry wieczór!

Dyskretnie mierzyłyśmy się wzrokiem. Miała w sobie coś, co przypominało Ewę z weselnego nagrania. Uśmiechała się podobnie, lekko unosząc brwi. Odruchowo zerknęła na mój brzuch; może spodziewała się któregoś tam miesiąca? Trwało to zaledwie ułamki sekund, a wydawało się wiecznością. Mój uśmiech sygnalizował dobre intencje. Na koncie naszych wspólnych doświadczeń nie ma przecież żadnych animozji, pretensji czy żalów. Tylko od nas zależy, czy je na nim ulokujemy. Odwzajemniła mi się podobnym, a potem niespodziewanie podeszła i spontanicznie pocałowała mnie w policzek.

– Rozmawiałam dziś z Zosią przez telefon. Wiem, że Piotr wyjechał, a pani Bożena ułożyła sobie życie po swojemu. Więc na wszelki wypadek zostawiłam wszystko... Patrzyła przepraszająco.

– Obawiała się pani, że dzieci będą bez opieki? W żadnym wypadku! – Uśmiechnęłam się. Pierwsze emocje opadły. – Ale dlaczego stoimy na klatce? Gdzie są klucze? – Zaczęłam grzebać w torbie, obiecując sobie solennie, że teraz to już na pewno zrobię w niej porządek. Poza tym, byłam najnormalniej w świecie zdenerwowana i trzęsły mi się ręce.

– Otworzę swoimi. – Z opresji wybawił mnie Tadeusz.

Weszliśmy do przedpokoju. Rzuciliśmy w kąt torby z zakupami i oprowadzaliśmy babcię po domu. Rozglądała się z uznaniem. Zadzierała wysoko głowę i podziwiała ozdobne sztukaterie na sufitach, gładziła ręką piec kaflowy z dekoracyjnymi ornamentami i sylwetką gołębia w koronie, nie przestając mnie obserwować. Oceniała macochę swoich wnucząt. Co innego rodzina Piotra, przyjaciele czy znajomi, ale to przecież matka Ewy. Obie mają tak samo przenikliwe spojrzenia. Zauważyłam, że oglądając pokoje dzieci i widząc w obu zdjęcia córki, uspokoiła się nieco.

– Teraz wiem, dlaczego Piotr prowadził taką batalię o wyprowadzkę z tamtego mieszkania – stwierdziła, kiwając głową ze zrozumieniem, gdy weszliśmy do gabinetu mojego męża. – Tu przynajmniej ma dość miejsca na te swoje książki i szpargały. Wie pani, co się tam działo? Wojna domowa! Śpieszyło mu się tutaj jak po ogień. Zresztą na pewno pani opowiadał – westchnęła.

Chciałam zaprzeczyć i poprosić o szczegóły, ale ugryzłam się w język. Nie wypadało.

– Ale już mu się nie dziwię. Przysięgam.

– Pokażcie babci wszystko, a ja zrobię kolację. Na co ma pani ochotę? – Musiała być głodna. Ładnych parę godzin jazdy spod Zakopanego zrobiło swoje.

– Cokolwiek. Zresztą ja przywiozłam jedzenie, bo...

– W porządku – przerwałam spokojnie.

Sytuacja musiała ją krępować. Bała się, że dzieci będą głodne i same. I zareagowała jak system wczesnego ostrzegania. Błyskawicznie i z troską o wnuki.

– Już wiem! Babcia może zjeść obiadową porcję taty. Pomidorówkę, a na drugie ziemniaki, surówkę i kotleciki jajeczne w sosie koperkowym! Surówki zrobiliśmy z Tadeuszem. Spróbuje babcia! – Zosia podskakiwała z emocji, wysyłając wyraźny sygnał: nie głodujemy, mamy najzwyczajniejszy na świecie obiad. – A my z Tadeuszem... Może makaron z serem? Co ty na to? – zapytała brata.

– Super!

– Ale ja nie chciałabym sprawić pani kłopotu... – Mama Ewy patrzyła zażenowana.

– Po pierwsze to żaden kłopot, a po drugie jestem Iza.

– Wiecie co? Przywiozłam własnej roboty twaróg, do tego makaronu jak znalazł! – Podeszła do torby i zaczęła wyciągać różne zawiniątka.

– Serek babci jest najlepszy! – skwitowała Zosia.

Oprócz białego sera na stole wylądowały oscypki kupione u sąsiadki, konfitura z mniszka wyglądem i smakiem łudząco przypominająca miód, marynowane rydze, duży bochen chleba kupiony u miejscowego piekarza, wypiekany z dziada pradziada według tej samej receptury, który słyszeć nie chce o żadnych polepszaczach, oraz kawał mocno uwędzonej, aromatycznej szynki. Babcia Danusia entuzjastycznie opowiadała o każdym wyjętym produkcie. Mówiła gwarą, a relacja była tak zajmująca, jak najpiękniejsza baśń.

Przy rydzach w marynacie poniosła ją nieco fantazja. Wyjęła słoik i trzymając go w dłoniach, opisywała, jak pewnego dnia, jeszcze przed świtem, wybrała się do lasu na grzyby. Zasapała się, zabłądziła i znalazła w samym środku ciemnego boru. W oddali pohukiwała sowa, obok przebiegła wilczyca z młodymi, na której okrakiem siedział świstak, który zbyt oddalił się od mamy i już nigdy jej nie odnalazł... I tak bajała, bajała, bajała, a cała nasza trójka słuchała z zapartym tchem. Gdyby babcia ciągnęła z gawędziarstwa korzyści materialne, bez wątpienia przewodziłaby stawce najbogatszych Polaków...

Na życie zarabiała jednak inaczej, prowadząc z mężem małe gospodarstwo agroturystyczne, cieszące się wielkim wzięciem. Wieści o kultowych wieczorach przy grillu czy ognisku rozchodziły się pocztą pantoflową. I nie chodziło wcale o jedzenie, które i tak uznawano za najlepsze na wsi, ale właśnie o niezapomnianą atmosferę zabawy do bladego świtu.

Usiedliśmy wszyscy przy kuchennym stole i każdy zabrał się za swoją kolację. Ja zajadałam się chlebem z masłem i konfiturą z mniszka i popijałam mlekiem.

Matka Ewy okazała się przesympatyczną gadułą. Opowiadała o ostatniej srogiej zimie w górach i o wszystkim, co musi zrobić w ogrodzie, żeby zadowoleni goście mogli latem spróbować owoców prosto z drzewa. Mówiła, że trzeba pobielić grusze i jabłonie, poobcinać niepotrzebne gałęzie, wygrabić trawę i posadzić nowe krzewy. W pewnym momencie, gdy kończyła wątek zimowy, wstałam, żeby szybciutko, w przerwie pomiędzy jedną a drugą opowieścią, włożyć brudne naczynia do zmywarki.

– Dobrze, że macocha odchodzi! – usłyszałam za plecami.

Poczułam się tak, jakby wymierzono mi siarczysty policzek. Nie byłam w stanie ani się wyprostować, ani odwrócić, więc udawałam dogłębne zainteresowanie wnętrzem zmywarki. Dlaczego ona to powiedziała? Byłam zaledwie o trzy metry od niej i wiadomo było, że słyszę. A ja myślałam, że ona jest inna, i robiłam wszystko, żeby się dobrze czuła! Podła! Jasny gwint! Mam się z nią pokłócić i powiedzieć, że co jak co, ale jestem u siebie i nie życzę sobie we własnej kuchni takich tekstów? Zagryzłam wargi, żeby się nie rozpłakać.

– Iza, daj spokój, siadaj! Potem zrobimy to razem. Chodź! – zatrajkotała serdecznie.

A to słodka kobra! Co tu jest grane? Czyżbym miała halucynacje, urojenia, omamy słuchowe czy jak inaczej nazwać? A może kwalifikuję się do szpitala psychiatrycznego? Jeszcze przed chwilą była zadowolona z tego, że odchodzę, a teraz zachęca do powrotu!

– Naprawdę – kontynuowała – jestem szczęśliwa, że zima się kończy. Odchodzi macocha, jak się to u nas mówi pod Tatrami. Ja tam kocham wiosnę. Chociaż roboty wtedy huk, to i tak chciałabym, żeby trwała wiecznie!

Babcia Danusia plotła radośnie, nie mając pojęcia o sprawionej mi przed chwilą przykrości. Po prostu się zapomniała; niczego złego nie miała na myśli. Po prostu „zima" i „macocha" to takie góralskie synonimy. W jednej chwili przypomniała mi się lekcja polskiego o przysłowiach, jeszcze w podstawówce. Każde z nas miało się nauczyć na pamięć kilku dowolnych przysłów, a pierwsze, które wybrałam, brzmiało przecież: „Wiosna – panna, lato – matka, jesień – wdowa, zima – macocha". No proszę, wówczas uznałam je za wyjątkowo trafne, a teraz wkurza mnie słowo „macocha" w dowolnym kontekście! I z dnia na dzień bardziej! Jeśli tak dalej pójdzie, dostanę drgawek na samą wzmiankę o przepaści albo jaskini Macocha na Morawach. Zrobiłam się przewrażliwiona na tym punkcie do potęgi nieskończonej! To syndrom, którego nie da się usunąć z mojego mózgu, tak samo jak wirusa opryszczki z organizmu.

– Ja również nie lubię zimy. Trzeba odśnieżać auto, zakładać na siebie stosy ubrań. Jest ślisko i nie ma czereśni – stwierdziłam, siadając ponownie przy stole, w nadziei że nikt nie zauważył, co się ze mną działo jeszcze przed chwilą.

– Ja tam kocham i śnieg, i mróz, i święta – włączył się do rozmowy Tadeusz.

– Słuchajcie! Każdy z nas ma do zimy swoje ale. To teraz nieważne. Zapraszam was do mnie, kiedy tylko będziecie mieli ochotę. I to niezależnie od pory roku, bo u nas zawsze znajdą się jakieś atrakcje! Musicie przyjechać! – Matka Ewy entuzjazmowała się pomysłem.

– Możecie pojechać do babci na część letnich wakacji – zwróciłam się do dzieci.

– A ty? Mówisz, jakbym nie zapraszała i ciebie. Nie masz ochoty? – Spojrzała zawiedziona.

– Tak! Pojedźmy do babci! Wszyscy! – Zosia wpadła w euforię.

– Przyjedziesz? – Matka Ewy spoważniała i spojrzała na mnie przenikliwie.

– Skoro zostałam zaproszona…

– A jak myślisz? Musisz przyjechać, koniecznie! Poznasz dziadka i całą zwariowaną rodzinę. Nie obawiaj się, nikt cię nie napadnie z ciupagą. A jakby co, to ja cię obronię. I przekażcie zaproszenie Piotrowi, chociaż wątpię, czy je przyjmie. Chyba jednak zbyt pochłania go praca. Jak był u mnie te kilka razy, to tylko latał po wsi z kamerą i kręcił, co się dało, narzekając na ginącą tradycję i obrzędy. Wypytywał każdego, kogo spotkał, czemu nie robi się już ozdób choinkowych ze słomy i papieru. A wszyscy uciekali, bo myśleli, że będą w telewizji. Albo pytał się baców, czy kropią owce wodą święconą przed wyprowadzeniem na hale. To mu Edek Konopka, co na skraju wsi mieszka, odpysknął, że lepiej niech się sam pokropi, bo widać, że dobrze mu to zrobi... Potem Piotr poszedł do baru i zapytał, gdzie znajdzie chałupę z glinianym klepiskiem. To mu Wacek Sabała wykrzyczał, żeby tej piątej klepki poszukał u siebie. A jak jeszcze mój zięć zaczął wszystkich w tym barze namawiać, żeby jedli regionalne potrawy, na przykład kwaśnicę, a nie spaghetti à la Tatry, jedyną zresztą pozycję w menu, to usłyszał od kucharki Maryni, żeby w cudze talerze nie patrzył! Że to spaghetti jest specjalnością szefa kuchni, bo sam je wymyślił, mieszając makaron z wędzonym oscypkiem, skwarkami z boczku i śmietaną. I że wszystkim smakuje, a jak Piotrowi się nie podoba, to niech spada.

Śmialiśmy się jak szaleni. Ja już dawno zapomniałam babci Danusi „macochę", a gdyby nie jej opowieść o chcącym kultywować podhalańskie zwyczaje Piotrze, nie pomyślałabym o nim ani razu...

Poszliśmy spać dobrze po północy. Matka Ewy skwitowała, że „skoro dzieci są pod dobrą opieką i jest już spokojna", to wyjeżdża nazajutrz po południu, bo „dziadek się beze mnie zapłacze na śmierć, a zresztą roboty w domostwie pełno i sam się nie obrobi".

Po raz pierwszy miałam spędzić noc w sypialni samotnie. Łóżko wydało mi się ogromne i niewygodne.

Przewracałam się z boku na bok, wierciłam, to otwierałam, to zamykałam okno, przykrywałam się po same uszy i zaraz skopywałam kołdrę na podłogę. Nie myślałam ani o Piotrze, ani o jego mamusi. Zeszli na drugi plan. Przeżuwałam i przetrawiałam wieczór z mamą Ewy. Wiem, że myślała o tym, jak by to było, gdyby na moim miejscu znajdowała się jej córka. Choć bardzo starała się to ukryć, widziałam to w jej oczach. Gdy dzieci rozpakowywały nowe ubrania, a Zosia relacjonowała próby nakłonienia Tadeusza do przymierzenia kolejnej pary butów, babcia zastanawiała się, jak z cierpiącym na alergię zakupową synem radziłaby sobie Ewa. Inaczej? Może kupowałaby mu ubrania w ciemno, bo wiedziona instynktem wiedziałaby, co mu pasuje? Może byłaby bardziej stanowcza? I prawdopodobnie gdzieś w głębi jej serca rodził się bunt, że miejsce jej córki zajęłam ja.

Śmierć dziecka boli, pomimo upływu lat. Ta otwarta rana może się trochę zagoić, ale nigdy nie zabliźnić. Odejście Ewy zakłóciło normalny porządek życia. Babci Danusi nikt nie zastąpi córki. I nikogo nie pokocha tą specyficzną miłością. Ma jeszcze wprawdzie dwóch synów, ale to co innego. Razem z Ewą, która zgodnie z prawami natury powinna ją przeżyć, umarły pokładane w niej przez matkę nadzieje i plany. Co ona czuje, widząc mnie przy swoich wnukach? Bólu pękniętego serca nie są w stanie oddać żadne słowa. Tęsknota nie ma granic, wiem to po sobie. Gdy niespodziewanie zmarła moja mama, zawalił się mój świat. W każdym ważnym momencie mojego życia wybuchałam płaczem, bo byłam już sama i nie mogłam dzielić z nią radości, sukcesów, żalów, smutków i boleści. Na taką tęsknotę nie ma lekarstwa.

Wiedziałam, że wcześniej czy później będę musiała poznać matkę Ewy, i obawiałam się tego spotkania. To nawet lepiej, że pojawiła się bez zapowiedzi, bo w przeciwnym wypadku przeżywałabym katorgę oczekiwania. Bałabym się wszystkiego: pierwszego spojrzenia w oczy, tego, jak mam się zachować, co powiedzieć, jak ją przyjąć. A tymczasem mam to już za sobą i lżej mi na duszy. Jej chyba też. Emocje opadły. Mam nadzieję, że zrozumiała, że wprawdzie nie zastąpię dzieciom Ewy, ale będę się starać.

Na szczęście nie wtrącała się, nie komentowała, nie robiła żadnych uwag, choć mogłaby uprzykrzyć mi życie. A uwagi o zimie-macosze mogę sobie nie brać do serca.

Nad ranem, zamiast liczyć barany, zaczęłam powtarzać jak mantrę: „Koniec z obsesją macochy!". I wreszcie zasnęłam.

W sobotę po śniadaniu pojechaliśmy wszyscy na cmentarz, na grób Ewy. Po drodze zatrzymałam się obok kwiaciarni, kupiłam znicze i wiązankę. Wróciłam do samochodu i poprosiłam babcię Danusię, żeby zaopiekowała się bukietem. Przez kilka minut w aucie panowało milczenie. Każdy był zajęty własnymi myślami.

– Skąd wiedziałaś? – Ciszę przerwała mama Ewy.

– O czym?

– Skąd wiedziałaś, że frezje to jej ulubione kwiaty?

Dostałam gęsiej skórki. Skąd niby miałam wiedzieć o florystycznych upodobaniach mojej poprzedniczki?

– A mnie się wydawało, że irysy – wtrąciła Zosia.

– Nie, Zosiu, mamusia uwielbiała frezje. Dostawała je ode mnie na wszelkie możliwe okazje i kochała za subtelność i piękny zapach. Próbowała je sadzić na balkonie, ale bez powodzenia. Nawożenie też nie przyniosło rezultatów. Rośliny tylko wybujały, nie mogły utrzymać się w pionie, aż w końcu wyschły. – Babcia Danusia zamyśliła się. My siedzieliśmy jak trusie, chłonąc nowe wiadomości. Na chwilę zapadła cisza. – Piotr ci powiedział?

Już otwierałam usta, żeby zaprzeczyć, ale ugryzłam się w język i skończyło się na wieloznacznym „uhm". Kłamałam, ale w dobrej wierze. Nikomu nie zaszkodzę, a wybrnę z twarzą ze skomplikowanej sytuacji. Obecni w aucie mają być przeświadczeni, że Piotr myśli i pamięta o Ewie, i opowiada mi o niej. Tak się tworzy autorytet, pomyślałam.

Po twarzy babci Danusi płynęły łzy.

Prawda natomiast wyglądała o wiele bardziej prozaicznie. Nie miałam pojęcia o ulubionych kwiatach Ewy. Byłam wprawdzie raz z Piotrem na cmentarzu, ale on kupił po drodze od kwiaciarki gotowy bukiet, do którego najłatwiej było sięgnąć. Nie śpieszyliśmy się wówczas, a wybór był ogromny. Nie sądzę więc, by pamiętał o kwiatowych upodobaniach byłej żony, a nawet jeśli, nie przywiązywał do nich wagi.

Natomiast ja weszłam dzisiaj do kwiaciarni, słynącej z umiejętności florystek, w której w plastikowych wazonach, na podłodze i na ladzie, stało coś około trzydziestu gotowych wiązanek. Gapiłam się, omal nie dostając oczopląsu. Wszystkie piękne, jedna niepodobna do drugiej, bo albo z innych kwiatów, albo w odmiennym stylu. Dla każdego coś ładnego. Zazwyczaj klient wchodzi i wybiera coś, co widzi, nie wyobrażając sobie, że można wymyślić coś ładniejszego. Kwiaciarka patrzyła na mnie wyczekująco, pewna, że wskażę jakiegoś gotowca, ale zawiodła się srodze. W wiadrach stały róże, konwalie, tulipany, hiacynty, gerbery, goździki, lilie i inne, o nieznanych mi nazwach, ale mój wzrok przyciągnęło jedno, niskie, po brzegi wypełnione frezjami. Florystka dźwignęła je i postawiła na ladzie. Wybierałam, ale miałam wrażenie, że moją ręką kieruje nieznana siła. Teraz, gdy już wiedziałam, że frezje to ulubione kwiaty Ewy, złudzenie przerodziło się w pewność.

Od wyjazdu babci Danusi minął tydzień. Po południu do dzieciaków przyszli goście: do Zosi Hania, a do Tadeusza któryś z kolegów z klasy. Przygotowałam ciasto, owoce i kanapki i miałam czas tylko dla siebie. Brakowało mi go od dawna, a teraz nie wiedziałam, co z nim zrobić. Od ślubu moje życie zmieniło się diametralnie; nie potrafiłam już próżnować. Zauważyłam, że zatraciłam umiejętność spacerowania. Mój sposób przemieszczania się przypominał raczej marszobieg.

Najpierw usiadłam w pokoju Piotra, założyłam słuchawki i postanowiłam podszlifować angielski, czyli posłuchać piosenek, jednocześnie czytając teksty. Po kilku ogarnął mnie jednak tak melancholijny nastrój, że musiałam natychmiast przestać. Omal się nie rozpłakałam, bo każda opowiadała o szczęśliwej, spełnionej miłości. Miałam już dość tych wszystkich „gdzie ty, tam ja, gdzie ja, tam ty" i „gdy przytulam się do ciebie, za oknem zawsze jest wiosna, może lać, może wiać, a mnie zawsze świeci słońce" czy „jesteś moim całym światem i żyję po to, by spełniać twoje pragnienia". Piękne słowa, ale nie dla mnie. A jeszcze kilka miesięcy temu uwierzyłabym w nie bez zastrzeżeń!

Od pamiętnej rozmowy o dziecku Piotr nie odezwał się do mnie ani razu. Wyjechał na warsztaty i nie raczył mnie powiadomić nawet o dacie powrotu. Ciekawe, czy kiedykolwiek powie do mnie choć słowo? Może zostawi mnie z dziećmi, a sam ułoży sobie życie z inną? Tym sposobem uzyskałabym status samotnej macochy z pasierbami. Ciekawe, czy przy rozliczaniu podatku dochodowego będą mi przysługiwały jakiekolwiek ulgi? Wprawdzie w formularzu nie ma stosownej rubryki, ale może jednak, w drodze wyjątku... Czarne myśli opanowały mnie bez reszty.

Włączyłam telewizor, ułożyłam się wygodnie na kanapie i przykryłam pledem. Marzyłam o superzajmującym filmie, który pozwoliłby mi zapomnieć o kłopotach. Na pierwszym kanale nadawano jednak komedię romantyczną, a ja trafiłam na fragment o przygotowaniach do ślubu. Młoda rozanielona dziewczyna, w towarzystwie koleżanek, przy dźwiękach nastrojowej muzyki przymierzała suknię.

– Głupia. – Pokręciłam głową z niesmakiem. – Nie masz pojęcia, co cię czeka, idiotko!

Nerwowo przełączyłam telewizor na inny program i natknęłam się na przyrodniczy dokument o sarnach w okresie godowym. Po słowach: „Samica rodzi najczęściej jedno, a rzadziej dwa" przeskoczyłam na kanał dla kobiet. Tu jakaś gejsza w ciuchach koloru hemoglobiny demonstrowała, jak z wodorostów i ryżu japońskiego ugotować afrodyzjak. Zdenerwowałam się i wyłączyłam odbiornik. Poszłam do kuchni i zaparzając, a potem słodząc herbatę trzema łyżeczkami miodu, zastanowiłam się, jak spędzić resztę dnia. Odczułam palącą potrzebę zwabienia kogoś do siebie. I nagle mój pogrążony w mroku umysł doznał olśnienia. Przecież niedaleko mieszkają Lila, Tomek i Julek!

Zadzwoniłam. Okazało się, że właśnie są na spacerze i że mogą przyjść za jakieś dwadzieścia minut. Ucieszyłam się i ruszyłam do kuchni, by przygotować poczęstunek. Chciałam wlać wodę do dzbanka, by przelać ją do ekspresu do kawy, ale gdy opuściłam dźwignię baterii, pociekła zaledwie cienka strużka. Tylko tego brakowało! Nacisnęłam mocniej. Pomogło tylko trochę. Ciekawe, kto mi to naprawi? Poprosić Tomka? Jeszcze pomyśli, że właśnie dlatego ich zaprosiłam. A może ściągnąć tatę? Tylko tyle kilometrów dla takiej błahostki? Wpadłam na genialny pomysł poszukania w Internecie profesjonalnego pogotowia hydraulicznego, ale zaraz przypomniałam sobie, jak to bywa z fachowcami w realu... I nagle przyszedł mi na myśl facet w zielonej kurtce. W końcu ofiarował się ze wsparciem w razie problemów, a okazja jest idealna. Nie, gość nie wygląda na pijaczynę, a w dodatku to przyjaciel Piotra. Przecież był świadkiem na jego pierwszym ślubie. Dziwnym trafem nie został mi wprawdzie przedstawiony, ale cóż, Piotr, jak Piotr, wiecznie zapracowany...

Położyłam torebkę na kuchennym stole i rozpoczęłam poszukiwania wizytówki. Odwołałam się do tradycyjnego i sprawdzonego sposobu: odwróciłam ją do góry dnem. Zawartość wylądowała na blacie. Dla pewności potrząsnęłam ponownie i ze środka wypadły jeszcze jakieś okruszki i dawno poszukiwana pęseta do brwi ze skośnymi końcówkami. Co my tu mamy? Przysunęłam kosz na śmieci i przedmiot po przedmiocie zaczęłam albo wkładać z powrotem do torebki, albo wyrzucać, mając nadzieję na zaprowadzenie względnego ładu. Zubożałam o papierek po batoniku i dwie buteleczki zaschniętego lakieru do paznokci, ale wreszcie trafiłam na to, czego szukałam. I w tej samej chwili odezwał się dzwonek przy drzwiach. Bałagan ze stołu ponownie znalazł się w torebce, kosz wrócił na miejsce. Wizytówkę zostawiłam na blacie i pobiegłam przywitać gości.

Otworzyłam drzwi na oścież i ujrzałam w nich ubraną jak z żurnala Lilę oraz Tomasza usiłującego utrzymać na rękach Julka, co było nie lada wyzwaniem, bo mały wiercił się i wyciągał ręce w stronę matki. Lila udawała, że tego nie dostrzega. Przywitaliśmy się serdecznie. Zwabieni odgłosami, w przedpokoju zjawili się Zosia z Tadeuszem.

– Julo! Ale ty urosłeś! – Zosia wpatrywała się w małego zaskoczona. – Czy mogę go wziąć na ręce i chwilę się z nim pobawić?

– Zawsze! – Tomasz z ulgą przekazał jej dziecko.

– Cześć Julo! – Przytuliła go. Chłopczyk nie stawiał oporu. – Zaraz poznasz ciocię Hanię! – powiedziała, odwróciła się i oboje znikli za drzwiami pokoju.

– Ma dobre podejście do dzieci. Julek przylgnął do niej jak do lepu – stwierdziła Lila, znacząco zerkając na mój brzuch.

Musisz trochę poczekać, aż dogadam się z Piotrem, a też urodzę takie cudeńko jak twój Julek, pomyślałam, ale milczałam, żeby nie zapeszyć.

Pokazałam im mieszkanie. Byli oczarowani możliwością poruszania się bez obawy o nabicie sobie siniaków podczas obijania się o sprzęty oraz spokojem i atmosferą „jak z przedwojennych filmów".

– Nie będę ukrywała, zżera mnie zazdrość – przyznała Lila. – Przedpokój ma metraż naszego apartamentu – dodała kąśliwie, zerkając na męża.

– To nie tak, jak myślisz. Włożyliśmy w nie nasze dwa mieszkania i jeszcze wzięliśmy kredyt na dwadzieścia lat – pocieszałam.

– Też ci takie kupię – wtrącił Tomasz. – Na bank! Niech tylko skończę ten projekt...

– Przestań! – przerwała Lila ostro. – Chociaż w niedzielę nie opowiadaj mi tych bajek. Napijemy się kawy, ty, tatusiu, dokończysz spacerek, a my sobie z Izą pogadamy. Idziemy do kuchni, bo siedzenie w tym salonie tylko mnie dołuje!

Złapała tacę i przeniosła nakrycie na kuchenny stół. Rozejrzała się, zobaczyła cieknący kran i rzuciła się w kierunku zlewu, by powstrzymać wodę.

– Daj spokój. Dzisiaj ktoś mi to naprawi. Usiądź – powiedziałam. – I udawaj, że tego nie widzisz.

– Tomek! Chodź tu i bierz się za robotę. Przynajmniej będzie z ciebie jakiś pożytek. Każda kropla to większy rachunek.

– Nie! Jesteście gośćmi! – próbowałam się sprzeciwiać.

– Nie tylko, również przyjaciółmi. Nie zapominaj o tym – zapewnił mnie Tomasz i podszedł do zlewozmywaka. – Lila, siadaj do kawy i zostaw mi pole do popisu. Będzie potrzebna nowa uszczelka. Masz?

– Nie. Nawet mi to do głowy nie przyszło.

– To nie problem. Zaraz to porozkręcam, wezmę zużytą i skoczę do marketu po nową. Więc ze spacerku nici! – Roześmiał się w głos.

– Są rzeczy ważne i ważniejsze. Dziś tą ważniejszą jest kran. – Dostał rozgrzeszenie.

– A my z Hanią chętnie pójdziemy z Julem na spacer! – zaproponowała Zosia, wchodząc do kuchni z Julkiem na ręku. W drugiej niosła dwie brudne szklanki po soku.

Zostałyśmy z Lilą same. Nawet Tadeusz wyszedł z domu, żeby pokopać piłkę na podwórku. Na wieść, że Piotr wyjechał na warsztaty ze studentami, Lila tylko pokiwała głową z miną „skąd ja to znam". Nie zamierzałam zwierzać się jej, podobnie jak nikomu innemu, że ja i mój mąż jesteśmy na wojennej ścieżce i jaka jest tego przyczyna. Uznałam to za zbyt intymne i krępujące. Tymczasem Lila odmówiła całą litanię skarg pod adresem Tomasza. Opowiadała, jak ich dzisiejszy spacer przerodził się w rodzinną kłótnię, bo pan i władca nie chciał pchać wózka, argumentując, że „facetowi nie uchodzi". Poza tym Julek zaczyna patrzeć na ojca jak na nieznajomego i drze się wniebogłosy na jego widok. Lila to podnosiła, to odkładała na stół kolejne przedmioty, nerwowo obracając je w palcach.

– Więc postanowiłam to zmienić. Raz na zawsze! Muszę ich jakoś zintegrować! – zawyrokowała zdecydowanie. Odłożyła łyżeczkę do kawy, wzięła wizytówkę, spojrzała i zamarła. – Iza! Co to jest? – wykrzyknęła.

– Wizytówka – wyjaśniłam, zdumiona reakcją. No tak, jeszcze jej nie oglądałam. A może to bilecik pogotowia seksualnego albo agencji towarzyskiej, a facet to stręczyciel?

– Widzę! – Gapiła się na mnie z niesmakiem. – Żeby tak krótko po ślubie... Nie spodziewałabym się tego po tobie. Pierwszy wyjazd Piotra, a ty już? Cóż, historia zatoczyła koło... – powiedziała, purpurowa z wściekłości.

– O co ci chodzi? – wybąkałam.

– Spotykasz się z nim? – wycedziła lodowato.

– Skąd! To wizytówka faceta z waszego bloku. Tego, który pomógł mi wyrzucać makulaturę, pamiętasz? – tłumaczyłam drżącym głosem, oszołomiona sytuacją. Lila patrzyła na mnie zimno przez zmrużone powieki. – Taki uczynny facet. To przyjaciel Piotra. A przynajmniej tak myślę. – Chciałam dodać, że znam go dzięki nagraniu z wesela, na którym wygłaszał toast, ale ugryzłam się w język. Musiałabym się przyznać do sekretnego seansu przed monitorem... – Gość dał mi wizytówkę i zapewnił, że jak tylko czegoś będę potrzebowała... Przypomniałam sobie o nim dzisiaj, kiedy nie mogłam poradzić sobie z tym kranem. Chciałam zadzwonić do niego zaraz po waszym wyjściu, ale teraz, gdy Tomek...

– Porąbało cię! Nie obraź się, ale naprawdę jesteś pogięta! – zacietrzewiona Lila znów podniosła głos. – Dziewczyno! – Chwyciła się oburącz za głowę, jak w nagłym ataku migreny. – Mówiłam, że jakby co, to jesteśmy! Pamiętasz?

– Tak, oczywiście. – Usiłowałam ją uspokoić, bo wpadła w taki szał, że nie dałaby jej rady banda dresiarzy. – Lila, ja nawet nie wiem, jak on się nazywa...

– Eryk Jaromir Potocki!

– No i co? – Wzruszyłam ramionami. Ze zmarszczonym czołem starałam się zebrać myśli.

– Nic ci to nie mówi? – Wstała i nerwowo zaczęła przechadzać się po kuchni.

– Nie mam pojęcia…

– To ten znany scenarzysta od filmów sensacyjnych! Ten, co to wszem wobec chwali się szlacheckimi korzeniami. A dziewczyny, którym to imponuje, pchają się do niego drzwiami i oknami! Piotr o nim wie? – Zatrzymała się i zamachała mi przed nosem wizytówką. – Wie?

– Nie.

– Kochasz Piotra, czy masz ochotę na skok w bok?

– Kocham.

– To patrz, co teraz zrobię! – Błyskawicznie podarła kartonik, a potem otworzyła okno i wyrzuciła strzępki na zewnątrz. – Zapomnij, dziewczyno! – Stanęła przede mną i wykrzyczała mi prosto w twarz: – Jeszcze mało o wszystkim wiesz!

– Uspokój się. Nic nie rozumiem. – Skuliłam się w sobie. Jasny gwint! Czy ja jestem czemuś winna?

– Zaraz zrozumiesz. – Lila usiadła z powrotem na krześle. Wyrównanie oddechu zajęło jej chwilę. – Posłuchaj. – Spojrzała na mnie, już spokojniej. – Nie chciałam ci tego mówić, naprawdę. Myślałam: było, zdarzyło się i koniec. Tamten etap został zamknięty, ale wiem, że historia lubi się powtarzać. Piotr zna Eryka jeszcze ze studiów. Eryk kończył politologię. Przyjaźnili się, więc gdy się okazało, że w naszym bloku jest mieszkanie do sprzedania, Eryk skorzystał z okazji. Ku radości Piotra zresztą. Pan politolog wykonywał tak zwany wolny zawód, więc nie ograniczały go godziny pracy. A Piotr często wyjeżdżał. Przykro mi to mówić. – Westchnęła ciężko. – Ale podczas jego nieobecności przyjaciel domu, hm, zbyt żarliwie wyświadczał przysługi słomianej wdowie. Myślę, że po prostu pozazdrościł Piotrowi Ewy, małżeństwa i dzieci. Sam nie założył rodziny; twierdził, że nie chce być niczym ograniczany. Często odwiedzał Ewę, a ludzie, jak to ludzie, zaczęli gadać. I wreszcie ktoś Piotrowi doniósł uprzejmie, że widział Eryka wychodzącego z jego mieszkania o czwartej nad ranem. Wiesz, jaka była awantura? Słyszeliśmy z Tomkiem każde słowo. „Pomagałam Erykowi pisać scenariusz!", darła się Ewa. „Nie zamydlaj mi oczu!", krzyczał Piotr. – Lila pokrzykiwała, gestykulując energicznie, a ja siedziałam jak mysz pod miotłą. Powoli maleńkie puzzle układały się w mojej głowie w logiczny obrazek. – Potem wybiegł z mieszkania, tak trzaskając drzwiami, że aż u mnie w kredensie zadźwięczały kieliszki. I poleciał prosto do Eryka. Wywlókł go na klatkę i tak się pobili, że trzeba było wzywać straż miejską. Potem Piotr koniecznie chciał zmienić mieszkanie. Zwierzał się Tomaszowi, że nachalny i duszący zapach wody Eryka prześladuje go w domu, na klatce schodowej, w bloku, a nawet na ulicy. Pomimo gorących zaprzeczeń Ewy i przeprosin, że pozwoliła Erykowi zostać do tak późna, Piotr nie uwierzył w jej niewinność. Uważał, że go zdradziła. Z kim? Niestety, z jego najlepszym przyjacielem. A to boli. – Pokiwała głową. – Ale ponieważ Piotr kochał

Ewę i dzieci, chciał się stamtąd jak najszybciej wyprowadzić i zacząć nowe życie. Zresztą kiedy o bójce zrobiło się głośno, Piotrowi po prostu było wstyd. Niby „pan profesor", a nie zapanował nad nerwami. Wiesz, te znaczące spojrzenia... Starał się być niewidzialny, szybko przemykał z parkingu do domu, nie korzystał z windy, żeby się na nikogo nie natknąć. A już nie daj Boże na Eryka. Mimo to nie udało mu się uniknąć nieprzyjemnych sytuacji. Kiedyś wracaliśmy razem z parkingu, a na ławce siedział pan Irek, taki pijaczyna z siódmego piętra. „Panie profesorze! Niech pan uważa przy wchodzeniu do mieszkania, żeby nie zawadzić rogami o futrynę!", wrzasnął. Musiałam trzymać Piotra z całej siły, żeby nie zrobił gościowi krzywdy... Byłam przy tym. Nie kłamię. – Rąbnęła się zwiniętą dłonią w pierś, aż zadudniło. – A potem zdarzył się wypadek. Wielka tragedia. Piotr wprawdzie wciąż obiecywał sobie, że zajmie się szukaniem innego mieszkania zaraz po napisaniu skryptu, opublikowaniu wyników badań, zrecenzowaniu artykułu i tak dalej, ale było mu ciężko ogarnąć sytuację. Zawsze było jakieś coś, ale wreszcie poznał ciebie i sprawy nabrały rozpędu.

– Piotr się bił? Nie wyobrażam sobie! – Nie wierzyłam własnym uszom. W głowie miałam mętlik. Sensacje Lili brzmiały tak niewiarygodnie!

– Nie widziałaś go w amoku. I obyś nie zobaczyła. Iza, ja naprawdę chcę dla was jak najlepiej... – tłumaczyła Lila bez nuty fałszu w głosie. – Nie wiem, co było pomiędzy Ewą i Erykiem, i zapewne nigdy się nie dowiem. Nie leżałam pod łóżkiem. Ale Ewa powinna była wiedzieć, że nie wypada gościć obcego faceta do świtu pod nieobecność męża. A teraz... Sądzę, że ta wizytówka to kolejna próba zrobienia Piotrowi na złość. Eryk po prostu ma taką naturę. Nie może znieść cudzego szczęścia. Uwielbia intrygi, afery i niszczenie wszystkiego, co zbudowali inni. Działa małymi kroczkami, ale konsekwentnie i systematycznie, i trudno odgadnąć jego prawdziwe intencje. Ja go znam, ale co ci miałam mówić? – Wpatrywała się we mnie smutnymi, bezradnymi oczami. – Widziałam, jak ci pomaga wyrzucać śmieci. Już wtedy zapaliło mi się czerwone światełko. A potem jeszcze usłyszałam, ale za to nie daję głowy, bo może to tylko plotki, że Eryk założył się z panem Irkiem o pięć litrów czystej wódki, że nie minie kwartał, a będziesz jego. Dlatego prosiłam cię, żebyś korzystała wyłącznie z naszej pomocy... To jak? Mam pobiec na dół, pozbierać kawałeczki wizytówki i posklejać na nowo? – zapytała zadziornie.

– Jasne, że nie. Lila, ja naprawdę nie wiedziałam...

– Wierzę. Ale mówią, że w życiu nie ma przypadków. Widocznie miałam tu dzisiaj przyjść, by ochronić wasz związek – stwierdziła i odetchnęła z ulgą.

– Wiesz, że zastanawiałam się, czy ten Eryk nie jest włamywaczem? – wyszeptałam, porażona wiadomościami o poprzednim małżeństwie Piotra.

– Owszem, jest. – Roześmiała się gorzko. – Do serc słomianych wdów.

W tym momencie do drzwi zadzwonił Tomasz, więc czym prędzej zmieniłyśmy temat rozmowy. Podczas gdy Lila paplała o pierwszych krokach Julka, ja przetrawiałam najświeższe informacje i modyfikowałam moje wyobrażenie o Ewie.

I doszłam do wniosku, że idealne bywają wyłącznie anioły…

W środę, gdy mijało dwanaście dni od wyjazdu Piotra, wzięłam się wczesnym wieczorem za flancowanie kwiatów w skrzynkach na balkonie. Kupiłam je u ogrodnika, w drodze z pracy. Starszy pan z ogorzałą twarzą, umorusanymi ziemią dłońmi, zajeżdżający kompostem właściciel kilku szklarni zapytał, co mi się podoba.

– Kwiatki, które nie wymagają zbyt wielu zabiegów. Najlepiej niezniszczalne.

– Sztuczne, to proszę pani nie u nas! – Roześmiał się. – A tak poważnie, mam tylko dwa gatunki, które z żoną nazywamy „niemal nie do zdarcia" i one sprzedają się najlepiej. O! Tutaj ma pani pelargonie, a tam surfinie. Za to wybór kolorów spory. Jeśli ma pani duży balkon, to radzę posadzić jakiś iglak w donicy. Będzie miała pani zielony akcent przez cały rok. Większość moich klientów nie ma czasu na nawożenie, podlewanie i proste pamiętanie o kwiatkach, więc od lat radzę im to i są zadowoleni. To co, bierze pani? – zapytał, zerkając na dwa parkujące właśnie na jego podwórku samochody kolejnych amatorów ukwieconych balkonów.

– Biorę. Ze mną krótka piłka.

– A ma pani skrzynki i ziemię?

– Nie. Też biorę u pana. Aha, jeszcze jedno. Ma pan może sadzonki frezji?

Sama nie wiem, dlaczego zadałam to pytanie. Nie planowałam posadzenia frezji ani o nich nie myślałam. Jednak w pewnym momencie otworzyłam usta i wyartykułowałam to zdanie. Zauważyłam, że kilku pracowników, wykonujących wciąż te same czynności, odwróciło się w moją stronę z zaciekawieniem. Monotonia została przerwana.

– Co proszę? Chyba źle zrozumiałem…

– Frezje – powtórzyłam zarumieniona. Czułam się jak złodziejka cudzych pomysłów. Tak jakbym ukradła koledze nieopatentowaną recepturę hitowego kremu, likwidującego zmarszczki podobnie jak laser, i ogłaszała wszem wobec, że to wynik mojej inwencji. Czułam na sobie palące spojrzenia kilku par oczu. Jasny gwint! Oni mnie przejrzeli i wiedzą, że to nie moja koncepcja.

– Nie i nie znajdzie ich pani u żadnego ogrodnika. To nie kwiaty na balkony. Wysadza się je z bulw, wymagają specjalnego podłoża i fachowej ręki. A zresztą, kto teraz chce frezje? Widzi pani, co się dzieje? Wszyscy na złamanie karku pędzą za pieniędzmi. A frezje lubią delikatni romantycy, mający ideały. Cieszę się, że trafiła mi się dzisiaj taka wyjątkowa klientka! – Otaksował mnie od stóp do głów z wyrozumiałym, dobrotliwym uśmiechem.

Moje policzki zabarwiły się na purpurowo.

Gdy skończyłam z pelargoniami i surfiniami, na balkonie od razu zrobiło się wiosennie. Oczami wyobraźni zobaczyłam rośliny w pełni rozkwitu. Wtedy dopiero będzie tu miło zajrzeć, a nawet posiedzieć. Oparłam się o barierkę i łapałam ostatnie promienie zachodzącego słońca. Poczułam dojmującą samotność. Zosia uczyła się odmian czasowników angielskich na jutrzejszą klasówkę, a Tadeusz oglądał *Krzyżaków* w nadziei, że po filmie jego wiedza będzie równie obszerna, jak po dogłębnym przestudiowaniu obowiązkowej lektury. Wprawdzie miał dobre chęci i zamierzał przeczytać klasyka, ale spasował po sprawdzeniu liczby stron. Nie chciałam im przeszkadzać.

Piotr od wyjazdu nie odezwał się do mnie ani razu. Czyli w dalszym ciągu cieszyłam się statusem samotnej macochy. Jakby tego było mało, drżałam na każdy dźwięk telefonu. Zbliżało się lato, a z nim planowany ślub Johanny. Bałam się po prostu, że wkrótce pojawi się u nas rozświergotana teściowa, mówiąc, że za kilka godzin walizy z ubraniami przywiezie wynajęty tir.

Gdzie podział się mój Piotr z Grecji i całego okresu przed ślubem? Gdzie moja opoka? – zastanawiałam się, obserwując przechodzącą przez ulicę przytuloną parę w średnim wieku. Czy on w ogóle istniał, czy był wytworem mojej fantazji? A może tamten Piotr jest, tyle że z inną? – odezwała się myśl prześladująca mnie od kilku dni. Tak naprawdę nie wiedziałam ani gdzie jest, ani z kim. Może miło spędza czas z jakąś wywłoką i śmieje się ze mnie? Przecież to logiczne. Skoro nie interesuje się moją osobą, to znaczy, że nie tylko mnie nie kocha, ale nawet nie chce. Wniosek nasuwa się sam: jestem uziemiona i zdradzana. Wystarczył kwartał, bym z wulkanu energii i optymizmu zmieniła się we wrak człowieka. Od zawsze wiedziałam, że co ułamek sekundy ktoś kogoś na świecie zdradza, ale żeby mnie... Zaszkliły mi się oczy. Spojrzałam na coraz bliższe horyzontowi słońce i poczułam się jak bohaterka melodramatycznego, niskobudżetowego brazylijskiego serialu.

Przywołałam się do porządku. Postanowiłam natychmiast zadzwonić do Piotra i uświadomić mu, że nie godzę się na status tej drugiej! Z rozmachem zatrzasnęłam za sobą drzwi balkonowe i zamknęłam się w sypialni. Bez namysłu wybrałam numer z listy kontaktów i wcisnęłam „połącz". Sześć sygnałów i próba połączenia została przerwana. Nacisnęłam „połącz ponownie". I tak osiem razy. Po policzkach płynął mi potok łez. Oczywiście, nieznośna wyobraźnia podsuwała mi obraz męża z inną.

Pisnął esemes. Wiadomość od Piotra! „Nie przeszkadzaj mi". Tylko tyle? Poryczałam się na dobre. Przycisnęłam do twarzy poduszkę, żeby stłumić łkanie. I nagle wstałam, jakbym dostała nowe życie. Nie dam się! Dostaniecie za swoje!

Miałam na myśli Piotra i jego towarzyszkę, której moja wyobraźnia przypisywała twarz atrakcyjnej modelki.

Przed snem snułam plan zemsty, który z każdą minutą stawał się coraz bardziej klarowny. Po pierwsze: jutro w drodze do pracy kupię w całodobowej przychodni weterynaryjnej dużą strzykawkę. Po drugie: zaraz po ósmej zadzwonię na uniwersytet i dowiem się, gdzie dokładnie przebywa Piotr i cała grupa. Po trzecie: znajdę sposób, żeby w laboratorium napełnić strzykawkę kwasem siarkowym. Po czwarte: zaraz potem pójdę do szefa i poproszę go o wolne z powodu „ważnej sprawy rodzinnej". Po piąte: nastawię nawigację w samochodzie, żeby bez problemu trafić do celu. A później? Później to już sama przyjemność… W każdym razie Piotr z kumpelą poleżą sobie kilka tygodni na intensywnej, a gdy wyjdą, inni na ich widok będą z obrzydzeniem odwracali głowy!

Zachwycała mnie własna kreatywność. Tylko czy będę miała dość siły na zrealizowanie dopiętego na ostatni guzik planu? – dopadły mnie wątpliwości. Czy ja w ogóle mam dobrze w głowie, żeby uciekać się do takich praktyk? Zaczęłam się śmiać. Od początku wiedziałam, że to tylko mrzonki, które na krótko pomagają zająć umysł czymś innym i nie dostać totalnego bzika! Tak naprawdę powinnam być ponad to. I pokazać klasę, a nie małostkowość rodem z przedwojennych romansów. On kogoś ma, więc ja też mogę. I to w każdej chwili!

W sypialni oświetlonej zaledwie poświatą zza okna sięgnęłam po komórkę i ponownie odczytałam wiadomość od Rafała.

Spojrzałam na zegarek: dwudziesta trzecia czterdzieści siedem. Jak znam tryb jego życia... Nie, Rafał na pewno jeszcze nie śpi. A nawet gdyby, to co? Wstałam, wyszłam do przedpokoju i upewniłam się, że dzieci są już w łóżkach. Nie licząc ich posapywania przez sen, w mieszkaniu panowała cisza. Wróciłam do sypialni, ułożyłam się wygodnie i wybrałam numer Rafała. Nacisnęłam „połącz", ale jeszcze przed zainicjowaniem połączenia zmieniłam decyzję i wcisnęłam „anuluj". Ponownie zbliżyłam palec do „połącz", trzymając go w powietrzu i zastanawiając się, czy dobrze robię. Miałam wrażenie, że tuż nad moją głową stoją dwaj doradcy, z których każdy podpowiada inne rozwiązanie.

– Dobrze robisz. Oko za oko. Działaj! – naciskał Krwiożerca.

– Nieprawda! Nie masz żadnych dowodów. Panuj nad sobą! – doradzał Pacyfikator.

– Nie wahaj się! Pamiętasz z historii kodeks Hammurabiego? Ząb za ząb!

– Czy twoja pamięć naprawdę jest tak krótka? A gdzie „ślubuję ci miłość, wierność i uczciwość małżeńską"?

– No to w takim razie: „Jak Kuba Bogu, tak Bóg Kubie". – Krwiożerca tym razem posłużył się przysłowiem.

– Bóg wiernie dotrzymuje złożonych obietnic, a ty? To próba charakteru! – Pacyfikator przywoływał do porządku moje sumienie.

Nie dość że w mojej głowie trwała gonitwa myśli, to jeszcze te głosy! Przekrzykiwały się jak przekupki na targu. A sprawa jest banalnie prosta. Nacisnę „połącz", porozmawiam z Rafałem, powspominamy sobie i jak zawsze poprawi mi się humor. Nie muszę się umawiać. To jeszcze nie zdrada, tylko przyjacielska pogawędka. Tak, prosty i skuteczny złoty środek. Ewentualne spotkanie może nastąpić później, kiedy już się upewnię, że Piotr kogoś ma. Tak, teraz ograniczę się do małego telefonicznego flirtu. Ponownie przeczytałam esemesa i uśmiechnęłam się do wspomnień.

Serce przyśpieszyło, poczułam przyjemny dreszczyk emocji. Jak znam biochemię, zadziałała dopamina. Problemy odeszły w cień, wróciła radość. Jeszcze wszystko przede mną! Zerknęłam na wiadomość i... nacisnęłam „usuń". Na ekranie pojawił się komunikat: „Usuwanie wiadomości od Rafał. OK?". Potwierdziłam. I wyszeptałam: „Żegnaj!".

Po raz pierwszy od dłuższego czasu zasnęłam snem sprawiedliwego.

Z głębokiego snu wyrwał mnie sygnał komórki. Półprzytomna, starając się wszystkimi siłami utrzymać otwarte powieki, spojrzałam na zegarek. Pierwsza dwanaście. Jasny gwint! Teściowa przyleciała i chce, żeby ją natychmiast odebrać z lotniska? Dostałam gęsiej skórki. Idiotko, upomniałam się, przecież ona nie zna numeru twojej komórki! Spokojniej spojrzałam na mały, migoczący ekran. Dzwonił Piotr. Od razu odzyskałam wigor. Zawahałam się, czy odebrać, ale jeśli tego nie zrobię, zaraz zacznie telefonować na domowy i pobudzi dzieciaki.

– Już spałam – wymamrotałam spierzchniętymi ustami.

– Iza, kochanie, dlaczego podniosłaś taki rwetes? Nie odzywasz się całymi dniami, a potem dzwonisz w najmniej odpowiednim momencie! Stało się coś? – mówił półszeptem, wyraźnie obawiając się, że ktoś może go usłyszeć.

– Taki byłeś zajęty? – zapytałam ironicznie. Wyobraźnia podsunęła mi obraz Piotra w niedwuznacznej sytuacji z jakąś wywłoką. Usiadłam na łóżku, założyłam nogę na nogę i zaczęłam nią nerwowo kołysać.

– Nie masz pojęcia, co się dzisiaj wydarzyło! – Zbagatelizował ironię. – Miałem dzisiaj sposobność...

– Zapewne bzyknąć jakąś zdzirę! – przerwałam. Przez dłuższą chwilę panowała cisza. Masz za swoje! – pomyślałam.

– Iza, jesteś pijana czy naćpana? – zapytał głosem ściszonym do granic możliwości.

– Ani jedno, ani drugie! Znam życie i tyle! – wysyczałam do słuchawki jak żmija.

– Ty... Ty... – Zaczął się jąkać.

– Na „T" to tramwaj staje! – odparowałam.

– Ty jesteś nienormalna! – wydusił na jednym oddechu.

– Jest takie przysłowie, że każdy mówi o sobie!

Cisza. Zastanowiłam się, czy nie przerwać połączenia.

– Iza, posłuchaj i chociaż raz spróbuj poskromić swój niewyparzony język. Nie zdradziłem cię ani nie zamierzam tego robić, ale nie wystawiaj mojej miłości na próbę. Zaczynasz przekraczać wszelkie granice. Kocham cię, ale mogę stracić cierpliwość! Jak mogłaś mnie podejrzewać o coś takiego?

– Nie odzywałeś się tyle dni... – Zaczęłam gorzkie żale, całkiem zbita z tropu.

– Bo miałem tu młyn!

– Nie odbierałeś telefonu. – Moja broda niebezpiecznie się zatrzęsła. Byłam bliska łez.

– Ty również długo milczałaś, a na rozmowę naszło cię akurat dzisiaj, kiedy byłem bardzo zajęty, bo trafił mi się prawdziwy rarytas! – Piotr się ożywił. – Nawet nie wiedziałem, że ten zwyczaj jeszcze trwa! To tak, jakby czas cofnął się o dwieście, może nawet więcej lat! Filmowałem tworzenie kukły ze słomy, takiego przedstawienia niedźwiedzia, symbolizującej urodzaj. Dopiero co skończyłem. Z gotową kukłą chłopcy chodzą wiosną po wsi...

– Masz to wszystko nagrane? – udałam zainteresowanie.

– Właśnie! – potwierdził rozgorączkowany, jakby dowiedział się o otrzymaniu niebotycznego spadku po ciotce w Ameryce. – A ty dzwonisz akurat w takim momencie, kiedy dokumentuję sposób wyrabiania powróseł...

– Dobrze! Pokażesz mi to wszystko po powrocie.

– Jasne. Gwarantuję ci, że ci się spodoba. Już nie mogę się doczekać, kiedy to zobaczycie! Dzieciaki będą pod wrażeniem!

– Piotr...

– Tak?

– Milczałeś tyle dni... – zaczęłam, wycierając wierzchem dłoni jedyną spływającą po policzku łzę. To znów był mój Piotr, ten, w którym tak mocno się zakochałam!

– Zdenerwowałaś mnie podczas naszej ostatniej rozmowy. Musiałem nabrać do sprawy dystansu. Przespałem się z nią i uważam, że możemy wrócić do tego za jakiś czas. Zgoda? – zapytał ciepło.

– Zgoda! – potwierdziłam skwapliwie. – Zaraz po twoim powrocie?

– Co, kochanie? Co znowu?

– Obiecaj, że gdy tylko wrócisz, porozmawiamy o powiększeniu rodziny – poprosiłam. Z emocji płonęły mi policzki, serce dygotało jak pisklę przed pierwszym lotem.

– Tak, oczywiście. Już dobrze? – wymruczał, a ja pożałowałam, że jest tak daleko i nie mogę się do niego przytulić.

– Dobrze. Ale...

– Jakie znowu ale?

– Tak bardzo tęsknię... Przestraszyłam się, że ktoś tam masz... – Nie opanowałam się i rozpłakałam. Nerwowo przygryzałam kosmyk włosów.

– Izuniu, będę w domu najpóźniej pojutrze. Też tęsknię. Wiesz co? Powinnaś mieć na drugie imię

Awanturka, a na trzecie Fantazja. Na pierwsze, oczywiście, Kochana, bo Iza nijak do ciebie nie pasuje…

Piotr wrócił w piątkowy wieczór. Przywarłam do niego w milczeniu, a on przytulił mnie mocno. Po raz pierwszy od dłuższego czasu powróciło szczęście jak za starych, greckich czasów. Zarzuciłam mu ręce na szyję i poczułam drżenie ciepłego ciała. No tak, miał gorączkę. Protestował, oczywiście, gdy kładłam go do łóżka, bo koniecznie chciał nam pokazać chociaż część nagrań, nawet „na sucho", jak się wyraził, lecz byłam nieubłagana. Musiałam tylko solennie przyrzec, że obejrzę wszystkie, gdy mój mąż wydobrzeje już nieco. Tłumaczył się, że wcześniejszy przyjazd byłby zbrodnią w biały dzień, bo nie mógłby towarzyszyć miejscowym w obchodzeniu pól ze słomianą kukłą. Że wprawdzie trochę wiało, a potem zaczął padać deszcz, ale ma udokumentowane wszystko, do samego końca. A że przy wyjeździe zapomniał o kurtce i ciepłym swetrze, to drobiazg. Zresztą „zapowiadało się, że pogoda będzie cudna".

Okryłam go szczelnie kołdrą i dodatkowo pledem, uprzejmie poprosiłam, żeby przymknął się na chwilę, wyciągnęłam poradnik *Znachor domowy* i wzięłam się do leczenia naturą. Pierwszy sposób: herbatka z kwiatu lipy. Niewykonalne. Przyczyna: brak lekarstwa. Drugi sposób: syrop z cebuli. Zaczęłam czytać przepis, ale zrezygnowałam po wskazówce „odstawić na dobę". Zbyt czasochłonne. Potrzebowałam czegoś na już. Sposób trzeci: okład kamforowy. Nierealne. Przyczyna: brak olejku kamforowego. Sposób czwarty: bańki. Odpada. Przyczyna: brak baniek. Skończyło się na kanapkach z masłem i czosnkiem, gorącym mleku z miodem i, dla wzmocnienia efektu, rozpuszczalnej aspirynie. Piotr powinien odpocząć, lecz emocje wzięły górę i przymusił mnie, bym położyła się obok i obejrzała nagranie bezpośrednio w kamerze. Opowiadał przy tym tak zajmująco, że już po chwili słuchałam z otwartą buzią o pieczeniu „bocianich łap", czyli specjalnych bułeczek, które wkłada się do gniazd bocianich na powitanie ptactwa powracającego z ciepłych krajów. Usłyszałam jeszcze opowieść o nalepiankach, czyli oklejanych fantazyjnie kolorowymi papierkami skorupkach jaj, o wielobarwnych palmach i... na tym się skończyło. Zmęczony chorobą Piotr zasnął. Delikatnie zabrałam kamerę. Nie protestował.

Leżałam przytulona do męża i znów czułam się szczęśliwa. Trudno, pomyślałam, o dziecku porozmawiamy, gdy wydobrzeje. Zamknęłam oczy i zasnęłam w mgnieniu oka.

Nad ranem zbudziłam się zziębnięta do szpiku kości, z uczuciem ogólnego rozbicia. Owinęłam się szczelniej kołdrą. Nie pomogło. Przysunęłam się do Piotra i chłonęłam jego ciepło, podobnie jak huba składniki odżywcze z drzewa. Moja głowa pulsowała ostrym bólem i miałam wrażenie, że za chwilę pęknie na tysiąc kawałków. Dygotałam. Jasny gwint! Połowa maja, a chyba spadł śnieg! Trzeba interweniować w administracji, niech znów zaczną grzać!

Perspektywa zmierzenia się z mrozem napawała mnie obrzydzeniem, więc wcale nie chciało mi się wstawać. Wreszcie policzyłam do pięciu, pomyślałam, że robię to nie tylko dla siebie, ale i dla reszty domowników, i wyskoczyłam z łóżka. Pobiegłam do przedpokoju po słuchawkę i zaczęłam w pośpiechu, drżącymi rękami szukać w notesie numeru do administracji. Potrzebowałam światła, więc przeszłam do kuchni i podniosłam żaluzje. Oślepiły mnie pierwsze promienie wiosennego słońca.

Gdy już przywykłam do porażającego blasku, zerknęłam na zewnętrzny termometr. Nie dowierzając własnym oczom, gapiłam się nań jak na zjawisko paranormalne. Dziewiętnaście stopni na plusie! Spojrzałam w dół. Dozorca leniwie zamiatał podwórko w koszulce bez rękawów, sąsiadka wsiadała do samochodu w lekkiej sukience w kwiaty... To ze mną jest coś nie tak, przelękłam się. Trzęsąc się jak osika na wietrze, wyciągnęłam z szafy ciepły dres, dwie pary skarpet, bluzę z kapturem. Założyłam to wszystko na siebie, a pod pachę wsunęłam termometr.

Czterdzieści stopni i cztery kreski. Życiowy rekord!

Sięgnęłam po *Znachora domowego* i zdrewniałymi palcami przerzucałam kartki w poszukiwaniu sposobów na szybkie obniżenie temperatury. Znalazłam, owszem, ale za nic w świecie nie zamierzałam zastosować bodaj jednego. Kontakt z zimną wodą, a nawet lodem, poprzez polewanie, okłady, kąpiel. Brr! W te pędy pobiegłam do łóżka, narzuciłam na kołdrę kolejne dwa koce, wsunęłam się pod nie i z całych sił przywarłam do Piotra. Moje usiłowania znalezienia wygodnej pozycji nie mogły go nie obudzić. Otworzył oczy, spojrzał spod przymkniętych powiek, zadowolony, że domagam się tak bliskiego kontaktu, i przytulił mnie mocno.

– Iza, masz gorączkę? – zaniepokoił się po chwili.

– Uhm. Ponad czterdzieści stopni – wycharczałam z trudem.

– Czyli jesteśmy chorzy oboje. Ze mną jest chyba gorzej… – westchnął. – Jakieś czterdzieści trzy stopnie albo i więcej. Czuję się fatalnie.

– Nie jestem specjalistką, ale z tego co wiem, przy takiej temperaturze białko ścina się jak w jajecznicy. – Mówienie przychodziło mi z trudem, ale nie mogłam tolerować takich bzdur. – Poza tym na termometrach nie ma takiej wartości.

– No to może nie aż tyle, ale na pewno więcej niż ty. Chyba się kończę. Czujesz, jaki jestem rozpalony? – zapytał głosem cierpiętnika, wydobywając z siebie kilka wymuszonych kaszlnięć.

– Uhm – przytaknęłam dla świętego spokoju.

Nie miałam siły na konwersację polegającą na licytowaniu się komu gorzej. Faceci po prostu tak mają. Na przykład Andrzej Agi uważa się za ciężko chorego, gdy dopada go byle katar, i wymaga, żeby moja siostra skakała koło niego, jakby leżał na łożu śmierci. I Aga, śmiejąc się w duchu, pielęgnuje go z pozorowaną wyrozumiałością. Podaje herbatki i witaminki, podczas gdy jej ukochany małżonek jęczy i marudzi, że nikt go nie kocha i umrze w samotności jak wypędzony pies. Stara prawda, że lepsze chore niemowlę, obojętnie jakiej płci, od obolałego męża. Coraz bardziej oddalający się głos narzekającego na niedyspozycję Piotra ukołysał mnie do snu. Zdążyłam jeszcze pomyśleć, że na szczęście jest sobota i przede mną dwa dni na kurację, bo potencjalni kontrahenci z Ukrainy przyjeżdżają do firmy dopiero w poniedziałek...

– Tatusiu, jak się czujesz? – Uchyliłam oczy i ujrzałam siedzącą na brzegu łóżka Zosię. Głaskała Piotra po policzku.

– Fatalnie, córciu...

On również siedział; pod plecy podłożył sobie zrolowaną poduszkę. W ręce trzymał jakieś angielskie czasopismo, które chyba wcześniej czytał. Był wyluzowany i sprawiał wrażenie względnie zdrowego.

– Może zrobić ci herbatę? – Zosia nie przestawała wodzić dłonią po lekkim zaroście.

– A może zjemy śniadanie? – Piotr spojrzał na mnie z uśmiechem. – Co ty na to, Izuniu? Przygotujesz coś? – Popatrzyli na mnie wyczekująco.

– Zaraz... – Zaczęłam się wiercić. Bolała mnie każda kość, aż do samego szpiku. Wygramoliłam się z trudem. Byłam spocona; mokre włosy tak ściśle przylegały do czaszki, jakbym dopiero co wyszła z basenu. Na drżących z osłabienia nogach, z trudem utrzymując równowagę, poczłapałam do kuchni.

– Iza też się źle czuje – poinformował córkę Piotr.

– Tak? Nie wiedziałam – usłyszałam za plecami. – Ale czytałam gdzieś, że mężczyźni gorzej znoszą choroby i bardziej niż kobiety narażeni są na śmierć z ich powodu, ponieważ mniej o siebie dbają. Wymagają dłuższego leczenia i w istocie to oni powinni być nazywani słabą płcią. – Roześmiała się. – A zadaniem nas, kobiet, jest się nimi opiekować.

– Coś w tym, córciu, jest. Naprawdę czuję się gorzej niż źle…

– To musisz dużo wypoczywać.

– Tak, skarbie mój, masz rację.

Porzuciłam podsłuchiwanie toczącego się w sypialni dialogu tatuś–córeczka i zabrałam się za śniadanie. W zasadzie mogłam poprosić Zosię o pomoc albo samodzielne przygotowanie kanapek, ale zapewne oboje uznaliby to za przejaw zazdrości. Może nawet zostałoby mi to poczytane za złośliwość? Nie widzieli się przecież tak długo, muszą się sobą nacieszyć… Krojąc chleb, zmusiłam się do zjedzenia kawałeczka. Nie miałam apetytu, ale nie mogłam wypić aspiryny na pusty żołądek. Nad kanapkami odbierałam właśnie kolejną życiową lekcję. Z chwilą gdy na horyzoncie pojawia się Piotr, Zosia traci zainteresowanie moją osobą, a co dopiero stanem mojego zdrowia. Choćbym była konająca, i tak najważniejszy będzie tatuś. Szkoda, bo przez ostatnie dwa tygodnie czułam satysfakcję z dogadywania się z dziećmi...

Znowu poczułam się samotna i rozgoryczona.

W Dniu Matki, jadąc samochodem na cmentarz, słowo po słowie analizowałam krótką rozmowę z Piotrem przeprowadzoną poprzedniego wieczoru. Wprawdzie wrócił dopiero po dwudziestej, za to w doskonałym humorze. Pomimo zmęczenia od progu opowiadał o pomyśle na sympozjum dla studentów studiów podyplomowych na temat obyczajów w synkretycznych sektach w Republice Konga. W przedpokoju po prostu zrzucił kurtkę na podłogę i od razu wszedł do kuchni. Rozparł się wygodnie na krześle i czekał na późny obiad. Włączyłam gaz pod zupą pieczarkową.

– Super? No nie? – zapytał z zadowoloną miną.

– Rewelacja! – potwierdziłam, skupiona na mieszaniu w garnku.

– Właśnie. Też tak myślę. Chciałbym się skoncentrować na instytucji małżeństwa. Wbrew pozorom to bardzo obszerny temat. Wyobraź sobie, że funkcjonuje całkiem sporo związanych z nią obrzędów. Z aranżowaniem związku przez najbliższych, ceremoniami zaślubin, macierzyństwem...

– Macierzyństwem?

– Owszem. Panuje nawet przekonanie, że człowiek, który umrze bezpotomnie, będzie pokarany nieistnieniem w zaświatach. Bo nikt o nim nie będzie pamiętał.

– Więc może jednak zdecydujmy się na kolejne dziecko? Bo im ich więcej, tym mniejsza szansa, że po śmierci staniemy się niebytami – powiedziałam niby żartobliwie, ale uznałam, że to odpowiedni moment na podjęcie zawieszonego tematu.

Podstawiłam Piotrowi zupę pod nos.

– Iza, nie rozśmieszaj mnie. Mówiłem o wierzeniach afrykańskich, a my żyjemy w Europie! – Wbił wzrok w talerz.

– Wiem. Ale i tak mieliśmy porozmawiać o powiększeniu rodziny.

– Och, Iza, znowu to samo! Przecież pamiętam. Do menopauzy jeszcze dużo czasu – zirytował się. – Co jest na drugie?

– Pierogi – odburknęłam.

– Fantastycznie! – Uśmiechnął się szeroko, odstawił pusty talerz, wstał i przytulił się do mnie. Trwaliśmy tak dłuższą chwilę. – Czytasz w moich myślach, kochanie... Gdy wchodziłem do domu, kiszki grały mi marsza i marzyłem właśnie o pierogach. Ale wiesz co? Wezmę je do gabinetu. Nie będę trwonił czasu. Mogę przecież równocześnie jeść i zapisywać pomysły, prawda? Żeby nic mi nie umknęło.

Pocałował mnie w usta i już go nie było.

Gdy dojeżdżałam do cmentarza, w mojej głowie nadal panował chaos. Sytuacja była patowa. Piotr wprawdzie obiecał, że porozmawiamy o trzecim dziecku, ale obawia się powrotu do tematu. A może ja histeryzuję niepotrzebnie? Może on ma ważniejsze sprawy na głowie, a ja szukam dziury w całym?

Przekroczyłam bramę i pozostawiłam za sobą świat doczesny.

Weszłam w inny wymiar, gdzie nie miało znaczenia ani terminowe opłacanie rat kredytu mieszkaniowego, ani wskaźniki sprzedaży żelu do golenia według mojej receptury, ani tym bardziej przypalona wczoraj pieczeń wołowa, ani całe mnóstwo przyziemnych spraw, które na co dzień zaprzątały mój umysł. Chwile pobytu na cmentarzu przeznaczałam wyłącznie dla siebie i mamy.

Podeszłam do grobu, włożyłam do wazonu ulubione przez mamę konwalie i przysiadłam na ławeczce. Po raz tysięczny wspominałam Dni Matki zapamiętane w czasach, gdy jeszcze żyła. Uśmiechnęłam się na wspomnienie, gdy jako ośmiolatka (razem z dwunastoletnią Agą) postanowiłam podarować mamie szydełkowe ponczo z frędzlami z kolorowych włóczek. W tajemnicy przed całym światem już na początku kwietnia zabrałyśmy się do pracy, posiłkując się modelem ze starego magazynu, jeszcze z epoki hippisowskiej. Stwierdziłyśmy, że mama będzie wyglądała oryginalnie, będzie jej cieplutko i miękko. Aga wyprosiła od sąsiadki resztki włóczek, niestety w ilości niewystarczającej, a ponieważ dysponowałyśmy funduszami tylko na bukiet konwalii, wymyśliłam, żeby spruć sweter taty w norweskie wzory. Nasz prezent daleki był od ideału na zdjęciu, ale świadczył o głębokiej dziecięcej miłości. Wiedziałyśmy, że mama zorientowała się, z czego wydziergano część nieforemnych kolorowych kwiatuszków, pozszywanych w całość, a zwłaszcza długich frędzli, które wyglądały jak poskręcane lokówką. Mimo to zachwyciła się szczerze. A my dumne, z wypiekami na twarzy patrzyłyśmy, jak przymierza ponczo, i radziłyśmy, żeby włożyła postrzępione dżinsy, których, oczywiście, nie miała w szafie...

Potem, jak zwykle, oczy zaszkliły mi się na wspomnienie pamiętnego sobotniego poranka, kiedy we troje postanowiliśmy przygotować śniadanie-niespodziankę: gofry ze świeżymi owocami i bitą śmietaną. Tata brał nawet czynny udział w mieszaniu ciasta mikserem. Wreszcie poszedł obudzić mamę... Do dzisiaj mam w uszach jego krzyk. Potem było pogotowie, lekarz, który w akcie zgonu jako przyczynę wpisał „rozległy zawał mięśnia sercowego", bezsilność taty siedzącego w jadalni nad zimnymi goframi do późnego do wieczora. Ja straciłam apetyt na te słodkości do końca życia... Stałyśmy z Agą bezradne przed szafą, zastanawiając się, w co ubrać mamę w ostatnią podróż.

Pamiętałam te wszystkie dni „po", kiedy nasz świat nagle wyciszył się i posmutniał. Jakie to przykre, że nie docenia się każdego dnia „przed" i wypiera się ze świadomości, że wcześniej czy później już nigdy nie będzie tak, jak było. Otarłam łzę.

Mama nie doczekała swoich czterdziestych piątych urodzin...

– Długo czekasz? – Obok przysiadła zasapana Aga z bukiecikiem konwalii w dłoni. Ot, taki nasz rytuał od śmierci mamy. Nie umawiałyśmy się nigdy, ale co roku spotykałyśmy się w tym miejscu. Działała niewidzialna nić siostrzanej więzi.

– Nie, góra pół godziny – powiedziałam bez odwracania głowy.

Milczałyśmy przez chwilę.

– Wiesz, Iza...? – Głos Agi zadrżał nieco. Nie oczekiwała odpowiedzi. – Przypomniało mi się, jak kiedyś postanowiłyśmy dać mamie w prezencie własnoręcznie namalowany obraz na szkle.

– Uhm.

– Pamiętasz minę szklarza, gdy poprosiłyśmy o jakiś równy kawałek szybki?

– Aha. Jechało od niego piwem i serem pleśniowym.

– Nie serem, tylko brudem. Facet nie mył się chyba od tygodni.

– Ale miał dobre serce. Bo dostałyśmy, co trzeba.

– Prawda. I dzisiaj przypomniałam sobie naszą sprzeczkę o to, co ma być na tym obrazku. – Aga starała się mówić normalnie, ale słyszałam, jak przełyka łzy.

– Tak, ty chciałaś konia w galopie, a ja statek na pełnym morzu.

– A skończyło się na słonecznikach... – Aga, pochlipując, szukała w torebce chusteczki. Że też nigdy nie potrafimy w podręcznych klamotach odnaleźć potrzebnej rzeczy! To chyba u nas rodzinne. Podałam jej jedną z paczki, którą trzymałam w ręce.

– Dobrze, że malowałyśmy plakatówkami zmieszanymi z pastą do zębów i mogłyśmy zmywać do woli, znów malować i znów zmywać, aż doszłyśmy do perfekcji. Udało się nam stworzyć dzieło doskonałe, nic dodać, nic ująć. Przynajmniej w naszym przekonaniu...

– A wiesz, że ten obrazek do dziś wisi w sypialni rodziców? Pomiędzy szafą a komodą.

– Wiem – przytaknęłam.

Przez chwilę siedziałyśmy w milczeniu, każda zatopiona we własnych wspomnieniach. Przypatrywałam się innym odwiedzającym, podobnie jak my, groby matek. Bo pozostała im tylko pamięć.

– Przyjechałaś prosto z pracy? – zapytała Aga, gdy już trochę doszłyśmy do siebie.

– Nie. Rozbiłam dzień urlopu na godziny. Wyszłam o trzynastej. Po drodze kupiłam bukiet frezji, zjadłam z dziećmi wcześniejszy obiad, zawiozłam je na cmentarz, do ich matki, wróciliśmy do domu, przygotowałam kolację i przyjechałam tutaj.

– Piotr nie mógł ci pomóc?

– Piotr ma konferencję. Wróci późnym wieczorem.

– No tak, oczywiście. – Aga pokiwała głową. Jej głos aż kipiał ironią. Poczułyśmy podmuch chłodnego wiatru. – Nie zimno ci? – zapytała i nakryła dłonią moją dłoń.

– Nie. Zresztą w aucie mam sweter.

Spojrzałam na jej rękę. Na serdecznym palcu nosiła odpustowy pierścionek z dużym metalowym kotem. Roześmiałam się. Metalowy kocur wyglądał, jakby miał wytrzeszcz. W miejscu źrenic lśniły duże, zielone szkiełka, a czubki monstrualnych w stosunku do całości uszu zdobiły amarantowe świecidełka.

– Co to jest?

– Prezent od moich synów na Dzień Matki – stwierdziła z dumą. – Czyż nie słodki?

– Jasne! Rozkoszny! – potwierdziłam i obie zaczęłyśmy się śmiać.

– Już dobrze. Koniec tych wyśmiewanek! Dostałam to przecież z miłości. Liczy się intencja! – Aga pogładziła pierścionek. – Mam nadzieję, że z czasem wyrobi im się lepszy gust. A ty? – zapytała nagle, jakby coś jej się przypomniało.

– Co ja? – Udawałam, że nie wiem, o co chodzi. Chciałam zyskać na czasie.

– Dostałaś całusa i życzenia? – Nachyliła się i popatrzyła mi prosto w oczy. Na lewym policzku miała zaciek z tuszu.

– Wyglądasz, jakbyś miała podbite oko. Spójrz w lusterko.

– Zaraz. Nie próbuj mnie zagadywać. Powtórzyć pytanie?

– Nie. – Przygryzłam dolną wargę. Do oczu napłynęły mi łzy.

– Dobrze, już dobrze… – uspokajała mnie Aga. – Nie musisz odpowiadać. Wiem, czujesz się zraniona i jest ci ciężko. Iza, ty we wszystko, co robisz, wkładasz całe serce, a potem cierpisz. A ból jest w takich sytuacjach wprost proporcjonalny do zaangażowania. Wiesz co? Jeszcze dzień się nie skończył i wszystko może się zdarzyć. A jeśli nie, to może w przyszłym roku albo za dwa lata. Upływ czasu w tym przypadku robi swoje. – Nie przestawała gładzić mojej dłoni. – A jeżeli nawet nie, będziesz musiała wczuć się w sytuację dzieciaków i zrozumieć, co się dzieje w ich nastoletnich główkach. Może, składając ci życzenia, uważałyby, że popełniają nielojalność wobec Ewy? Coś w rodzaju zdrady? Zapewne również się krępują, a dodatkowo nie potrafią okazywać uczuć. To w ich wieku naturalne, choć moim zdaniem są już na tyle duzi, że mogliby wykonać w twoją stronę jakiś maleńki ciepły gest. W końcu troszczysz się o nich, mogą na ciebie liczyć i robisz wszystko, a nawet więcej. Nawet niż ja dla swoich dzieci. Przyjechałam tu prosto z pracy i uważam, że jeśli chłopcy zgłodnieją, to sami odgrzeją obiad, a na kolację mogą sobie zrobić cokolwiek. W końcu nie zamykam lodówki na klucz. A nasze dzieci są w podobnym wieku. Nie będę owijała w bawełnę. Wydaje mi się, że wyręczasz je w zbyt wielu sprawach, a one rosną w przekonaniu, że im się wszystko należy. Już dobrze… – Teraz ona podała mi chusteczkę. – Powiedz Piotrowi, co czujesz. Myślę, że powinien z nimi porozmawiać. Może rzeczywiście są za młode na zrozumienie pewnych rzeczy? – Aga dała mi chwilę na dojście do siebie. Wiedziała, że muszę się wypłakać. – A tak z innej beczki. Przywiozłaś jak zwykle to pyszne ciasto z kokosową pianką?

– Obowiązkowo! – Roześmiałam się. – A ty te swoje smakowite słodkie babeczki z marcepanem?

– Tak jest, moja kochana macoszko! A tak swoją drogą... Jak zwracają się do ciebie dzieci?

– W dalszym ciągu na pani.

– A rozmawiałaś z nimi na ten temat?

– Nie. Zastanawiałam się, ale absolutnie nie mam koncepcji...

– To porozmawiaj, ale nie naciskaj. Zapytaj może. Wszystko wymaga czasu. Moim zdaniem „pani" jest niestosowna. Może teraz, ale nie na dłuższą metę. I nie pozwól, żeby mówiły ci po imieniu. Wiem, że na takie rozwiązanie przystałoby wiele kobiet w twojej sytuacji. To takie amerykańskie, więc dla wielu pożądane, bo pachnie wielkim światem. Ale nie w naszej kulturze. U nas ma lekceważący wydźwięk. Jak znam twoje dobre serce, skończyłoby się na tym, że Zosia zaczęłaby mówić: „Iza, zrób na jutrzejszy obiad pierogi ze szpinakiem", a Tadeusz: „Iza, oblicz mi stężenie procentowe kwasu siarkowego". Wiem, przejaskrawiam, ale nie jest to niemożliwe.

– Więc, moja przemądra siostro, co proponujesz?

– Nie wiem. Naprawdę nie wiem. Polskie słownictwo jest bardzo ograniczone, a z tego, co się orientuję, nikt na całym świecie nie wymyślił w tej materii niczego mądrego. Więc nie oczekuj tego ode mnie. Jestem tylko zwykłą terapeutką, która wyciąga zbłąkanych z nałogu gry w jednorękiego bandytę. I nie zawsze osiąga sukcesy, chociaż bardzo by chciała.

Aga wstała i wetknęła do wazonu swój bukiet konwalii obok mojego.

Pomodliłyśmy się i pojechałyśmy do taty, podtrzymując coroczną tradycję. Zawsze zasiadamy we trójkę przy kawie i ciastach i przez chwilę czujemy się jak za dawnych, dobrych czasów. Bo choć nie wiemy tego na pewno, mamy wrażenie, że w ulubionym fotelu towarzyszy nam mama…

– Co tak późno, dziewczynki-mandarynki? – Tata otworzył drzwi na oścież.

Wyglądał, jakby ubyło mu z dziesięć lat. Jego plan ćwiczeń najwyraźniej przyniósł efekty. Szerokie ramiona, wąska talia, płaski brzuch i krótko przystrzyżone włosy robiły piorunujące wrażenie. W życiu nie spodziewałabym się po nim takiej konsekwencji w tej kwestii!

Zaniosłyśmy talerze z własnoręcznie zrobionymi słodkościami prosto do salonu i postawiłyśmy je na stoliku.

– No, tato! Zaimponowałeś mi! – wykrzyknęłam zdumiona, patrząc na ustawione na serwetkach talerzyki, filiżanki, na śmietankę w dzbanuszku i wypolerowane łyżeczki. Pośrodku stała patera z malutkimi ciasteczkami domowej roboty. Każde, przyozdobione inaczej, było prawdziwym dziełem sztuki cukierniczej. Spojrzałam na komodę, na której pysznił się półmisek z zimnymi zakąskami, a obok koszyczek z pieczywem i masło. Gdyby nie znajoma zastawa, pomyślałabym, że ojciec zamówił katering.

– Kto dba, ten ma! – odpowiedział, prężąc się i pusząc jak paw. – Siadajcie! Już podaję kawę. Czeka gotowa w ekspresie!

Odwrócił się i energicznym krokiem, nucąc pod nosem jakiś przebój Abby, poszedł do kuchni. Bez słowa popatrzyłyśmy z Agą po sobie. Po raz pierwszy wszystko było gotowe. Aż do dziś tata otwierał nam drzwi z miną cierpiętnika, stękał, że czuje się opuszczony, i zapowiadał, że lada chwila podąży za mamą; zasiadał później zrezygnowany przy stole w kuchni, podczas gdy my przygotowywałyśmy kawę i kolację i pocieszałyśmy go, jak się dało, chociaż i nam też nie było lekko. Teraz obie miałyśmy w oczach znaki zapytania, ale na dźwięk kroków powracającego taty wzruszyłyśmy ramionami i usiadłyśmy na fotelach.

Byłyśmy spokojne. Tu był nasz azyl. Nasza Itaka.

Opuszczałyśmy tatę późnym wieczorem, wyluzowane, roześmiane, zadowolone, bo przy stole wspominaliśmy najradośniejsze wydarzenia z okresu, kiedy jeszcze była z nami mama. Tato jakoś nie utyskiwał na los. Opowiadał anegdoty z zajęć na siłowni i korepetycji, których czynnie udzielał w dalszym ciągu. Atmosfera była ciepła i rodzinna. Aga, starym zwyczajem, przyniosła z sypialni ulubione perfumy mamy i rozpyliła je w powietrzu. Tylko ociupinę, żeby wystarczyło jeszcze na wiele kolejnych lat... Buteleczka jest naszą relikwią, rzeczą, którą kiedyś trzymała w rękach nasza mama.

Uważamy, że ma szczególną moc. Magia wszechobecnego niegdyś zapachu wywołuje wrażenie, że rodzina wciąż jest w komplecie.

Przy pożegnaniu przytuliłam się do taty i poczułam, że pachnie jakoś inaczej. Tak świeżo, sportowo, w zgodzie z nowym wizerunkiem. Wtuliłam się mocniej w jego ramiona. Mój czujny nos chemika wyczuł coś jeszcze: lekką nutę wanilii, mandarynki i chyba paczuli. Całkiem przyjemną.

– Nawet nie zdążyliśmy się nagadać. – Tato drugą ręką przygarnął Agę i objął nas mocno, jak kilkuletnie dziewczynki. – Moje kochane córeczki... Jak ten czas szybko leci! Macie już swoje domy i swoje sprawy. Ludzie mówią, i chyba mają rację, że dzieci nie są własnością rodziców, choć wielu nie może się z tym pogodzić. A dzieci to skarb, który dzierżawimy u Boga na jakiś czas, a potem wypuszczamy je w świat i pozwalamy iść własną drogą. Wiecie co? Muszę wam powiedzieć coś ważnego. – Głos taty złagodniał. Czekałam na ciąg dalszy, mając nadzieję, że nie oznajmi nam o zdiagnozowanej śmiertelnej chorobie i że zostało mu zaledwie kilka tygodni życia... Chwila milczenia przedłużała się i potęgowała napięcie. – Jesienią się żenię – wyszeptał.

Zamarłam. Aga także. Chciałam się uwolnić z uścisku, ale przytrzymał mnie mocniej.

– Chcę, żebyście wiedziały, że zawsze będę was kochał i nic się pomiędzy nami nie zmieni. Ale poznałem kobietę, przy której znowu poczułem się szczęśliwy.

Myślałem, że życie mam już za sobą, że nie spotka mnie nic dobrego i będę wegetować do końca moich dni, lecz stało się inaczej. To spadło na mnie jak grom z jasnego nieba. Trwa już kilka miesięcy. Luiza jest wdową od czterech lat. Kosmetyczka, prowadzi mały salonik przy Magnoliowej. Zapewniam was, że bardzo kochałem waszą mamę i szanuję jej pamięć, ale Luizę również darzę uczuciem i chcę z nią spędzić resztę życia. Rozumiecie?

Wreszcie wypuścił nas z objęć. Po moich policzkach, po raz któryś dzisiejszego dnia, płynęły łzy. Aga trzymała się lepiej, ale jej również zaszkliły się oczy.

– A teraz już idźcie, dziewczynki. Wiem, że to dla was szok i zaskoczenie. Że musicie się z tym przespać. Pomyślcie nad tym i zastanówcie się, czy wasz ojciec nie ma prawa do szczęścia? Jestem świadomy znaczenia dzisiejszego dnia, ale chciałem oznajmić wam nowinę obu naraz. Nie wiem, czy nadarzyłaby się inna okazja…

Schodziłam po schodach, kurczowo trzymając się poręczy. Aga szła przede mną. Bezmyślnie gapiłam się na jej nisko upięty kucyk, jego rytmiczne podskoki i opadanie przy każdym ruchu. Nie odwróciłam się, chociaż wiedziałam, że tata stoi na podeście i odprowadza nas wzrokiem. Milczałyśmy. Na parkingu przytuliłyśmy się jeszcze na chwilę i każda z nas ruszyła do swojego auta. Szłam z pochyloną głową, pewna, że tata tkwi na balkonie i opuści go dopiero, gdy odjedziemy. Po raz pierwszy nie pomachałam mu na pożegnanie. Może Aga tak, ale ja nie. Wiedziałam, że będzie mu przykro, lecz nie stać mnie było nawet na konwencjonalny gest.

Wyjechałam z parkingu, ale zatrzymałam się zaraz za rzędem śmietników. Nie byłam w stanie prowadzić. Sięgnęłam do torebki, lecz opakowanie po chusteczkach okazało się puste. Ze schowka wyciągnęłam rolkę papierowych ręczników; odrywałam po jednym, wycierałam łzy i wydmuchiwałam zatkany nos. Wyszłam z auta i podeszłam pod nasz blok. Spojrzałam w górę. Taty nie było już na balkonie. Zadzierając do góry głowę, wpatrywałam się w okna naszego mieszkania, do którego zawsze tak tęskniłam i w którym przeżyliśmy tyle wspaniałych chwil. Gdyby ktoś mnie zapytał o synonim tego miejsca, bez namysłu odpowiedziałabym „mama". Nie mogłam opanować łez.

Zrozumiałam, że po raz kolejny skończyła się jakaś epoka, jakieś „przed", i poczułam się przejmująco samotna. Tak bardzo tęskniłam do ramion mamy. Gdyby żyła, byłoby inaczej. Gdyby, gdyby… Westchnęłam. Z całych sił zapragnęłam, żeby było jak dawniej. Wbiegłabym teraz na górę i zobaczyła mamę wychodzącą po kąpieli z łazienki, w turbanie z ręcznika, z twarzą błyszczącą od dopiero co użytego odżywczego kremu, ubraną w ulubiony zielony szlafrok w białe chmurki i pachnącą pokrzywowym szamponem do włosów. Tata, jak zwykle, dokręcałby śrubę przy wieszaku w przedpokoju, który pomimo jego wysiłków wisi krzywo od wieków… Nic z tego. Mogłabym wchodzić tam jeszcze nieskończoną ilość razy, a i tak zobaczyłabym jedynie pusty fotel. Na zawsze skończyły się uściski, wspólne herbatki przy kuchennym stole i zdawanie relacji ze wszystkich mniej czy bardziej ważnych zdarzeń.

Serce zabiło mi mocniej. Mamy brakuje mi coraz bardziej, z każdym rokiem. Jej obecność była najlepszym w świecie kojącym balsamem, ale teraz będę musiała poradzić sobie całkiem sama. Tata będzie miał przy sobie kogoś innego i to już nie będzie nasz dom, ale jego i jego nowej żony. Nasze złudzenia prysły jak bańka mydlana. I ta... No, Luiza. Jak ona śmie zabierać nam tatę i wciskać się na miejsce mamy! Już nie będziemy dla niego najważniejsze. Jakie to szczęście, że Aga wzięła na pamiątkę szlafrok w chmurki, bo jeszcze paradowałaby w nim ta... No, ta Luiza! A może ona najnormalniej w świecie leci na forsę? Tata, nie licząc emerytury, wcale nieźle wychodzi na korepetycjach. Albo na mieszkanie, bo sama żyje w jakiejś kanciapie? I co, wyobraża sobie, że będzie piła kawę w ulubionej filiżance mamy, trzymała kosmetyki w jej toaletce i zajmowała jej miejsce w sypialni? Poprzestawia meble, wyrzuci to, co dla nas ważne, a dla niej tandetne albo bezużyteczne? Nie, to nie do pomyślenia! To jakaś przebiegła wywłoka, zawróciła ojcu w głowie! A on ma chyba bielmo na oczach!

Odwróciłam się ze złością i poszłam do samochodu. Wytarłam ostatnie łzy. W świetle lampki przypudrowałam twarz, na policzki nałożyłam trochę różu, a usta pociągnęłam błyszczykiem. Makijaż zawsze poprawiał mi humor. Powtarzając w myślach: „Do jesieni jeszcze daleko, do jesieni jeszcze wszystko się odmieni", ruszyłam w drogę do domu.

Najwyższy czas. Była prawie dwudziesta druga.

– Nareszcie! Już nie mogliśmy się doczekać! – usłyszałam, gdy otwierałam drzwi wejściowe na klatkę schodową. Zerknęłam w górę. Zosia, przechylona przez balustradę, niecierpliwie podrygiwała w miejscu.

– Uważaj!

Starałam się pokonywać po dwa schodki naraz, żeby jak najszybciej znaleźć się na górze. Może Aga miała rację? Dzień Matki jeszcze się nie skończył. Gdyby zrobili tę niespodziankę wcześniej, oszczędziliby mi łez. Zasapana wbiegłam do przedpokoju.

– Idziemy do taty! – Zosia wepchnęła mnie do pokoju Piotra.

Weszłam, ukradkiem spoglądając na jej dłonie. Dyskretnie rozejrzałam się po gabinecie; spodziewałam się bukieciku kwiatów albo jakiegoś zawiniątka. Nie zauważyłam. Nic to, zapewne każą mi zamknąć oczy i wyciągnąć coś z ukrycia...

Piotr z Tadeuszem wpatrywali się w jakieś plany na ekranie komputera.

– Nareszcie! – Piotr okręcił się na swoim fotelu i popatrzył rozradowany. Jak to dobrze, że mam swój własny azyl! – ucieszyłam się ciepłym przyjęciem i w jednej chwili ożenek taty stał się jakby mniej

istotny. – Tęskniliśmy. Nie mogliśmy się ciebie doczekać. Prawda? – Spojrzał na dzieci. Przytaknęły skwapliwie.
– Usiądź na moim miejscu, to ci coś pokażemy! – zaproponował. – I zamknij oczy. A teraz otwórz!
– Niespodzianka! – zawołała Zosia.
Cała trójka wpatrywała się we mnie w napięciu. Na monitorze zobaczyłam zielono-żółto-pomarańczową mapę. Patrzyłam na nią jak cielę na malowane wrota.
– To mapa części Republiki Południowej Afryki. Tu są Góry Smocze, tu Kapsztad, tu Przylądek Dobrej Nadziei. Ściśle mówiąc: miejsca, do którego… – Piotr zrobił efektowną pauzę.
– Pojedziemy! – odparły dzieciaki chórem.
– Pomyślałem, że zrobimy sobie fajne, rodzinne wakacje. Organizuję wyprawę dla studentów w lipcu i sierpniu, a wy możecie do niej dołączyć. Koszty mojego pobytu pokrywa instytut, ale wasze… Damy radę?
Trzy pary oczu patrzyły w napięciu, a mnie zrobiło się gorąco. Od czasu ślubu Piotr kompletnie nie interesował się naszym budżetem i obciążenie jego karty kredytowej, nie licząc transakcji za paliwo, było niemal zerowe. Sama musiałam dbać o terminowe spłaty z naszego wspólnego konta rat kredytu mieszkaniowego, czynszu, rachunków za prąd, gaz i telefony. To ja robiłam zakupy, dawałam dzieciom kieszonkowe i prawdę mówiąc, pieniędzy wystarczało, ale bez rewelacji. Przez cały ten czas nie odłożyłam większej sumy. Siedziałam nieruchomo i w milczeniu obserwowałam ich miny. Dostrzegłam cień zawodu w oczach Zosi.

– Tak, damy radę – potwierdziłam, choć wiedziałam, że będę musiała wyzerować konto, na którym były zgromadzone pieniądze z naszych ślubnych prezentów, przezornie trzymane na czarną godzinę. I, oczywiście, choć trochę zredukować bieżące wydatki. A nawet jeśli nie wystarczy, od czego są kredyty. Brr! Jak trzeba, to trzeba.

Zosia podbiegła do Piotra, uwiesiła się na jego szyi i zaczęła wydawać dzikie okrzyki, Tadeusz podskakiwał wokół własnej osi. Radość w oczach dzieci – bezcenne!

– Wiedziałem. Jesteś naszą domową wróżką od spełniania życzeń! Zaraz pokażę ci plan wyprawy…

Piotr zaczął grzebać w bałaganie na biurku, z którego co chwila coś spadało na podłogę. Był podekscytowany. Nastrój euforii był zaraźliwy; poszłam po szampana, przyniosłam cztery kieliszki. Otwierając butelkę, zachlapałam Piotrowi notatki, ale nic nie było w stanie wyprowadzić go z równowagi. Dzieciom nalałam symbolicznie, a resztę wypiliśmy we dwoje. Rozluźniłam się. Zapomniałam o ożenku taty i Dniu Matki. Mój mąż wskazywał miejsca, w których wkrótce mieliśmy się znaleźć…

– Ale ja nie mogę wyjechać na dwa miesiące – zreflektowałam się. – Nie dostanę tyle urlopu. Nawet bezpłatnego – powiedziałam z żalem, bo zostałam ściągnięta na ziemię. – Najwyżej trzy tygodnie. No, góra miesiąc.

– Szkoda. – Piotr zasępił się i poprawił oprawki okularów. – Mówiłem ci, żebyś rzuciła… – Nie dokończył, bo spiorunowałam go wzrokiem. – No trudno. Wrócisz wcześniej lub później do nas dołączysz.

– No nie! A kto nam będzie przygotowywał jedzenie? – zapytała Zosia.

Gdyby nie buzujący w moim organizmie alkohol, znowu zaczęłabym rozpamiętywać sens mojej egzystencji w tej rodzinie. Puściłam pytanie mimo uszu.

Poszliśmy spać po północy. Miałam nadzieję, że zasnę szybko, ale wspomnienia minionego dnia nie dawały mi spokoju. Położyłam głowę na ramieniu Piotra i przytuliłam się do niego. Źle. Położyłam głowę na jego piersi, a udo przerzuciłam przez nogi. Też niedobrze.

– Iza, kręcisz się jak bąk w szuwarach. Jak cię znam, to znowu rozkładasz coś na czynniki pierwsze – wymamrotał mój mąż w półśnie i mocniej objął mnie ramieniem.

– Piotr... Tata się żeni.

– Najwyższy czas. – Ożywił się trochę.

– Tak uważasz?

– Uhm... Samemu ciężko. Człowiek jest istotą stadną. Masz coś przeciwko?

– Uhm.

– Co?

– Jeszcze nie wiem, bo nie znam Luizy, ale na pewno coś znajdę.

– Izuniu, nie bądź śmieszna. Śpij już.

– Piotr... Wiesz, że dziś był Dzień Matki?

– Wysłałem mamie esemesa.

– A czy nie uważasz... – Zastanawiałam się, czy warto kontynuować temat.

– Wiem, powinienem zadzwonić, ale są z Hansem na Teneryfie.

– Nie o to chodzi. Tak sobie myślę... Czy nie powinnam dostać kwiatka od dzieci?

– Chodzi ci o tulipana? Widziałem dzisiaj pełno dzieciaków z tulipanami owiniętymi w taki przezroczysty papier.

– W celofan.

– Co?

– Taki papier nazywa się celofan. Nie wydaje ci się, że też powinnam dostać?

– Przypomnij mi, to ci jutro kupię cały bukiet. Tylko przypomnij na pewno, bo mam pełno spraw na głowie.

– Nie chodzi mi o kwiaty, tylko o gest. Proszę, porozmawiaj z nimi.

– Iza. Ile razy mam powtarzać, że nie będę się wtrącał w wasze sprawy.

– Piotr... – Czule pogładziłam go po policzku.

– Co znowu?

– Mieliśmy porozmawiać o powiększeniu rodziny...

– To, Izuniu, nie zależy od nas.

– Co ty gadasz?

Trafił mnie szlag. Usiłowałam wstać i przenieść się na kanapę w salonie, ale Piotr objął mnie mocniej i przytrzymał.

– Izuś, naprawdę nie od nas – tłumaczył cierpliwie. –W ubiegłą środę długo rozmawiałem z mamą na ten temat. – Znieruchomiałam i zacisnęłam szczęki, żeby nie eksplodować. – Wiem, że pragniesz, aby zamieszkała i nawet potrafię zrozumieć. Tak bywa, gdy zwyczajnie i po ludzku brak ci własnej. – Pocałował mnie i przytulił mocniej.

– Nie zamieszka z nami? – Szczękościsk lekko ustąpił. Ze wszystkich sił starałam się, żeby mój głos nie zabrzmiał radośnie.

– Izuś, trudno powiedzieć. Sytuacja się dopiero klaruje. Gdybyś wiedziała, co planuje Hans... Wszystkie nasze nadzieje... Ech! – westchnął. – No cóż, nadzieja matką głupich, ale nikt nam jej nie odbierze.

– Co planuje? – Ożywiłam się. W wyobraźni zobaczyłam ziszczony plan Hansa, czyli teściową przykutą kajdankami do kaloryfera. I jego samego, w mundurze pilota, wydzierającego się: „Na pewno nie wrócisz do Polski! Niedoczekanie!".

– To, Izuś, tylko plany. Dajmy im dzisiaj spokój.

– Dobrze. – Zgodziłam się niechętnie, bo lubię klarowne sytuacje. – Piotr. – Uszczypnęłam go w policzek, żeby nie zasnął. – Mieliśmy porozmawiać o następnym dziecku. Pamiętasz?

– Och, Izuniu, nie mam demencji starczej. Pamiętam, ale chyba nie przed wyprawą? To przecież drugi koniec świata – mamrotał.

– Ale porozmawiać możemy. – Ścisnęłam dwoma palcami skrzydełka jego nosa. Gwałtownie wciągnął powietrze ustami. Potrwało chwilę, zanim odzyskał regularny oddech.

– Chcesz mnie zamordować? – roześmiał się nerwowo. W jego głosie wyczułam napięcie. – Iza, przysuń się bliżej, przytul mocniej. Bardzo cię kocham, ale do rozmowy wrócimy po powrocie z wyprawy. Teraz na to nie pora, więc proszę, nie mów nic więcej. Jutro przyjmuję w instytucie Bułgarów. Będą mieli wykłady na temat doboru stroju i odpowiednich akcesoriów podczas zaręczyn i ceremonii zaślubin. To dopiero ciekawe! I nie martw się, bo opowiem ci wszystko jutro przy kolacji. A właśnie, możesz przygotować paprykę faszerowaną, to będziemy mieli w domu bułgarski akcent. Jadłem taką w Warnie. A ja kupię wino… – Położył mi dłoń na ustach i zasnął.

O dziesiątej zwolniłam się na dwie godziny z pracy i podjechałam pod blok taty. W nocy obmyśliłam scenariusz rozmowy. Zamierzałam mu powiedzieć wprost, żeby poszedł po rozum do głowy i przestał się wygłupiać. Tak dużo słyszy się o kobietach, które lecą na forsę albo jakiś przytulny kącik na starość! Najwyższy czas się zastanowić i przejrzeć na oczy. A kto ma to ojcu powiedzieć, jeśli nie córka? Wiem, tata przeżyje szok, trudno. Zadziałam na jego umysł jak prąd na pacjenta w szpitalu psychiatrycznym. Z postanowieniem teraz albo nigdy stanęłam pod drzwiami mieszkania i z głębi torby wyłowiłam klucze. Nigdy nie używam dzwonka, żeby nie robić niepotrzebnego rabanu; tata mógł akurat prowadzić zajęcia z uczniami.

W takim przypadku robiłam sobie herbatę, napawałam się atmosferą znajomych kątów i czekałam, aż skończy lekcje. Mógł zresztą brać prysznic albo się golić, albo robić wiele innych rzeczy, więc podchodzenie do drzwi, żeby je otworzyć, mogło być uciążliwe.

Weszłam do przedpokoju. Tym razem wszędzie grała dość głośna muzyka. Nastrój jak w klubach, gdzie puszczają hity z lat siedemdziesiątych i osiemdziesiątych, uśmiechnęłam się pod nosem. Przystanęłam, zainteresowana nowymi upodobaniami taty; akurat Demis Roussos swym wysokim, rzewnym i lekko chrapliwym głosem opowiadał o przyjacielu wietrze, który przekazuje mu słowa miłości od ukochanej. Moje nozdrza podrażnił od dawna nieobecny w tym domu aromat gotowanego obiadu. Jak za starych, dobrych dni. Jakby czas cofnął się o kilka lat. Wiedziona zapachem zrobiłam parę kroków w kierunku kuchni i znieruchomiałam.

Przy kuchence, tyłem do mnie, stała nieznajoma kobieta i układała kotlety mielone na patelni ze skwierczącym tłuszczem. Przy okazji wcielała się w jednoosobowy chórek: podśpiewywała z Roussosem i kręciła biodrami w takt muzyki. Wyciągnęła z szafki szklankę, potem podeszła do lodówki, nalała do szklanki jakiegoś napoju, wypiła kilka łyków, odstawiła i jak gdyby nigdy nic powróciła do smażenia kotletów. Wyglądało na to, że jest obeznana z całym wyposażeniem kuchni. Niczego nie szukała, zachowywała się, jakby ten teren należał do niej od zawsze. Kilkanaście sekund wystarczyło, by się jej dokładnie przyjrzeć. Nie mogłam się oprzeć wrażeniu, że jest podobna do mamy... Prawie ta sama figura, no, może nieco szczuplejsze biodra, ale włosy również do ramion, w podobnym miodowym kolorze, z ciemniejszymi akcentami. Tylko ciuchy całkiem inne: dżinsy i zielona bawełniana bokserka. Mama nigdy by się tak nie ubrała, nawet w domu!

Rozejrzałam się dyskretnie, ale nie zauważyłam taty. Na paluszkach wycofałam się i wyszłam z mieszkania. Mój starannie opracowany plan spalił na panewce. Kilkukrotnie zmieniany i skrupulatny scenariusz rozmowy nie został zrealizowany. Wyszłam przed blok. Nie, nie wrócę wcześniej do pracy. Zyskałam dodatkowe dwie godziny na przemyślenia...

Poszłam do cukierni naprzeciwko, zamówiłam dużą mrożoną kawę i dwie kremówki, w nadziei że tak potężny zastrzyk cukru pomoże mi choć trochę rozładować stres; zwątpiłam, że uda mi się odkręcić sytuację. Usiadłam na zewnątrz, przy osłoniętym parasolem stoliku. Kiedy młoda, apatyczna kelnerka z podkrążonymi jak po nieprzespanej nocy oczami przyniosła mi kawę i ciastka, chciałam jej powiedzieć: „Witaj w klubie". Już na pierwszy rzut oka było widać, że kobieta ma problemy. Ugryzłam się w język, żeby nie skończyło się lawiną zwierzeń, zwłaszcza że poza mną o tej porze w lokalu nie było nikogo. Wystarczy mi moich własnych kłopotów!

Dziobiąc w wyglądających na wczorajsze kremówkach, czułam się jak w pułapce bez wyjścia. Chciało mi się płakać, nie mogłam się skoncentrować, jakaś niewidzialna obręcz ściskała moje gardło. Przed oczami cały czas stała mi Luiza smażąca mielone. Jasny gwint! Kim ona dla mnie będzie? Żoną ojca, czyli... Chryste Panie, macochą?! Jak ja dla Zosi i Tadeusza? O czym to oni rozmawiali w kuchni podczas mojej nocy poślubnej? Aha, wyrażali obawy o przyszłość. A przecież oni są o kilkanaście lat młodsi ode mnie! Moja sytuacja jest nieporównywalnie lepsza. Nie będę musiała znosić żony ojca na co dzień. Ani jej fochów. Jeśli będę miała ochotę, to owszem, tak, ale jeżeli nie zechcę, mogę jej nie oglądać wcale. A dzieciaki? Cóż, są ode mnie uzależnione. Moja obecność przypomina im nieustannie, że tata ożenił się ponownie i na dodatek ma czelność tę swoją nową kobietę przytulać, zamiast pozostawać pogrążonym w rozpaczy wdowcem do końca życia. Zawstydziłam się. Niczym się od nich nie różnię, wszyscy jesteśmy zazdrośni i zaborczy w stosunku do ojca! Ja też bym chciała mieć go na wyłączność, a przecież życie płynie dalej. Trzeba nazywać rzeczy po imieniu. Jestem żałosna. Sięgnęłam do torebki i dziwnym trafem już za pierwszym razem udało mi się wyciągnąć okulary przeciwsłoneczne. Założyłam je. Za jednym zamachem wypiłam przez słomkę pół szklanki mrożonej kawy; poczułam przyjemny chłód, ucisk w gardle zniknął. Rozparłam się wygodniej w fotelu i wystawiłam twarz do słońca. Zapowiadał się piękny dzień.

Przymknęłam oczy i zastanowiłam się, jak wyglądałoby teraz życie taty bez Luizy. Po pierwsze, nie byłby w takiej formie. To jasne, że ona była powodem rozpoczęcia tych wszystkich wygibasów, które doprowadziły do kaloryfera na jego brzuchu. No, może nie kaloryfera, ale prawie. Może by teraz smętnie człapał po mieszkaniu, podlewał kwiatki, wymyślał nowe zadania na korepetycje i zastanawiał się, co podadzą mu w barze w ramach abonamentu. Nie napawałby się zapachem domowego jedzonka. I nikt nie podśpiewywałby mu w domu, seksownie kręcąc biodrami. Tata czekałby wyłącznie na nas dwie albo na śmierć. A my obie mamy rodziny, pracę, całe mnóstwo osobistych perturbacji, więc odwiedzamy go raczej okazjonalnie. Nie ma o czym mówić. Z czasem stawałby się tylko coraz bardziej zgorzkniały, zaniedbany, samotny i chory.

Ogarnęła mnie kolejna fala wstydu za mój egoizm, który nawet przed sobą starałam się ukryć pod maską dobroci i troski o ojca. Oto odkryłam w sobie cechę, którą tak bardzo potępiałam u innych. Ale jeszcze nie wszystko stracone! Na szczęście nie udało mi się przeprowadzić zaplanowanej rozmowy. Jak mogłam próbować wtrącać się w jego życie, podczas gdy on akceptuje wszystkie moje plany i decyzje? I chociaż wiem, że nie zawsze podziela moje zdanie, niczego nie komentuje i pozwala mi uczyć się na własnych błędach. Przecież przed tatą jeszcze wiele lat życia, a ja bardzo chciałabym, żeby przeżył je szczęśliwie. A szczęście i samotność raczej nie idą w parze.

Zrobiło mi się lekko na duszy, jakbym pomyślnie zakończyła wieloletnią waśń. Usadowiłam się wygodniej i z apetytem zabrałam się do nieapetycznych kremówek. I nagle, wśród ludzi idących po drugiej stronie ulicy, zauważyłam ojca. Szedł sprężystym i pewnym krokiem, wracał do domu. W jednej ręce trzymał pęczek młodej marchewki, a w drugiej torebkę foliową, przez którą widać było pierwsze tegoroczne czereśnie. Emanował niemal młodzieńczym dobrym nastrojem. Uśmiechnęłam się. Wiedziałam, że mnie nie dostrzeże pod rozłożystym parasolem, zakamuflowaną dodatkowo słonecznymi okularami. Wyjęłam komórkę i zadzwoniłam do Agi. Wiedziałam, że dziś ma popołudniową zmianę, więc nie będę jej przeszkadzać.

– Izuś, jak dobrze, że dzwonisz. Nie spałam prawie całą noc – powiedziała udręczonym głosem.

– Podobnie jak ja.

– Powiedz mi, dlaczego tata to robi? – Zaczęła chlipać do słuchawki. – Jak może wprowadzać obcą kobietę do naszego domu? Gdzie jeszcze pachnie mamą, gdzie wszystko się z nią kojarzy? Iza, musimy z nim porozmawiać!

Zatkało mnie. Zamierzałam wygłosić swoje przemyślenia i otrzymać pochwałę za dojrzałość, tymczasem pani psycholog mówiła jak mała rozkapryszona i zazdrosna dziewczynka.

– Iza, jesteś tam? – spytała zaniepokojona.

– Uhm. Aga, myślałam, że jako psychoterapeutka…

– Wiem, wiem. Nie musisz kończyć. Już wiem, że można radzić ludziom na podstawie bla bla wyuczonego z podręczników. Wiesz, pleciesz bzdury o prawie do szczęścia i drażni cię, jeżeli ktoś tego nie rozumie. Ale jak sama znajdziesz się w podobnej sytuacji… – Rozpłakała się i pociągnęła nosem. – Wiesz, nad czym się zastanawiałam dzisiejszej nocy? Jak mogli mnie zatrudnić zaraz po studiach w telefonie zaufania! Pamiętasz? Pracowałam tam pół roku, ale zwolniłam się, bo jako najmłodszej dawali mi prawie same nocne dyżury. Słuchasz mnie?

– Uhm.

– I radziłam wtedy to bla bla, przekonana, że znam radę i sposób na wszystko. Taka się czułam mądra i dojrzała. A teraz wiem, że aby sugerować komuś rozwiązanie problemu, trzeba coś wiedzieć o życiu, a najlepiej przeżyć podobną sytuację. Jak sobie pomyślę, że jakaś obca baba zajmie miejsce mamy… Będzie spała w sypialni rodziców, robiła tacie jajecznicę, poprawiała mu krawat i przytulała się, oglądając horror… A tak w ogóle… Myślisz, że oni to robią?

– Uhm.

– Naprawdę? – W jej głosie była nadzieja, że zaprzeczę.

– Uhm – potwierdziłam brutalnie. Pierwsza rzecz, o jakiej pomyślałam, widząc Luizę seksownie kołyszącą biodrami.

– To nie do pomyślenia! Nie mogę sobie tego wyobrazić.

– I wcale nie musisz.

– Iza! Co ty wygadujesz! Czy ty stoisz po stronie taty?

– Aga... – Nie wiedziałam, jak zacząć. Po raz pierwszy role się odmieniły. Zawsze to ona, jako starsza siostra, a potem dodatkowo psycholog, stała na pozycji osoby tłumaczącej zawiłości ludzkiej natury. Zawsze była mądrzejsza, bardziej opanowana. Taka wszechwiedząca Agusia. – Przed chwilą mówiłaś, że żeby komuś udzielać rad, trzeba samemu to przeżyć. Posłuchaj, czy ja, wychodząc za Piotra, chciałam mu zrobić krzywdę? A może unieszczęśliwić jego dzieci? Myślisz tak?

– Nie. Ale ty to co innego.

– Bo?

– Bo ty to ty, a ona to ona. – Gdybym nie siedziała, argument rodzonej siostry zwaliłby mnie z nóg.

– Aga, uwierzmy w mądrość taty. On nie jest byle młokosem, któremu pierwsza lepsza spódniczka zawraca w głowie kręceniem tyłka. To rozsądny, dojrzały facet! Dostał od życia drugą szansę, więc niech korzysta! Co mu po nas? Dzwonimy albo wpadamy i już nas nie ma. I wiesz co? Potrafię wejść w skórę Luizy. Jej też nie jest lekko. Musi patrzeć na zdjęcie mamy ustawionc w ramcc na komodzic, zastanawiać się, czy przesunąć stół bardziej pod okno, żeby tata nie poczuł się urażony naruszeniem ustalonego przez mamę porządku. Przy kąpieli dotyka tego samego, co mama, kranu. I na pewno jest pełna obaw, czy my ją zaakceptujemy. Chyba tak miało być, choćby po to, bym zrozumiała, że Zosi i Tadeuszowi też jest ciężko, gdy patrzą, jak się szarogęszę. Zapewne woleliby, żebym po prostu nie istniała, a przy nich i przy Piotrze była tylko

Ewa. Czasu jednak nie można cofnąć. I ze wszystkich sił trzeba próbować ułożyć sobie życie na nowo. Jak tata. I Luiza. Święcie wierzę, że nie związała się z nim dlatego, aby jemu albo nam zrobić krzywdę. Myślę, że też preferowałaby faceta z pierwszego obiegu, ale o takiego w tym wieku trudno, a poza tym sama wiesz, jak Amor strzela z łuku. Nie jest dobry w te klocki i strzały trafiają, gdzie popadnie. Aga, jesteś tam?

– Tak... – Znów pociągnęła nosem.

– Nie bądźmy egoistkami i nie wychodźmy z założenia, że ona na coś leci, bo to tak, jakbyśmy wydały wyrok bez wysłuchania stron. To dość małostkowe, a my nie jesteśmy takie. Przełamujmy stereotypy i konwencjonalne myślenie dla maluczkich. Wierzmy, że im się ułoży i tata na powrót będzie szczęśliwy. Zgoda?

– Iza... Wiem, że tak powinno być, ale to takie trudne! – Aga rozpłakała się na dobre.

– Wiem. Ale powiedz: chcesz, żeby tato był szczęśliwy?

– Tak – przytaknęła skwapliwie.

– Więc dajmy im szansę. Wszystko się ułoży. I wiesz co? Widziałam ją.

– I co? Wygląda jak szantrapa? – zapytała z nadzieją.

– Uwierz w dobry gust taty. Jest całkiem niezła. W dodatku włosy ma tego samego koloru co mama. I podobnej długości.

– I co? Wyściskałyście się? Takie porozumienie drugich żoneczek. Tak? – Jej głos kipiał od ironii pomieszanej ze złością.

– Nie widziała mnie. Weszłam do mieszkania. Taty nie było, a ona smażyła mielone. Wycofałam się i tyle.

– Taka z niej kapłanka domowego ogniska! – Aga nie kryła sarkazmu. – Iza... A czy ona używała ulubionej patelni mamy? No wiesz, tej pomarańczowej z odpryśniętą emalią?

– Tak.

– Nie mów! – jęknęła.

– Aga, weź pod uwagę, że tak naprawdę to powinna ją wyrzucić. Już mama chciała to zrobić, ale nie zdążyła kupić nowej. A Luiza na pewno ma obawy, czy robiąc to, nie szarga pamięci mamy. Aga, opamiętaj się! Wiem coś o tym. Nie jest jej łatwo. Ja na przykład nie przepadam za garnkami, które Ewa kupiła w sprzedaży bezpośredniej. No wiesz, od tych ludzi, którzy chodzą po domach, robią demonstracje i sprzedają na gorąco. Wolałabym inne. Ale co? Mam je wyrzucić? Przymykam się i w nich gotuję. Może Ewa też ich nie lubiła i potem żałowała zakupu? Tego nie wiem i nigdy się nie dowiem. Aga, przemyśl wszystko. Zamknij oczy i spróbuj się wczuć w jej rolę. Albo w moją. Ja już podjęłam decyzję. Może ci się to podobać albo nie, ale uważam, że słuszną. Nie będę kwestionować decyzji taty i z całego serca życzę im powodzenia. Rozumiesz?

– Owszem. A przynajmniej wiem, że powinnam. Ale dopiero teraz uświadomiłam sobie, jak to jest stać po drugiej stronie barykady...

– To przejdź na naszą stronę. I wszystko stanie się prostsze.

– Iza, nie spodziewałam się takiej rozmowy...

– Wiem. Myślałaś, że wzajemnie będziemy się nakręcać, jak bardzo nam źle, bo obca baba zabiera nam tatę? Musimy sobie uzmysłowić raz na zawsze: ona wcale nam go nie zabiera. Podrapie go po plecach, gdy będzie trzeba. Przyklei plaster. Posprzecza się z nim, a potem pogodzi. A my i tak do końca życia pozostaniemy jego córkami i to od nas przede wszystkim zależy, w jakich relacjach będziemy z macochą. Przemyśl to, siostrzyczko – zakończyłam.

Dopiłam resztkę kawy. Czekając na kelnerkę z rachunkiem, myślałam nad przewrotnością życia i nad tym, że nawet największy twardziel, taki jak Aga, przekonany, że ma patent na mądrość, może się pogubić w skomplikowanym i zagmatwanym świecie i załamać pod wpływem zdarzenia, które z pozoru tylko wydaje się proste.

Już miałam wstać i odejść, ale czułam, że nie załatwiłam sprawy do końca. W ręku wciąż trzymałam komórkę. Odchrząknęłam jak przed recytacją, poprawiłam się na fotelu, ułożyłam sobie w głowie wszystko, co chcę powiedzieć, i wybrałam numer taty.

– Cześć córeńko. – Wiedział, kto dzwoni.

– Hej tato!

– Co słychać? – zapytał niespokojnie. Biedak, nie wiedział, czego się spodziewać.

– W porządku. Chciałam ci tylko powiedzieć...

– Tak?

– Tato, zaakceptuję każdą twoją decyzję. Chcę, żebyś był szczęśliwy. I życzę ci, a raczej wam, wszystkiego dobrego.

– Iza... – odetchnął z ulgą. – Dziękuję. A Aga? Jak ona to widzi? – W jego głosie czułam napięcie.

– Tak samo, tato. Tyle że jest zalatana i chyba dzisiaj nie zadzwoni. Ale w najbliższym czasie na pewno. Nie obawiaj się – zapewniałam z przekonaniem, że tak będzie. Aga to mądra dziewczyna, tylko potrzebuje trochę czasu na pozbycie się siedzącej w niej małej zazdrośnicy.

– To dobrze. Cieszę się. Czyli będziecie na naszym ślubie?

– Tato! – powiedziałam karcąco. – Jakżeby inaczej? Przecież jesteśmy rodziną!

– Zawsze powtarzam, że mam mądre córeczki.

– Bo tak jest, tato. – Spojrzałam na zegarek. – Muszę już kończyć.

– Wiem, jesteś w pracy.

– Jeszcze jedno...

– Tak?

– Życzę smacznych mielonych na obiadek. – Roześmiałam się.

– Iza... Skąd wiesz?

– Serce córki wie wszystko! – Wybuchnęłam śmiechem, bo wyobraziłam go sobie, jak ze słuchawką przy uchu rozgląda się wokół i zastanawia, czy nie siedzę gdzieś przyczajona jak komandos. – Tato, jeszcze jedno. Masz jeszcze w domu taką starą, pomarańczową, obitą patelnię?

– Nie mam pojęcia, jakie mam gary. To nie moja działka.

– Właśnie, tato. Chcę ci powiedzieć, że mama chciała ją wyrzucić, ale nie zdążyła. Kup nową. Tę, którą wybierze Luiza. Ale starej nie wyrzucaj. Weźmie ją albo Aga, albo ja. Dobrze?

– Iza, zdumiewasz mnie. Najpierw wiesz, co mam na obiad, potem wyskakujesz z patelnią, jakby to było coś istotnego. Ale dobra, skoro tak chcesz...

– Nalegam – powiedziałam zdecydowanie.

– Dobrze, już dobrze. Skoro tak ci na tym zależy, zrobię to jeszcze dzisiaj. I mam tylko nadzieję, że niczym mnie już nie zaskoczysz.

– Nie. Chociaż... Wiesz, co będzie u mnie na deser? To samo co u ciebie! Majowe czereśnie!

– Iza! – wykrzyknął zdumiony.

– Pa, tatusiu! Miłego dnia! – Wyłączyłam się i wytarłam kilka spływających mi po policzkach łez. Takich ze śmiechu.

Po obiedzie, który już prawie zwyczajowo zjadłam z dziećmi, bez Piotra, siedzieliśmy w kuchni, zajadając się czereśniami. Na uszach mieliśmy sezonowe kolczyki w postaci owoców złączonych ogonkami. Rozmowa kręciła się wokół wyprawy do Afryki. Wszyscy byliśmy podekscytowani. Zosia zarzekała się, że na pewno nie tknie smażonych larw motyli ani suszonego ozora wołowego. Tadeusz twierdził, że wszystko da się zjeść, byleby było polane keczupem. No, może z wyjątkiem steku z małpy, chyba że zostałby przyrządzony z takiej małpy jak ona... Śmialiśmy się i wyluzowani czekaliśmy na Piotra, żeby podgrzać mu obiad. Później całą rodziną mieliśmy iść do przychodni, by zaszczepić się przeciwko malarii, durowi brzusznemu, cholerze i jeszcze tam czemuś. Panowała swojska, rodzinna atmosfera. Zosia wyjęła z lodówki bitą śmietanę w sprayu, nałożyła trochę na talerzyk i maczała w niej czereśnie.

– Jeszcze lepsze. To takie wariacje na temat. Proszę spróbować – zachęcała.

– Jesteś wariatka. – Tadeusz popukał się w czoło.

– Chcę wam coś powiedzieć... – odchrząknęłam, dając sobie chwilę na pozbieranie myśli. Spoważniałam. Wpatrywali się we mnie wyczekująco. – Uważam, że czas skończyć z tym zwracaniem się do mnie per pani. Niekoniecznie od dzisiaj, ale taki stan nie powinien chyba trwać w nieskończoność. Zastanówcie się, jak chcielibyście do mnie mówić. Sami, gdy będziecie mieli chwilę czasu. Poza mówieniem „pani" i zwracaniem się do mnie po imieniu zaakceptuję wszystko. – Zosia wyciskała śmietanę na talerzyk, zapamiętale tworząc jakieś wyszukane wzory, a Tadeusz rozrywał ogonek od czereśni. Nie patrzyli mi w oczy. A dla mnie była to jedna z najbardziej kłopotliwych sytuacji w życiu. – Wiem, że sprawa jest trudna – kontynuowałam. – Lecz zgodzicie się chyba, że coś z tym trzeba zrobić...

Rozległ się dzwonek. Charakterystyczny, bo ciągły i niecierpliwy. Oznaczający jedno: powrót Piotra. Podbiegłam do drzwi.

– Burczy mi w brzuchu! – usłyszałam od progu. – Albo dasz mi zaraz coś zjeść, albo zjem ciebie! Królestwo za talerz zupy!

Dzieciaki poszły do siebie.

Kilka dni później wieczorem zadzwoniła Aga i powiedziała, że wyczerpała wszelkie możliwości znalezienia haka na Luizę. Przeprowadziła sobie tylko znanymi sposobami nieoficjalne wywiady środowiskowe. Bezskutecznie. Wybranka taty ma bardzo dobrą opinię jako kosmetyczka. Zatrudnia jedną pracownicę i pracują w gabinecie na zmiany. Poza tym ludzie mówią, że jest ciepłą kobietą, która doskonale prowadzi dom i potrafi cieszyć się życiem. Przez cztery lata po śmierci męża świat dla niej nie istniał. Odżyła i rozkwitła na nowo, gdy poznała tatę. Ma swoje mieszkanie i dwóch samodzielnych synów. Uległa namowom taty, żeby po ślubie przeprowadzić się do niego, a swoje mieszkanie wynająć. Wolałaby wprawdzie, żeby zamieszkali u niej, ale tato był podobno „tak charyzmatyczny i sugestywny", że nie sposób mu było odmówić. Luiza nie ma żadnych problemów finansowych. Jej synowie, podobnie jak my, bardzo przeżywają planowane zamążpójście mamy i zastanawiają się, czy aby tata nie zainteresował się nią z wyrachowania. Upewniali się nawet, czy nie ma zaległości w opłacaniu czynszu i rachunków za prąd.

– I wiesz co, Iza? Popracowałam trochę nad sobą, żeby pozbyć się tej cholernej zazdrości, i zrozumieć, że życie toczy się dalej. Mówię to wyłącznie tobie, bo bardzo mi wstyd. Starałam się wyprzeć złe emocje, ale one tkwiły we mnie i uwierały jak drzazga – tłumaczyła z zaangażowaniem. Zniknął gdzieś jej zwyczajowy, beznamiętny i wyuczony ton terapeutki. – Mam nadzieję, że mi się udało. Zrozumiałam, że uczucie niechęci działa we wszystkie strony. My czujemy ją do niej i chciałybyśmy, aby Luiza nigdy się nie pojawiła w życiu taty, a jej synowie czują to samo w stosunku do naszego ojca. I opacznie interpretujemy pojęcie szczęścia, gdy chodzi o naszych rodziców. Egoistycznie, po swojemu. Pragniemy, by cofnął się czas, ale nie ma takiej opcji. Traktujemy rodziców jak dzieci, którymi trzeba kierować, bo mogą zrobić głupstwo. I trwamy w egoistycznym przekonaniu, że jeżeli raz na jakiś czas do nich wpadniemy albo zadzwonimy, to wszystko powinno być dobrze. Teraz to widzę inaczej...

– Aga, a ja zrozumiałam Zosię i Tadeusza. Widocznie tak miało być, żebym przejrzała na oczy. Tata zawsze będzie nam bliski, a Luiza, z naszej perspektywy, będzie zaledwie dodatkiem do jego życia. Pamiętasz gorączkę Zosi zaraz po naszym ślubie? Szczerze ci powiem, że ja, mając tyle lat co ona i będąc w takiej sytuacji, miałabym taką temperaturę, że mózg by się zagotował!

– A mój wyparował totalnie! – zaśmiała się gorzko Aga i zmieniła ton na konspiracyjny. – Wiesz, co dzisiaj zrobiłam? Nie uwierzysz!

– Poszłaś do kasyna i zagrałaś w ruletkę!

– Lepiej!

– Zastawiłaś na wyścigach cały majątek! – zaczynałam puszczać wodze fantazji, choć strzelałam pustymi nabojami. Bawiła mnie jednak wizja Agi ukrytej za ciemnymi okularami, jak z chustką na głowie, odziana w czarny trencz do ziemi, chyłkiem zbliża się do przyjmującej zakłady kasy i rozgląda się nerwowo, czy nie obserwuje jej jakiś pacjent, którego akurat wyciąga ze szponów hazardu.

– Pokręciło cię chyba! – Wybuchnęła śmiechem. – Poszłam do jaskini lwa! Zmierzyłam się z demonami!

– Czyli?

– Zaraz po pracy poszłam do taty. Poznałam ją. – Ściszyła głos i spoważniała. – I wiesz co? Ziemia się nie rozstąpiła i nadal kręci się wokół własnej osi. Tak samo jak od miliardów lat.

– Jaka ona jest? – zapytałam niecierpliwie.

– Normalna. Zwyczajna. Tata jest nią zachwycony.

– I bardzo dobrze – dodałam, mimo nieprzyjemnego ukłucia w sercu. A wydawało się, że jestem ponad to...

– Trwałam w przekonaniu, że idąc tam, robię coś niezwykłego. No wiesz, że zaraz na moją cześć rozdzwonią się dzwony albo co. Przyjęli mnie ciepło. Ona naprawdę się starała. Wolałabym, żeby było inaczej, to mogłabym teraz biadolić i nadawać na nią ile wlezie, ale nie mam podstaw. Nie mam się do czego przyczepić. Przykro mówić, ale taka jest prawda. I zrobiło mi się jej nawet trochę żal, bo była spięta. Trudno. Nie ma życia bez stresu. Chce mieć tatę, to niech się trochę podenerwuje.

– Hej, hej! Uważaj, co mówisz! Wiesz, że jestem w podobnej sytuacji. A i twoje życie się nie kończy i nie wiadomo, co cię jeszcze w nim spotka! – przerwałam, bo moja siostra jechała w niewłaściwym kierunku.

– Dobra. Wyluzuj. To tylko taka gadka szmatka. W każdym razie: możemy być o tatę spokojne. Myślę, że im się ułoży. I wiesz co? Ja w głębi duszy od dawna czułam, że tata kogoś ma. Ten plan ćwiczeń, siłownia, witalność, bicepsy jak jabłuszka, płaski brzuszek, zero narzekania na stołówkowe jedzenie i euforia w głosie. Ty też się domyślałaś. Przyznaj się! Tylko wolałyśmy udawać, że nic się nie dzieje. Iza, trzeba się uderzyć w piersi. – Aga odchrząknęła. – To Luiza stała się przyczyną metamorfozy, bo tato po prostu się zakochał. Widziałam, jak na nią patrzy, z jakim błyskiem w oku. Zresztą ona też. Ech! – westchnęła. – Jakby mieli po kilkanaście lat… Ale, Iza! Luiza nie jest tak ładna jak mama.

– Nigdy jej nie dorówna urodą. A już w naszych oczach na pewno. Nawet gdyby została miss świata, dla nas będzie tą brzydszą.

– Tak, tą szantrapą! – przytaknęła skwapliwie Aga.

– Siostrzyczko, my jesteśmy nienormalne! Mamy nierówno pod sufitem. – Wybuchnęłam śmiechem, a Aga zawtórowała. Jak dobrze było się z siebie śmiać! Doskonale wiedziałyśmy, że Luiza jest bardzo atrakcyjną kobietą, a mimo to wolałyśmy pocieszać się jak małe zazdrośnice.

Wyprawą do Afryki żyliśmy coraz intensywniej. Dzień wyjazdu został zaplanowany na 23 czerwca, czyli nazajutrz po zakończeniu roku szkolnego. Urlop miałam załatwiony do końca lipca. W pracy poszli mi na rękę pod każdym względem, bo zwyczajowo pracownicy biorą w lecie najwyżej dwa tygodnie wolnego, żeby każdy mógł się nacieszyć słońcem. Piotr opracowywał szczegółowy plan wyprawy i przy każdej okazji starał się nam przekazać jak najwięcej praktycznych wskazówek. Wszyscy byliśmy już zaszczepieni, a ja kompletowałam podręczną apteczkę i garderobę, mając na uwadze, że w RPA są odwrócone pory roku. Wyciągnęłam z szaf i wyprałam zimowe kurtki i ciepłe ubrania. Dzieciom wyrobiłam nowe paszporty, bo wyrosły i zmieniły się do tego stopnia, że przewidywałam kłopoty przy przekroczeniu granicy. Sobie również załatwiłam nowy dokument, ze względu na zmianę nazwiska. W tajemnicy przed Piotrem wystarałam się o dwie nowe karty kredytowe. Tak na wszelki wypadek. Wprawdzie szczegółowo skalkulowałam wszystkie koszty i wyszło, że po zlikwidowaniu lokaty na czarną godzinę powinno wystarczyć, ale lepiej się zabezpieczać. Przygotowałam książeczki zdrowia dzieci, żeby w razie czego było wiadomo, jakie przeszły choroby. Tadeuszowi, na jego prośbę, kupiłam trzy opakowania ulubionego keczupu.

Byliśmy podekscytowani i żądni wyzwań. Czekaliśmy na przygodę życia.

10 czerwca wieczorem siedziałam przy kuchennym stole i popijając kompot, wpatrywałam się w ekran laptopa. Przeglądałam strony dla wyjeżdżających do Afryki Południowej, bo bałam się, że coś zostało przeoczone. I rzeczywiście. Któryś z podróżników radził, żeby wykupić ubezpieczenie od kosztów leczenia i następstw nieszczęśliwych wypadków oraz karty rabatowe, dzięki którym dzieci nabędą uprawnienia do zniżek na bilety, więc odszukałam numer telefonu do agentki ubezpieczeniowej, żeby odhaczyć kolejny punkt na liście spraw do załatwienia.

Do kuchni wszedł Tadeusz. Byliśmy w mieszkaniu tylko we dwoje. Piotr poszedł na spotkanie z uczestnikami wyprawy, a Zosia szalała na warsztatach tanga argentyńskiego. Udawałam, że wertuję notes, ale kątem oka obserwowałam krążącego wokół mnie jak mucha w kloszu chłopca. Był jakiś nieswój. Nalał sobie kompotu. Upił łyk i odstawił szklankę. Otworzył lodówkę, zanurkował do wnętrza, ale zaraz ją zatrzasnął. Podlał stojącą na parapecie paprotkę. Zjadł kilka truskawek. Wyjrzał przez okno. Coś było nie tak. Odłożyłam notes, podniosłam głowę i spojrzałam wyczekująco.

– Tadeusz, co jest? Siadaj i mów. Wiesz, że możesz mi powiedzieć wszystko. – Milczał. – Zachowuj się jak mężczyzna. Co się dzieje?

Usiadł z pochyloną głową. Zdążyłam zauważyć, że oczy ma pełne łez i lada moment wybuchnie płaczem.

– Nie wiem... – wydukał.

– Zawiodłam cię kiedyś?

– Nie.

– No więc?

– Tata posieka mnie na kawałki i zrobi ze mnie pulpety.

– Tata nigdy nie gotuje – próbowałam żartować.

– Nie mogę jechać na tę wyprawę.

– Ależ możesz.

– Nie. Będę miał poprawkę z fizyki – wyrzucił z siebie jednym tchem. A mnie zatkało. Zapadła taka cisza, że słychać było brzęczenie muchy, która wleciała przez lufcik.

– Pójdę do szkoły i porozmawiam. – Starałam się zachować spokój.

– To na nic. Nic nie da się zrobić. Wychodzi mi jedynka z małym hakiem – zaczął się mazgaić.

– Czemu nie powiedziałeś wcześniej?

– Nie chciałem was martwić przed wyjazdem. Tyle z nim zamieszania. Dzisiaj miałem ostatnią szansę. Myślałem, że sobie poradzę, ale zawaliłem. Wychowawczyni powiedziała, żeby jutro przyszło do niej któreś z rodziców. Albo chociaż zadzwoniło. Zadzwoni pani? – zapytał z nadzieją i spojrzał mi w oczy.

W spojrzeniu była rozpacz i wołanie o pomoc.

– Myślę, że lepiej, jeśli tato...

– Nieee! – wyjęczał. – Nie chcę, żeby się dowiedział.

– Jak sobie wyobrażasz utrzymanie tego w tajemnicy? – zapytałam zdziwiona.

Było mi dzieciaka naprawdę żal. Zauważyłam, że Tadeuszowi drżą ręce. Starałam się zachować pozory opanowania, ale w mojej głowie huczało galopujące serce.

– Tata robi karierę naukową, a syn ma poprawkę z fizyki! I w dodatku tata jest przekonany, że dobrze się uczę. Choć tak naprawdę mam same piątki i dwie czwórki, i tylko z fizy taka wpadka! Ten facet, który nas uczy, jest nienormalny. Nie potrafi niczego wytłumaczyć, a wymaga. Inni jakoś ciągną, ale ja tego nie rozumiem – chlipał, połykając płynące po policzkach łzy. Jego twarz pokryły czerwone plamy. – Po prostu powiem, że wolę jechać na jakiś obóz w Polsce. Będę musiał skłamać, ale chcę, żeby pani o tym wiedziała. Ten obóz to zresztą tylko ściema, bo całe wakacje będę się uczył do poprawki. Wy jedźcie. Dam sobie radę.

– Nie! Musimy porozmawiać z ojcem i wspólnie coś postanowić.

– Nie! – błagał. – Zaufałem pani!

– Nie szantażuj mnie. Sprawa jest poważna. Sama nie mogę podejmować decyzji. Oczekujesz ode mnie zbyt wiele. – Tadeusz siedział z opuszczoną głową, zrezygnowany jak skazaniec w drodze na szafot. Napiłam się kompotu, by choć trochę uspokoić rozgorączkowane myśli. – Nie możemy tego trzymać w tajemnicy…

U drzwi rozległ się dzwonek. Tadeusz poderwał się z krzesła i wybiegł do swojego pokoju, a ja wstałam z ociąganiem, aby powitać męża.

Piotr był w znakomitym humorze. Podśpiewywał jakiegoś afrykańskiego bluesa (dobrze, że mnie o tym poinformował, bo kompletnie nie ma słuchu, więc gdybym miała zgadywać, za skarby świata bym na to nie wpadła). Poszedł prosto do kuchni i traktując blat stołu jak bęben, zaczął coś mało rytmicznie wystukiwać. Rozpiął dwa górne guziki przy koszuli, ściągnął krawat i odrzucił go na krzesło. Promieniał. Przyciągnął mnie do siebie i nie przestając podśpiewywać, próbował zatańczyć. Jakoś nie byłam w stanie podzielić jego radości. Odsunął się.

– Znowu humorki? Co tym razem? – zapytał zrezygnowany.

– Piotr, musimy porozmawiać. – Wywinęłam się z jego rąk i opadłam na krzesło. Usiadł naprzeciwko. Twarz mu spochmurniała. – Tadeusz! – zawołałam w stronę drzwi. – Możesz przyjść? No, chodźże tutaj! Musimy porozmawiać z tatą.

Skupiłam wzrok na czubku mojego kapcia, nie mając odwagi spojrzeć Piotrowi w oczy. Po dłuższej chwili do kuchni wszedł Tadeusz. Usiadł i popatrzył na nas pustym wzrokiem. Nie było w nim ani cienia nastoletniej radości i nadziei. Trudno, nawarzył piwa, a ja muszę być konsekwentna. Niespodziewanie ogarnęły mnie wyrzuty sumienia, że część winy spoczywa i na mnie, bo nie dopilnowałam szkolnych spraw. Na przykład bez mrugnięcia okiem uwierzyłam, trochę z wygodnictwa, że jego wychowawczyni nie organizuje wywiadówek. Zawiodłam też Piotra, który żyje w błogim przeświadczeniu, że mam takie rzeczy pod kontrolą.

– Więc... Chcę powiedzieć, że i mnie jest trudno. Nie spodziewałam się, że dojdzie do czegoś takiego.

– Iza, mam za sobą ciężki dzień. Daruj sobie ten wstęp – wtrącił rozdrażniony Piotr. Odrzucił głowę do tyłu i zapatrzył się w sufit.

– Dobrze. Więc... – Spojrzałam na Tadeusza. – Nie możemy pojechać na tę wyprawę we czwórkę. – Piotr gwałtownie zmienił pozycję. Usiadł prosto i świdrował mnie wzrokiem. Był zły. Zmarszczył czoło, a nad brwiami pojawiły się dwie wyraźne, pionowe bruzdy. Tadeusz patrzył na mnie jak na sędziego, który za chwilę ma wydać wyrok. – Sprawy się skomplikowały. Nie jadę, ponieważ odwołano zgodę na mój urlop! – wypaliłam.

Chryste Panie, skąd te słowa? Przecież nie to planowałam! Siedziałam jak porażona. Nie wierzyłam, że przez moje usta przeszło takie kłamstwo. Jeszcze był czas, żeby się wycofać, ale jakiś intensywny głos wewnątrz mojej głowy paraliżował moją zdolność logicznego myślenia i przekonywał usilnie, że postępuję właściwie.

– Powtórz to! – Piotr zerwał się z krzesła tak gwałtownie, że przesunął stół. Szklanka z resztką kompotu przewróciła się, a jej zawartość wylała na ceratę.

– Nie dostanę urlopu! – powtórzyłam, choć sumienie krzyczało: nie oszukuj! Tadeusz wpatrywał się we mnie osłupiały. Źrenice miał jak spodeczki.

– Żaden urlop nie będzie ci już potrzebny! – Piotr uderzył ręką w stół, aż się wzdrygnęłam. – Jutro nie pójdziesz do pracy! Ani pojutrze! – Powtórzył uderzenie.

– Ani w żaden inny dzień! Koniec z tą zabawą w jakieś nikomu niepotrzebne smarowidła, mazidła czy jak je tam zwał! Jedziemy wszyscy i już! Powiedz mi, czy zawsze musisz wszystko psuć?

– Uspokój się! – podniosłam głos i oparłam dłonie na krawędziach krzesła. Zacisnęłam je do bólu. – Pójdę do pracy i jutro, i pojutrze, i później. Pracuję w tej firmie od ukończenia studiów i nie zarabiam tylko na zapałki. Moja pensja jest dużym wkładem w domowy budżet. Poza tym wystąpiły pewne niespodziewane okoliczności i nie mogę wszystkiego zostawić ot tak sobie. Wiesz, że zawsze i we wszystkim szli mi w pracy na rękę. Pamiętasz, jak...

– Możesz mi powiedzieć, jakie to okoliczności? – przerwał mi Piotr i nachylił się w moją stronę. Żyły na jego szyi nabrzmiały ze zdenerwowania.

– Szef miał zawał! – odparowałam, przepraszając w duchu niebiosa za to wierutne kłamstwo.

– Jasiu? – Piotr opadł zrezygnowany na krzesło.

Tadeusz wpatrywał się oniemiały to we mnie, to w ojca.

– Owszem. – Pochyliłam głowę, żeby nie zauważył palącego rumieńca.

– Przecież on jest dwa lata młodszy ode mnie! Jeszcze na weselu był okazem zdrowia!

– Właśnie! – przytaknęłam skwapliwie. – Teraz sam rozumiesz, że nie mogę. Jeszcze będzie niejedna okazja do wspólnego wyjazdu. Będzie. Prawda? – zapytałam ufnie, powstrzymując napływające do oczu łzy. Oto wyrzekłam się nadziei i marzeń związanych z wyprawą. Wiedziałam, że przyszłość jest nieodgadniona, ale bywają szanse w życiu, które nie powtarzają się nigdy. Poza tym – było mi po ludzku wstyd. Dotarła do mnie okrutna prawda: okłamałam Piotra i to w obecności jego dziecka. Złamałam podstawowe zasady wychowawcze, choć zrobiłam to dla Tadeusza. Głos w mojej głowie uspokajał mnie, ale mimo to czułam się podle. No i nigdy nie przyłapałam Piotra na kłamstwie…

– Taki spokojny i zrównoważony facet. Bez nadwagi. Mówił mi, że nie pali, jeździ na rowerze. Jakie to życie niesie niespodzianki… – Zszokowany Piotr kręcił głową.

– Tato. – Tadeusz zwrócił się do ojca niemal bezgłośnie.

Nie wytrzymałam. Wstałam. Złapałam za ścierkę i zaczęłam wycierać stół.

– Tak, synu? – Piotr ocknął się z zamyślenia.

– Tato, nie można zostawić pani Izy samej. Będzie jej smutno. Poza tym to wcale nie jest taka bezpieczna dzielnica. Kręci się tu tylu meneli… – Opuścił głowę i zaczął skubać skórki przy paznokciach.

– Iza, boisz się zostać sama? – zapytał Piotr.

Stałam odwrócona tyłem i zapamiętale płukałam pod strumieniem wody w zlewozmywaku ścierkę, którą przed chwilą wytarłam rozlany na stole kompot.

– Nie. Ale byłoby mi przyjemniej z Tadeuszem – rzuciłam przez ramię, niby od niechcenia. Nie odwróciłam się, kontynuując zajęcie pod niemal wrzącą wodą. Nie zważałam na krzyczące wniebogłosy receptory.

Zapadła cisza. Na przemian to moczyłam, to wykręcałam od dawna już czystą ścierkę. Usłyszałam, jak Piotr odsuwa krzesło. Odwróciłam się. Podszedł do Tadeusza i oburącz chwycił go za ramiona.

– Jestem z ciebie dumny, synu. Będą z ciebie ludzie. Masz rację. Nie zostawia się kobiety na dwa miesiące samej. Jesteśmy rodziną i musimy sobie pomagać.

Mimowolnie po moich policzkach popłynęły łzy. Czułam narastający ból głowy. Miałam wrażenie, że ktoś podłączył do mojej czaszki kompresor i pompuje do jej wnętrza powietrze. Jasny gwint! Co ja narobiłam? Czy w ogóle uda mi się z tego wykaraskać?

Wieczorem przed snem poszłam do pokoju Tadeusza. Leżał odwrócony do ściany, ale wiedziałam, że nie śpi. Wyciągnął zaciśniętą dłoń, sięgnęłam. Gdy rozluźnił palce, ujrzałam w niej złożoną na pół karteczkę.

Wychowawczyni: Mariola Gwiazdowska
duża przerwa od 10.40 do 11.05
numer tel. 908 312 765.

Włożyłam świstek do kieszeni szlafroka, wyszłam do przedpokoju i konspiracyjnie ukryłam go w torebce. Więc jutro czeka mnie trudna rozmowa. A potem? Jak ja sobie z tym wszystkim poradzę? Poczułam, że drżę.

Głowa mi pękała od kotłujących się czarnych myśli. Jeżeli mój gorączkowo i chaotycznie opracowany plan się nie powiedzie, zaciągnę sobie stryczek na szyi. Bezszelestnie przeszłam do sypialni. Piotr leżał na plecach z założonymi za głową rękami i pochrapywał. Z ulgą stwierdziłam, że śpi. Starając się go nie zbudzić, delikatnie wsunęłam się pod kołdrę. Ocknął się nieco i objął mnie ramieniem. Położyłam głowę na jego piersi, mając nadzieję, że rytmiczne uderzenia serca pomogą mi uspokoić galopadę myśli. Zaczęłam je liczyć, zamiast czarnych i białych baranów; przy dwieście dwudziestym drugim przyszło mi do głowy, że odliczam czas do własnej egzekucji, i aż się wzdrygnęłam. Zrobiło mi się gorąco. Nogą odrzuciłam kołdrę i szeroko otwartymi oczami, w poświacie ulicznej latarni, obserwowałam cienie na ścianie. Zazdrościłam Piotrowi spokojnego snu. Również Zosi, która jak zawsze perfekcyjnie przygotowana do jutrzejszych lekcji nie miała powodu do stresu. Ostatnio zresztą zmieniła nastawienie wobec mnie na nieco bardziej pokojowe. Może nawet jej żal na wieść, że nie jadę, był szczery? Szybko pogodziła się z tym, że Tadeusz zostanie ze mną jako ochroniarz, jak to określiła. Najważniejsze było, że zgodnie z planem wakacje spędzi z ojcem.

Westchnęłam. Miałam zawroty głowy jak po oblewaniu udanej sesji. Dopadł mnie potężny kac, tyle że moralny. Ogromne poczucie wstydu i potężne wyrzuty sumienia rozsadzały mi czaszkę. W co ja się wkręciłam? W oszukiwanie dopiero co poślubionego męża! Jasny gwint! Mogłabym go zbudzić, spokojnie z nim porozmawiać i uspokoić sumienie, ale co z Tadeuszem? Przecież tak naprawdę sprowokowałam go do kłamstwa! Spontanicznie zaaranżowaliśmy przerażający rodzinny szwindel. Nie, nie mogę się przyznać, bo on ucierpi najbardziej. W głębi duszy wiedziałam, że tak jest wygodniej, przynajmniej w tym momencie, bo nazajutrz nie będzie zadymy. Sprawa została odroczona. Tylko co potem? A jeśli wszystko wyjdzie na jaw, bo Tadeusz nie zda poprawki? Zaszkliły mi się oczy, więc wytarłam je mankietem piżamy. Och, żeby tak można było za pomocą magicznej gumki wymazać całe dzisiejsze popołudnie i powrócić do „przed"! Miałam wrażenie, że w gardle rośnie mi coraz większa gula i lada chwila mnie zadusi. Z ulicy dobiegało wycie przejeżdżającej na sygnale karetki pogotowia; na ścianie pojawił się na krótko niebieski poblask. Westchnęłam ponownie. Nie byłam sama. Gdzieś w pobliżu też ktoś nie spał, drżąc o przyszłość kogoś bliskiego. Zrobiło mi się zimno, więc nakryłam się kołdrą. Przebierałam nogami, szukając najwygodniejszej pozycji. Głowę ułożyłam we wgłębieniu pod ramieniem Piotra. Przysunęłam się bliżej i oburącz chwyciłam jego dłoń, jak koło ratunkowe.

Chaotyczne ruchy sprawiły, że mój mąż w końcu się obudził i przyciągnął do siebie.

– Iza – wymamrotał. – Zauważyłem, że od początku naszego małżeństwa masz kłopoty ze snem. Rzucasz się, przewracasz, miotasz, jakbyś miała poskręcane ciało i chciała je rozplątać. Może powinnaś iść do lekarza?

Też jako dziecko tak miałem. Okazało się, że w przedszkolu załapałem owsiki. Masz typowe objawy.

Nazajutrz z samego rana poszłam do szefa i szczelnie zamknęłam za sobą drzwi. Musiałam być szczera do bólu. Usiadłam na fotelu naprzeciwko biurka, przysiadając na dłoniach, by ukryć ich drżenie. Jaś popatrzył na mnie z niepokojem. Nie wysiliłam się przed wyjściem z domu i nie maskowałam skutków nieprzespanej nocy; wiedziałam, że pod oczami mam czarne podkowy, jak po precyzyjnych sierpowych. Odmówiłam porannej kawy, nie byłabym w stanie utrzymać filiżanki. Poza tym było mi niedobrze. Piekło mnie w żołądku, w ustach czułam metaliczny posmak i zbierało mi się na wymioty. Typowe objawy przedegzaminacyjne! A po obronie pracy magisterskiej byłam przekonana, że mam z nimi spokój do końca życia... Jak na spowiedzi powiedziałam szefowi, w jakiej znalazłam się sytuacji i że na gorąco wymyśliłam jego zawał, bo żaden inny wiarygodny pretekst nie wpadł mi do głowy. Zdumiony Jaś raz po raz kręcił głową. Spodziewałam się pociechy, ale on tylko oparł łokcie na skraju biurka i złapał się oburącz za głowę, jakby w obawie, że uderzy nią o blat. Później wyprostował się, wstał i zaczął krążyć po gabinecie charakterystycznym, miękkim krokiem tygrysa, który upatrzył sobie ofiarę i tylko czeka na dogodny moment do ataku. Skuliłam ramiona. Cisza przeciągała się w nieskończoność i nie zwiastowała nic dobrego. Wreszcie Jaś podszedł do mnie, przykucnął, sięgnął po moje spocone ze stresu dłonie i ścisnął je mocno.

– Iza, znamy się już dobre kilka lat. Wiedziałem, że dobra z ciebie dziewczyna, ale teraz przeszłaś samą siebie. Nie wiem, co by na to powiedziała moja żona, w końcu szkolny pedagog... Mniejsza z tym, nie będę jej pytał o zdanie. – Lekceważąco machnął ręką. – W każdym razie pomogę ci, bo jesteśmy przyjaciółmi. Zastanawiam się tylko, co powiesz innym... – Spojrzał w okno, jakby szukał odpowiedzi. – Wiesz, że tutaj wszyscy żyją twoją wyprawą, a większość ci po prostu jej zazdrości?

– Powiem, że u taty lekarze podejrzewają jakąś poważną chorobę i nie mogę go zostawić ot tak sobie – wymamrotałam. Wprawdzie było mi już nieco lżej na sercu, ale uświadomiłam sobie, że z jednego kłamstwa brnę w drugie, jakbym zapadała się w bagno. A wszystko, żeby ratować skórę nastolatka, którego znam od zaledwie czterech miesięcy!

– Iza, mam nadzieję, że zostanie ci to wynagrodzone gdzieś tam. – Jaś wskazał znacząco na sufit, a potem popatrzył na mnie z miną żałobnika przed złożeniem kondolencji. – Nawet nieźle to wymyśliłaś, bo argument o chorobie ojca uwiarygodni twój dzisiejszy wygląd... A teraz idź do pracowni i przetestuj nasz magiczny korektor na sińce pod oczami. Przynajmniej będziemy wiedzieli, ile jest wart. – Roześmiał się, niezbyt naturalnie. – A tak z ciekawości... Kto pomoże młodemu w ogarnięciu fizyki?

– Tata. Jeszcze o tym nie wie, ale się dowie. – Wycierałam w spódnicę spocone dłonie.

– Więc doprowadź się do stanu przyzwoitości, a potem bierz dwie godziny wolnego na załatwienie spraw z ojcem. Poukładaj sobie ten bałagan i wracaj do pracy. Na razie masz zakaz wchodzenia do laboratorium, bo tylko szkód narobisz i jeszcze wysadzisz nas w powietrze!

Pod mieszkaniem taty odruchowo wyciągnęłam klucze z torebki, ale schowałam je czym prędzej. To już nie był wyłącznie jego dom… Zadzwoniłam i w drzwiach zobaczyłam ubranego w zielone krótkie spodenki i żółtą termoaktywną koszulkę sportowca z hantlami w ręku. Widać było, że tata przygotowuje się do codziennych ćwiczeń. Rozpromienił się na mój widok, ale gdy przyjrzał się uważniej, euforia minęła. Wolną ręką bez słowa przygarnął mnie do siebie i zaprowadził do kuchni. Opadłam na krzesło. Na szczęście tata był sam, Luiza poszła do pracy. Oparł się plecami o lodówkę i patrzył zatroskany.

– Córuś, co jest? Rozwód? – zapytał wreszcie. Przecząco pokręciłam głową.

– Tato, potrzebuję twojej pomocy… – wykrztusiłam i niespodziewanie, nawet dla samej siebie, rozpłakałam się jak mała dziewczynka. Jak kiedyś, lata temu, z powodu nieudanego rysunku albo kłótni z koleżanką z podwórka. Wraz ze łzami wypłynęły ze mnie nagromadzone od wczoraj emocje; byłam w miejscu, gdzie mogłam pozwolić sobie na ten komfort. Tata cierpliwie podawał mi płatki papierowego ręcznika, a ja pociągałam nosem, wycierając z twarzy resztki rozpuszczonego makijażu, w tym całkiem skutecznego korektora firmowej produkcji. Trzeba będzie jeszcze nieco dopracować jego recepturę… W przerwach pomiędzy jednym spazmem a drugim opowiedziałam tacie całą historię.

– Pomożesz mi? – zakończyłam. Był moją ostatnią deską ratunku.

– Czyli chcesz, żebym go przygotował do poprawki?

– Taaak – jęknęłam błagalnie. – Wiem, że nie zajmujesz się korepetycjami od podstaw, pracujesz z uczniami z wyższej półki, którym nie trzeba tłumaczyć wzoru na ciężar cieczy ani na czym polega dyfrakcja, ale w drodze wyjątku, dla córki…

– Załatwione! – przerwał. – Tylko przestań beczeć!

– Ale tato, dasz radę? Będziesz miał cierpliwość? Gdyby żyła mama… – Przerwałam na kolejnej fali łez.

– Iza. – Tata podszedł do mnie i delikatnie wytarł mi twarz nowym kawałkiem ręcznika. – Dam radę. Obiecuję. Poprawkę zda na mur – zapewnił uspokajająco. – Na mnie zawsze możesz liczyć. Przecież jesteśmy rodziną. Wiesz co? Chodźmy na lody. Takie z bitą śmietaną i owocami. Tylko doprowadź się do stanu używalności, bo wyglądasz jak kupka nieszczęścia. – Odgarniał z moich policzków sklejone łzami włosy. – W łazience są kosmetyki Luizy. Głowę daję, że nie miałaby nic przeciwko. Cała moja córeczka. – Pocałował mnie w czoło. – Pakuje się w tarapaty, żeby ratować innych.

– Tato, jeszcze jedno… – Trzęsłam się jak w ataku febry. – Tak bardzo mi wstyd. Niby córka pary pedagogów, a oszukuje męża i uczy kłamać Tadeusza! – Zaczęłam się jąkać. – Czu-ję się po-dle!

Gapiłam się w podłogę, na zamazany wzór na płytkach, nie śmiejąc podnieść oczu.

– Porozmawiam z młodym. – Tata uniósł mój podbródek. – Niech sobie nie myśli, że jeden taki numer upoważnia go do następnych. – Ponownie wytarł mi twarz. – A teraz, moja mała szachrajko, obiecaj, że to również twój ostatni numer tego typu. Wiem, że wszystkiemu winne twoje miękkie, babskie serce, ale to cię nie usprawiedliwia. Ani twoja mama nie oszukiwała, ani ja…

– Wiem! Nie musisz kończyć. Wiem i obiecuję! – Wstrząsnęła mną kolejna fala płaczu.

– Już dobrze, przestań się mazać! Śmigaj do łazienki i zrób z sobą porządek! No już!

Do przyjazdu wynajętego przez uczelnię busa, który zabierał uczestników wyprawy i miał zawieść ich na lotnisko, pozostało dwadzieścia minut. W przedpokoju stały już dwa plecaki na stelażach – większy dla Piotra, mniejszy dla Zosi, a ja po raz kolejny sprawdzałam bagaż podręczny z przygotowaną listą. Na wszelki wypadek dołożyłam jeszcze plastry na odciski i bandaż elastyczny. Piotr golił się w łazience, a Zosia w kuchni malowała paznokcie na biało, zdobiąc je czarnymi wzorkami mającymi przypominać zebrę. Tadeusz w swoim pokoju słuchał hip-hopu. Od kilku dni w mieszkaniu rozlegał się doskonale już znany mi refren: „Jestem śmieciem, śmieciem na tym i tak zasyfionym świecie, o czym wy jeszcze do końca nie wiecie, jestem petem, takim czarnym kretem…”.

– Iza! Możesz tu przyjść? – zawołał Piotr. Stał z ogoloną połową twarzy, reszta wciąż była namydlona. Wyglądał jak Mikołaj, któremu ktoś odciął połowę brody. – Czy ty to słyszysz?

– Co?

– Tę pseudoartystyczną twórczość? Przecież to kicz i kpina!

– Uhm.

– I co ty na to?

– Nic. – Wzruszyłam ramionami. – Po prostu kolejny etap w życiu. Jak świat światem gusty pokoleń się nie pokrywają. Jak będzie miał trzydzieści lat, nie będzie już tego słuchał. Zapomniał wół, jak cielęciem był!

– Ale on nabył takich upodobań w ostatnim czasie!

– Sugerujesz, że od dnia naszego ślubu? – zapytałam bez emocji, już przyzwyczajona, że wszelkie złe rzeczy zaczęły się w chwili mojego dołączenia do rodziny.

– Na to wychodzi…

– Skoro tak uważasz… Na pewno masz rację! – przyznałam ochoczo, z ironią w głosie. – Musisz się namydlić od nowa, bo się pozacinasz. – Odwróciłam się na pięcie.

– Iza!

– Uhm?

– Zrób coś z tym!

– Czyli?

– Będziecie tylko we dwoje przez całe wakacje. I zapewne popołudniami i w weekendy będzie wam się nudzić…

– Co ty nie powiesz? Oto pan wszechwiedzący! Może powinieneś prowadzić w radiu autorski program? „Masz pytanie? Piotr odpowie!”.

– Iza, nie chcę się kłócić.

– No, ja tym bardziej!

– Iza, proszę, spróbuj w nim wzbudzić upodobanie do muzyki klasycznej. Wiesz… Bach, może Mozart, Vivaldi…

– Przecież jej nie słuchamy! – Popukałam się palcem w czoło.

– Ale on może. A nawet powinien!

– Zrobimy tak: jak wrócisz, zaczniesz słuchać i dasz dobry przykład. Załatwione?

– Iza! – Piotr podszedł i przywarł do mnie całym ciałem. – Ty pyskaczu! – szepnął mi do ucha. – Jak ja wytrzymam bez ciebie tyle czasu?

– Dzwonił pan Marian! Będą za dziesięć minut! – zawołała Zosia. – Tatusiu, jesteś gotowy?

– Zaraz! – odkrzyknął Piotr w stronę kuchni. – Będę tęsknić – wymruczał.

– Piotr, pamiętasz, co cię czeka po powrocie? – Położyłam jego dłoń na swoim brzuchu.

– Chcesz skonsultować jakąś dietę? – zaśmiał się. – Masz obsesję. Zapewniam cię, że wcale nie jest źle.

– Doskonale wiesz, o co chodzi – wyszeptałam, nerwowo przełykając ślinę.

– Pamiętam. – Przesłonił moje usta dłonią. – Będę tęsknić. – Pocałował mnie namiętnie.

W przedpokoju żegnaliśmy się pośpiesznie. Upewniłam się jeszcze, czy zabrali paszporty i pieniądze, czy Zosia ma książeczkę zdrowia, a w kieszeni chusteczki. Panowały ogólny rozgardiasz i ożywienie. Tylko Tadeusz stał oparty o ścianę i przypatrywał się temu bez emocji.

– No, Tadzik... Szkoda ci, że nie jedziesz z nami? – Obładowany plecakiem Piotr podszedł do syna.

– Nieee... – Przygnębiony chłopak nie patrzył mu w oczy. Zwiesił głowę.

– Synu, nie zaprzeczaj. Przecież widzę. – Piotr przeczesał palcami postawione na żel włosy. Poklepał Tadeusza po ramieniu. – Pamiętaj. Jestem z ciebie dumny. Zaskoczyłeś mnie. Zachowałeś się jak prawdziwy mężczyzna. Prawda, Iza? – zwrócił się do mnie.

– Uhm – potwierdziłam, unikając jego wzroku. Skoncentrowałam się na strzepywaniu niewidzialnego pyłku z Zosinej bluzy.

– Powinna pani mieć wyrzuty sumienia do końca życia! W końcu nie jedzie przez panią – wysyczała Zosia. Patrzyła na mnie z potępieniem. A mnie zaszkliły się oczy; w milczeniu przygryzłam dolną wargę.

Niespodziewanie mała zarzuciła mi ręce na szyję. – No, raczej nie przez panią, tylko przez pani pracę. Ale na pocieszenie dodam, że mam inne zdanie na jej temat niż tatuś. Uważam, że kosmetyki dla nas, kobiet, są bardzo ważne i pani praca ma sens. – Pocałowała mnie w policzek. – Tylko proszę nie zapomnieć o karmieniu moich rybek. Pa! – Cmok w drugi policzek.

Objęłam ją i przytuliłam mocno.

W mieszkaniu zapanowała kompletna cisza, nawet z pokoju Tadeusza nie dobiegały dźwięki grającego przed chwilą na maksa hip-hopu. Oparłam się plecami o ścianę w przedpokoju, przymknęłam oczy, odetchnęłam z ulgą i przez chwilę napawałam się błogim spokojem. Niedługo. Powróciły niepokoje związane z poprawką. A może Tadeusz jest typem, który tata nazywa „głąbem fizykalnym"? Och, gdyby żyła mama! Zawsze tłumaczyła tacie, że taka kategoria nie istnieje, i twierdziła, że raczej należałoby mówić o „pedagogicznych bałwanach".

Zaczęłam masować skronie w nadziei, że ten zabieg przyniesie mi ulgę. Nic z tego. Za to odczułam natychmiastową potrzebę zrobienia pierwszego kroku wiodącego do sukcesu, w który muszę uwierzyć, bo inaczej zwariuję. Od dwóch tygodni, poza załatwieniem Tadeuszowi korepetycji u taty, nie zrobiłam kompletnie nic. Nie wracałam do tematu, zachowując się tak, jakby problem nie istniał. Teraz poszłam do jego pokoju.

Tadeusz leżał na łóżku w pozycji embrionalnej i pustym wzrokiem wpatrywał się w przestrzeń. Zauważyłam na jego twarzy pierwsze różowe krostki trądziku. Usiadłam obok, po raz pierwszy uświadomiwszy sobie wyraźnie, że będziemy skazani na siebie przez ponad dwa miesiące.

– Tadeusz, rozmawiałam wtedy z twoją wychowawczynią. – Przełknęłam nerwowo ślinę, bo wspomnienie natychmiast wywołało suchość w gardle. – Skąd ten pomysł, że wpadka z fizyki jest efektem pomieszkiwania kątem u prababci, która twoim podręcznikiem napaliła w piecu kaflowym? – Milczał. – Tadeusz, słyszysz?

– Nic innego nie przyszło mi do głowy... – odpowiedział cichutko. Zaczerwienił się. Krosty na twarzy zrobiły się bordowe.

– Wiesz, telefon nie wystarczył... Musiałam zwolnić się z pracy i pojechać do szkoły. Zapewniłam, że teraz masz już dobre warunki do nauki, nikt ci nie zabierze podręcznika na podpałkę, i solennie obiecałam, że będę się pojawiać na każdej wywiadówce. Na wszelki wypadek dałam wychowawczyni numer komórki, żebyśmy pozostawały w kontakcie. Ma mnie zawiadamiać o spotkaniach rodziców, choć święcie wierzę, że będę się o nich dowiadywać od ciebie. – Tadeusz skulił się jeszcze bardziej. – Poza tym... – kontynuowałam. – Od jutra dwa razy w tygodniu będziesz wstawać o tej samej porze co ja. Po drodze do pracy podrzucę cię do mojego taty. Odbiór po piętnastej.

– Co takiego? – Tadeusz gwałtownie usiadł na łóżku, z szeroko otwartymi oczami, jak ktoś, komu urządzono

pobudkę, polewając go wiadrem lodowatej wody.
– W żadnym wypadku! Tylko się ośmieszę. Wolę się uczyć sam! Obiecuję…

– Powiem krótko: bez gadania! – przerwałam ostro. – Jeżeli coś ci nie pasuje, zaraz dzwonię do ojca i mówię wszystko! – straszyłam, choć nie zadzwoniłabym do Piotra za skarby świata.

Tadeusz patrzył na mnie z mieszaniną obawy i wątpliwości w oczach, a ja usiłowałam zachować twarz pokerzysty.

– Raz w tygodniu nie wystarczy? Albo wtedy, gdy czegoś nie będę rozumiał? – spróbował negocjacji.

– Nie! Nie! I jeszcze raz: nie! Krótka piłka.

– Czyli sytuacja patowa?

– Precyzyjnie to ująłeś. Brawo! – powiedziałam ironicznie. – A teraz oczekuję męskiej odpowiedzi.

– Zgoda – wykrztusił niemal bezdźwięcznie.

– Super. – Kamień spadł mi z serca, choć okazana dziecku bezwzględność trochę raniła sumienie. – Wiesz co? Dzisiaj masz prawdziwe wakacyjne popołudnie. Możesz iść pograć w kosza albo w rugby, albo robić cokolwiek, na co masz ochotę.

– Naprawdę?

– Owszem. Ale od jutra obowiązuje plan opracowany przez mojego tatę. Jak go znam, przygotował się na pewno. To zmykaj, a ja biorę się za sprzątanie tego bałaganu. No już!

Nazajutrz w drodze do pracy podwiozłam Tadeusza pod blok taty. Chłopak ociągał się z wysiadaniem; zgrywał twardziela, ale widziałam, że wcale mu nie do śmiechu. Wychyliłam się z auta i zadarłam głowę. Nie myliłam się – tata czekał na balkonie. Jak pająk krzyżak na muchę. Po plecach przeleciał mi dreszcz i powróciły wątpliwości. Czy tata potrafi przy „fizykalnym analfabecie" zachować stoicki spokój? Czy Tadeusz zaakceptuje styl bycia starszego pana, przyzwyczajonego do pracy z pasjonatami przedmiotu? Czy uda mi się wybrnąć z podbramkowej sytuacji, w którą się wplątałam z własnej woli wyłącznie dlatego, by ochronić chłopaka przed kłopotami, a u Piotra nie spowodować palpitacji serca? Patrzyłam, jak Tadeusz zbliża się do drzwi budynku i mija z panią Martą, sąsiadką z drugiego piętra, która niemrawym krokiem wyprowadza na spacer swojego jamnika... Odpaliłam silnik i odjechałam czym prędzej, żeby uniknąć relacji z najnowszych blokowych sensacyjek. Nie miałam ochoty ani na spóźnienie się do pracy, ani na przejmowanie się kłopotami innych, jakby nie dość było moich własnych.

W laboratorium zajęłam się maseczką pod oczy mającą poprawiać sprężystość skóry. Zgodnie ze wstępną recepturą ściśle odmierzałam i mieszałam składniki aktywne, dziękując w duchu niebiosom za błogosławieństwo rutyny i niemyślenia. I co chwila sprawdzałam na zegarku, czy nie wybiła już jedenasta, godzina, o której tata przerywa każde, nawet najważniejsze zajęcie, żeby wypić jedyną w ciągu dnia filiżankę kawy.

Im bliżej jedenastej, tym większa ogarniała mnie gorączka. Zadzwonię i co? Usłyszę „kompletna klapa" albo „zabieraj go sobie, i to już", albo „z tej kapuścianej głowy możesz co najwyżej ugotować zupę, ewentualnie rozdzielić liście i użyć ich jako okładu na opuchnięte kolana, bo innego zastosowania nie widzę, chociaż bardzo bym chciał"? Jasny gwint! Dwie minuty potem wymknęłam się do toalety. Upewniłam się, że jestem sama, i z drżącym sercem wykręciłam numer. Tato odebrał po kilku sygnałach.

– Coś się stało? – spytał zdyszany, łapiąc oddech.

– Nie. Chciałam tylko wiedzieć, jak tam Tadeusz... – wycharczałam, bo zaschło mi w gardle. Odchrząknęłam i przełknęłam ślinę

– Świetnie! Coś jeszcze? – zapytał zniecierpliwiony.

– Świetnie, czyli jak? – drążyłam, zdumiona niespodziewanym przebiegiem rozmowy.

– Iza, wiercisz mi dziurę w brzuchu i tylko przeszkadzasz. Właśnie robimy sobie serię ćwiczeń na kształtowanie bicepsów. Ćwiczymy ze sztangietkami i wymieniamy doświadczenia. Trzeba przyznać, że jest całkiem dobry. Naprawdę! Pokazał mi na przykład takie ćwiczenie: stoisz w rozkroku, ze stopami na szerokości...

– Tato! – Spojrzałam w sufit, jakby w poszukiwaniu ratunku. Poziom adrenaliny w organizmie przekroczył wszelkie dopuszczalne granice. – Miałeś go uczyć! To znaczy zająć się nim...

– Iza, nie samą fizyką człowiek żyje! Przecież chłopak ma wakacje i coś mu się z tego tytułu należy.

Poza tym część zajęć już się odbyła. Teraz zrobiliśmy sobie przerwę, potem coś przekąsimy, a potem znowu z godzinkę... – mówił rozdrażniony. – A zresztą, nie zamierzam się tłumaczyć. Wziąłem sprawy w swoje ręce i za nie odpowiadam. Koniec. Zajmij się, dziecko, pracą, i przestań mnie kontrolować. Coś jeszcze? Bo mięśnie nam stygną.

– Nie! Nie, tato! – zapewniłam.

Pożegnaliśmy się, a ja przykucnęłam pod ścianą. Poczułam na plecach przyjemny chłód kafelków. Przeanalizowałam dopiero co zakończony dialog, ale jakoś wcale nie pozbyłam się wątpliwości. Czy tato nie podchodzi do sprawy zbyt lekkomyślnie?

Do laboratorium wróciłam z bólem głowy.

Wlokłam się po schodach, nie wiedząc, czego się spodziewać, Czułam się jak na egzaminie, przed wylosowaniem zestawu pytań. Zadzwoniłam. Tata otworzył drzwi niemal natychmiast.

– Wreszcie – powiedział z ulgą.

– Już tato, już go zabieram. Wiem, że to wiele godzin, ale gdyby nie ty, obijałby się po ulicy...

– Co ty bredzisz? – Popatrzył na mnie podejrzliwie. – Źle się czujesz?

– Już tato. Zaraz nas nie będzie.

– Chyba upał nie działa dobrze na twoją głowę, córeczko. – Roześmiał się. – Nie stój w progu, wchodź. Czekamy na ciebie z obiadem. Wszyscy są bardzo głodni.

– Tato, mam obiad w domu... – Patrzyłam zaskoczona.

– To dobrze. Obiad nie zając, nie ucieknie. Zostanie na jutro. Przez wakacje, w te dni, kiedy Tadeusz ma zajęcia, będziecie jadali tutaj. To już ustalone. Z Luizą i Tadeuszem – dodał. – Jesteśmy w większości. No, wchodźże wreszcie! – Tato chwycił mnie za rękę i wciągnął do przedpokoju.

– Nie... Tak nie można. – Kręciłam przecząco głową.

– A właśnie, że można, pani Izo – usłyszałam za plecami.

Odwróciłam się i stanęłam twarzą w twarz z Luizą. Patrzyłyśmy na siebie speszone. Ona, uśmiechając się niepewnie, wyraźnie czekała na moją reakcję. Tata z Tadeuszem stali z boku; ich spojrzenia paliły mi policzki. Czas przestał istnieć, powietrze zgęstniało jak przed burzą z wichrem i piorunami. Odruchowo spojrzałam na chłopca i po raz kolejny uświadomiłam sobie, co musiały czuć dzieciaki, gdy mnie poznały, a później dowiedziały się o planach na przyszłość. Przełknęłam ślinę.

– Nie jestem żadna pani, tylko po prostu Iza.

– A ja Luiza. – Uścisnęłam wyciągniętą dłoń.

Odetchnęliśmy z ulgą. Duchota minęła, powiało rześkością. Widmo wojny domowej zostało zażegnane.

– Nawet się rymuje: Iza i Luiza – skwitował uszczęśliwiony tata. – Chodźcie. – Objął nas obie muskularnymi ramionami. – Zupa stygnie.

– Stasiu, przecież dzisiaj chłodnik! – zaśmiała się Luiza z udawaną pretensją.

– No to się ociepli. Tadeusz, nalewaj!

– Okej, dziadku! Babciu, gdzie jest jakaś chochla? – Tadeusz w kuchni wysuwał kolejne szuflady, przeglądając ich zawartość.

Jakoś ten „dziadek" i „babcia" nikogo nie zdziwiły. Cała trójka w ogóle sprawiała wrażenie, że zna się od zawsze. Znów poczułam się jak rezerwowy zawodnik, który właśnie wszedł na boisko i trudno mu od razu zgrać się z drużyną…

Po raz pierwszy usiadłam do obiadu w takim składzie. Gdy Luiza znikła w kuchni po sos do sałaty, starałam się usunąć z głowy marzenie, żeby wróciła stamtąd nie ona, a mama. I usłyszeć: „Dałam dzisiaj mniej śmietany, a więcej jogurtu". Nie było szans. W życiu taty nastąpiła zmiana i teraz będzie dzielił swe dni z kimś innym. Gdyby Luiza rozbiła małżeństwo rodziców, traktowałabym ją jak wroga po kres moich dni i na pewno nie siedziałabym z nią przy jednym stole. Ale teraz?

Przyjrzałam się tacie. Promieniał. Zniknęły gdzieś sińce pod oczami i posępne spojrzenie. Odżył, jak róża jerychońska, która zasuszona wygląda jak kłębek brązowych badyli, przez co może łatwo wylądować na śmietniku, uśmiercona na zawsze. Jednak właściwe ręce wiedzą, że trzeba zanurzyć ją w wodzie i ustawić do światła, a już po kilku dniach zachwyci urodą. Przykro mi było przyznać się przed sobą, że to ani ja, ani Aga nie byłyśmy sprawczyniami tego cudu… Obserwowałam, jak Luiza kładzie na talerzu taty kolejny plaster pieczeni, a on dziękuje jej czułym gestem. Pasują do siebie, pomyślałam. Mieszkanie na powrót zmienili w normalny dom. Tato, szczęśliwym zbiegiem okoliczności, poznał kobietę, która tchnęła w niego chęć do życia. Jak dawniej jest adorowany, akceptowany, rozumiany i uważany za atrakcyjnego mężczyznę. Mama na pewno chciałaby, żeby był szczęśliwy u boku kochającej i kochanej osoby. A my z Agą powinnyśmy się z tego cieszyć.

Nie, nie będę walczyć z Luizą, postanowiłam. I spróbuję się z nią zaprzyjaźnić, bo w przeciwnym razie zniszczę otaczającą tatę harmonię. Wyraziłam zgodę na wspólne wakacyjne obiady dwa razy w tygodniu, pod warunkiem że co drugi zostanie przywieziony przeze mnie, i nie ustąpiłam mimo protestów gospodyni.

Po obiedzie tata i Tadeusz zabrali się za wkładanie brudnych naczyń do zmywarki. Luiza pokroiła ciasto, ja zaparzyłam dla chłopaków herbatę, a dla nas obu kawę.

Przy deserze z ulgą zauważyłam, że Luiza nie nalała jej sobie do ulubionej filiżanki mamy.

Termin poprawki został wyznaczony na 25 sierpnia, trzy dni przed powrotem Piotra i Zosi z wyprawy. W miarę upływu czasu ogarniało mnie przerażenie, a wyobraźnia podsuwała najczarniejsze scenariusze. Pomimo że podczas naszych rytualnych obiadków, nierzadko przeciągających się do wieczora, tata, spoglądając z dumą na Tadeusza, rzucał: „Rośnie nam olimpijczyk" albo: „Mój wnuk jest lepszy od Faradaya", znowu zaczęłam źle sypiać. Tadeusz zdawał się nie podzielać moich strachów; w dni wolne od zajęć przesiadywał do nocy nad jakimiś eksperymentami, traktując je jak dobrą zabawę, i wołał mnie co chwila, aby zademonstrować zrobione ze starej płyty CD i owiniętej nićmi wiązki zapałek wahadło Maxwella. Albo poinformować o różnicy masy pomiędzy nadmuchanym a nienadmuchanym balonikiem. Męczyło mnie, że Tadeusz, zamiast ślęczeć nad podręcznikami i powtarzać wzory i regułki, najspokojniej w świecie sypia snem sprawiedliwego. Na zajęcia do taty udawał się zaopatrzony jedynie w świstki, na których zapisywał wyniki własnych doświadczeń. A tydzień przed poprawką, zamiast się uczyć, jeszcze coś kombinował z lodem, żeby – jak mówił – „poznać jego magię".

Akurat obierałam w kuchni marchewkę do zupy na następny dzień. Tadeusz otworzył drzwiczki zamrażarki i pogrzebał we wnętrzu. Staliśmy odwróceni do siebie plecami.

– Mamo, nie ma lodu w kostkach? – usłyszałam wypowiedziane najnormalniejszym pod słońcem głosem pytanie.

Skrobaczka w mojej dłoni zamarła i poczułam, jak serce podchodzi mi do gardła. Za wszelką cenę starałam się zachować spokój. Oto stał się ten pierwszy raz... Zostałam nominowana. Po prostu. Nie musiałam klęczeć przez kilka tygodni nad muszlą klozetową, oczekując na kolejną falę spazmatycznych porannych wymiotów, badać odczynu Wassermanna, maskować korektorem rudobrązowych hormonalnych plam na twarzy, leżeć plackiem w łóżku, bojąc się przedwczesnego odpływu wód płodowych, skurczów macicy i rozwarcia pochwy. Chociaż z drugiej strony ominęło mnie całkiem sporo rzeczy przyjemnych: wypieki na twarzy w oczekiwaniu na wynik testu, obserwowanie na USG małej fasolki z bijącym serduszkiem, zastanawianie się nad płcią, wymyślanie imion i apetyt na ogórki kiszone i śledzie w towarzystwie bitej śmietany. No i przytulenie malucha po raz pierwszy w życiu.

– Mamo, naprawdę nie mamy lodu?

– Jest w woreczkach w najniższej szufladzie – rzuciłam niby od niechcenia, ukradkiem ocierając łzę.

Sięgnęłam po kolejną marchewkę już jako osoba na wyższym poziomie kobiecości.

Urodziny Tadeusza wypadały 19 sierpnia, ale zaplanowane przyjęcie miało się odbyć już po powrocie Piotra i Zosi. Mimo wszystko zwolniłam się w tym dniu godzinę wcześniej z pracy i szwendałam po sklepach bez pomysłu na prezent. Weszłam do sklepu z ciuchami, ale wyszłam stamtąd jeszcze prędzej. Przecież nie kupię mu koszulki, bluzy czy spodni! Nie trafię zapewne z fasonem, rozmiarem, kolorem. Zresztą, co to za frajda? Na dłużej utknęłam w sklepie z zabawkami, krążąc wśród plastikowych traktorów, puzzli, bębenków, bujaków na biegunach, chodzików z pozytywkami, sterowanych samochodzików, pluszowych zwierzaków, wózków dla lalek. Zainteresowała mnie grająca betoniarka, do której można było wrzucać plastikowe klocki. Uprzejma sprzedawczyni z ufarbowanymi na zielono i żółto włosami zademonstrowała mi migające światełka, zmianę kierunku jazdy, gwizdy, dźwięk klaksonu i „wszystkie inne niewiarygodne funkcje" i teraz z cierpliwym uśmiechem czekała na decyzję. No skąd, przecież Tadeusz cztery lata skończył jakiś czas temu…

Następna była księgarnia z mnóstwem fajnych pozycji. Dla kogoś, kto lubi czytać…

Wyszłam stamtąd i kupiłam w automacie puszkę z zimnym napojem. Zrezygnowana przysiadłam na ławce i ochłodziłam rozgrzane z bezsilności policzki. Kontakt z oszronionym metalem przyniósł mi ulgę. Oderwałam metalową zawleczkę i jednym tchem wypiłam zawartość. Na chwilę przymknęłam oczy, wystawiając twarz do popołudniowego sierpniowego słońca, i przeniosłam się nad brzeg spokojnego morza. Poczułam lekki powiew wiatru, ustąpiło napięcie. Miałam namiastkę wakacji. Marzyłam o beztrosce, rozgrzanym piasku pod stopami, szumie fal i spacerujących po brzegu mewach. I nagle poczułam delikatne muśnięcie; zdziwiona, otworzyłam oczy. W pobliżu nie było nikogo. Kilka metrów dalej przechodziła przytulona para nastolatków. Oto przed chwilą doświadczyłam czegoś, co Aga nazwałaby zapewne „omamem dotykowym".

Tak czy inaczej moment relaksu przyniósł odprężenie. Odruchowo ruszyłam przed siebie. Mijałam kolejne sklepy, kompletnie niezainteresowana witrynami. Nagle, zupełnie niespodziewanie, przystanęłam, niezdolna do zrobienia kolejnego kroku. Podniosłam oczy. „Sportowy zawrót głowy", przeczytałam. Weszłam do środka.

– Co uszczęśliwi fana futbolu? – zapytałam młodego, wysokiego sprzedawcę z rudawą kozią bródką. Wyglądał mi na studenta dorabiającego w czasie wakacji. Młodzieńca natychmiast poderwało. Potencjalny klient w tak horrendalnie drogim sklepie to rzadkość.

– Jakiś przedział cenowy? – Lustrował mnie wzrokiem, kalkulując w myśli dzienny limit na mojej karcie kredytowej.

– Nie – odparłam zdecydowanie.

Chłopak okazał zadowolenie. Wziął kluczyk, podszedł do przeszklonej gabloty i ostrożnie, jak cenny muzealny rekwizyt, wyciągnął piłkę. Położył ją przede mną na ladzie i z wypiekami na twarzy oczekiwał reakcji.

– Super! Prawda?

– Szczerze? Nie znam się.

– To efekt nowej, przełomowej technologii. Optymalna aerodynamika i precyzja lotu. – Obracał przedmiot w rękach, wyraźnie zafascynowany. – Oficjalny model na mistrzostwa świata. Produkt z najwyższej półki. Pani chłopak będzie zadowolony.

– Syn – sprostowałam.

– Jak ja bym chciał mieć taką mamę! – Roześmiał się serdecznie. – I co?

– Biorę. Tylko proszę ją szybko i ładnie zapakować.

Tadeusz otworzył drzwi już po pierwszym naciśnięciu dzwonka. Gdy zauważył duże pudło owinięte w granatowy, błyszczący papier, uśmiechnął się pod nosem. Może nie wierzył, że będę pamiętała o jego urodzinach? Złożyłam mu życzenia i pozwoliłam na obejrzenie prezentu jeszcze przed obiadem.

Stanęłam nad garnkami, a on pobiegł do siebie. Nasłuchiwałam, czy nie dobiegną mnie okrzyki zachwytu, ochy i achy, ale w mieszkaniu panowała cisza. A im dłużej trwała, tym bardziej utwierdzała mnie w przekonaniu, że chłopak w sklepie wcisnął mi barachło.

Podminowana poszłam do pokoju Tadeusza i stanęłam w progu jak wryta. Siedział po turecku pośrodku dywanu, z opuszczoną głową, skulonymi ramionami i oburącz przyciskał do brzucha piłkę. Przykucnęłam i wzięłam go pod brodę. Zobaczyłam zapłakaną buzię.

– Tadeusz, sprawiłam ci przykrość? Powiedz, co się stało? – mówiłam najłagodniej, jak potrafiłam. – Dzisiaj są twoje urodziny i nie chcę, żebyś płakał. Może uda mi się tę piłkę wymienić na coś innego. Zrozum, ja się na tym nie znam. Nie płacz, proszę. – Gładziłam go po krótko przyciętych, nastroszonych włosach.

– Piłka jest super – wymamrotał i zwiesił głowę.

– Więc o co chodzi?

– Tylko... Przed tym wypadkiem... Kiedy mama... To znaczy pierwsza mama... – Próbował wydusić z siebie przez łzy.

– Mamusia?

– Tak, mamusia. Obiecała mi, że na urodziny kupi mi replikę oficjalnej piłki mistrzostw świata. Dokładnie taką jak ta. O takiej marzyłem.

– Masz zatem najlepszy dowód, że marzenia się spełniają! – powiedziałam radośnie, choć po plecach przebiegły mi ciarki. Ze wzruszeniem wspomniałam o tajemniczej sile z pogranicza jawy i snu, która zaprowadziła mnie do sklepu w wyniku niby przypadkowego splotu okoliczności. – Chcesz sobie popłakać? – zapytałam Tadeusza i wierzchem dłoni otarłam jego policzki. – To pomaga. Idę teraz do kuchni, skończę obiad i zaczekam. Przyjdziesz, jak będziesz gotów.

Spojrzałam na zdjęcie Ewy i uśmiechnęłam się ciepło.

Wieczorem, gdy przekładałam z rondla do słoików gorące konfitury morelowe z wanilią, w przedpokoju rozdzwonił się telefon. Już od jakiegoś czasu jego dźwięk doprowadzał mnie do palpitacji. Oby to tylko nie teściowa! Na mojej szyi zacisnęła się niewidzialna pętla.

– Słucham... – zdołałam wycharczeć.

– Co tak źle słychać? – rozległ się donośny głos Piotra. Odetchnęłam. – Izuniu, słyszysz mnie? – krzyczał.

– Bardzo dobrze! – odpowiedziałam normalnym głosem, uszczęśliwiona, że wyobraźnia spłatała mi figla.

– Wszystko w porządku?

– Oczywiście! – zapewniłam, choć nie było minuty, w której nie martwiłabym się o rezultat poprawki.

– Izuś! Tu jest cudownie! – W głosie mojego męża brzmiała euforia. – Cudownie! Rozumiesz?

– Uhm – przytaknęłam, choć chciało mi się krzyczeć. Też powinnam tam być, a nie przejmować się dokształcaniem jego syna i smażeniem konfitur! Poczułam ukłucie zazdrości.

– Wszystko ci pokażę. Mam tyle nagrań! – wrzeszczał zachwycony Piotr do słuchawki.

– Dobrze. Jak Zosia?

– Też cudownie! Stoi obok i popija koktajl z mango! Przesyła wam całusy!

– Dziękuję. – Powstrzymywałam łzy.

– Będziemy rozmawiali krótko, bo mi się kończy karta, a powrót już za kilka dni. Przed chwilą dzwoniłem do mamy. Jest mi przykro… – Głos Piotra zadrżał. – Mama zostaje w Niemczech, bo…

– Nie przeprowadza się do nas? – upewniłam się. Mój puls przyśpieszał w szalonym tempie.

– Izuś, wiem, że tobie też trudno… – odchrząknął, podczas gdy ja znowu powstrzymywałam łzy, tym razem radości. – Mówiłem ci, że Hans ma plan? Niestety, zrealizował go. Johanna, jego pierwsza żona, z dniem ślubu utraci prawo do alimentów, które jej płacił na pokrycie kosztów utrzymania. Pamiętasz?

– Owszem.

– No właśnie. Zaoszczędzone tym sposobem pieniądze Hans postanowił przeznaczyć na spłatę kredytu mieszkaniowego, bo kupił Jessice mieszkanie w apartamentowcu. Szkoda. Wiem, jak liczyłaś…

Piiip. Koniec rozmowy. Koniec impulsów na karcie.

Uff, jeden problem z głowy. Szczęście było tak nieoczekiwane, że nie byłam w stanie utrzymać się w pionie. Usiadłam na podłodze i rozpłakałam się serdecznie.

W samochodzie na parkingu przed szkołą drżącymi rękami usiłowałam zrobić sobie manicure. Czynność ta od zawsze działała na mnie jak zastrzyk uspokajający. Opiłowałam już wszystkie paznokcie, nie bardzo zważając na ich kształt, a teraz usiłowałam pociągnąć po nich pędzelkiem. Tyle że chybiałam za każdym razem. Tata z Tadeuszem weszli do szkoły już trzydzieści osiem minut temu. Jak długo może trwać poprawka? Kwadrans? Najwyżej dwa, czyli zaraz powinni być z powrotem. Nalegałam, by im towarzyszyć, ale nie pozwolili; podobno panikara im niepotrzebna. W międzyczasie dwukrotnie zadzwoniła Aga, niemal od początku wtajemniczona w mój plan. Wprawdzie aż do dnia wyjazdu Piotra próbowała mnie przekonać, że powinnam wszystko powiedzieć mężowi, choćby z tej racji, że Tadeusz jest jego rodzonym synem, ale zaledwie pół godziny temu uspokajała mnie i radziła, że mam się odprężyć, bo wszystko pójdzie dobrze. Za to przed chwilą, niby mimochodem, napomknęła o planowanym ożenku jej szefa i wykazywanej przez niego chęci zamiany „dwóch naprawdę przyzwoitych mieszkań na jedno duże w kamienicy". A potem dodała jeszcze: „Na razie możesz zamieszkać u mnie". Zakręciłam lakier i zapatrzyłam się w drzwi wejściowe do szkoły jak sroka w gnat. Oczyma wyobraźni widziałam komisję przecząco kręcącą głowami i przewodniczącego pewną ręką wpisującego w protokole poprawkowym słowo: „Niedostateczny". Minęło kolejne dziesięć minut. Kolejny telefon od Agi. Nie odebrałam. Może chce powiedzieć, że sprawa zamiany mieszkań jest już załatwiona? Zaczęłam obgryzać skórki przy paznokciach do krwi.

Chłopcy wyszli nieśpiesznie, ze spuszczonymi głowami. W milczeniu, powoli zbliżali się do mnie. Wiatr rozwiewał niemal już całkiem siwe włosy taty i wybrzuszał na szczupłym ciele Tadeusza odświętną białą koszulę. Krawat powiewał jak flaga. Obaj wyglądali jak posłańcy z najgorszą z możliwych wiadomością. No tak, oto sprawdził się najczarniejszy scenariusz.

Wparłam się w fotel, zamknęłam oczy. Widziałam wyłącznie ciemność.

– O twoja mama, a moja córka, śpi! – Niechętnie uchyliłam powieki. Ujrzałam nad sobą twarz taty. – Ja tu myślałem, że się denerwujesz, a ty sobie urządzasz drzemkę! To niewiarygodne, co się w tej szkole dzieje! Zaraz idę do dyrektora!

– Tato, co się stało, to się nie odstanie… – Wysiadłam z ociąganiem i stanęłam na miękkich nogach.

– To niedopuszczalne! – grzmiał tata w postawie przyczajonego boksera, rozważającego, jak znokautować przeciwnika. – Wiesz, jakie zadali pytania? Pierwsze: jaki jest wzór na moc. Drugie: jaki jest wzór na gęstość. Oni są nienormalni!

– Tadeusz, przecież to proste. – Spojrzałam zawiedziona.

– No właśnie! Potraktowali go jak imbecyla! Dwa pytania i koniec. Idziemy! – Pociągnął Tadeusza za rękę.

– Tato… – Zaczęłam go uspokajać, bo wyglądał, jakby chciał kogoś pobić. – Mówi się trudno. Nie nauczył się, to…

– Coś ty powiedziała? – Ojciec chwycił się za głowę jak ktoś dotknięty nagłym bólem. – Nie wierzę własnym uszom! Moja córka dolewa oliwy do ognia i wkurza mnie bardziej niż ta chrzaniona komisja! – wykrzykiwał wzburzony. – Żeby wszystko było jasne. – Zrobił krok w moją stronę i z furią popatrzył mi w oczy. – Oczywiście, że Tadeusz podał im te chromolone wzory i zaliczył poprawkę. A ty co myślałaś?

– Tato… – wybąkałam.

– Iza! Ty we mnie zwątpiłaś? Nie wierzę!

– Tato…

– Zamilcz! I przyjmij do wiadomości, że z Tadeusza będzie światowej klasy olimpijczyk, który rozsławi tę zapyziałą, prowincjonalną szkołę! Już ja o to zadbam! On jest naprawdę dobry w te klocki!

– Tato... – Objęłam go i wtuliłam się w jego ramę, które od razu stało się wilgotne. Z ulgi i szczęścia.

– Już dobrze, córuś... – Uspokajał mnie. – Zostawmy te czułości na potem. Teraz idziemy z Tadeuszem do dyrektora. – Poklepał mnie po plecach. – No, oderwij się wreszcie, bo nam szkołę zamkną.

– Są! Przyjechali! – krzyknął w stronę salonu stojący na balkonie Tadeusz.

Pobiegłyśmy do niego obie z Agą, usiłując przedrzeć się przez wirującą na wietrze firankę. Z powodu zdanej poprawki spontanicznie zorganizowałam u siebie uroczystą kolację. Andrzej był na poligonie wojskowym, synowie Agi na obozie, ale reszta gości dopisała.

– Dziadku! Babciu! Pomogę! Zaczekajcie! – darł się Tadeusz, na wpół wychylony przez barierkę, tak długo, aż go zauważyli. Tata wyciągał coś z otwartego bagażnika. Przyjrzałam się dokładniej i uśmiechnęłam na widok znajomych akcesoriów z dzieciństwa: olbrzymiego teleskopu, statywu i walizy. Roześmiana Luiza, w zsuniętych na włosy jak przepaska okularach przeciwsłonecznych, machała do nas jedną ręką, trzymając w drugiej pojemnik z ciastem. Wyglądała bardzo ponętnie. Miała na sobie zwiewną, letnią sukienkę w pastelowych kolorach, z głębokim wycięciem na plecach. Subtelne rozporki z przodu eksponowały opalone, szczupłe nogi. Tadeusz zdążył już zbiec i podskakując z emocji, złapał za przywiezione prezenty.

Tato, wyprostowany jak struna, jakby wyższy i silniejszy niż zwykle, promieniał. Podszedł do Luizy, odebrał od niej pojemnik z ciastem, a wolną ręką objął ją w pasie. Odwzajemniła ten gest. Zapatrzeni w siebie poszli nieśpiesznie do klatki schodowej. Zdecydowanie wyróżniali się spośród przygarbionych, szarych przechodniów. Emanowali szczęściem.

– Aga, czy ty widzisz to co ja? – wyszeptałam, zerkając ukradkiem na siostrę.

– Uhm... – odburknęła, ocierając oczy.

– Aga! – Tupnęłam. Na szczęście tata z Luizą tego nie widzieli. – A miałaś się pozbyć tej zżerającej cię od środka zazdrośnicy!

– Nie tak łatwo. Może trochę ją poskromiłam, ale nie dałam rady jej wypędzić. – Pociągnęła nosem.

– Aga, dzięki Luizie tata znów jest szczęśliwy. Rozpoczyna nowe życie, tryska wigorem. Zaczął się gimnastykować. Zrozum – tłumaczyłam pośpiesznie. – Sama to mówiłaś. Masz zaniki pamięci?

– Wiem – przerwała. – A wszystko dzięki niej...

– Aga, to tylko powiększenie rodziny. Nasze dzieci mają nową babcię! – Patrzyłam z politowaniem w szklane oczy mojej siostry.

– Prawda! – roześmiała się w końcu. – Ale kogo tata kochał bardziej?

– Mamę! – powiedziałyśmy równocześnie i chichocząc, pobiegłyśmy przywitać gości.

– Bardzo, ale to bardzo cieszy mnie, że przeprowadziła pani badania kontrolne przed planowanym macierzyństwem – powiedziała starsza pani ginekolog z króciutko obciętymi, siwymi włosami, do której poszłam zaraz po pracy. Z uśmiechem popatrywała to na mnie, to na ekran monitora podczas przesuwania po moim brzuchu głowicą do USG. – Zawsze powtarzam, że o niebo lepsze, przynajmniej z medycznego punktu widzenia, jest bycie mamą świadomą niż taką z przypadku. Dobrze, proszę wytrzeć żel. – Podała mi kilka dużych kawałków ligniny.

Odłożyła głowicę i usiadła na fotelu przy biurku.

– Wszystko w porządku? – upewniłam się z wypiekami na twarzy.

– Momencik... – Wzięła do ręki plik kartek z wynikami badań, które przyniosłam ze sobą. – Morfologia – super, biochemia krwi – w normie, prześwietlenie klatki piersiowej – bez zmian, mocz – ekstra, wynik HIV – ujemny. Jednym słowem, rewelacja! Z przyjemnością poprowadzę pani ciążę. Od dzisiaj proszę się zdrowo odżywiać, rzucić palenie i odstawić alkohol.

– Nie palę...

– Doskonale! – weszła mi w słowo.

– Ale od czasu do czasu pozwalam sobie na... – Zrobiłam minę skruszonego przestępcy. – ...kieliszek wina. Albo dwa.

– Wino w małych ilościach, zwłaszcza czerwone, jest nawet wskazane – uspokoiła mnie pani doktor ze śmiechem i wyciągnęła pusty druk karty pacjenta.

– Teraz założę pani kartotekę i przeprowadzę krótki wywiad. – Sięgnęła po długopis w kształcie bociana. – Wiek?

– Za cztery miesiące skończę dwadzieścia dziewięć lat.

– Uwielbiam pacjentki, które decydują się na dziecko przed trzydziestką – skomentowała z entuzjazmem. – Powiem wprost. – Spoważniała. – To jeszcze bardzo dobry czas, ale najlepszy już minął. Proszę pamiętać, że zegar wciąż tyka, niestety. Podsumowując: im wcześniej zdecyduje się pani rodzić, tym lepiej. Mam nadzieję, że zobaczymy się niebawem i będę miała okazję zrobić maluszkowi na USG pierwsze zdjęcie do rodzinnego albumu.

Wychodząc z gabinetu, w drzwiach minęłam się z dziewczyną w bardzo zaawansowanej ciąży. Z mimowolną zazdrością spojrzałam na jej wydęty do granic możliwości brzuch i ostudy na twarzy.

W najbliższym kiosku kupiłam największego loda na patyku. Śmietankowego, oblanego grubą warstwą mlecznej czekolady z zatopionymi w niej kawałkami orzechów laskowych. Delektując się zmrożoną słodkością, zastanawiałam się, czy czegoś nie przeoczyłam, czy nie ma w moim planie jakiejś luki. Nie, chyba nie. Po pierwsze, pan Gienek, mąż koleżanki z pracy, wzięty architekt, opracował projekt, jak niewielkim kosztem, zaledwie nieco zmniejszając powierzchnię przedpokoju i sypialni, wygospodarować w naszym mieszkaniu jeszcze jeden pokój. Nikt na tym nie ucierpi. Po drugie wymyśliłam, że jeżeli to będzie chłopiec, dostanie imię po dziadku, ojcu Piotra. Patryk. A dziewczynka Patrycja. Super! Po trzecie mam ustabilizowaną pozycję zawodową i mogę sobie pozwolić na urlop macierzyński. Po czwarte: najwyższa pora ulec przepełniającemu każdą cząstkę mojego ja instynktowi macierzyńskiemu. Po piąte: wezmę na siebie wszystkie obowiązki związane z opieką nad dzieckiem i jego wychowaniem, żeby Piotr mógł spokojnie kontynuować karierę. Po szóste… Dotarłam wreszcie do punktu czternastego i ostatniego. Świetnie! – podsumowałam.

Do rozmowy z Piotrem byłam przygotowana perfekcyjnie.

Po obiedzie poszłam do pokoju Zosi, żeby nakarmić rybki, i oniemiałam. Welonka imieniem Wiki, której mała przypisywała magiczne zdolności spełniania życzeń, smętnie unosiła się na boku na powierzchni wody. Wpatrywałam się w nią jak zahipnotyzowana. Jasny gwint! Przecież rano jeszcze żyła! A może śpi? – pocieszałam się, sama w to nie wierząc. Wzięłam ołówek i drżącą ze zdenerwowania ręką usiłowałam przywrócić rybkę do pionu. Bezskutecznie. To dopiero będzie lament! Obiecałam przecież Zosi, że dopilnuję akwarium. Co robić? – spanikowałam. I nagle doznałam olśnienia!

Poszłam do kuchni po odpowiednie akcesoria. Wróciłam do pokoju Zosi, sitkiem wyłowiłam zwłoki rybki i włożyłam je do foliowego woreczka. Tadeusza, na szczęście, nie było; pozwoliłam mu wyszaleć się do zmroku na odkrytej kręgielni. Na szczęście, bo zostałby świadkiem mojej kolejnej niepedagogicznej wpadki…

Podjechałam do centrum handlowego i odszukałam sklep zoologiczny. W środku, udając zainteresowanie kolorowymi glonojadami, wolno pływającymi przy dnie olbrzymiego akwarium, czekałam, aż będę jedyną klientką. Niecierpliwiłam się, bo czas uciekał, ale jakiś starszy pan uparł się pomarudzić przy zakupie kagańca. Stawał przed lustrem i przykładał do swojej twarzy kolejne modele, jakby to on miał w nich chodzić na spacery. Wreszcie wyszedł, a ja, rozglądając się wokół jak szpieg, podeszłam do sprzedawczyni. Zawstydzona wyciągnęłam owiniętą w folię rybkę i położyłam na ladzie. Pani nie okazała zdziwienia, stwierdziła: „Nie pani pierwsza i nie ostatnia", spokojnie wzięła linijkę i zmierzyła zwłoki. Po chwili w wypełnionym wodą woreczku przyniosła kolejną rybkę.

– Pozna się? – zapytałam z niepokojem.

– Nie ma szans.

– Będzie dobrze? Nie zdechnie?

– Nie. Jest zdrowa, nie ma żadnych uszkodzeń – zapewniała. – Ach, wy mamy, wszystkie jesteście jednakowe. Dobrze, że to welonka. Z podmianą ryb nie ma problemu, chyba że chodzi o jakiś wyjątkowy okaz. Gorzej z wężami. Rano był jakiś tatuś ze szczątkami boa madagaskarskiego. Takich nie trzymam na stanie, więc ten pan ma twardy orzech do zgryzienia. Będzie cud, jak znajdzie identycznego. Więc radzę na przyszłość, żeby córka pozostała przy rybkach…

Późnym wieczorem w przeddzień przyjazdu Piotra i Zosi weszłam do pokoju Tadeusza. Właśnie podciągał się na drążku. Usiadłam na dywanie i liczyłam głośno. Przy siedemnastym powtórzeniu Tadeusz zaczął tracić siły. Mokre plamy na koszulce, pod pachami i na plecach stawały się coraz większe, a żyły na szyi i bicepsach nabrzmiały do granic możliwości. Bohatersko dociągnął do dwudziestki. Zeskoczył zadowolony.

– Brawo! Nie spodziewałam się aż takich rezultatów! – komplementowałam. Tadeusz z miną zwycięzcy wycierał ręcznikiem spoconą twarz. – Usiądź. – Poklepałam miejsce na dywanie obok siebie. – Mamy do pogadania.

– Może być za pół godziny? – zapytał, starając się wyrównać oddech. – Przede mną jeszcze seria pompek ze skrętem tułowia, a potem…

– Teraz – przerwałam kategorycznie.

– Dobra – odparł i zrezygnowany usiadł naprzeciwko.

– Wiesz – odchrząknęłam zakłopotana. – Postąpiliśmy nieuczciwie wobec taty.

– Więc o to chodzi. – Zażenowany spuścił oczy.

– Chcę, żebyś wiedział, że zrobiłam to dla ciebie, dla taty i Zosi. Tobie uratowałam skórę, a tacie nie zszargałam nerwów, więc mógł z twoją siostrą, nieświadomy afery, pojechać na wyprawę. Wiesz, co by było, gdyby musiał zostać? Zostałyby pogrzebane plany dwudziestu ośmiu osób. Nie chcę ci wypominać, ale zrezygnowałam z podróży życia. Nie wiem, czy taka okazja powtórzy się kiedykolwiek... – zawiesiłam głos.

Zaszkliły mi się oczy. Może na wspomnienie przykrości? Albo przeciwnie, ze szczęścia, że wszystko się dobrze skończyło? Nerwowo zatrzepotałam powiekami i opuszkami palców nacisnęłam wewnętrzne kąciki oczu. Milczeliśmy dłuższą chwilę.

– Mamo, wiem... – wyszeptał Tadeusz, nie podnosząc oczu. – Przepraszam. Ja naprawdę wszystko rozumiem. Odbyłem z dziadkiem męską rozmowę i obiecałem mu, że podobna sytuacja nie powtórzy się już nigdy. Mamo... – Słowa przychodziły mu z trudem. – Bardzo cię przepraszam. – Zwiesił głowę.

Przy uchu poczułam delikatny ruch powietrza. Jakby czyjś oddech. Zamarłam. Czyżby znowu ta moja szalona wyobraźnia? Jednocześnie pokój wypełnił aromat kwiatu pomarańczy i wanilii. Znałam te perfumy; czołowy produkt konkurencji. Te same, które uśmiechnięta Ewa w zaawansowanej ciąży, z czapeczką elfa na głowie, demonstrowała w stronę obiektywu na jednym z rodzinnych zdjęć. Prezent na gwiazdkę: smukła, charakterystyczna buteleczka z wyżłobionym w szkle logo producenta.

– Nie płacz. Zrobiłaś, jak zrobiłabym ja. Jestem spokojna o dzieci – szeptał mi do ucha ledwie słyszalny, ale bardzo wyraźny kobiecy głos. – Odejdę spokojna.

Siedziałam jak trusia, ale nie odczuwałam strachu. Spojrzałam na Tadeusza. Trwał w poprzedniej pozycji. Odwróciłam się. Za mną nie było nikogo.

– Tadeusz, czujesz ten zapach? – zapytałam, rozglądając się dokoła.

– Jeszcze tylko kilka pompek i naprawdę idę pod prysznic. – Zaczerwienił się gwałtownie.

– Nie, nie. Czujesz, jak ładnie pachnie?

– To pot! – roześmiał się. – Na pewno dobrze się czujesz, mamo?

Wpatrywał się we mnie, jakbym postradała zmysły.

Długi, natarczywy dzwonek był znakiem, że wrócili podróżnicy. Podchodząc do drzwi, przejrzałam się w lustrze. Nieźle. Poprzedniego dnia późnym wieczorem skorzystaliśmy z Tadeuszem z solarium, żeby wyglądać bardziej wakacyjnie. Otworzyłam na oścież. Piotr i Zosia mieli na twarzach rzeźbione, czarne maski z ruchomymi żuchwami. On na mój widok zaczął uderzać z całych sił w zawieszony na szyi bębenek w etniczne wzory, a ona uniosła ręce i potrząsała grzechotkami z tykwy. Jednocześnie oboje wydawali dźwięki podobne do pohukiwania sowy. Robili tyle hałasu, że pani Zuzia, sąsiadka z piętra, uchyliła drzwi i teraz patrzyła osłupiała. A ja udałam przestrach. Cofnęłam się o krok, złapałam za policzki, zmarszczyłam czoło i wytrzeszczyłam oczy. Choć w gruncie rzeczy byłam szczęśliwa, że widzę ich całych i zdrowych, i marzyłam tylko, żeby ich przytulić.

– Tadeusz, ratunku! Ratunku! – nawoływałam.

Natychmiast pojawił się obok.

– Przestraszyliście mamę! Popatrzcie tylko! Jest blada jak ściana! – Pokręcił głową z udawaną dezaprobatą.

Grzechotki w rękach Zosi zamarły. Weszła do przedpokoju i odrzuciła je na bok; potoczyły się z hukiem po podłodze. Powoli ściągnęła maskę. Zmrużonymi oczami gniewnie patrzyła na brata.

– Musimy porozmawiać! Natychmiast! – zakomenderowała i pociągnęła go za rękę w stronę swojego pokoju. Tadeusz tylko wzruszył ramionami i spojrzał na mnie, zdziwiony nagłą zmianą nastroju.

Podeszłam do Piotra, pomogłam mu uwolnić się z maski oraz zawieszonego na szyi bębenka i wreszcie mogłam mu się przyjrzeć. Na twarzy miał kilkudniowy zarost, na skroniach kolejne siwe włosy. Oplotłam rękami jego szyję i przywarłam do niego z całych sił. Objął mnie i przyciągnął. Przymknęłam oczy. Wdychałam nieznany mi, egzotyczny zapach Afryki. Trwaliśmy w bezruchu. Każda sekunda w jego ramionach sprawiała, że opadał ze mnie stres ostatnich dwóch miesięcy. Oto wśród miliardów ludzi na świecie odnaleźliśmy siebie.

– Iza, nie wiedziałem, że można tęsknić aż tak... Bardzo cię kocham... – wyszeptał. – Tak bardzo...

– Ciii. – Zasłoniłam mu usta dłonią. Do przedpokoju dotarły odgłosy kłótni. Zamarliśmy, nasłuchując.

– „Przestraszyliście mamę!" – Zosia przedrzeźniała brata. – Idiota! Mamę ma się tylko jedną! Czy ty tego nie rozumiesz? Tylko jedną!

– Takie jest twoje zdanie! A to nie znaczy, że muszę je podzielać! – darł się Tadeusz.

Opadły mi ręce. Miałam wrażenie, że ktoś położył na moich ramionach ciężar nie do udźwignięcia. Piotr przytulił mnie mocno. Podtrzymywał, jakby w obawie, że upadnę.

– Będzie dobrze, Izuniu. Zaraz do nich pójdę. Będzie dobrze…